KB127089

수학의 샘

Spring of mathematics

내용 관련 문의 ?

전화 : 02-892-7879
팩스 : 02-892-7874
홈페이지 : www.A-ssam.co.kr
주소 : 서울시 강동구 상암로 257, 진승빌딩 3층

● **수학의 샘 집필 및 연구진**
이창주 선생님, 이명구 선생님, 정준교 선생님
아샘수학연구소
● **교재 개발 연구원**
박상원, 전신영, 박호형, 모규리, 문민호, 이창민, 송봉선, 구소영

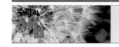# 머·릿·말

대한민국의 모든 학생들을 사랑하는 마음으로...
수학을 가르치시는 선생님들께 존경과 겸손의 마음으로...

새로운 시대에 맞는 수학 개념서가 꼭 필요하다는 사명감으로
이 교재의 집필을 시작했습니다.

「20년 이상의 학교 교단의 경험과」
「100권 이상의 수학 교재 집필 연구와」
「10년 이상의 EBS 교육방송 강의의 노하우를」

수학의 샘 시리즈에 모두 쏟아 부어 자신 있게 내어놓습니다.

'수학 공부를 왜 해야 합니까?' 라는 질문을 자주 받습니다.
『수학은 인류 문명과 어우러져 같이 호흡하고 있으며, 현대 사회를 사는 우리의 삶이고 생활입니다. 더욱 중요한 것은 수학공부를 통하여 원리를 이해하는 능력, 개념을 바탕으로 사고하는 능력 그리고 다양한 문제해결능력과 창의력을 길러서 이 땅에 펼치고자 하는 자신의 꿈을 이룰 수 있습니다.』

'수학의 샘'을 통해

「수학적 원리를 쉽게 이해하고」
「친절한 개념설명을 바탕으로 깊고, 넓게 사고하며」
「다양한 문제를 통해 문제해결력을 길러서」

희망하는 대학진학과 멋진 꿈을 이루는 밑거름이 되기를 바랍니다.

혹시 수학이 힘들거나 어려운 과목으로 알고 있나요?
이제 수학의 샘과 함께 수학을 쉽고 재미있게 공부할 수 있습니다.
이 책을 통해서 수학과 친구가 되고, 흥미와 자신감을 갖게 되기를 바랍니다.

이 책이 나오기까지 같이 하신 이명구 선생님을 비롯한 연구위원들과
아름다운샘 모든 분들께 다시 한번 감사드립니다.

저자 이 창 주

구성과 특징

수학의 **샘**은
개념의 자세한 설명으로 수학의 원리를 쉽게 이해하고 다양한 유형의
문제로 수학에 대한 자신감을 갖게 해줍니다.

▌핵심 Point
앞으로 배울 내용의 핵심을 미리 확인할 수 있도록 중요 개념을 정리하였습
니다.

▌본문
교과서의 기본 개념을 스스로 학습할 수 있도록 쉽고 체계적으로 설명하였습니
다. 개념을 바로 적용할 수 있는 예와 참고를 통하여 명확한 이해를 돕게 하였
습니다.

▌샘정리
배운 내용의 정의나 성질을 한눈에 정리할 수 있도록 샘이 직접 핵심만 간추려
담았습니다.

▌샘보충, 샘특강, 샘세미나
혼동하기 쉬운 개념에 대한 설명, 교육과정에 없지만 중요한 개념에 대한 설명,
문제 해결의 노하우, 특별히 알려주고 싶은 강의 등을 샘보충, 샘특강, 샘세미
나로 담았습니다.

개념확인코너

개념을 학습한 후 기본 문제를 통해서 확실히 이해되었는지 확인할 수 있는 코너입니다.

필수예제, 발전예제

대표적인 유형의 문제를 필수예제로 제시하여 개념 학습과 학교 시험에 대비할 수 있도록 했습니다. 필수예제보다 수준이 높은 예제를 통하여 실력을 향상시킬 수 있는 발전예제를 수록하였고, 문제해결의 길잡이, 샘정리를 제시하여 이해하는 데 도움이 되도록 하였습니다.

유제

각 예제에 대하여 비슷한 유형의 문제를 유제로 다루어 개념에 대한 완성을 이루게 하였습니다.

학교 시험에 자주 출제되는 문항에는 ⓒ중요 표시를 하였고, 한 번 더 생각해야 하는 문항에는 Up 표시를 하였습니다.

연습문제

내신과 수능을 완벽하게 대비할 수 있도록 step A, B, C 3단계로 기본, 발전, 심화로 분류하여 학습 내용 및 단계를 평가할 수 있도록 하였습니다.

학교 시험에 자주 출제되는 문항에는 ⓒ중요 표시를 하였고, 한 번 더 생각해야 하는 문항에는 Up 표시를 하였습니다.

정답 및 해설

샘이 직접 써주신 정답 및 해설, 어떤 문제라도 스스로 이해할 수 있도록 자세하고 쉽게 설명하였습니다.

차례 수학(하)

수학의 샘

수학의
새ᄇ

01
원의 방정식

01. 원의 방정식

1. 원의 방정식

(1) 중심의 좌표가 (a, b)이고, 반지름의 길이가 r인 원의 방정식은

➡ $(x-a)^2+(y-b)^2=r^2$

(2) 중심이 원점이고, 반지름의 길이가 r인 원의 방정식은

➡ $x^2+y^2=r^2$

2. 좌표축에 접하는 원의 방정식

(1) 중심의 좌표가 (a, b)이고, x축에 접하는 원의 방정식은

➡ $(x-a)^2+(y-b)^2=b^2$

(2) 중심의 좌표가 (a, b)이고, y축에 접하는 원의 방정식은

➡ $(x-a)^2+(y-b)^2=a^2$

3. 원의 방정식의 일반형

원의 방정식 $x^2+y^2+Ax+By+C=0$ $(A^2+B^2-4C>0)$에서

(1) 중심의 좌표 : $\left(-\dfrac{A}{2}, -\dfrac{B}{2} \right)$

(2) 반지름의 길이 : $\dfrac{\sqrt{A^2+B^2-4C}}{2}$

4. 공통현의 방정식

두 원 $x^2+y^2+Ax+By+C=0$, $x^2+y^2+A'x+B'y+C'=0$이 서로 다른 두 점에서 만날 때, 공통현의 방정식은

➡ $(x^2+y^2+Ax+By+C)-(x^2+y^2+A'x+B'y+C')=0$

  즉, $(A-A')x+(B-B')y+(C-C')=0$

1 원의 방정식

① 원의 방정식

평면 위의 한 점에서 일정한 거리에 있는 점들이 나타내는 도형 (또는 점 전체의 모임)을 원이라고 한다. 이때, 이 한 점을 원의 중심, 일정한 거리를 원의 반지름의 길이라고 한다.

원

원 : 평면 위의 한 점에서 일정한 거리에 있는 점들이 나타내는 도형

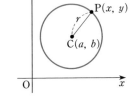

좌표평면에서 점 $C(a, b)$를 중심으로 하고, 반지름의 길이가 r인 원 위의 임의의 점을 $P(x, y)$라 하면 그림과 같이 $\overline{PC}=r$이므로
$$\sqrt{(x-a)^2+(y-b)^2}=r$$
위 식의 양변을 제곱하면
$$(x-a)^2+(y-b)^2=r^2 \quad \cdots\cdots \bigcirc$$
이다. 이와 같은 식을 원의 방정식(표준형)이라고 한다.

역으로 방정식 $\bigcirc$을 만족시키는 점 $P(x, y)$는 중심이 점 $C(a, b)$이고, 반지름의 길이가 r인 원 위에 있다.

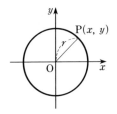

특히, 원점을 중심으로 하고 반지름의 길이가 r인 원의 방정식은 $\bigcirc$에서 $a=0$, $b=0$인 경우이므로
$$x^2+y^2=r^2$$
이다.

직선이나 원은 도형인데 왜 방정식이라고 할까?

프랑스의 수학자 데카르트가 점이나 선을 수로 표현하는 '해석기하학'을 만들었기 때문에 방정식으로 표현할 수 있어!!

새 정리

1 중심의 좌표가 (a, b)이고, 반지름의 길이가 r인 원의 방정식은

➡ $(x-a)^2+(y-b)^2=r^2$

2 중심이 원점이고, 반지름의 길이가 r인 원의 방정식은

➡ $x^2+y^2=r^2$

예 ① 중심의 좌표가 $(1, 2)$이고, 반지름의 길이가 3인 원의 방정식은

$$(x-1)^2+(y-2)^2=3^2$$

$$\therefore (x-1)^2+(y-2)^2=9$$

② 중심이 원점이고, 반지름의 길이가 2인 원의 방정식은

$$x^2+y^2=2^2$$

$$\therefore x^2+y^2=4$$

③ 원 $(x-2)^2+(y+3)^2=4$의 중심의 좌표와 반지름의 길이를 구해 보자.

$$(x-2)^2+\{y-(-3)\}^2=2^2$$

$$\therefore \text{중심의 좌표} : (2, -3), \text{반지름의 길이} : 2$$

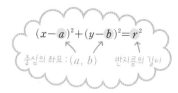

$$(x-a)^2+(y-b)^2=r^2$$

중심의 좌표 : (a, b) 반지름의 길이

새 보충

중심이 좌표축 위에 있는 원의 방정식

① 중심이 x축 위의 점 $(a, 0)$이고, 반지름의 길이가 r인 원의 방정식은

➡ $(x-a)^2+y^2=r^2$

② 중심이 y축 위의 점 $(0, b)$이고, 반지름의 길이가 r인 원의 방정식은

➡ $x^2+(y-b)^2=r^2$

예 ① 중심의 좌표가 $(2, 0)$이고, 반지름의 길이가 3인 원의 방정식은

$$(x-2)^2+y^2=3^2$$

$$\therefore (x-2)^2+y^2=9$$

② 중심의 좌표가 $(0, -3)$이고, 반지름의 길이가 2인 원의 방정식은

$$x^2+(y+3)^2=2^2$$

$$\therefore x^2+(y+3)^2=4$$

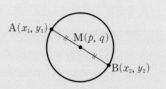

두 점을 지름의 양 끝점으로 하는 원의 방정식

두 점 $A(x_1, y_1)$, $B(x_2, y_2)$의 중점을 $M(p, q)$라 하고,

$\dfrac{\overline{AB}}{2} = \overline{AM} = k$라 하자.

이때, 두 점 $A(x_1, y_1)$, $B(x_2, y_2)$를 지름의 양 끝점으로 하는 원의 방정식은

➡ $(x-p)^2 + (y-q)^2 = k^2$

예   두 점 $A(3, 1)$, $B(1, 5)$를 지름의 양 끝점으로 하는 원의 방정식을 구해 보자.

두 점 A, B의 중점을 $M(p, q)$라 하면

$$p = \frac{3+1}{2} = 2, \quad q = \frac{1+5}{2} = 3 \qquad \therefore M(2, 3)$$

이때, 두 점 A와 M 사이의 거리가 반지름의 길이이므로

$$\overline{AM} = \sqrt{(3-2)^2 + (1-3)^2} = \sqrt{5}$$

$$\therefore (x-2)^2 + (y-3)^2 = 5$$

② 좌표축에 접하는 원의 방정식

그림과 같이 원 $(x-2)^2 + (y-3)^2 = 3^2$은 x축에 접하고, 원 $(x-2)^2 + (y-3)^2 = 2^2$은 y축에 접한다.

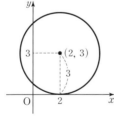 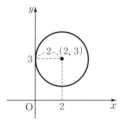

이와 같이 원 $(x-a)^2 + (y-b)^2 = r^2$에서

$\quad b = r$인 경우 원은 x축에 접하고,

$\quad a = r$인 경우 원은 y축에 접한다.

새 정리

1 중심의 좌표가 (a, b)이고, x축에 접하는 원의 방정식은

➡ $(x-a)^2+(y-b)^2=b^2$

2 중심의 좌표가 (a, b)이고, y축에 접하는 원의 방정식은

➡ $(x-a)^2+(y-b)^2=a^2$

예 ① 중심의 좌표가 $(4, 6)$이고, x축에 접하는 원의 방정식은

$(x-4)^2+(y-6)^2=6^2$

$\therefore (x-4)^2+(y-6)^2=36$

② 중심의 좌표가 $(4, 6)$이고, y축에 접하는 원의 방정식은

$(x-4)^2+(y-6)^2=4^2$

$\therefore (x-4)^2+(y-6)^2=16$

③ 원의 방정식의 일반형

원의 방정식 $(x-a)^2+(y-b)^2=r^2$을 전개하여 정리하면

$$x^2+y^2-2ax-2by+a^2+b^2-r^2=0$$

이므로 원의 방정식은

$$x^2+y^2+Ax+By+C=0 \quad \cdots\cdots \text{㉠}$$

의 꼴로 나타낼 수 있고, 이와 같은 꼴을 원의 방정식의 **일반형**이라고 한다.

이 식의 특징은 x^2과 y^2의 계수가 같으며, xy항이 없는 x, y에 대한 이차방정식이다.

역으로 ㉠을 변형하면

$$\left(x^2+Ax+\frac{A^2}{4}\right)+\left(y^2+By+\frac{B^2}{4}\right)=\frac{A^2}{4}+\frac{B^2}{4}-C$$

$$\left(x+\frac{A}{2}\right)^2+\left(y+\frac{B}{2}\right)^2=\frac{A^2+B^2-4C}{4}$$

이므로 $A^2+B^2-4C>0$이면 ㉠은

중심의 좌표 : $\left(-\dfrac{A}{2}, -\dfrac{B}{2}\right)$, 반지름의 길이 : $\dfrac{\sqrt{A^2+B^2-4C}}{2}$

인 원을 나타낸다.

샘정리

원의 방정식 $x^2+y^2+Ax+By+C=0$ $(A^2+B^2-4C>0)$에서

1 중심의 좌표 : $\left(-\dfrac{A}{2},\ -\dfrac{B}{2}\right)$

2 반지름의 길이 : $\dfrac{\sqrt{A^2+B^2-4C}}{2}$

참고 ① $A^2+B^2-4C=0$일 때 ➡ 반지름의 길이가 0이므로 원이 하나의 점이 된다. ← 점원

② $A^2+B^2-4C<0$일 때 ➡ 반지름의 길이를 실수로 나타낼 수 없으므로 좌표평면에 원을 그릴 수 없다. ← 허원

예 ① 중심이 점 $(2,\ -1)$이고, 반지름의 길이가 1인 원의 방정식을 일반형으로 나타내어보자.

$(x-2)^2+(y+1)^2=1$을 전개하면 $x^2-4x+4+y^2+2y+1=1$

$\therefore\ x^2+y^2-4x+2y+4=0$

② 원 $x^2+y^2+4x-6y+4=0$은

$x^2+4x+4+y^2-6y+9=9$에서 $(x+2)^2+(y-3)^2=3^2$

$\therefore$ 중심의 좌표 : $(-2,\ 3)$, 반지름의 길이 : 3

표준형 ⇄ 일반형
전개 / 완전제곱

개념확인코너
정답 및 해설 p.410

1 중심의 좌표와 반지름의 길이가 다음과 같은 원의 방정식을 구하시오.

(1) 중심의 좌표 : $(2,\ -1)$, 반지름의 길이 : 5

(2) 중심의 좌표 : $(-3,\ 4)$, 반지름의 길이 : $\sqrt{3}$

2 다음 방정식이 나타내는 원의 중심의 좌표와 반지름의 길이를 구하시오.

(1) $x^2+y^2=8$

(2) $(x+1)^2+(y-5)^2=16$

3 다음 방정식이 나타내는 원의 중심의 좌표와 반지름의 길이를 구하시오.

(1) $x^2-2x+y^2-5=0$

(2) $x^2+y^2+2x-8y-8=0$

다음 조건을 만족시키는 원의 방정식을 구하시오.

(1) 점 $C(2, -1)$을 중심으로 하고 점 $P(-1, 0)$을 지나는 원

(2) 두 점 $A(-1, 0)$, $B(3, 0)$을 지나고 반지름의 길이가 $\sqrt{13}$인 원

> ■ **길잡이**   (1) 원의 중심에서 원 위의 임의의 한 점까지의 거리는 반지름의 길이와 같다.
>
> ■ **새저거**   중심의 좌표가 (a, b)이고, 반지름의 길이가 r인 원의 방정식은
> $$(x-a)^2 + (y-b)^2 = r^2$$

풀이 (1) 두 점 $C(2, -1)$, $P(-1, 0)$ 사이의 거리가 반지름의 길이

이므로

$$\overline{CP} = \sqrt{(-1-2)^2 + (0+1)^2} = \sqrt{10}$$

따라서 중심의 좌표가 $(2, -1)$이고, 반지름의 길이가 $\sqrt{10}$인 원의 방정식은

$$(x-2)^2 + (y+1)^2 = 10$$

(2) 중심의 좌표를 (a, b)라 하면 반지름의 길이가 $\sqrt{13}$인 원의 방정식은

$$(x-a)^2 + (y-b)^2 = (\sqrt{13})^2$$

이 원이 두 점 $A(-1, 0)$, $B(3, 0)$을 지나므로

$$(-1-a)^2 + (0-b)^2 = 13 \qquad \therefore a^2 + 2a + 1 + b^2 = 13 \qquad \cdots\cdots \text{㉠}$$

$$(3-a)^2 + (0-b)^2 = 13 \qquad \therefore a^2 - 6a + 9 + b^2 = 13 \qquad \cdots\cdots \text{㉡}$$

㉠$-$㉡을 하면 $8a - 8 = 0$ $\therefore a = 1$

$a = 1$을 ㉠에 대입하면 $b^2 = 9$

$\therefore b = -3$ 또는 $b = 3$

$\therefore (x-1)^2 + (y+3)^2 = 13$ 또는 $(x-1)^2 + (y-3)^2 = 13$

답 (1) $(x-2)^2 + (y+1)^2 = 10$

(2) $(x-1)^2 + (y+3)^2 = 13$ 또는 $(x-1)^2 + (y-3)^2 = 13$

유제 1-1   원 $(x-3)^2 + y^2 = 9$와 중심이 같고, 점 $(1, 2)$를 지나는 원의 방정식을 구하시오.

유제 1-2   점 $(1, a)$를 중심으로 하고, 점 $(-3, 0)$을 지나는 원의 반지름의 길이가 5일 때, 양수 a의 값을 구하시오.

두 점 $A(-1, -2)$, $B(7, 4)$를 지름의 양 끝점으로 하는 원의 방정식을 구하시오.

········· ■ **길잡이**　　선분 AB가 원의 지름이면 선분 AB의 중점은 원의 중심이다.

풀이　구하는 원의 중심은 선분 AB의 중점이므로

$$\left(\frac{-1+7}{2}, \frac{-2+4}{2}\right) \quad \therefore (3, 1)$$

이때, 원의 중심과 점 A 사이의 거리가 반지름의 길이이므로

$$\sqrt{(-1-3)^2+(-2-1)^2}=5$$

따라서 중심의 좌표가 $(3, 1)$이고, 반지름의 길이가 5인 원의 방정식은

$$(x-3)^2+(y-1)^2=25$$

답 $(x-3)^2+(y-1)^2=25$

유제 1-**3**　두 점 $A(4, 1)$, $B(-2, 5)$를 지름의 양 끝점으로 하는 원의 방정식을 구하시오.

유제 1-**4**　두 점 $(1, 4)$, $(5, 2)$를 지름의 양 끝점으로 하는 원의 중심을 A, x좌표가 2인 원 위의 두 점을 각각 B, C라 할 때, 삼각형 ABC의 넓이를 구하시오.

중심이 직선 $y=x$ 위에 있고, 두 점 $(1, -1)$, $(3, 5)$를 지나는 원의 방정식을 구하시오.

········ ■ **길잡이**   원의 중심이 직선 $y=x$ 위에 있으므로 중심의 좌표를 (a, a)로 놓는다.

풀이 원의 중심이 직선 $y=x$ 위에 있으므로 중심의 좌표를 (a, a),
반지름의 길이를 r라 하면 원의 방정식은
$$(x-a)^2+(y-a)^2=r^2$$
이 원이 두 점 $(1, -1)$, $(3, 5)$를 지나므로
$$(1-a)^2+(-1-a)^2=r^2 \qquad \therefore 2a^2+2=r^2 \qquad \cdots\cdots \text{㉠}$$
$$(3-a)^2+(5-a)^2=r^2 \qquad \therefore 2a^2-16a+34=r^2 \qquad \cdots\cdots \text{㉡}$$
㉠, ㉡을 연립하여 풀면
$$a=2, \ r^2=10$$
따라서 구하는 원의 방정식은
$$(x-2)^2+(y-2)^2=10$$

답 $(x-2)^2+(y-2)^2=10$

유제 1-5 중심이 y축 위에 있고, 두 점 $(3, 0)$, $(2, -1)$을 지나는 원의 방정식을 구하시오.

유제 1-6 중심이 직선 $y=x+3$ 위에 있고, 두 점 $(-1, 2)$, $(1, 4)$를 지나는 원의 방정식을 구하시오.

다음 조건을 만족시키는 원의 방정식을 구하시오.

(1) 중심의 좌표가 $(4, 3)$이고 x축에 접하는 원

(2) 중심의 좌표가 $(7, -3)$이고 y축에 접하는 원

길잡이   좌표축에 접하는 원의 반지름의 길이는 원의 중심의 좌표를 이용하여 구할 수 있다.

생각정리   중심의 좌표가 (a, b)인 원에 대하여

(1) x축에 접한다. ➡ (반지름의 길이)$=|b|$

                    ➡ $(x-a)^2+(y-b)^2=b^2$

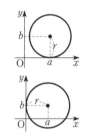

(2) y축에 접한다. ➡ (반지름의 길이)$=|a|$

                    ➡ $(x-a)^2+(y-b)^2=a^2$

풀이   (1) 점 $(4, 3)$을 중심으로 하고, x축에 접하는 원의 반지름의
길이는 3이므로 구하는 원의 방정식은
$$(x-4)^2+(y-3)^2=9$$

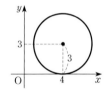

      (2) 점 $(7, -3)$을 중심으로 하고, y축에 접하는 원의 반지름의
길이는 7이므로 구하는 원의 방정식은
$$(x-7)^2+(y+3)^2=49$$

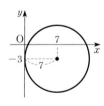

답 (1) $(x-4)^2+(y-3)^2=9$ (2) $(x-7)^2+(y+3)^2=49$

유제 1-7   반지름의 길이가 2이고, 점 $(3, 0)$에서 x축과 접하는 원의 방정식을 구하시오.

유제 1-8   중심의 좌표가 $(a, 1)$이고, y축에 접하는 원이 점 $(2, 3)$을 지날 때, 상수 a의 값을 구하시오.

필수 예제 5   *x*축과 *y*축에 동시에 접하는 원의 방정식

점 $(4, 2)$를 지나고 *x*축과 *y*축에 동시에 접하는 원은 2개가 있다. 이때, 두 원의 중심 사이의 거리를 구하시오.

■ 새_{접근} 반지름의 길이가 $r (r > 0)$이고, *x*축과 *y*축에 동시에 접하는 원

(1) (반지름의 길이)=|(중심의 *x*좌표)|=|(중심의 *y*좌표)|

(2) 제1사분면 ➡ $(x-r)^2 + (y-r)^2 = r^2$
   제2사분면 ➡ $(x+r)^2 + (y-r)^2 = r^2$
   제3사분면 ➡ $(x+r)^2 + (y+r)^2 = r^2$
   제4사분면 ➡ $(x-r)^2 + (y+r)^2 = r^2$

풀이   주어진 조건을 만족시키는 두 원의 중심은 제1사분면 위에 있으므로
원의 반지름의 길이를 $r (r > 0)$라 하면 중심의 좌표가 (r, r)이다.
즉, 구하는 원의 방정식은
$(x-r)^2 + (y-r)^2 = r^2$
이 원이 점 $(4, 2)$를 지나므로
$(4-r)^2 + (2-r)^2 = r^2$
$r^2 - 12r + 20 = 0$, $(r-2)(r-10) = 0$
$\therefore r = 2$ 또는 $r = 10$
따라서 두 원의 중심의 좌표는 $(2, 2)$, $(10, 10)$이므로
두 원의 중심 사이의 거리는
$\sqrt{(10-2)^2 + (10-2)^2} = 8\sqrt{2}$

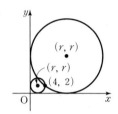

답 $8\sqrt{2}$

유제 1-9   중심이 직선 $x - y - 2 = 0$ 위에 있고, 제4사분면에서 *x*축과 *y*축에 동시에 접하는 원의 방정식을 구하시오.

유제 1-10   점 $(-1, 2)$를 지나고 *x*축과 *y*축에 동시에 접하는 원은 두 개가 있다. 이 두 원의 넓이의 합을 구하시오.

다음 물음에 답하시오.

(1) 원 $x^2+y^2+4x+7y+10=0$의 중심의 좌표는 $(a,\ b)$이고 반지름의 길이는 r이다. 이때, 세 상수 $a,\ b,\ r$의 합 $a+b+r$의 값을 구하시오.

(2) 원 $x^2+y^2-2x+10y+k=0$의 중심의 좌표가 $(a,\ -5)$이고 반지름의 길이가 5일 때, 두 상수 $a,\ k$의 합 $a+k$의 값을 구하시오.

■ **길잡이**   원의 방정식이 일반형 $x^2+y^2+Ax+By+C=0$으로 주어진 경우에는 표준형 $(x-a)^2+(y-b)^2=r^2$으로 고쳐서 푼다.

풀이 (1) $x^2+y^2+4x+7y+10=0$에서

$$x^2+4x+4+y^2+7y+\frac{49}{4}=-10+4+\frac{49}{4}$$

$$\therefore (x+2)^2+\left(y+\frac{7}{2}\right)^2=\frac{25}{4}$$

따라서 중심의 좌표는 $\left(-2,\ -\dfrac{7}{2}\right)$이고, 반지름의 길이가 $\dfrac{5}{2}$이므로

$$a+b+r=-2+\left(-\frac{7}{2}\right)+\frac{5}{2}=-3$$

(2) $x^2+y^2-2x+10y+k=0$에서

$$x^2-2x+1+y^2+10y+25=-k+1+25$$

$$\therefore (x-1)^2+(y+5)^2=26-k$$

즉, 이 원의 중심의 좌표가 $(1,\ -5)$이므로 $a=1$

또 반지름의 길이가 5이므로

$$26-k=5^2 \qquad \therefore k=1$$

$$\therefore a+k=1+1=2$$

답 (1) -3 (2) 2

유제 1-11 중심과 원점 사이의 거리가 $\sqrt{5}$인 원 $x^2+y^2+4x-2ky=4$의 반지름의 길이를 구하시오. (단, k는 상수이다.)

유제 1-12 원 $x^2+y^2+2ax-4ay+10a-8=0$의 넓이의 최솟값을 구하시오. (단, a는 상수이다.)

세 점 $(1, 0)$, $(3, 0)$, $(-1, 2)$를 지나는 원의 중심의 좌표와 반지름의 길이를 구하시오.

┈┈┈┈ ▪ **길잡이** 원이 지나는 세 점의 좌표가 주어진 경우에는 원의 방정식의 일반형
       $x^2 + y^2 + Ax + By + C = 0$을 이용하여 푼다.

풀이 구하는 원의 방정식을 $x^2 + y^2 + Ax + By + C = 0$이라 하고
   주어진 세 점 $(1, 0)$, $(3, 0)$, $(-1, 2)$가 이 원 위의 점이므로
   차례대로 대입하여 정리하면

$$\begin{cases} A + C = -1 & \cdots\cdots\text{㉠} \\ 3A + C = -9 & \cdots\cdots\text{㉡} \\ -A + 2B + C = -5 & \cdots\cdots\text{㉢} \end{cases}$$

   ㉡$-$㉠을 하면 $2A = -8$ $\therefore A = -4$
   $A = -4$를 ㉠에 대입하면 $C = 3$
   $A = -4$, $C = 3$을 ㉢에 대입하면 $B = -6$
   $\therefore x^2 + y^2 - 4x - 6y + 3 = 0$
   즉, $(x-2)^2 + (y-3)^2 = 10$이므로
   중심의 좌표는 $(2, 3)$이고, 반지름의 길이는 $\sqrt{10}$이다.

             답 중심의 좌표 : $(2, 3)$, 반지름의 길이 : $\sqrt{10}$

유제 1-13 다음 원의 중심의 좌표와 반지름의 길이를 구하시오.

    (1) 세 점 $(0, 2)$, $(0, 6)$, $(4, 2)$를 지나는 원
    (2) 세 점 $(0, 0)$, $(1, -1)$, $(1, 2)$를 지나는 원

다음 물음에 답하시오.

(1) 방정식 $x^2+y^2-2x+4y+k+3=0$이 원을 나타내도록 하는 실수 k의 값의 범위를 구하시오.

(2) 방정식 $x^2+y^2+4x+ky+k^2+k=0$이 나타내는 도형이 반지름의 길이가 2보다 큰 원이 되도록 하는 실수 k의 값의 범위를 구하시오.

■ **길잡이**   주어진 방정식을 $(x-a)^2+(y-b)^2=r^2$의 꼴로 고친 후,

(1) $r^2>0$ (2) $r^2>2^2$

임을 이용한다.

■ **새**정리   방정식 $x^2+y^2+Ax+By+C=0$이 원이 될 조건 ➡ $A^2+B^2-4C>0$

풀이   (1) $x^2+y^2-2x+4y+k+3=0$에서 $(x-1)^2+(y+2)^2=2-k$

이 방정식이 원을 나타내려면 $2-k>0$

∴ $k<2$

(2) $x^2+y^2+4x+ky+k^2+k=0$에서 $(x+2)^2+\left(y+\dfrac{k}{2}\right)^2=-\dfrac{3}{4}k^2-k+4$

이 원의 반지름의 길이가 2보다 큰 원이 되려면

$-\dfrac{3}{4}k^2-k+4>2^2,\ 3k^2+4k<0$

$k(3k+4)<0$ ∴ $-\dfrac{4}{3}<k<0$

답 (1) $k<2$ (2) $-\dfrac{4}{3}<k<0$

다른 풀이

(1) 방정식 $x^2+y^2+Ax+By+C=0$이 원이 될 조건은 $A^2+B^2-4C>0$이어야 하므로

$(-2)^2+4^2-4(k+3)>0,\ -4k>-8$ ∴ $k<2$

유제 1-**14**   방정식 $x^2+y^2+4x-2y+k=0$이 원을 나타내도록 하는 자연수 k의 개수를 구하시오.

유제 1-**15**   방정식 $x^2+y^2+6x+2ky+8k=0$이 나타내는 도형의 넓이가 18π인 원이 되도록 하는 양수 k의 값을 구하시오.

점 A$(-1, 0)$과 원 $x^2+y^2-4x-6y+10=0$ 위의 점 P에 대하여 선분 AP의 길이의 최댓값과 최솟값을 구하시오.

■ **새**정거   점 A가 반지름의 길이가 r인 원의 중심 O에서 d만큼 떨어져 있을 때, 점 A와 원 위의 점 P 사이의 거리의 최댓값과 최솟값은

$$\text{최댓값}: d+r, \ \text{최솟값}: d-r$$

풀이 $x^2+y^2-4x-6y+10=0$에서

$(x-2)^2+(y-3)^2=3$

이 원의 중심 $(2, 3)$과 점 A$(-1, 0)$ 사이의 거리는

$\sqrt{(-1-2)^2+(0-3)^2}=3\sqrt{2}$

따라서 원의 반지름의 길이가 $\sqrt{3}$이므로

선분 AP의 길이의 최댓값은 $3\sqrt{2}+\sqrt{3}$,

선분 AP의 길이의 최솟값은 $3\sqrt{2}-\sqrt{3}$이다.

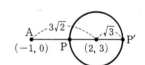

답 최댓값 : $3\sqrt{2}+\sqrt{3}$, 최솟값 : $3\sqrt{2}-\sqrt{3}$

유제 **1-16**   점 A$(2, 4)$와 원 $x^2+y^2=r^2$ 위의 점 사이의 거리의 최댓값이 $1+2\sqrt{5}$일 때, 양수 r의 값을 구하시오.

Up

유제 **1-17**   원 $(x-2)^2+(y-5)^2=9$ 위의 점 P(a, b)에 대하여 $\sqrt{(a+6)^2+(b+1)^2}$ 의 최 댓값을 구하시오.

두 점 A$(-4, 0)$, B$(2, 0)$으로부터의 거리의 비가 $2:1$인 점이 나타내는 도형의 방정식을 구하시오.

　　　　■ **길잡이**　① 조건을 만족시키는 점의 좌표를 (x, y)로 놓는다.
　　　　　　　　　② 주어진 조건에서 x, y 사이의 관계식을 구한다.

풀이　조건을 만족시키는 점을 P(x, y)라 하면
$$\overline{\mathrm{AP}}=\sqrt{(x+4)^2+y^2}, \ \overline{\mathrm{BP}}=\sqrt{(x-2)^2+y^2}$$
이때, $\overline{\mathrm{AP}}:\overline{\mathrm{BP}}=2:1$이므로 $\overline{\mathrm{AP}}=2\overline{\mathrm{BP}}$
$$\sqrt{(x+4)^2+y^2}=2\sqrt{(x-2)^2+y^2}$$
양변을 제곱하여 정리하면
$$x^2+y^2-8x=0$$
$$\therefore (x-4)^2+y^2=16$$

답 $(x-4)^2+y^2=16$

다른 풀이
아폴로니오스의 원이므로 두 점 A$(-4, 0)$, B$(2, 0)$을 이은 선분 AB를 $2:1$로 내분하는 점 P$(0, 0)$과 $2:1$로 외분하는 점 Q$(8, 0)$을 지름의 양 끝점으로 하는 원이다.

따라서 선분 PQ의 중점 M$(4, 0)$이 원의 중심이고 반지름의 길이는 $\frac{1}{2}\overline{\mathrm{PQ}}=4$이므로 구하는 도형의 방정식은 $(x-4)^2+y^2=16$

참고　일반적으로 두 점 A, B에 대하여
$$\overline{\mathrm{PA}}:\overline{\mathrm{PB}}=m:n \ (m>0, n>0, m\neq n)$$
인 점 P가 나타내는 도형은 선분 AB를 $m:n$으로 내분하는 점과
$m:n$으로 외분하는 점을 지름의 양 끝점으로 하는 원이다.
이 원을 아폴로니오스(Apollonios)의 원이라고 한다.

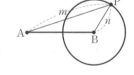

유제 1-18　두 점 A$(-3, 0)$, B$(2, 0)$에 대하여 $\overline{\mathrm{PA}}:\overline{\mathrm{PB}}=3:2$를 만족시키는 점 P가 나타내는 도형의 길이를 구하시오.

Up

유제 1-19　좌표평면 위의 두 점 A$(-1, 0)$, B$(1, 0)$으로부터의 거리의 비가 $2:1$이 되도록 움직이는 점 P가 있다. 이때, 삼각형 PAB의 넓이의 최댓값을 구하시오.

② 두 원의 위치 관계

1 두 원의 위치 관계

두 원의 위치 관계는 중심의 위치나 반지름의 길이에 따라 서로 만나지 않거나 한 점 또는 두 점에서 만난다.

그림에서 두 원의 중심을 연결한 직선을 **중심선**이라 하고, 중심 사이의 거리를 **중심거리**라고 한다.

한편, 두 원이 한 점에서 만날 때 두 원은 **접한다**고 하고, 그 점을 두 원의 접점이라고 한다. 이때, 두 원이 서로 외부에서 접할 때 두 원은 **외접한다**고 하고, 한 원이 다른 원의 내부에서 접할 때 두 원은 **내접한다**고 한다.

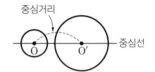

예 두 원 $x^2+y^2=1$, $(x-4)^2+(y+3)^2=4$의 중심거리를 구해 보자.

두 원의 중심의 좌표가 각각 $(0,0)$, $(4,-3)$이므로 두 원의 중심거리는
$$\sqrt{4^2+(-3)^2}=5$$

두 원 O, O′의 반지름의 길이가 각각 r, r' $(r<r')$이고, 두 원의 중심거리가 d일 때, 두 원의 위치 관계는 다음과 같다.

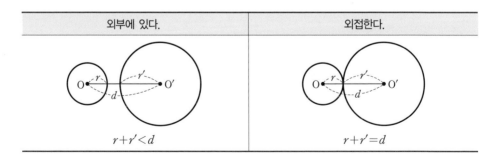

외부에 있다.	외접한다.
$r+r'<d$	$r+r'=d$

두 점에서 만난다.	내접한다.	내부에 있다.
$r'-r<d<r'+r$	$r'-r=d$	$r'-r>d$

참고 보통 두 원이 한 점에서 만난다고 하면 외접하는 경우와 내접하는 경우 두 가지를 모두 일컫는다.

샘의정리 **두 원의 위치 관계**

두 원 O, O$'$의 반지름의 길이를 각각 r, $r'(r<r')$이라 하고, 두 원의 중심거리를 d라 하면

1 한 원이 다른 원의 외부에 있다. $\Longleftrightarrow r+r'<d$
2 두 원이 외접한다. $\Longleftrightarrow r+r'=d$
3 두 원이 서로 다른 두 점에서 만난다. $\Longleftrightarrow r'-r<d<r'+r$
4 두 원이 내접한다. $\Longleftrightarrow r'-r=d$
5 한 원이 다른 원의 내부에 있다. $\Longleftrightarrow r'-r>d$

참고 두 원 O, O$'$의 중심이 일치할 때, 이들 두 원을 동심원이라고 한다. 동심원에서 두 원의 중심거리는 $d=0$이다.

예 지름의 길이가 각각 $7\,cm$, $4\,cm$인 두 원의 중심거리가 $2\,cm$, $3\,cm$, $6\,cm$, $11\,cm$일 때, 이 두 원의 위치 관계는 각각 다음과 같다.

(i) $7-4>2$이므로 한 원이 다른 원의 내부에 있다.
(ii) $7-4=3$이므로 두 원은 내접한다.
(iii) $7-4<6<7+4$이므로 두 원은 서로 다른 두 점에서 만난다.
(iv) $7+4=11$이므로 두 원은 외접한다.

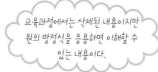

교육과정에서는 삭제된 내용이지만
원의 방정식을 응용하면 이해할 수
있는 내용이다.

② 공통현의 방정식

그림과 같이 두 원 O, O′이 서로 다른 두 점 A, B에서 만날 때,
선분 AB를 두 원 O, O′의 **공통현**이라고 한다.
이때, 중심선 OO′과 공통현 AB의 교점을 M이라 하면
$$\overline{OO'}\perp\overline{AB}, \quad \overline{AM}=\overline{BM}$$
즉, 두 원의 중심선은 공통현을 수직이등분한다.

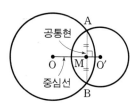

한편, 두 원이 서로 다른 두 점 A, B에서 만날 때, 직선 AB의 방정식을 두 원의 **공통현의 방정식**이라고 한다.

샘정리 ━━━━━━━━━━━━━━━━━━━━━━ 공통현의 방정식

두 원 $x^2+y^2+Ax+By+C=0$, $x^2+y^2+A'x+B'y+C'=0$이 서로 다른 두 점에서 만날 때, 공통현의 방정식은
$$\Rightarrow (x^2+y^2+Ax+By+C)-(x^2+y^2+A'x+B'y+C')=0$$
$$즉, (A-A')x+(B-B')y+(C-C')=0$$

예　두 원 $x^2+y^2-2=0$과 $x^2+y^2+2x-y+1=0$의 공통현의 방정식은
$$(x^2+y^2-2)-(x^2+y^2+2x-y+1)=0$$
$$-2x+y-3=0 \qquad \therefore y=2x+3$$

③ 두 원의 교점을 지나는 원의 방정식

두 원 O, O′이 서로 다른 두 점 A, B에서 만날 때,
두 점 A, B를 지나는 원은 그림과 같이 무수히 많이 존재한다.
이때, 이 원의 방정식은 다음과 같다.

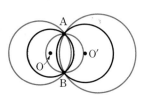

샘정리 ━━━━━━━━━━━━━━━━━━ 두 원의 교점을 지나는 원의 방정식

서로 다른 두 점에서 만나는 두 원
$$x^2+y^2+Ax+By+C=0, \quad x^2+y^2+A'x+B'y+C'=0$$
의 교점을 지나는 원의 방정식은
$$\Rightarrow (x^2+y^2+Ax+By+C)+k(x^2+y^2+A'x+B'y+C')=0 \ (단, k\neq-1)$$

참고 위의 공식에서 $k=-1$이면 두 원의 교점을 지나는 직선의 방정식(공통현의 방정식)이 된다.

예 두 원 $x^2+y^2-2x-4y+1=0$과 $x^2+y^2-4=0$의 교점과 원점을 지나는 원의 방정식은

$$(x^2+y^2-2x-4y+1)+k(x^2+y^2-4)=0$$

이 원이 원점을 지나므로 $x=0$, $y=0$을 대입하면 $k=\dfrac{1}{4}$

따라서 두 원의 교점과 원점을 지나는 원의 방정식은

$$(x^2+y^2-2x-4y+1)+\dfrac{1}{4}(x^2+y^2-4)=0$$

$$\dfrac{5}{4}x^2+\dfrac{5}{4}y^2-2x-4y=0$$

$$\therefore x^2+y^2-\dfrac{8}{5}x-\dfrac{16}{5}y=0$$

개념확인코너

정답 및 해설 p.410

4 두 원 $\mathrm{O}:(x-2)^2+(y-1)^2=r^2$, $\mathrm{O}':(x+1)^2+(y+3)^2=r'^2$에 대하여 r, r'의 값이 다음과 같을 때, 두 원의 교점의 개수를 구하시오.

(1) $r=2, r'=2$ (2) $r=2, r'=3$

(3) $r=5, r'=3$ (4) $r=6, r'=1$

(5) $r=7, r'=1$

5 두 원 $x^2+y^2-4x+2y-4=0$, $x^2+y^2-10x-4y+20=0$의 서로 다른 두 교점을 지나는 직선의 방정식을 구하시오.

두 원 $x^2+y^2=9$, $(x-4)^2+(y-3)^2=k$의 위치 관계가 다음과 같을 때, 양수 k의 값 또는 범위를 구하시오.

(1) 외접한다.　　　　　　(2) 내접한다.　　　　　　(3) 서로 다른 두 점에서 만난다.

새 저거 두 원 O, O′의 반지름의 길이를 각각 r, $r'(r<r')$이라 하고, 두 원의 중심거리를 d라 하면

(1) 한 원이 다른 원의 외부에 있다.　　　$\Longleftrightarrow r+r'<d$
(2) 두 원이 외접한다.　　　　　　　　$\Longleftrightarrow r+r'=d$
(3) 두 원이 서로 다른 두 점에서 만난다.　$\Longleftrightarrow r'-r<d<r'+r$
(4) 두 원이 내접한다.　　　　　　　　$\Longleftrightarrow r'-r=d$
(5) 한 원이 다른 원의 내부에 있다.　　　$\Longleftrightarrow r'-r>d$

풀이 두 원의 중심의 좌표가 각각 $(0,0)$, $(4,3)$이므로 중심거리는 5이고, 반지름의 길이는 각각 3, $\sqrt{k}$이다.

(1) 두 원이 외접하려면 $3+\sqrt{k}=5$이어야 하므로
$\sqrt{k}=2$　∴ $k=4$

(2) 두 원이 내접하려면 $|\sqrt{k}-3|=5$이어야 하므로
$\sqrt{k}-3=\pm 5$
이때, k는 양수이므로 $\sqrt{k}=8$
∴ $k=64$

(3) 두 원이 서로 다른 두 점에서 만나려면 $|\sqrt{k}-3|<5<\sqrt{k}+3$이어야 하므로
(i) $|\sqrt{k}-3|<5$에서 $-5<\sqrt{k}-3<5$
$-2<\sqrt{k}<8$
이때, k는 양수이므로 $0<\sqrt{k}<8$　∴ $0<k<64$
(ii) $5<\sqrt{k}+3$에서 $\sqrt{k}>2$　∴ $k>4$
(i), (ii)에 의하여 $4<k<64$

답 (1) 4　(2) 64　(3) $4<k<64$

유제 1-20 두 원 $x^2+y^2=a^2$, $x^2+y^2-6x+8y+21=0$의 위치 관계가 다음과 같을 때, 양수 a의 값 또는 범위를 구하시오.

(1) 외접한다.　　　　　　　　　　(2) 내접한다.
(3) 서로 다른 두 점에서 만난다.

두 원 $x^2+y^2=9$, $x^2+y^2-2x+4y-3=0$의 서로 다른 두 교점을 지나는 직선이 점 $(a, 1)$을 지날 때, a의 값을 구하시오.

▪ **새**점검   두 원 $x^2+y^2+Ax+By+C=0$, $x^2+y^2+A'x+B'y+C'=0$이 서로 다른 두 점에서 만날 때, 공통현의 방정식은
➡ $(x^2+y^2+Ax+By+C)-(x^2+y^2+A'x+B'y+C')=0$
즉, $(A-A')x+(B-B')y+(C-C')=0$

풀이   두 원의 서로 다른 두 교점을 지나는 직선의 방정식은
$(x^2+y^2-9)-(x^2+y^2-2x+4y-3)=0$
$2x-4y-6=0$
$\therefore x-2y-3=0$
이 직선이 점 $(a, 1)$을 지나므로
$a-2\times1-3=0$
$\therefore a=5$

답 5

유제 1-21   두 원 $x^2+y^2-4=0$, $x^2+y^2-4x+ky=0$의 서로 다른 두 교점을 지나는 직선이 직선 $y=x+3$과 수직일 때, 상수 k의 값을 구하시오.

유제 1-22   원 $O: x^2+y^2+3x+ay-6=0$이 원 $O': x^2+y^2-2x+2y-2=0$의 둘레를 이등분할 때, 상수 a의 값을 구하시오.

두 원 $x^2+y^2=8$, $x^2+y^2-4x-4y=0$의 공통현의 길이를 구하시오.

■ 길잡이   두 원 O, O′의 교점을 A, B, 두 선분 OO′과 AB의 교점을 C라 할 때, 선분 AB의 길이를 구하는 방법은 다음과 같다.
① 직선 AB의 방정식을 구한다.
② 선분 OC 또는 선분 O′C의 길이를 구한다.
③ 피타고라스 정리를 이용하여 선분 AC의 길이를 구한다.
④ $\overline{AB}=2\overline{AC}$임을 이용한다.

풀이   그림과 같이 두 원 $x^2+y^2=8$과 $x^2+y^2-4x-4y=0$의 중심을 각각 O, O′이라 하고 두 원의 두 교점을 A, B, 두 선분 OO′과 AB의 교점을 C라 하자.

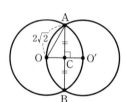

두 원의 공통현의 방정식은
$$(x^2+y^2-8)-(x^2+y^2-4x-4y)=0$$
$$4x+4y-8=0$$
$$\therefore x+y-2=0$$
원 $x^2+y^2=8$의 중심 O(0, 0)에서 공통현까지의 거리는
$$\overline{OC}=\frac{|-2|}{\sqrt{1^2+1^2}}=\frac{2}{\sqrt{2}}=\sqrt{2}$$
직각삼각형 OCA에서 $\overline{OA}=2\sqrt{2}$, $\overline{OC}=\sqrt{2}$이므로
$$\overline{AC}=\sqrt{\overline{OA}^2-\overline{OC}^2}=\sqrt{8-2}=\sqrt{6}$$
$$\therefore \overline{AB}=2\overline{AC}=2\sqrt{6}$$

답 $2\sqrt{6}$

유제 1-23   두 원 $x^2+y^2=4$, $x^2+y^2-4x+3y-9=0$의 공통현의 길이를 구하시오.

유제 1-24   두 원 $x^2+y^2=9$, $x^2+y^2+3x-4y+k=0$의 공통현의 길이가 $2\sqrt{5}$가 되도록 하는 양수 k의 값을 구하시오.

두 원 $x^2+y^2-6x-y-10=0$, $x^2+y^2=5$의 서로 다른 두 교점과 점 $(1, 1)$을 지나는 원의 방정식을 구하시오.

■ **새**정리 서로 다른 두 점에서 만나는 두 원
$$x^2+y^2+Ax+By+C=0, \ x^2+y^2+A'x+B'y+C'=0$$
의 교점을 지나는 원의 방정식은
$$(x^2+y^2+Ax+By+C)+k(x^2+y^2+A'x+B'y+C')=0 \text{(단, } k\neq-1)$$

풀이 주어진 두 원의 교점을 지나는 원의 방정식은
$$(x^2+y^2-6x-y-10)+k(x^2+y^2-5)=0 \quad \cdots\cdots \ \text{㉠}$$
이때, ㉠이 점 $(1, 1)$을 지나므로
$$-15-3k=0 \qquad \therefore k=-5$$
$k=-5$를 ㉠에 대입하면
$$(x^2+y^2-6x-y-10)-5(x^2+y^2-5)=0$$
$$-4x^2-4y^2-6x-y+15=0$$
$$\therefore x^2+y^2+\frac{3}{2}x+\frac{1}{4}y-\frac{15}{4}=0$$

답 $x^2+y^2+\dfrac{3}{2}x+\dfrac{1}{4}y-\dfrac{15}{4}=0$

유제 1-**25** 두 원 $x^2+y^2-6x+2=0$, $(x-1)^2+(y-4)^2=13$의 서로 다른 두 교점과 점 $(1, 0)$을 지나는 원의 방정식을 구하시오.

유제 1-**26** 두 원 $x^2+y^2+2x-4y-2=0$, $x^2+y^2-2x-1=0$의 서로 다른 두 교점과 원점을 지나는 원의 넓이를 구하시오.

1-1 다음 조건을 만족시키는 원의 방정식을 구하시오.

(1) 중심의 좌표가 $(1, -3)$이고, 반지름의 길이가 2인 원

(2) 중심의 좌표가 $(3, 2)$이고, 점 $(2, 2)$를 지나는 원

(3) 지름의 양 끝점의 좌표가 $(-2, 0)$, $(2, 0)$인 원

1-2 원 $(x+1)^2+(y-3)^2=9$와 중심이 같고, 점 $(2, 1)$을 지나는 원의 방정식을 구하시오.

1-3 두 원 $(x-2)^2+(y-3)^2=9$, $(x+6)^2+(y+3)^2=r^2$이 서로 외접할 때, 양수 r의 값을 구하시오.

1-4 직선 $y=mx$가 원 $(x+2)^2+(y-3)^2=5$의 넓이를 이등분할 때, 기울기 m의 값은?

① $-\dfrac{3}{2}$ ② -1 ③ $-\dfrac{1}{2}$ ④ $\dfrac{1}{2}$ ⑤ $\dfrac{3}{2}$

1-5 중심이 직선 $y=x$ 위에 있고, 반지름의 길이가 $\sqrt{2}$인 원이 점 $(1, 3)$을 지날 때, 이 원의 방정식을 구하시오.

1-6 원 $x^2+y^2-2x-4y+1=0$의 중심의 좌표를 (a, b), 반지름의 길이를 r라 할 때, 세 상수 a, b, r에 대하여 $a+b+r$의 값을 구하시오.

1-7 원 $x^2+y^2+2ax+2y-4=0$의 중심의 좌표가 $(2, b)$이고, 반지름의 길이가 r일 때, 세 상수 a, b, r에 대하여 $a^2+b^2+r^2$의 값은?

① 11   ② 12   ③ 13   ④ 14   ⑤ 15

1-8 원 $x^2+y^2-2x+4y+k=0$이 y축에 접할 때, 상수 k의 값을 구하시오.

1-9 세 점 $(0, 0)$, $(1, 3)$, $(4, 2)$를 지나는 원의 방정식을 구하시오.

1-10 방정식 $x^2+y^2-8x+2y-3k+2=0$이 원을 나타내도록 하는 실수 k의 값의 범위를 구하시오.

1-11 원 $x^2+y^2+2x-8y-10=0$의 중심 A와 원 $x^2+y^2-6x-1=0$의 중심 B에 대하여 두 점 A, B를 지름의 양 끝점으로 하는 원의 방정식을 $x^2+y^2+ax+by+c=0$이라 할 때, 세 실수 a, b, c에 대하여 $a+b+c$의 값을 구하시오.

1-12 중심이 직선 $y=x+3$ 위에 있고, 점 $(1, 2)$를 지나며 x축에 접하는 원이 있다. 이때, 반지름의 길이가 5 이하인 원의 방정식을 구하시오.

중요✍

1-13 원 $O : (x+2)^2+(y+1)^2=1$ 위의 점을 P, 원 $O' : (x-1)^2+(y-3)^2=4$ 위의 점을 Q라 할 때, 선분 PQ의 길이의 최댓값과 최솟값의 합을 구하시오.

1-14 점 $A(-5, 0)$과 원 $(x-7)^2+(y-5)^2=4$ 위의 점 P 사이의 거리를 d라 할 때, d의 값이 정수가 되도록 하는 점 P의 개수를 구하시오.

중요✍

1-15 점 $(-2, 1)$을 지나고 x축과 y축에 모두 접하는 원은 두 개가 있다. 두 원의 중심 사이의 거리를 구하시오.

1- 16 원 $x^2+y^2-8x-6y-2k+30=0$이 제1사분면 위에 있을 때, 모든 정수 k의 값의 합을 구하시오.

1- 17 원 $x^2+y^2-8kx+4ky+20k-9=0$의 넓이가 최소가 될 때의 원의 중심의 좌표를 (a, b), 반지름의 길이를 r라 하면 $a+b+r$의 값을 구하시오. (단, k는 상수이다.)

1- 18 두 점 A$(2, 0)$, B$(-2, 0)$에 대하여 $\overline{\text{AP}} : \overline{\text{BP}}=3 : 1$을 만족시키는 점을 점 P라 할 때, 삼각형 APB의 넓이의 최댓값을 구하시오.

1- 19 두 원 $x^2+y^2=1$, $(x-1)^2+(y-1)^2=1$의 서로 다른 두 교점과 점 $(0, 0)$을 지나는 원의 방정식을 $x^2+y^2+ax+by+c=0$이라 할 때, 세 상수 a, b, c에 대하여 $a+b+c$의 값은?

① -2 ② -1 ③ 0 ④ 1 ⑤ 2

1- 20 그림과 같이 원 $x^2+y^2=9$를 직선 AB를 접는 선으로 하여 접어 점 P$(1, 0)$에서 x축에 접하도록 하였을 때, 직선 AB의 방정식을 구하시오.

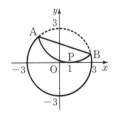

1-21 중심이 곡선 $y=x^2-6$ 위에 있고, x축과 y축에 동시에 접하는 원의 개수는 m이고, 이 원들의 넓이의 합은 $n\pi$이다. 이때, $m+n$의 값을 구하시오.

1-22 그림과 같이 점 P가 원 $x^2+y^2=1$ 위를 움직일 때, 좌표평면 위의 두 점 A$(4, 3)$, B$(2, 5)$에 대하여 $\overline{PA}^2+\overline{PB}^2$의 최댓값을 구하시오.

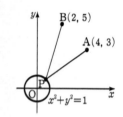

1-23 한 변의 길이가 1인 정사각형 ABCD의 외부의 한 점 P가 $\overline{CP}^2+\overline{DP}^2=\overline{AP}^2$을 만족시키면서 움직일 때, 점 P와 점 B 사이의 거리의 최댓값을 구하시오.

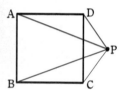

1-24 그림과 같이 $\overline{AD}=9$, $\overline{CD}=8$인 직사각형 ABCD에 내접하는 두 원의 넓이의 합의 최댓값은?

① 13π ② 15π
③ 17π ④ 19π
⑤ 21π

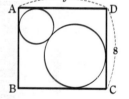

1-25 두 원 $x^2+y^2+2x+2y-k=0$, $x^2+y^2-2x-2y-6=0$의 공통현의 길이가 $2\sqrt{6}$이 되도록 하는 모든 상수 k의 값의 합을 구하시오.

O2
원과 직선

02. 원과 직선

1. 원과 직선의 위치 관계

(1) 원의 방정식과 직선의 방정식을 연립하여 만든 x에 대한 이차방정식의 판별식을 D라 하면

① $D>0$ ➡ 서로 다른 두 점에서 만난다.

② $D=0$ ➡ 한 점에서 만난다. (접한다.)

③ $D<0$ ➡ 만나지 않는다.

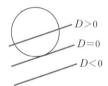

(2) 반지름의 길이가 r인 원의 중심과 직선 사이의 거리를 d라 하면 다음이 성립한다.

① 서로 다른 두 점에서 만난다. ➡ $d<r$

② 한 점에서 만난다. (접한다.) ➡ $d=r$

③ 만나지 않는다. ➡ $d>r$

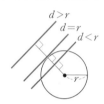

2. 원의 접선의 방정식

(1) 원 $x^2+y^2=r^2$에 접하고 기울기가 m인 직선의 방정식은

$$y=mx\pm r\sqrt{m^2+1}$$

(2) 원 $x^2+y^2=r^2$ 위의 점 $\mathrm{P}(x_1, y_1)$에서의 접선의 방정식은

$$x_1x+y_1y=r^2$$

(3) 원 $(x-a)^2+(y-b)^2=r^2$ 위의 점 $\mathrm{P}(x_1, y_1)$에서의 접선의 방정식은

$$(x_1-a)(x-a)+(y_1-b)(y-b)=r^2$$

3. 원 밖의 한 점이 주어진 접선의 방정식

다음 두 가지 방법 중에서 한 가지를 이용하여 구한다.

(1) 접점의 좌표를 이용 ➡ (x_1, y_1)

(2) 접점의 기울기를 이용 ➡ m

원과 직선

① 원과 직선의 위치 관계 (1)

원과 직선의 위치 관계는 다음의 세 가지가 있다.

① 서로 다른 두 점에서 만난다.

② 한 점에서 만난다.(접한다.)

③ 만나지 않는다.

원과 직선의 방정식을 각각

$$x^2+y^2=r^2 \quad \cdots\cdots ㉠ \qquad y=mx+n \quad \cdots\cdots ㉡$$

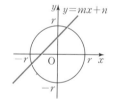

이라 할 때, ㉠과 ㉡의 위치 관계를 알아보자.

이들의 교점의 좌표는 이 두 방정식을 연립하여 풀었을 때의 해 $(x,\ y)$ 와 같으므로 ㉡을 ㉠에 대입하여 y를 소거하면

$$x^2+(mx+n)^2=r^2$$

이고 이 식을 정리하면

$$(m^2+1)x^2+2mnx+n^2-r^2=0 \quad \cdots\cdots ㉢$$

이때, 방정식 ㉢의 실근은 직선의 교점의 x좌표이므로 ㉢의 판별식을 D라 하면

$D>0 \implies$ 방정식 ㉢은 서로 다른 두 실근 $\implies$ ㉠, ㉡의 교점은 2개

$D=0 \implies$ 방정식 ㉢은 중근 $\implies$ ㉠, ㉡의 교점은 1개

$D<0 \implies$ 방정식 ㉢은 서로 다른 두 허근 $\implies$ ㉠, ㉡의 교점은 없다.

| $D>0$일 때 | $D=0$일 때 | $D<0$일 때 |

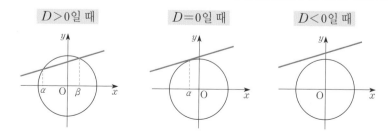

특히, $D=0$인 경우 직선 ㉡은 원 ㉠에 접한다고 하며 그 교점을 **접점**, 직선 ㉡을 원 ㉠의 **접선**이라고 한다.

샘 정리　　　　　　　　　　　　　　　　　　　　　　**원과 직선의 위치 관계 (1)**

원의 방정식과 직선의 방정식을 연립하여 만든
x에 대한 이차방정식의 판별식을 D라 하면
1 $D>0$ ➡ 서로 다른 두 점에서 만난다.
2 $D=0$ ➡ 한 점에서 만난다. (접한다.)
3 $D<0$ ➡ 만나지 않는다.

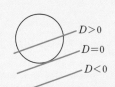

예　원 $x^2+y^2=4$와 직선 $y=x+2$의 위치 관계를 알아보자.

$y=x+2$를 $x^2+y^2=4$에 대입하여 정리하면

$$x^2+(x+2)^2=4, \ x^2+2x=0$$

이 이차방정식의 판별식을 D라 하면

$$\frac{D}{4}=1^2-1\times0=1>0$$

따라서 서로 다른 두 점에서 만난다.

② 원과 직선의 위치 관계 (2)

중심의 좌표가 $(a,\ b)$이고 반지름의 길이가 r인 원 $(x-a)^2+(y-b)^2=r^2$과 직선 l 사이의 위치 관계를 알아보자.

원의 중심 $(a,\ b)$와 직선 l 사이의 거리를 d라 하고, 반지름의 길이 r와 크기를 비교하면 다음 세 가지 경우가 있다.

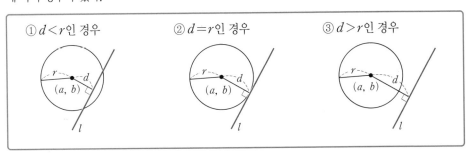

① $d<r$인 경우　　　② $d=r$인 경우　　　③ $d>r$인 경우

샘정리

반지름의 길이가 r인 원의 중심에서 직선까지의 거리를 d라 하면
1 서로 다른 두 점에서 만난다. ➡ $d<r$
2 한 점에서 만난다. (접한다.) ➡ $d=r$
3 만나지 않는다. ➡ $d>r$

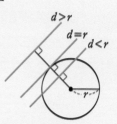

예 원 $x^2+y^2=5$의 중심 $(0,\ 0)$과 직선 $x+2y+k=0$ 사이의 거리를 d라 하면

$d=\dfrac{|0+0+k|}{\sqrt{1^2+2^2}}=\dfrac{|k|}{\sqrt{5}}$ 이고 반지름의 길이가 $\sqrt{5}$이므로

① 서로 다른 두 점에서 만나면 $\dfrac{|k|}{\sqrt{5}}<\sqrt{5},\ |k|<5 \quad \therefore -5<k<5$

② 한 점에서 만나면 $\dfrac{|k|}{\sqrt{5}}=\sqrt{5},\ |k|=5 \quad \therefore k=5$ 또는 $k=-5$

③ 만나지 않으면 $\dfrac{|k|}{\sqrt{5}}>\sqrt{5},\ |k|>5 \quad \therefore k<-5$ 또는 $k>5$

개념확인코너

정답 및 해설 p.419

1 다음 직선과 원 $x^2+y^2=2$의 위치 관계를 말하시오.

(1) $y=2x+2$

(2) $y=x-2$

(3) $y=-\dfrac{1}{2}x+3$

2 직선 $ax-y+2=0$이 원 $x^2+y^2=1$에 접하도록 하는 상수 a의 값을 모두 구하시오.

원 $x^2+y^2=2$와 직선 $x+y-k=0$이 다음과 같은 위치에 있을 때, 상수 k의 값 또는 범위를 구하시오.

(1) 서로 다른 두 점에서 만난다.　　　　(2) 접한다.　　　　(3) 만나지 않는다.

> ▪ **새**저게　원의 방정식과 직선의 방정식을 연립하여 만든 이차방정식의 판별식을 D라 하면
> (1) $D>0$ ➡ 서로 다른 두 점에서 만난다.
> (2) $D=0$ ➡ 한 점에서 만난다. (접한다.)
> (3) $D<0$ ➡ 만나지 않는다.

풀이　$y=-x+k$를 $x^2+y^2=2$에 대입하여 정리하면 $2x^2-2kx+(k^2-2)=0$　……㉠

㉠의 판별식을 D라 하면 $\dfrac{D}{4}=(-k)^2-2(k^2-2)=-k^2+4$

(1) 서로 다른 두 점에서 만나려면 ㉠이 서로 다른 두 실근을 가져야 하므로

$$\dfrac{D}{4}=-k^2+4>0,\ k^2-4<0$$

$$(k+2)(k-2)<0 \quad \therefore -2<k<2$$

(2) 접하려면 ㉠이 중근을 가져야 하므로

$$\dfrac{D}{4}=-k^2+4=0,\ k^2-4=0$$

$$(k+2)(k-2)=0 \quad \therefore k=-2 \text{ 또는 } k=2$$

(3) 만나지 않으려면 ㉠이 허근을 가져야 하므로

$$\dfrac{D}{4}=-k^2+4<0,\ k^2-4>0$$

$$(k+2)(k-2)>0 \quad \therefore k<-2 \text{ 또는 } k>2$$

답 (1) $-2<k<2$　(2) $k=-2$ 또는 $k=2$　(3) $k<-2$ 또는 $k>2$

유제 2-1　원 $x^2+y^2=4$와 직선 $y-\sqrt{3}x-k=0$이 다음과 같은 위치에 있을 때, 상수 k의 값 또는 범위를 구하시오.

(1) 서로 다른 두 점에서 만난다.　　　　(2) 접한다.　　　　(3) 만나지 않는다.

원 $x^2+y^2-6x-4y+8=0$과 직선 $2x-y+k=0$이 서로 다른 두 점에서 만나도록 하는 실수 k의 값의 범위를 구하시오.

⋯⋯⋯ ■ **길잡이**   원의 중심과 직선 사이의 거리와 원의 반지름의 길이를 비교하여 k의 값의 범위를 구한다.

풀이 $x^2+y^2-6x-4y+8=0$에서 $(x-3)^2+(y-2)^2=5$

원의 중심 $(3, 2)$와 직선 $2x-y+k=0$ 사이의 거리를 d라 하면

$$d=\frac{|2\times3+(-1)\times2+k|}{\sqrt{2^2+(-1)^2}}=\frac{|k+4|}{\sqrt{5}}$$

원의 반지름의 길이가 $\sqrt{5}$이므로 원과 직선이 서로 다른 두 점에서 만나려면

$d<\sqrt{5}$이어야 한다. 즉,

$\dfrac{|k+4|}{\sqrt{5}}<\sqrt{5}$에서 $|k+4|<5$

$-5<k+4<5$ $\therefore\ -9<k<1$

답 $-9<k<1$

다른 풀이

$2x-y+k=0$에서 $y=2x+k$

이 식을 $x^2+y^2-6x-4y+8=0$에 대입하여 정리하면

$5x^2+2(2k-7)x+k^2-4k+8=0$

이 이차방정식의 판별식을 D라 하자.

원과 직선이 서로 다른 두 점에서 만나려면 $D>0$이어야 하므로

$\dfrac{D}{4}=(2k-7)^2-5(k^2-4k+8)=-k^2-8k+9>0$

$k^2+8k-9<0$, $(k-1)(k+9)<0$

$\therefore\ -9<k<1$

유제 2-2   원 $x^2+y^2-2x-4y+1=0$과 직선 $x+2y+k=0$이 만나지 않도록 하는 실수 k의 값의 범위를 구하시오.

유제 2-3   원 $(x-1)^2+(y+1)^2=2$와 직선 $ax+y+a=0$이 접하도록 하는 모든 실수 a의 값의 곱을 구하시오.

중심의 좌표가 $(1, 4)$이고 x축에 접하는 원이 직선 $3x-y+k=0$에 접할 때, 모든 상수 k의 값의 합을 구하시오.

■ 길잡이   원과 직선이 접하므로
                  (원의 중심과 직선 사이의 거리)=(원의 반지름의 길이)
            임을 이용한다.

풀이   원의 중심 $(1, 4)$와 직선 $3x-y+k=0$ 사이의 거리를 d라 하면

$$d=\frac{|3-4+k|}{\sqrt{3^2+(-1)^2}}=\frac{|k-1|}{\sqrt{10}}$$

이때, 중심의 좌표가 $(1, 4)$이고 x축에 접하는 원의 반지름의 길이는 4이므로
원과 직선이 접하려면 $d=4$이어야 한다. 즉,

$$\frac{|k-1|}{\sqrt{10}}=4\text{에서 } |k-1|=4\sqrt{10}$$

$$\therefore k=1\pm4\sqrt{10}$$

따라서 모든 상수 k의 값의 합은
$$(1+4\sqrt{10})+(1-4\sqrt{10})=2$$

                                                                답 2

참고   중심의 좌표가 (a, b)인 원에 대하여
        x축에 접할 때 ➡ 반지름의 길이는 $|b|$
        y축에 접할 때 ➡ 반지름의 길이는 $|a|$

유제 2-4   중심의 좌표가 $(2, 3)$이고 넓이가 13π인 원이 직선 $2x-3y+k=0$에 접할 때, 모든 상수 k의 값의 합을 구하시오.

유제 2-5   점 $(0, -4)$에서 y축에 접하고 중심이 제3사분면에 있는 원이 직선 $3x-4y+8=0$에 접할 때, 이 원의 방정식을 구하시오.

필수 예제 4   원 위의 점과 직선 사이의 최대·최소 – 원과 직선이 만나지 않는 경우

원 $x^2+y^2=4$ 위의 점과 직선 $3x-4y+20=0$ 사이의 거리의 최댓값, 최솟값을 각각 M, m이라 할 때, Mm의 값을 구하시오.

┄┄┄ ■ **길잡이**   그림에서
$$M=d+r, \quad m=d-r$$

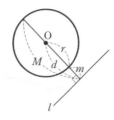

풀이   원의 중심 $(0, 0)$과 직선 $3x-4y+20=0$ 사이의
거리를 d라 하면

$$d=\frac{|20|}{\sqrt{3^2+(-4)^2}}=4$$

이므로 최댓값은 $M=d+2=6$,
         최솟값은 $m=d-2=2$

$\therefore Mm=12$

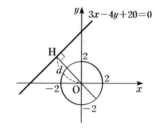

답 12

유제 2-6   원 $x^2+y^2-4x-2y+4=0$ 위의 점과 직선 $y=-x+5$ 사이의 거리의 최댓값과
                최솟값을 구하시오.

유제 2-7   두 점 $A(4, 0)$, $B(0, 4)$와 원 $x^2+y^2=4$ 위의 점
                P에 대하여 삼각형 ABP의 넓이의 최솟값을 구하
                시오.

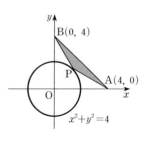

직선 $y=x+k$가 원 $x^2+y^2=25$와 서로 다른 두 점에서 만나서 생기는 현의 길이가 8일 때, 상수 k의 값을 모두 구하시오.

길잡이   원과 직선이 만나서 생기는 현의 길이는 다음 두 가지의 원의 성질을 이용하여 구한다.
① 원의 중심에서 현에 내린 수선은 그 현을 수직이등분한다.
② 현의 수직이등분선은 그 원의 중심을 지난다.

풀이   그림과 같이 주어진 원과 직선의 교점을 각각 A, B라 하고
원의 중심 $O(0, 0)$에서 직선 $x-y+k=0$에 내린 수선의
발을 H라 하면 $\overline{AB}=8$이므로

$$\overline{AH}=\frac{1}{2}\overline{AB}=\frac{1}{2}\times 8=4$$

직각삼각형 OHA에서

$$\overline{OH}=\sqrt{\overline{OA}^2-\overline{AH}^2}=\sqrt{5^2-4^2}=3 \qquad \cdots\cdots \bigcirc$$

또 원의 중심 $O(0, 0)$과 직선 $x-y+k=0$ 사이의 거리가 $\overline{OH}$이므로

$$\overline{OH}=\frac{|k|}{\sqrt{1^2+(-1)^2}}=\frac{|k|}{\sqrt{2}} \qquad \cdots\cdots \bigcirc$$

$\bigcirc=\bigcirc$에서 $\dfrac{|k|}{\sqrt{2}}=3$ $\therefore k=\pm 3\sqrt{2}$

답 $\pm 3\sqrt{2}$

참고   반지름의 길이가 r인 원의 중심에서 d만큼 떨어진 현의 길이를 l이라 하면
$\Rightarrow l=2\sqrt{r^2-d^2}$

유제 2-8   직선 $y=2x-5$가 원 $x^2+y^2=9$에 의하여 잘려서 생기는 선분의 길이를 구하시오.

유제 2-9   직선 $y=x+2$와 원 $(x-1)^2+(y-2)^2=r^2$이 서로 다른 두 점에서 만날 때 생기는 현의 길이가 $\sqrt{14}$일 때, 양수 r의 값을 구하시오.

2 접선의 방정식

① 기울기가 주어진 원의 접선의 방정식

기울기가 m이고 원 $x^2+y^2=r^2$에 접하는 접선의 방정식을 구해 보자.

구하는 접선의 방정식을 $y=mx+n$으로 놓고 원의 방정식에 대입하면

$$x^2+(mx+n)^2=r^2$$

$$(m^2+1)x^2+2mnx+n^2-r^2=0$$

이 이차방정식의 판별식 $D=0$일 때, 원과 직선이 접하므로

$$\frac{D}{4}=(mn)^2-(m^2+1)(n^2-r^2)=0$$

$$n^2=r^2(m^2+1)$$

$$\therefore n=\pm r\sqrt{m^2+1}$$

따라서 구하는 접선의 방정식은

$$y=mx\pm r\sqrt{m^2+1}$$

이다.

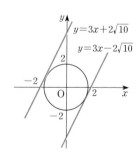

새◯정리 ━━━━━━━ 기울기가 m인 접선의 방정식

원 $x^2+y^2=r^2$에 접하고 기울기가 m인 접선의 방정식은
$$y=mx\pm r\sqrt{m^2+1}$$

예   원 $x^2+y^2=4$에 접하고 기울기가 3인 접선의 방정식을 구해
보자.

$y=mx\pm r\sqrt{m^2+1}$에서

$$m=3, \ r=2$$

이므로

$$y=3x\pm 2\sqrt{3^2+1}$$

$$\therefore y=3x\pm 2\sqrt{10}$$

참고   일반적으로 기울기가 정해질 때, 원에 접하는 접선은 두 개가 존재한다.

② 접점이 주어진 원의 접선의 방정식

원 $x^2+y^2=r^2$ 위의 점 $P(x_1,\ y_1)$을 지나는 접선의 방정식을 구해 보자. (단, $x_1y_1 \neq 0$)

그림에서 직선 OP의 기울기는 $\dfrac{y_1}{x_1}$이고 구하는 접선은

직선 OP와 수직이므로 접선의 기울기는 $-\dfrac{x_1}{y_1}$이다.

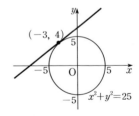

따라서 구하는 접선의 방정식은

$$y-y_1=-\frac{x_1}{y_1}(x-x_1)$$

이 식의 양변에 y_1을 곱한 후 정리하면

$$x_1x+y_1y=x_1^2+y_1^2 \qquad \cdots\cdots \text{㉠}$$

이때, 점 $P(x_1,\ y_1)$은 원 위의 점이므로

$$x_1^2+y_1^2=r^2 \qquad \cdots\cdots \text{㉡}$$

㉡을 ㉠에 대입하면 구하는 접선의 방정식은

$$x_1x+y_1y=r^2$$

한편, 위의 식은 $x_1=0$ 또는 $y_1=0$일 때도 성립한다.

 정리　　　　　　　　　　　　　　**원 위의 점에서의 접선의 방정식**

> 원 $x^2+y^2=r^2$ 위의 점 $P(x_1,\ y_1)$에서의 접선의 방정식은
> $$x_1x+y_1y=r^2$$

예 　원 $x^2+y^2=25$ 위의 점 $(-3,\ 4)$에서의 접선의 방정식을
구해 보자.
$x_1x+y_1y=r^2$에서
$$x_1=-3,\ y_1=4,\ r=5$$
이므로
$$-3x+4y=5^2$$
$$\therefore 3x-4y+25=0$$

위의 공식은 원의 방정식에서
x^2의 x 하나를 x_1로 y^2의 y 하나를 y_1로
바꾸는 것으로 기억하자!!

x축, y축에 평행한 접선의 방정식

원 $x^2+y^2=r^2$ 위의 점 P에서의 접선의 방정식

① $P(r, 0)$ ➡ $x=r$

② $P(-r, 0)$ ➡ $x=-r$

③ $P(0, r)$ ➡ $y=r$

④ $P(0, -r)$ ➡ $y=-r$

예   원 $x^2+y^2=4$ 위의 점 $(2, 0)$에서의 접선의 방정식은 ➡ $x=2$

중심이 (a, b)인 원 위의 점에서의 접선의 방정식

원 $(x-a)^2+(y-b)^2=r^2$ 위의 점 $P(x_1, y_1)$에서의 접선의 방정식은

$$(x_1-a)(x-a)+(y_1-b)(y-b)=r^2$$

예 $(x+2)^2+(y-1)^2=10$ 위의 점 $(1, 2)$에서의 접선의 방정식은

$(1+2)(x+2)+(2-1)(y-1)=10$

$3x+6+y-1=10$ $\therefore 3x+y-5=0$

③ 원 밖의 한 점이 주어진 접선의 방정식

원 밖의 한 점을 지나고 원에 접하는 직선은 두 개가 존재한다.

이 접선의 방정식은 다음의 두 가지 방법으로 구할 수 있다.

> (i) 접점의 좌표를 이용 ➡ (x_1, y_1) (ii) 접선의 기울기를 이용 ➡ m

◆ 원 $x^2+y^2=r^2$ 밖의 점 $P(a, b)$에서 그은 접선의 방정식을 구하는 방법 (1)

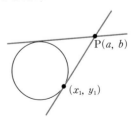

① 접점의 좌표를 (x_1, y_1)로 놓는다.

② 점 (x_1, y_1)에서의 접선의 방정식은

$x_1x+y_1y=r^2$ …… ㉠

③ 점 (a, b)는 접선 위의 점이므로 x, y좌표를 ㉠에 대입한다.

$ax_1+by_1=r^2$ …… ㉡

④ 점 (x_1, y_1)은 원 위의 점이므로 원의 방정식 $x^2+y^2=r^2$에

대입한다.

$x_1^2+y_1^2=r^2$ …… ㉢

⑤ ㉡, ㉢을 연립하여 x_1, y_1의 값을 구한 후, ㉠에 대입하여 접선의 방정식을 구한다.

◆ 원 $x^2+y^2=r^2$ 밖의 점 $\mathrm{P}(a,\ b)$에서 그은 접선의 방정식을 구하는 방법 (2)

① 접선의 기울기를 m이라 하면 이 접선이 점 $(a,\ b)$를 지나
   므로 구하는 접선의 방정식은
$$y-b=m(x-a) \quad \cdots\cdots \ \bigcirc$$

② 접선과 원의 중심 사이의 거리 d를 구한 후 $d=r$임을 이용하
   여 m의 값을 구한다.

③ m의 값을 ㉠에 대입하여 접선의 방정식을 구한다.

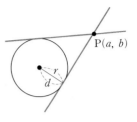

예 점 $(2,\ 1)$에서 원 $x^2+y^2=1$에 그은 접선의 방정식을 구해 보자.

[방법 1]

접점을 $(x_1,\ y_1)$이라 하면 구하는 접선의 방정식은
$$x_1 x+y_1 y=1 \quad \cdots\cdots \ \bigcirc$$
㉠이 점 $(2,\ 1)$을 지나므로
$$2x_1+y_1=1 \quad \cdots\cdots \ \bigcirc\!\!\bigcirc$$
또 점 $(x_1,\ y_1)$은 원 $x^2+y^2=1$ 위의 점이므로
$$x_1^{\ 2}+y_1^{\ 2}=1 \quad \cdots\cdots \ \bigcirc\!\!\bigcirc\!\!\bigcirc$$
㉡, ㉢을 연립하여 풀면
$$x_1=0,\ y_1=1 \ \text{또는} \ x_1=\frac{4}{5},\ y_1=-\frac{3}{5}$$
이것을 ㉠에 대입하면
$$y=1 \ \text{또는} \ 4x-3y=5$$

[방법 2]

점 $(2,\ 1)$을 지나는 접선의 기울기를 m이라 하면 구하는 접선의 방정식은
$$y-1=m(x-2)$$
$$mx-y-2m+1=0$$
이 직선이 원 $x^2+y^2=1$에 접하므로 원의 중심 $(0,\ 0)$과 직선 사이의 거리는 반지름의 길
이 1과 같다. 즉,
$$\frac{|-2m+1|}{\sqrt{m^2+(-1)^2}}=1$$
$$|-2m+1|=\sqrt{m^2+1}$$
양변을 제곱하면
$$4m^2-4m+1=m^2+1,\ m(3m-4)=0$$
$$\therefore\ m=0 \ \text{또는} \ m=\frac{4}{3}$$
$m=0$일 때, 접선의 방정식은
$$y=1$$
$m=\frac{4}{3}$일 때, 접선의 방정식은
$$4x-3y=5$$

④ 접선의 성질 [교육과정 응용]

중심이 O인 원 위의 점 P에서의 접선을 l이라 하면
선분 OP와 직선 l은 점 P에서 수직으로 만난다.

$$\overline{\mathrm{OP}} \perp l$$

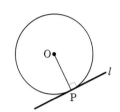

한편, 원 밖의 한 점 A에서 중심이 O인 원에 그은 접선의
한 접점을 P라 할 때, 선분 AP를 **접선의 길이**라고 한다.

이때, 삼각형 OPA가 직각삼각형이므로 접선의 길이는
$\overline{\mathrm{OA}}^2 = \overline{\mathrm{OP}}^2 + \overline{\mathrm{AP}}^2$ 에서

$$\overline{\mathrm{AP}} = \sqrt{\overline{\mathrm{OA}}^2 - \overline{\mathrm{OP}}^2}$$

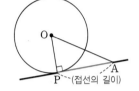

예   점 A$(4, -1)$에서 원 $(x-1)^2 + (y-3)^2 = 4$에 그은 접선의 길이를 구해 보자.
점 A에서 원 O에 그은 접선의 접점을 P라 하면
$$\overline{\mathrm{OA}} = \sqrt{(4-1)^2 + (-1-3)^2} = 5, \ \overline{\mathrm{OP}} = (\text{반지름의 길이}) = 2$$
따라서 접선의 길이는
$$\overline{\mathrm{AP}} = \sqrt{5^2 - 2^2} = \sqrt{21}$$

개념확인코너
정답 및 해설 p.419

3   원 $x^2 + y^2 = 9$에 접하고 기울기가 2인 직선의 방정식을 구하시오.

4   원 $x^2 + y^2 = 1$에 접하고 기울기가 -1인 직선의 방정식을 구하시오.

5   원 $x^2 + y^2 = 5$ 위의 점 $(1, 2)$에서의 접선의 방정식을 구하시오.

6   원 $x^2 + y^2 = 4$ 위의 점 $(\sqrt{3}, -1)$에서의 접선의 방정식을 구하시오.

공통접선

두 원에 동시에 접하는 접선을 이 두 원의 공통접선이
라 하고 공통접선의 두 접점 사이의 거리를 공통접선의
길이라고 한다.

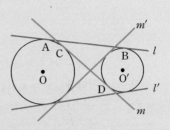

이때, 두 원이 공통접선에 대하여 같은 쪽에 있으면 그
접선을 이 두 원의 공통외접선이라 하며 두 원이 서로
반대쪽에 있으면 그 접선을 이 두 원의 공통내접선이라
고 한다.

그림에서

l, l'은 공통외접선

m, m'은 공통내접선

$\overline{AB}$, $\overline{CD}$는 공통접선의 길이

이다.

새 정리 ─────────── **공통외접선, 공통내접선**

두 원의 반지름의 길이를 각각 r, $r'(r>r')$이라 하고 중심거리를 d라
할 때

1 공통외접선의 길이 : $\overline{AB}=\sqrt{d^2-(r-r')^2}$

2 공통내접선의 길이 : $\overline{AB}=\sqrt{d^2-(r+r')^2}$

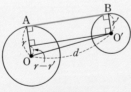
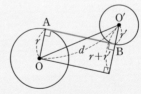

(공통외접선)　　　　　(공통내접선)

예 두 원 $x^2+y^2=4$, $(x-3)^2+(y-4)^2=1$의 공통외접선의 길이를 구해 보자.

두 원의 중심을 각각 O(0, 0), O′(3, 4)라 하면

반지름의 길이가 각각 $r=2$, $r'=1$이므로 그림에서

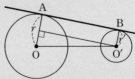

$\overline{OO'}=\sqrt{3^2+4^2}=5$

$\therefore \overline{AB}=\sqrt{5^2-(2-1)^2}=\sqrt{24}=2\sqrt{6}$

원 $x^2+y^2=1$에 접하고 직선 $2x+y+5=0$에 평행한 접선의 방정식을 구하시오.

■ **새**절커   원 $x^2+y^2=r^2$에 접하고 기울기가 m인 직선의 방정식은 $y=mx\pm r\sqrt{m^2+1}$

풀이   직선 $y=-2x-5$에 평행하므로 구하는 접선의 기울기는 -2이다.

따라서 구하는 접선의 방정식은 $y=mx\pm r\sqrt{m^2+1}$에서 $m=-2$, $r=1$이므로

$$y=-2x\pm1\times\sqrt{(-2)^2+1}$$

$$\therefore y=-2x\pm\sqrt{5}$$

답 $y=-2x\pm\sqrt{5}$

다른 풀이

(1) 판별식 $D=0$임을 이용한다.

기울기가 -2인 접선의 방정식을 $y=-2x+n$ ······ ㉠

으로 놓고 원의 방정식 $x^2+y^2=1$에 대입하면

$$x^2+(-2x+n)^2=1, \ 5x^2-4nx+(n^2-1)=0$$

이 이차방정식의 판별식을 D라 하면

$$\frac{D}{4}=(-2n)^2-5(n^2-1)=0$$

$$n^2=5 \quad \therefore n=\pm\sqrt{5}$$

이것을 ㉠에 대입하면 $y=-2x\pm\sqrt{5}$

(2) 원의 중심과 접선 사이의 거리를 이용한다.

기울기가 -2인 접선의 방정식을 $y=-2x+n$, 즉 $2x+y-n=0$ ······ ㉠

으로 놓으면 직선 ㉠이 원 $x^2+y^2=1$에 접하므로 원의 중심 $(0, \ 0)$과 직선 사이의 거리는

반지름의 길이 1과 같다. 즉,

$$\frac{|-n|}{\sqrt{2^2+1^2}}=1$$

$$|-n|=\sqrt{5} \quad \therefore n=\pm\sqrt{5}$$

이것을 ㉠에 대입하면 $y=-2x\pm\sqrt{5}$

> ♣ 원 $(x-a)^2+(y-b)^2=r^2$에 접하고
> 기울기가 m인 접선의 방정식은
> ➡ $y-b=m(x-a)\pm r\sqrt{m^2+1}$

유제 2-**10**   직선 $x-3y+6=0$에 수직이고 원 $x^2+y^2=4$에 접하는 직선의 방정식을 구하시오.

다음 물음에 답하시오.

(1) 원 $x^2+y^2=13$ 위의 점 $(a,\ 3)$에서의 접선의 방정식이 $2x+by=13$일 때, 두 상수 a, b의 합 $a+b$의 값을 구하시오.

(2) 두 직선 $x+y=1$, $x+2y=-2$의 교점을 지나고 원 $x^2+y^2=25$에 접하는 접선의 방정식을 구하시오.

> ■ **생각정리**　원 $x^2+y^2=r^2$ 위의 한 점 $(x_1,\ y_1)$에서의 접선의 방정식은
> ➡ $x_1x+y_1y=r^2$

풀이　(1) 원 $x^2+y^2=13$ 위의 점 $(a,\ 3)$에서의 접선의 방정식은

　　　　$ax+3y=13$이므로 $a=2$, $b=3$

　　　　$\therefore a+b=5$

　　(2) $x+y=1$과 $x+2y=-2$를 연립하여 풀면

　　　　$x=4$, $y=-3$

　　　　이므로 두 직선의 교점의 좌표는 $(4,\ -3)$이다.

　　　　그런데 점 $(4,\ -3)$은 원 $x^2+y^2=25$ 위의 점이므로 접선의 방정식은

　　　　$4x-3y=25$

답 (1) 5　(2) $4x-3y=25$

유제 2-11　원 $x^2+y^2=5$ 위의 두 점 $(2,\ -1)$, $(a,\ b)$에서의 접선이 서로 수직일 때, $\dfrac{b}{a}$의 값을 구하시오. (단, $a\neq0$)

유제 2-12　원 $x^2+y^2=25$ 위의 한 점 $(-3, 4)$에서의 접선이 중심이 $(5, 5)$인 원 O와 접할 때, 원 O의 넓이를 구하시오.

원 $(x-3)^2+(y+1)^2=8$ 위의 점 $(5,\ 1)$에서의 접선의 방정식을 구하시오.

．．．．．．．■ **길잡이**　　중심이 원점이 아닌 원 위의 점에서의 접선의 방정식
　　　　　　　➡ 원의 중심과 접점을 지나는 직선이 접선과 서로 수직임을 이용하자.

풀이　접선은 원의 중심과 접점을 이은 선분과 수직이고
　　　원의 중심 $(3,\ -1)$과 접점 $(5,\ 1)$을 지나는

　　　직선의 기울기는 $\dfrac{1-(-1)}{5-3}=1$이므로

　　　접선의 기울기를 m이라 하면
　　　$1\times m=-1$　$\therefore m=-1$
　　　따라서 구하는 접선의 방정식은
　　　$y-1=-(x-5)$
　　　$\therefore y=-x+6$

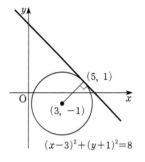

답 $y=-x+6$

다른 풀이
원 $(x-3)^2+(y+1)^2=8$ 위의 점 $(5,\ 1)$에서의 접선의 방정식은
$(5-3)(x-3)+(1+1)(y+1)=8$
$2(x-3)+2(y+1)=8$
$\therefore\ y=-x+6$

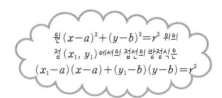

원 $(x-a)^2+(y-b)^2=r^2$ 위의
점 $(x_1,\ y_1)$에서의 접선의 방정식은
$(x_1-a)(x-a)+(y_1-b)(y-b)=r^2$

유제 2-13　원 $x^2+y^2-2x-4y=0$ 위의 점 $\mathrm{P}(2,\ 4)$에서의 접선의 x절편을 a, y절편을 b라
　　　　　　할 때, $a+b$의 값을 구하시오.

필수 예제 9　　　　　　　　　　　　　　　　　　**원 밖의 한 점이 주어진 접선의 방정식**

점 $(1, -3)$에서 원 $x^2+y^2=5$에 그은 접선의 방정식을 구하시오.

⋯⋯⋯ ■ **길잡이**　① 접점을 (x_1, y_1)이라 하고 구한 접선의 방정식에 점 $(1, -3)$을 대입한다.
　　　　　　② 점 (x_1, y_1)을 원의 방정식에 대입한다.
　　　　　　③ ①, ②에서 구한 두 식을 연립하여 푼다.

풀이　접점을 (x_1, y_1)이라 하면 구하는 접선의 방정식은
　　　$x_1x+y_1y=5$　⋯⋯ ㉠
　　　㉠이 점 $(1, -3)$을 지나므로
　　　$x_1-3y_1=5$　⋯⋯ ㉡
　　　또 점 (x_1, y_1)은 원 $x^2+y^2=5$ 위의 점이므로
　　　$x_1{}^2+y_1{}^2=5$　⋯⋯ ㉢
　　　㉡, ㉢을 연립하여 풀면
　　　$x_1=-1, y_1=-2$ 또는 $x_1=2, y_1=-1$
　　　이것을 ㉠에 대입하여 구한 접선의 방정식은
　　　$x+2y+5=0$ 또는 $2x-y-5=0$

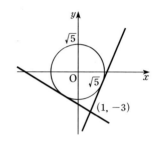

　　　　　　　　　　　　　　　　　　　　답 $x+2y+5=0$ 또는 $2x-y-5=0$

다른 풀이
점 $(1, -3)$을 지나는 접선의 기울기를 m이라 하면 접선의 방정식은
　$y-(-3)=m(x-1), mx-y-m-3=0$
이 직선이 원 $x^2+y^2=5$에 접하므로 원의 중심 $(0, 0)$과 직선 사이의 거리는 반지름의 길이
$\sqrt{5}$ 와 같다. 즉,
　$\dfrac{|-m-3|}{\sqrt{m^2+(-1)^2}}=\sqrt{5}, |-m-3|=\sqrt{5}\sqrt{m^2+1}$
양변을 제곱하여 정리하면 $2m^2-3m-2=0$
　$(2m+1)(m-2)=0$　　∴ $m=-\dfrac{1}{2}$ 또는 $m=2$

$m=-\dfrac{1}{2}$일 때, 접선의 방정식은 $x+2y+5=0$

$m=2$일 때, 접선의 방정식은 $2x-y-5=0$

유제 2-14　원 $x^2+y^2=4$에 접하고 원 $(x-4)^2+y^2=1$의 넓이를 이등분하는 직선이 2개 존재한다. 이 두 직선의 기울기를 각각 m_1, m_2라 할 때, m_1m_2의 값을 구하시오.

점 $P(-2, 3)$에서 원 $x^2+y^2-6x+2y+6=0$에 그은 접선의 한 접점을 T라 할 때, 선분 PT의 길이를 구하시오.

⋯⋯⋯■ **길잡이**   원의 중심과 접점을 지나는 직선은 접선에 수직이므로 접선에 의해 생긴 직각삼각형에 서 피타고라스 정리를 이용한다.

풀이   그림과 같이 원 $x^2+y^2-6x+2y+6=0$, 즉 $(x-3)^2+(y+1)^2=4$의 중심을 C라 하면
$$\overline{CT}\perp\overline{PT}$$
이므로 삼각형 CTP는 $\angle CTP=90°$인 직각삼각형이다.
$$\overline{CP}=\sqrt{(-2-3)^2+\{3-(-1)\}^2}=\sqrt{41}$$
선분 CT는 원의 반지름이므로 $\overline{CT}=2$
따라서 피타고라스 정리에 의하여
$$\overline{PT}=\sqrt{\overline{CP}^2-\overline{CT}^2}=\sqrt{(\sqrt{41})^2-2^2}=\sqrt{37}$$

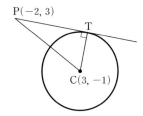

답 $\sqrt{37}$

참고   중심의 좌표가 $C(a, b)$이고 반지름의 길이가 r인 원 $(x-a)^2+(y-b)^2=r^2$ 밖의 한 점 $P(x_1, y_1)$에서 원에 그은 접선과 원의 접점을 T라 할 때
$$\overline{PT}=\sqrt{(x_1-a)^2+(y_1-b)^2-r^2}$$

다른 풀이
$\overline{PT}=\sqrt{(x_1-a)^2+(y_1-b)^2-r^2}$임을 이용하면
$$\overline{PT}=\sqrt{(-2-3)^2+\{3-(-1)\}^2-2^2}=\sqrt{37}$$

유제 2-15   점 $P(-4, 5)$에서 중심이 점 $C(-2, 1)$인 원에 그은 접선의 길이가 $\sqrt{11}$일 때, 이 원의 반지름의 길이를 구하시오.

유제 2-16   점 $P(4, a)$에서 $(x-1)^2+(y-2)^2=2$에 그은 접선의 길이가 4일 때, 양수 a의 값을 구하시오.

2- 1 다음 직선과 원 $x^2+y^2=5$의 교점의 개수를 구하시오.

(1) $y=x+2$

(2) $2x+y-5=0$

(3) $x-y-4=0$

2- 2 원 $x^2+y^2=r^2$과 직선 $x-2y+2\sqrt{5}=0$이 한 점에서 만날 때, r의 값은? (단, $r>0$)

① 1   ② $\sqrt{2}$ ③ $\sqrt{3}$ ④ 2   ⑤ $\sqrt{5}$

2- 3 직선 $2x-y+a=0$이 원 $x^2+y^2=5$와 서로 다른 두 점에서 만나기 위한 상수 a의 값의 범위를 구하시오.

2- 4 원 $x^2+y^2=r^2$과 직선 $3x+4y-15=0$이 만나지 않도록 하는 r의 값의 범위가 $a<r<b$일 때, a^2+b^2의 값을 구하시오. (단, $r>0$)

2- 5 중심의 좌표가 $(1,\ 2)$이고 직선 $3x+4y=1$에 접하는 원의 방정식을 $x^2+y^2+ax+by+c=0$이라 할 때, $a+b+c$의 값을 구하시오.

(단, $a,\ b,\ c$는 상수이다.)

2-6 원 $(x-1)^2+(y+1)^2=9$ 위의 점 P에서 직선 $x+y+8=0$에 이르는 거리의 최댓값과 최솟값의 곱을 구하시오.

2-7 다음을 구하시오.

(1) 원 $x^2+y^2=4$에 접하고 기울기가 2인 접선의 방정식

(2) 원 $x^2+y^2=13$ 위의 점 $(-2,\ 3)$에서의 접선의 방정식

2-8 직선 $y=2x-3$과 평행하고 원 $x^2+y^2=5$에 접하는 직선의 방정식을 $y=mx+n$이라 할 때, m^2+n^2의 값을 구하시오. (단, m, n은 상수이다.)

2-9 원 $x^2+y^2=80$ 위의 점 $(8,\ -4)$에서의 접선과 x축 및 y축으로 둘러싸인 삼각형의 넓이를 구하시오.

2-10 원 $(x+1)^2+(y-3)^2=10$ 위의 점 $(2,\ 4)$를 지나는 접선의 방정식은 $ax+y+b=0$이다. 이때, 두 상수 a, b에 대하여 $a+b$의 값을 구하시오.

2-11 중심이 원점이고 반지름의 길이가 2인 원과 직선 $y=mx-4$가 만나기 위한 양수 m의 값의 범위를 구하시오.

2-12 점 $(2,\,0)$에서 x축에 접하는 원이 직선 $4x-3y+16=0$에 접하는 원은 2개 있다. 이 두 원의 넓이의 차를 구하시오.

2-13 원 $x^2+y^2=4$가 직선 $y=x+k$와 만나서 생기는 현의 길이가 2가 되도록 하는 실수 k의 값을 모두 구하시오.

2-14 원 $x^2+y^2=5$와 직선 $y=x-3$의 교점에서의 접선의 방정식을 $ax+by=5$, $cx+dy=5$라 할 때, $a+b+c+d$의 값을 구하시오. (단, $a,\,b,\,c,\,d$는 상수이다.)

2-15 기울기가 3이고 원 $(x-1)^2+(y+1)^2=25$에 접하는 직선은 두 개가 존재한다. 이 두 직선의 y절편의 합을 구하시오.

2-**16** 원 $x^2+y^2=4$ 위의 점 $(\sqrt{3}, -1)$에서의 접선이 원 $(x-a)^2+y^2=1$과도 접할 때, 모든 상수 a의 값의 곱을 구하시오.

2-**17** 원 $x^2+y^2-4x-6y+9=0$ 위의 점 P와 두 점 A$(0, -6)$, B$(8, 0)$에 대하여 삼각형 PAB의 넓이의 최댓값을 구하시오.

2-**18** 점 $(6, 0)$에서 원 $x^2+y^2=9$에 그은 두 접선과 y축으로 둘러싸인 도형의 넓이는?

① $12\sqrt{3}$ ② $15\sqrt{3}$ ③ $18\sqrt{2}$ ④ 24 ⑤ 27

2-**19** 좌표평면 위에 원 $(x-2)^2+(y-1)^2=r^2$과 원 밖의 점 A$(-2, 3)$이 있다. 점 A에서 원에 그은 두 접선이 서로 수직일 때, 반지름의 길이 r의 값을 구하시오.

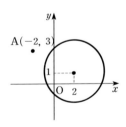

2-**20** 원 $x^2+(y-1)^2=r^2$ 밖의 점 A$(2, -3)$에서 이 원에 그은 두 접선이 이루는 각의 크기가 $60°$일 때, 점 A와 접점 사이의 거리를 구하시오.

2-21 그림과 같이 원과 반원으로 이루어진 태극 문양이 있다. 직선 $y=m(x+1)$과 서로 다른 다섯 개의 점에서 만나도록 하는 상수 m의 값의 범위가 $a<m<b$일 때, a^2+b^2의 값을 구하시오.

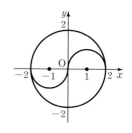

2-22 원 $x^2+y^2-2x+2y=0$ 위를 움직이는 점 $P(x, y)$에 대하여 $\dfrac{y+3}{x+1}$의 최댓값을 M, 최솟값을 m이라 할 때, Mm의 값을 구하시오.

2-23 직선 $x+y=2$ 위의 점 $P(a, b)$에서 원 $x^2+y^2=1$에 그은 접선의 접점을 Q라 할 때, 선분 PQ의 길이의 최솟값은?

① 1　　　　② $\sqrt{2}$　　　　③ $\sqrt{3}$
④ 2　　　　⑤ $\sqrt{5}$

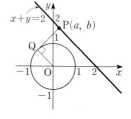

2-24 점 $P(a, 5)$에서 원 $x^2+y^2=1$에 그은 두 접선의 접점을 각각 A, B라 하자. 이때, 두 접점 A, B를 지나는 직선 AB는 점 P의 위치에 관계없이 한 점 Q를 지난다. 원의 중심에서 점 Q까지의 거리를 구하시오.

03
도형의 이동

핵심
Point

03. 도형의 이동

1. 평행이동

(1) 점의 평행이동

점 $P(x, y)$를 x축의 방향으로 a만큼, y축의 방향으로 b만큼 평행이동한 점 P'의 좌표는 $P'(x+a, y+b)$이다. 즉,

$$(x, y) \longrightarrow (x+a, y+b)$$

(2) 도형의 평행이동

방정식 $f(x, y) = 0$이 나타내는 도형을 x축의 방향으로 a만큼, y축의 방향으로 b만큼 평행이동한 도형의 방정식은

$$f(x-a, y-b) = 0$$

2. 대칭이동

(1) 점의 대칭이동

① x축에 대한 대칭이동 : $(x, y) \longrightarrow (x, -y)$

② y축에 대한 대칭이동 : $(x, y) \longrightarrow (-x, y)$

③ 원점에 대한 대칭이동 : $(x, y) \longrightarrow (-x, -y)$

④ 직선 $y=x$에 대한 대칭이동 : $(x, y) \longrightarrow (y, x)$

(2) 도형의 대칭이동

방정식 $f(x, y) = 0$이 나타내는 도형을

① x축에 대하여 대칭이동한 도형의 방정식 : $f(x, -y) = 0$

② y축에 대하여 대칭이동한 도형의 방정식 : $f(-x, y) = 0$

③ 원점에 대하여 대칭이동한 도형의 방정식 : $f(-x, -y) = 0$

④ 직선 $y=x$에 대하여 대칭이동한 도형의 방정식 : $f(y, x) = 0$

3. 점 (a, b)에 대한 대칭이동 [교육과정 응용]

(1) 점 (x, y)를 점 (a, b)에 대하여 대칭이동한 점의 좌표는

$$(2a-x, 2b-y)$$

(2) 방정식 $f(x, y) = 0$이 나타내는 도형을 점 (a, b)에 대하여 대칭이동한 도형의 방정식은

$$f(2a-x, 2b-y) = 0$$

4. 직선 $y = -x$에 대한 대칭이동 [교육과정 응용]

(1) 점 (x, y)를 직선 $y=-x$에 대하여 대칭이동한 점의 좌표는

$$(-y, -x)$$

(2) 방정식 $f(x, y) = 0$이 나타내는 도형을 직선 $y=-x$에 대하여 대칭이동한 도형의 방정식은

$$f(-y, -x) = 0$$

1 평행이동

점 또는 도형을 일정한 방향으로 일정한 거리만큼 옮기는 것을 **평행이동**이라고 한다.

① 점의 평행이동

좌표평면 위의 점 $P(x, y)$를
x축의 방향으로 a만큼,
y축의 방향으로 b만큼
평행이동한 점을 $P'(x', y')$이라 하면 그림에서
$$x'=x+a, \ y'=y+b$$
가 된다. 즉,

$$(x, \ y) \xrightarrow[\text{평행이동}]{x\text{축 방향}:a, \ y\text{축 방향}:b} (\underset{x'}{x+a}, \ \underset{y'}{y+b})$$

새 정리   **점의 평행이동**

점 $P(x, y)$를 x축의 방향으로 a만큼, y축의 방향으로 b만큼 평행이동한 점 P'의 좌표는 $P'(x+a, y+b)$이다. 즉,
$$(x, \ y) \longrightarrow (x+a, \ y+b)$$

예 ① 점 $(1, 1)$을 x축의 방향으로 2만큼, y축의 방향으로 3만큼 평행이동하면

$$(1, \ 1) \xrightarrow[\text{평행이동}]{x\text{축 방향}:2, \ y\text{축 방향}:3} (1+2, \ 1+3) \qquad \therefore (3, \ 4)$$

② 점 $(2, 1)$을 x축의 방향으로 3만큼, y축의 방향으로 -3만큼 평행이동하면

$$(2, \ 1) \xrightarrow[\text{평행이동}]{x\text{축 방향}:3, \ y\text{축 방향}:-3} (2+3, \ 1+(-3)) \qquad \therefore (5, \ -2)$$

③ 점 $(3, -1)$을 y축의 방향으로 3만큼 평행이동하면

$$(3, -1) \xrightarrow[\text{평행이동}]{x\text{축 방향}:0,\ y\text{축 방향}:3} (3, -1+3) \qquad \therefore (3, 2)$$

② 도형의 평행이동

직선 $y=x+2 \Rightarrow x-y+2=0$

원 $(x+2)^2+y^2=1 \Rightarrow x^2+y^2+4x+3=0$

과 같이 도형의 방정식은 좌변을 x, y에 대한 다항식이 되도록 하여

$$f(x, y)=0$$

의 꼴로 나타낼 수 있다.

이제 방정식 $f(x, y)=0$이 나타내는 도형을 x축의 방향으로 a만큼, y축의 방향으로 b만큼 평행이동한 도형의 방정식을 구해 보자.

방정식 $f(x, y)=0$이 나타내는 도형 위의 점 $P(x, y)$를 x축의 방향으로 a만큼, y축의 방향으로 b만큼 평행이동한 점을 $P'(x', y')$이라 하면

$$P(x, y) \xrightarrow[\text{평행이동}]{x\text{축 방향}:a,\ y\text{축 방향}:b} P'(\underset{x'}{x+a},\ \underset{y'}{y+b})$$

이때, $x'=x+a,\ y'=y+b$

즉, $x=x'-a,\ y=y'-b$

이것을 방정식 $f(x, y)=0$에 대입하면

$$f(x'-a,\ y'-b)=0 \quad \cdots\cdots \text{㉠}$$

이 성립한다.

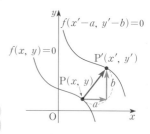

평행이동한 도형의 방정식
$\Rightarrow$ x'과 y'의 관계식!!

이것은 평행이동한 도형 위의 점 $P'(x', y')$이 만족하는 방정식이다.

그런데 일반적으로 도형의 방정식을 표현할 때, x', y'보다는 x, y를 많이 이용하므로 ㉠에 있는 x', y'을 각각 x, y로 바꾸어 쓰면 평행이동한 도형의 방정식은

$$f(x-a, y-b)=0$$

임을 알 수 있다.

$f(x, y)=0$

$\downarrow$ $\begin{array}{l} x축\ 방향\ a \\ y축\ 방향\ b \end{array}$

$f(x-a, y-b)=0$

x 대신 $x-a$

y 대신 $y-b$

샘 정리

방정식 $f(x,\ y)=0$이 나타내는 도형을
x축의 방향으로 a만큼,
y축의 방향으로 b만큼
평행이동한 도형의 방정식은
$$f(x-a,\ y-b)=0$$

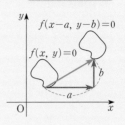

예

① 원 $x^2+y^2=1$을
x축의 방향으로 2만큼,
y축의 방향으로 3만큼
평행이동한 원의 방정식은
$$(x-2)^2+(y-3)^2=1 \leftarrow x \text{ 대신 } x-2,$$
y 대신 $y-3$을 대입

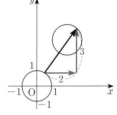

② 직선 $y=2x-3$을
x축의 방향으로 1만큼,
y축의 방향으로 -2만큼
평행이동한 직선의 방정식은
$$y+2=2(x-1)-3 \leftarrow x \text{ 대신 } x-1,$$
$$\therefore y=2x-7$$
y 대신 $y+2$를 대입

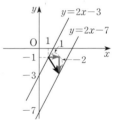

샘 특강

점과 도형의 평행이동

방정식 $f(x,\ y)=0$이 나타내는 도형을 x축의 방향으로 a만큼, y축의 방향으로 b만큼 평행이동할 때 도형 위의 한 점을 P라 하면

· $\mathrm{P}(x,\ y) \xrightarrow[\text{평행이동}]{x축:a,\ y축:b} \mathrm{P}'(x+a,\ y+b)$

· $f(x,\ y)=0 \xrightarrow[\text{평행이동}]{x축:a,\ y축:b} f(x-a,\ y-b)=0$

점은
$+a$, $+b$인데
도형은
$-a$, $-b$이군...!!

$\mathrm{P}(x,\ y)$

$f(x,\ y)=0$

$\xrightarrow[\text{평행이동}]{x축 \text{ 방향}:a,\ y축 \text{ 방향}:b}$

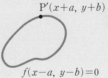

$\mathrm{P}'(x+a,\ y+b)$

$f(x-a,\ y-b)=0$

개념확인코너

정답 및 해설 p.428

1 다음 점을 x축의 방향으로 2만큼, y축의 방향으로 -1만큼 평행이동한 점의 좌표를 구하시오.

(1) $(0, 0)$ (2) $(1, 3)$ (3) $(-2, 1)$

2 점 $(4, -3)$을 다음과 같이 평행이동한 점의 좌표를 구하시오.

(1) x축의 방향으로 -2만큼, y축의 방향으로 3만큼 평행이동
(2) x축의 방향으로 1만큼 평행이동
(3) y축의 방향으로 -5만큼 평행이동

3 다음 방정식이 나타내는 도형을 x축의 방향으로 -2만큼, y축의 방향으로 1만큼 평행이동한 도형의 방정식을 구하시오.

(1) $y = 2x$ (2) $x - 2y + 3 = 0$
(3) $x^2 + y^2 = 4$ (4) $(x+1)^2 + (y-2)^2 = 1$

'점의 평행이동'하고 '도형의 평행이동'이 왜 반대 같지?? 헷갈리네~~.

도형의 평행이동은 모든 함수의 그래프에서 응용되는 내용이래~~.

평행이동 $(x, y) \longrightarrow (x+m, y+n)$에 의하여 점 $(1, 2)$가 점 $(3, -1)$로 옮겨질 때, 다음 물음에 답하시오.

(1) m, n의 값을 구하시오.

(2) 점 $(-1, 1)$이 이 평행이동에 의하여 옮겨지는 점의 좌표를 구하시오.

(3) 이 평행이동에 의하여 점 $(3, 4)$로 옮겨지는 점의 좌표를 구하시오.

■ 새 정리 x축의 방향으로 a만큼, y축의 방향으로 b만큼 평행이동

$$(x, y) \xrightarrow[\text{평행이동}]{x축 방향 : a, \; y축 방향 : b} (\underset{x'}{x+a}, \; \underset{y'}{y+b})$$

풀이 (1) 점 $(1, 2)$를 x축의 방향으로 m만큼, y축의 방향으로 n만큼 평행이동한 점의 좌표가
$(3, -1)$이므로 $1+m=3$, $2+n=-1$
$\therefore m=2, \; n=-3$

(2) 점 $(-1, 1)$을 x축의 방향으로 2만큼, y축의 방향으로 -3만큼 평행이동한 점의 좌표는
$(-1+2, 1-3)$ $\therefore (1, -2)$
따라서 점 $(-1, 1)$은 이 평행이동에 의하여 점 $(1, -2)$로 옮겨진다.

(3) 평행이동하기 전의 점의 좌표를 (a, b)라 하면 점 (a, b)를
x축의 방향으로 2만큼, y축의 방향으로 -3만큼 평행이동한 점의 좌표가 $(3, 4)$이므로
$a+2=3$, $b-3=4$
$\therefore a=1, \; b=7$
따라서 이 평행이동에 의하여 점 $(3, 4)$로 옮겨지는 점의 좌표는 $(1, 7)$이다.

$$답 \; (1) \, m=2, \; n=-3 \quad (2) \, (1, -2) \quad (3) \, (1, 7)$$

유제 3-1   점 (x, y)를 점 $(x+2, y+a)$로 옮기는 평행이동에 의하여 점 $(2, 3)$이 점 $(b, 1)$로 옮겨질 때, 다음 물음에 답하시오.

(1) a, b의 값을 구하시오.

(2) 점 $(1, 6)$이 이 평행이동에 의하여 옮겨지는 점의 좌표를 구하시오.

(3) 이 평행이동에 의하여 점 $(-2, 1)$로 옮겨지는 점의 좌표를 구하시오.

점 $(-1,\ 2)$를 점 $(2,\ 1)$로 옮기는 평행이동에 의하여 직선 $y=3x-1$이 직선 $y=ax+b$로 옮겨질 때, $a+b$의 값을 구하시오. (단, a, b는 상수이다.)

■ 새_{정리}   방정식 $f(x,\ y)=0$이 나타내는 도형을 x축의 방향으로 a만큼, y축의 방향으로 b만큼 평행이동한 도형의 방정식은 $f(x-a,\ y-b)=0$

풀이   점 $(-1,\ 2)$를 x축의 방향으로 m만큼, y축의 방향으로 n만큼 평행이동한 점의 좌표가 $(2,\ 1)$이므로

$-1+m=2, 2+n=1$

$\therefore m=3, n=-1$

즉, 직선 $y=3x-1$을 x축의 방향으로 3만큼, y축의 방향으로 -1만큼 평행이동한 직선의 방정식은

x 대신 $x-3$, y 대신 $y+1$을 대입하면

$y+1=3(x-3)-1$ $\therefore y=3x-11$

이 직선의 방정식이 $y=ax+b$와 일치하므로

$a=3,\ b=-11$

$\therefore a+b=3+(-11)=-8$

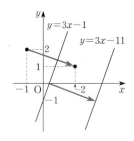

답 -8

참고   점, 직선, 원을 평행이동하면 그대로 각각 점, 직선, 원이 되며 크기와 모양이 변하지 않는다.

유제 3-2   직선 $2x+y-3=0$을 x축의 방향으로 -2만큼, y축의 방향으로 k만큼 평행이동 하였더니 직선 $2x+y+5=0$이 되었다. 이때, k의 값을 구하시오.

유제 3-3   직선 $y=ax+b$를 x축의 방향으로 -3만큼, y축의 방향으로 1만큼 평행이동하였 더니 직선 $y=\dfrac{1}{3}x-2$와 y축 위에서 서로 수직으로 만났다. 이때, $a+b$의 값을 구하시오. (단, a, b는 상수이다.)

포물선 $y=x^2-2x+3$을 x축의 방향으로 1만큼, y축의 방향으로 -3만큼 평행이동하였더니 포물선 $y=x^2+ax+b$와 일치하였다. 이때, 두 상수 a, b에 대하여 $a+b$의 값을 구하시오.

      ■ **길잡이**   포물선의 식 $y=x^2-2x+3$을 $y=(x-1)^2+2$의 꼴로 변형하여 평행이동한다.

풀이 $y=x^2-2x+3=(x-1)^2+2$이고,

이 포물선을 x축의 방향으로 1만큼, y축의 방향으로 -3만큼 평행이동하였으므로

x 대신 $x-1$, y 대신 $y+3$을 대입하면

$y+3=(x-1-1)^2+2$

$y=(x-2)^2-1$

$\therefore y=x^2-4x+3$

이 포물선의 식이 $y=x^2+ax+b$와 일치하므로

$a=-4$, $b=3$

$\therefore a+b=(-4)+3=-1$

답 -1

유제 3-4   점 $(-3, 2)$를 점 $(-2, 4)$로 옮기는 평행이동에 의하여 포물선 $y=x^2+4x-1$을 옮겼더니 포물선의 꼭짓점의 좌표가 (a, b)가 되었다. 이때, $a+b$의 값을 구하시오.

유제 3-5   포물선 $y=x^2-2kx+k+2$를 x축의 방향으로 2만큼, y축의 방향으로 -1만큼 평행이동한 포물선의 꼭짓점이 직선 $y=2x-9$ 위에 있을 때, 양수 k의 값을 구하시오.

평행이동 $(x,\ y) \longrightarrow (x+m,\ y+n)$에 의하여 원 $x^2+y^2-4x+2y+1=0$이 원 $x^2+y^2=k$로 옮겨질 때, $m+n+k$의 값을 구하시오. (단, k는 상수이다.)

⋯⋯ ■ 길잡이   방정식 $f(x,\ y)=0$이 나타내는 도형을 x축의 방향으로 a만큼, y축의 방향으로 b만큼 평행이동하면 x 대신 $x-a$를, y 대신 $y-b$를 대입하자.

풀이 원의 방정식 $x^2+y^2-4x+2y+1=0$을 표준형으로 변형하면
$(x-2)^2+(y+1)^2=4$ ⋯⋯㉠
평행이동 $(x,\ y) \longrightarrow (x+m,\ y+n)$은 x축의 방향으로 m만큼, y축의 방향으로 n만큼 평행이동한 것이므로 ㉠에 x 대신 $x-m$, y 대신 $y-n$을 대입하면
$(x-m-2)^2+(y-n+1)^2=4$
이 원의 방정식이 $x^2+y^2=k$와 일치하므로
$-m-2=0,\ -n+1=0,\ k=4$
$\therefore m=-2,\ n=1,\ k=4$
$\therefore m+n+k=3$

답 3

유제 3-6 원 $(x+1)^2+(y-2)^2=4$를 x축의 방향으로 m만큼, y축의 방향으로 n만큼 평행이동하였더니 원 $x^2+y^2=4$가 되었다. 이때, $m+n$의 값을 구하시오.

유제 3-7 점 $(-2,\ 1)$을 점 $(1,\ 2)$로 옮기는 평행이동에 의하여 원 $(x-a)^2+(y-a+1)^2=4$가 옮겨지는 원의 넓이를 직선 $y=2x-3$이 이등분할 때, 상수 a의 값을 구하시오.

점 또는 도형을 한 점 A에 대하여 대칭인 점 또는 도형으로 옮기는 것을 점 A에 대한 대칭이동이라고 한다.

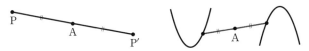

또 점 또는 도형을 직선 l에 대하여 대칭인 점 또는 도형으로 옮기는 것을 직선 l에 대한 대칭이동이라고 한다.

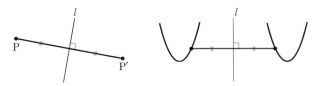

참고 ① 대칭의 중심은 대칭하는 두 점을 이은 선분의 중점이다.
② 대칭하는 두 점을 이은 선분과 대칭축은 수직이다.

1 점의 대칭이동

좌표평면 위의 점 $P(x, y)$를 x축, y축, 원점, 직선 $y=x$에 대하여 대칭이동한 점 P'의 좌표는 각각 다음과 같다.

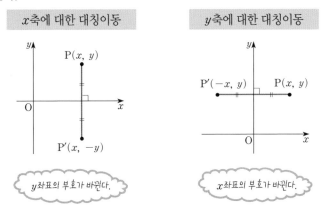

원점에 대한 대칭이동	직선 $y=x$에 대한 대칭이동
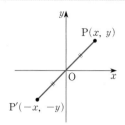	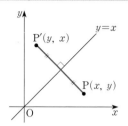
x, y좌표의 부호가 모두 바뀐다.	x, y좌표가 서로 바뀐다.

새 정리   **점의 대칭이동**

1 x축에 대한 대칭이동   : $(x, y) \longrightarrow (x, -y)$
2 y축에 대한 대칭이동   : $(x, y) \longrightarrow (-x, y)$
3 원점에 대한 대칭이동   : $(x, y) \longrightarrow (-x, -y)$
4 직선 $y=x$에 대한 대칭이동 : $(x, y) \longrightarrow (y, x)$

예   점 $P(3, 1)$을
① x축에 대하여 대칭이동하면
     $A(3, -1)$ ←y 대신 $-y$를 대입
② y축에 대하여 대칭이동하면
     $B(-3, 1)$ ←x 대신 $-x$를 대입
③ 원점에 대하여 대칭이동하면
     $C(-3, -1)$ ←x 대신 $-x$, y 대신 $-y$를 대입
④ 직선 $y=x$에 대하여 대칭이동하면
     $D(1, 3)$ ←x 대신 y, y 대신 x를 대입

참고   점 $P(x, y)$를 직선 $y=x$에 대하여 대칭이동한 점을
$P'(x', y')$이라 하고, 두 점 P, P'에서 각각 x축, y축에
내린 수선의 발을 H, H'이라 하면 그림에서
$\triangle OPM \equiv \triangle OP'M$ (SAS 합동)
이므로 $\overline{OP} = \overline{OP'}$, $\angle POH = \angle P'OH'$
$\therefore \triangle POH \equiv \triangle P'OH'$ (RHA 합동)
$\therefore x' = y$, $y' = x$

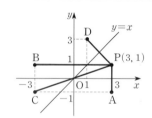

$$P(x, y) \xrightarrow{\text{직선 } y=x\text{에 대칭}} P'(y, x)$$

② 도형의 대칭이동

그림과 같이 방정식

$$f(x,\ y)=0 \qquad \cdots\cdots ㉠$$

이 나타내는 도형 F를 x축에 대하여 대칭이동한 도형 F'의
방정식을 구해 보자.

도형 F 위의 점 $\mathrm{P}(x,\ y)$를 x축에 대하여 대칭이동한 점을
$\mathrm{P}'(x',\ y')$이라 하면

$$x'=x,\ y'=-y에서$$
$$x=x',\ y=-y' \qquad \cdots\cdots ㉡$$

㉡을 ㉠에 대입하면 $f(x',\ -y')=0$이고
$x',\ y'$을 각각 $x,\ y$로 바꾸면
도형 F'의 방정식은 $f(x,\ -y)=0$이다.

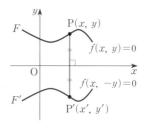

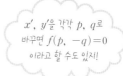

$x',\ y'$을 각각 $p,\ q$로
바꾸면 $f(p,\ -q)=0$
이라고 할 수도 있지!

같은 방법으로 y축, 원점, 직선 $y=x$에 대하여 대칭이동한 도형의 방정식은 각각 다음과 같다.

y축에 대한 대칭이동

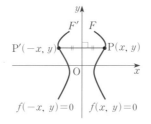

• y축 대칭
x 대신 $-x$를 대입

원점에 대한 대칭이동

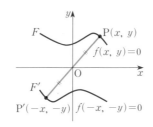

• 원점 대칭
x 대신 $-x$를 대입
y 대신 $-y$를 대입

직선 $y=x$에 대한 대칭이동

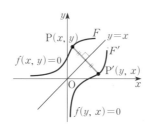

• 직선 $y=x$ 대칭
x 대신 y를 대입
y 대신 x를 대입

새정리

방정식 $f(x, y)=0$이 나타내는 도형을

1 x축에 대하여 대칭이동한 도형의 방정식 : $f(x, -y)=0$

2 y축에 대하여 대칭이동한 도형의 방정식 : $f(-x, y)=0$

3 원점에 대하여 대칭이동한 도형의 방정식 : $f(-x, -y)=0$

4 직선 $y=x$에 대하여 대칭이동한 도형의 방정식 : $f(y, x)=0$

예 원 $(x-1)^2+(y-3)^2=1$을

① x축에 대하여 대칭이동한 원의 방정식은

$$(x-1)^2+(-y-3)^2=1 \quad \leftarrow y \text{ 대신 } -y \text{를 대입}$$

$$\therefore (x-1)^2+(y+3)^2=1$$

② y축에 대하여 대칭이동한 원의 방정식은

$$(-x-1)^2+(y-3)^2=1 \quad \leftarrow x \text{ 대신 } -x \text{를 대입}$$

$$\therefore (x+1)^2+(y-3)^2=1$$

③ 원점에 대하여 대칭이동한 원의 방정식은

$$(-x-1)^2+(-y-3)^2=1 \quad \leftarrow x \text{ 대신 } -x, y \text{ 대신 } -y \text{를 대입}$$

$$\therefore (x+1)^2+(y+3)^2=1$$

④ 직선 $y=x$에 대하여 대칭이동한 원의 방정식은

$$(y-1)^2+(x-3)^2=1 \quad \leftarrow x \text{ 대신 } y, y \text{ 대신 } x \text{를 대입}$$

$$\therefore (x-3)^2+(y-1)^2=1$$

참고 원 $(x-1)^2+(y-3)^2=1$은 중심의 좌표가 $(1, 3)$이고, 반지름의 길이가 1이므로

① x축   ② y축   ③ 원점   ④ 직선 $y=x$

에 대하여 대칭이동하면 원의 중심의 좌표가 각각

① $(1, -3)$ ② $(-1, 3)$ ③ $(-1, -3)$ ④ $(3, 1)$

이 되므로 대칭이동한 원의 방정식은 다음과 같다.

① $(x-1)^2+(y+3)^2=1$

② $(x+1)^2+(y-3)^2=1$

③ $(x+1)^2+(y+3)^2=1$

④ $(x-3)^2+(y-1)^2=1$

③ 점에 대한 대칭이동 [교육과정 응용]

점 $P(x, y)$를 점 $A(a, b)$에 대하여 대칭이동한 점을
$P'(x', y')$이라 하면 점 A는 두 점 P, P'을 이은 선분의
중점이므로 점 A의 좌표 (a, b)는

$$\left(\frac{x+x'}{2}, \frac{y+y'}{2}\right)$$

이다. 즉,

$$\frac{x+x'}{2}=a, \ \frac{y+y'}{2}=b$$

에서 $x'=2a-x, \ y'=2b-y$

$$\therefore P(x, y) \xrightarrow{\text{점}(a, b)\text{에 대칭}} P'(2a-x, 2b-y)$$

또 방정식 $f(x, y)=0$이 나타내는 도형 위의 점 $P(x, y)$를 점 $A(a, b)$에 대하여 대칭이동
한 점을 $P'(x', y')$이라 하면

$$x'=2a-x, \ y'=2b-y\text{에서 } x=2a-x', \ y=2b-y'$$

이므로

$$f(x, y)=0$$
$$\Downarrow \longleftarrow \text{점}(a, b)\text{에 대한 대칭}$$
$$f(2a-x', 2b-y')=0$$
$$\Downarrow \longleftarrow x', y'\text{을 } x, y\text{로 바꾸어 쓴다.}$$
$$f(2a-x, 2b-y)=0$$

새 정리 ━━━━━━━━━━━━━━━━━━━━━━ 점 (a, b)에 대한 대칭이동

1 점 (x, y)를 점 (a, b)에 대하여 대칭이동한 점의 좌표는
$$(2a-x, 2b-y)$$
2 방정식 $f(x, y)=0$이 나타내는 도형을 점 (a, b)에 대하여 대칭이동한 도형의 방
정식은
$$f(2a-x, 2b-y)=0$$

예 ① 점 $(1, 3)$을 점 $(2, 5)$에 대하여 대칭이동한 점의 좌표는
$$(2\times 2-1, \ 2\times 5-3) \qquad \therefore (3, 7)$$

② 직선 $y=2x+3$을 점 $(1, 3)$에 대하여 대칭이동한 도형의 방정식은
$$2\times 3-y=2(2\times 1-x)+3, \ 6-y=4-2x+3$$
$$\therefore y=2x-1$$

④ 직선에 대한 대칭이동 [교육과정 응용]

점 $P(x, y)$를 직선 $y=ax+b$에 대하여 대칭이동한 점을 $P'(x', y')$이라 하면 다음 두 조건 (i), (ii)를 이용하여 x', y'을 구할 수 있다.

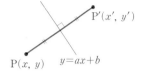

> (i) 선분 PP'의 중점 $\left(\dfrac{x+x'}{2},\ \dfrac{y+y'}{2}\right)$은 직선 $y=ax+b$ 위에 있다.
>
> (ii) 직선 $y=ax+b$와 직선 PP'은 수직으로 만난다.
>   즉, 직선 PP'의 기울기를 m이라 하면 $am=-1$이다.

또 방정식 $f(x, y)=0$이 나타내는 도형을 직선에 대하여 대칭이동한 도형의 방정식 $f(x', y')=0$도 위의 방법으로 x', y'을 구하면 된다.

직선 $y=-x$에 대한 대칭이동

1 점 (x, y)를 직선 $y=-x$에 대하여 대칭이동한 점의 좌표는
$$(-y,\ -x)$$
2 방정식 $f(x, y)=0$이 나타내는 도형을 직선 $y=-x$에 대하여 대칭이동한 도형의 방정식은
$$f(-y,\ -x)=0$$

예 ① 점 $(3, -1)$을 직선 $y=-x$에 대하여 대칭이동한 점의 좌표는
$$(1, -3)$$
② 직선 $y=2x-6$을 직선 $y=-x$에 대하여 대칭이동한 도형의 방정식은
$$-x=2\times(-y)-6 \qquad \therefore y=\frac{1}{2}x-3$$

증명 직선 $y=-x$에 대한 대칭이동

그림에서 점 $P(x, y)$를 직선 $y=-x$에 대하여 대칭이동한 점을 $P'(x', y')$이라 하면 직선 PP'과 직선 $y=-x$는 수직이므로

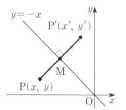

$$\frac{y'-y}{x'-x}=1$$
$$\therefore x'-y'=x-y \qquad \cdots\cdots \text{㉠}$$

또 선분 PP'의 중점 $M\left(\dfrac{x+x'}{2},\ \dfrac{y+y'}{2}\right)$은 직선 $y=-x$
위에 있으므로

$$\frac{y+y'}{2} = -\frac{x+x'}{2}$$

$$\therefore x'+y' = -x-y \quad \cdots\cdots ㉡$$

㉠, ㉡을 연립하여 풀면 $x' = -y$, $y' = -x$

따라서 점 $P(x,\ y)$를 직선 $y = -x$에 대하여 대칭이동한 점 P'의 좌표는
$P'(-y,\ -x)$이다.

새념보충

직선 $x=a$ 또는 직선 $y=b$에 대한 대칭이동 [교육과정 外]

방정식 $f(x,\ y)=0$이 나타내는 도형을

① 직선 $x=a$에 대하여 대칭이동한 도형의 방정식 : $f(2a-x,\ y)=0$

② 직선 $y=b$에 대하여 대칭이동한 도형의 방정식 : $f(x,\ 2b-y)=0$

개념확인코너

정답 및 해설 p.428

4 점 $(-4,\ 3)$을 다음에 대하여 대칭이동한 점의 좌표를 구하시오.

    (1) x축   (2) y축

    (3) 원점   (4) 직선 $y=x$

5 직선 $y=2x-1$을 다음에 대하여 대칭이동한 도형의 방정식을 구하시오.

    (1) x축   (2) y축

    (3) 원점   (4) 직선 $y=x$

6 원 $(x-2)^2+(y+1)^2=1$을 다음에 대하여 대칭이동한 도형의 방정식을 구하시오.

    (1) x축   (2) y축

    (3) 원점   (4) 직선 $y=x$

점 (a, b)를 y축에 대하여 대칭이동한 후, 직선 $y=x$에 대하여 대칭이동한 점의 좌표가 $(4, 2)$일 때, $a+b$의 값을 구하시오.

■ **샘**정리 (1) x축에 대한 대칭이동 : $(x, y) \longrightarrow (x, -y)$
(2) y축에 대한 대칭이동 : $(x, y) \longrightarrow (-x, y)$
(3) 원점에 대한 대칭이동 : $(x, y) \longrightarrow (-x, -y)$
(4) 직선 $y=x$에 대한 대칭이동 : $(x, y) \longrightarrow (y, x)$

풀이 점 (a, b)를 y축에 대하여 대칭이동하면

$(-a, b)$ ← a 대신 $-a$를 대입

이 점을 직선 $y=x$에 대하여 대칭이동하면

$(b, -a)$ ← $-a$ 대신 b, b 대신 $-a$를 대입

이 점의 좌표가 $(4, 2)$이므로

$a=-2$, $b=4$

$\therefore a+b=2$

답 2

유제 3-8 점 $(-2, 1)$을 y축에 대하여 대칭이동한 후, 원점에 대하여 대칭이동한 점의 좌표를 구하시오.

유제 3-9 좌표평면 위의 점 $A(2, 1)$을 직선 $y=x$에 대하여 대칭이동한 점 B와 직선 $y=-x$에 대하여 대칭이동한 점 C가 있다. 이때, 선분 BC의 길이를 구하시오.

필수 예제 6　　　　　　　　　　　　　　　　　　　　　도형의 대칭이동

직선 $3x-4y-1=0$을 원점에 대하여 대칭이동한 후, 직선 $y=x$에 대하여 대칭이동한 직선의 방정식을 구하시오.

.... ■ 새 정석

(1) x축에 대한 대칭이동 : $f(x, y)=0 \longrightarrow f(x, -y)=0$

(2) y축에 대한 대칭이동 : $f(x, y)=0 \longrightarrow f(-x, y)=0$

(3) 원점에 대한 대칭이동 : $f(x, y)=0 \longrightarrow f(-x, -y)=0$

(4) 직선 $y=x$에 대한 대칭이동 : $f(x, y)=0 \longrightarrow f(y, x)=0$

풀이　직선 $3x-4y-1=0$을 원점에 대하여 대칭이동하면

$3(-x)-4(-y)-1=0$ ← x 대신 $-x$, y 대신 $-y$를 대입

$\therefore 3x-4y+1=0$

이 직선을 직선 $y=x$에 대하여 대칭이동하면

$3y-4x+1=0$ ← x 대신 y, y 대신 x를 대입

$\therefore 4x-3y-1=0$

답 $4x-3y-1=0$

참고

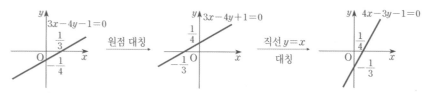

유제 3-10　원 $x^2+(y-3)^2=1$을 x축에 대하여 대칭이동한 후, 직선 $y=x$에 대하여 대칭이동한 원의 방정식을 구하시오.

유제 3-11　포물선 $y=2x^2-4x+1$을 원점에 대하여 대칭이동한 후, x축에 대하여 대칭이동하면 포물선 $y=2(x-a)^2+b$가 될 때, $a+b$의 값을 구하시오.

(단, a, b는 상수이다.)

필수 예제 7 대칭이동과 평행이동

직선 $2x+3y+1=0$을 x축의 방향으로 1만큼, y축의 방향으로 -2만큼 평행이동한 후, 직선 $y=x$에 대하여 대칭이동하면 점 $(1,\ k)$를 지난다. 이때, k의 값을 구하시오.

⌐······ ■ **길잡이**　평행이동과 대칭이동이 연속해서 일어날 경우, 문제에서 주어진 순서대로 도형을 이동해야 한다.

풀이　직선 $2x+3y+1=0$을 x축의 방향으로 1만큼, y축의 방향으로 -2만큼 평행이동하면

$2(x-1)+3(y+2)+1=0$ ← x 대신 $x-1$, y 대신 $y+2$를 대입

$\therefore 2x+3y+5=0$

이 직선을 직선 $y=x$에 대하여 대칭이동하면

$2y+3x+5=0$ ← x 대신 y, y 대신 x를 대입

$\therefore 3x+2y+5=0$

이 직선이 점 $(1,\ k)$를 지나므로

$3\times1+2\times k+5=0$

$\therefore k=-4$

답 -4

주의　직선 $2x+3y+1=0$을 직선 $y=x$에 대하여 대칭이동한 후, x축의 방향으로 1만큼, y축의 방향으로 -2만큼 평행이동하면

$2x+3y+1=0 \xrightarrow[\text{대칭이동}]{\text{직선 } y=x} 2y+3x+1=0 \xrightarrow[\text{평행이동}]{x\text{축 방향}:1,\ y\text{축 방향}:-2} 2(y+2)+3(x-1)+1=0$

즉, $3x+2y+2=0$이고, 점 $(1,\ k)$를 대입하면 $k=-\dfrac{5}{2}$로 틀린 답이 나오므로 도형의 이동 순서에 주의하자.

유제 3-12　포물선 $y=x^2-4x+k$를 y축의 방향으로 3만큼 평행이동한 후, x축에 대하여 대칭이동한 도형에 대하여 y의 최댓값이 5일 때, 상수 k의 값을 구하시오.

유제 3-13　원 $x^2+(y-2)^2=4$를 x축의 방향으로 2만큼, y축의 방향으로 -3만큼 평행이동한 후, 직선 $y=x$에 대하여 대칭이동하면 점 $(1,\ k)$를 지난다. 이때, k의 값을 구하시오.

원 $x^2+(y+2)^2=4$를 점 $(3, 0)$에 대하여 대칭이동한 도형의 방정식을 구하시오.

┈┈┈┈ ■ **길잡이**   점 P를 점 A에 대하여 대칭이동한 점 P′ ➡ 점 A는 선분 PP′의 중점

풀이   대칭이동한 원의 중심의 좌표를 (a, b)라 하면

원 $x^2+(y+2)^2=4$의 중심 $(0, -2)$와

점 (a, b)는 점 $(3, 0)$에 대하여 대칭이다.

즉, 점 $(3, 0)$은 두 점 $(0, -2)$, (a, b)를 이은

선분의 중점이므로

$$\frac{0+a}{2}=3 \quad \therefore a=6$$

$$\frac{-2+b}{2}=0 \quad \therefore b=2$$

따라서 대칭이동한 원은 중심의 좌표가 $(6, 2)$, 반지름의 길이가 2이므로

$$(x-6)^2+(y-2)^2=4$$

답 $(x-6)^2+(y-2)^2=4$

다른 풀이

점 $(3, 0)$에 대한 대칭이동이므로

x 대신 $2\times3-x=6-x$, y 대신 $2\times0-y=-y$를 대입하면

$(6-x)^2+(-y+2)^2=4 \quad \therefore (x-6)^2+(y-2)^2=4$

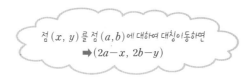

점 (x, y)를 점 (a, b)에 대하여 대칭이동하면
➡$(2a-x, 2b-y)$

유제 3-14   점 $P(-1, 3)$을 점 $(2, a)$에 대하여 대칭이동한 점이 $Q(b+1, 5)$일 때, $a+b$의 값을 구하시오.

유제 3-15   두 이차함수 $y=x^2-2x+5$, $y=-x^2+6x-7$의 그래프가 점 (a, b)에 대하여 서로 대칭일 때, $a+b$의 값을 구하시오.

좌표평면 위의 점 A$(6,\ 4)$를 직선 $x-y+3=0$에 대하여 대칭이동한 점의 좌표를 구하시오.

────── ■ **길잡이**　　직선에 대한 대칭이동 ➡ 중점 조건, 수직 조건을 이용하자.

────── ■ **샘** 정리　점 P를 직선 l에 대하여 대칭이동한 점 P′을 구할 때에는 다음 두 조건을 이용한다.
　　　　　　　① 중점 조건 : 선분 PP′의 중점은 직선 l 위의 점이다.
　　　　　　　② 수직 조건 : 선분 PP′과 직선 l은 서로 수직이다.

풀이　점 A$(6, 4)$를 직선 $x-y+3=0$에 대하여 대칭이동한 점의 좌표를 A′$(a,\ b)$라 하면

$\overline{\mathrm{AA'}}$의 중점 $\left(\dfrac{6+a}{2},\ \dfrac{4+b}{2}\right)$가 직선 $x-y+3=0$ 위의 점이므로

$\dfrac{6+a}{2}-\dfrac{4+b}{2}+3=0$

$\therefore a-b+8=0 \quad\cdots\cdots \text{㉠}$

직선 AA′과 직선 $x-y+3=0$은 서로 수직이므로

$\dfrac{b-4}{a-6}\times 1=-1$

$\therefore a+b-10=0 \quad\cdots\cdots \text{㉡}$

㉠, ㉡을 연립하여 풀면 $a=1,\ b=9$

따라서 점 A$(6, 4)$를 직선 $x-y+3=0$에 대하여 대칭이동한 점의 좌표는 $(1,\ 9)$이다.

답 $(1,\ 9)$

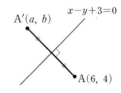

유제 3-16　점 $(3,\ 1)$을 직선 $y=2x$에 대하여 대칭이동한 점의 좌표를 구하시오.

유제 3-17　원 $x^2+y^2-6x+2y+6=0$과 원 $(x+1)^2+(y+5)^2=4$가 직선 $y=ax+b$에 대하여 서로 대칭일 때, ab의 값을 구하시오. (단, a, b는 상수이다.)

두 점 $A(-2, 4)$, $B(3, 5)$와 직선 $y=x$ 위를 움직이는 점 P에 대하여 $\overline{AP}+\overline{BP}$의
최솟값을 구하시오.

┈┈┈┈┈ ■ **길잡이**   점 B를 직선 $y=x$에 대하여 대칭이동한 점 B′을 이용하자.

풀이 점 $B(3, 5)$를 직선 $y=x$에 대하여 대칭이동한 점을
    B′이라 하면 $B'(5, 3)$이다.
    이때, $\overline{PB}=\overline{PB'}$이므로
    $\overline{AP}+\overline{BP}=\overline{AP}+\overline{PB'}\geq\overline{AB'}$
    따라서 $\overline{AP}+\overline{BP}$의 최솟값은
    직선 $y=x$와 $\overline{AB'}$의 교점을 P′이라 할 때,
    $\overline{AP'}+\overline{P'B'}$이므로
    $\overline{AB'}=\sqrt{(5+2)^2+(3-4)^2}=\sqrt{50}=5\sqrt{2}$

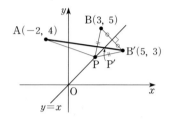

                                                            답 $5\sqrt{2}$

참고 그림에서 직선 $y=x$와 $\overline{BB'}$의 교점을 H라 하면
    $\triangle PBH\equiv\triangle PB'H$(SAS 합동)
    이므로 $\overline{BP}=\overline{B'P}$
    $\therefore \overline{AP}+\overline{BP}=\overline{AP}+\overline{B'P}$

유제 3-**18** 좌표평면 위의 두 점 $A(1, -1)$, $B(1, 5)$와 y축 위의 한 점 P에 대하여
       $\overline{AP}+\overline{BP}$의 최솟값을 구하시오.

Up
유제 3-**19** 좌표평면 위의 두 점 $A(7, 2)$, $B(4, 1)$과 직선 $y=2x-2$ 위의 한 점 P에 대하
       여 $\overline{AP}+\overline{BP}$의 최솟값을 구하시오.

정답 및 해설 p.432

3-**1** 평행이동 $(x, y) \longrightarrow (x+1, y-3)$에 의하여 다음 점들이 옮겨지는 점의 좌표를 구하시오.

(1) $(0, 0)$ (2) $(-1, 3)$ (3) $(2, 4)$

3-**2** 평행이동 $(x, y) \longrightarrow (x+a, y-2)$에 의하여 점 $(2, b)$가 점 $(-3, -5)$로 옮겨질 때, $a+b$의 값은?

① -8 ② -4 ③ 0 ④ 4 ⑤ 8

3-**3** 직선 $y=3x$를 x축의 방향으로 1만큼 평행이동한 직선과 y축의 방향으로 k만큼 평행이동한 직선이 일치할 때, k의 값을 구하시오.

3-**4** 원 $x^2+y^2=1$을 x축의 방향으로 m만큼, y축의 방향으로 n만큼 평행이동하였더니 원 $x^2+y^2-6x+4y+12=0$과 일치하였다. 이때, $m-n$의 값을 구하시오.

3-**5** 점 P를 x축에 대하여 대칭이동하면 점 Q$(a, 3)$으로 옮겨지고, 점 P를 y축에 대하여 대칭이동하면 점 R$(4, b)$로 옮겨진다. 점 P의 x좌표와 y좌표의 합은?

① -7 ② -5 ③ -3 ④ -1 ⑤ 0

3-6 직선 $y=3x+k$를 x축에 대하여 대칭이동한 직선이 점 $(1,\ 3)$을 지날 때, 상수 k의 값을 구하시오.

3-7 포물선 $y=x^2+1$을 x축의 방향으로 3만큼 평행이동한 후, y축에 대하여 대칭이동하면 포물선 $y=ax^2+bx+c$가 된다. 이때, 세 상수 $a,\ b,\ c$의 합 $a+b+c$의 값은?

① -17 ② -5 ③ 5   ④ 14   ⑤ 17

3-8 점 $(a,\ 3)$을 점 $(2,\ 1)$에 대하여 대칭이동한 점의 좌표가 $(1,\ b)$일 때, $a+b$의 값은?

① 1   ② 2   ③ 3   ④ 4   ⑤ 5

3-9 두 점 $A(-2,\ 2)$, $B(1,\ 3)$과 x축 위의 한 점 P에 대하여 $\overline{AP}+\overline{BP}$의 최솟값을 구하시오.

3-10 그림과 같이 좌표평면 위에 한 변의 길이가 2인 정육각형이 놓여 있다. 점 A를 원점에 대하여 대칭이동한 후, x축의 방향으로 -2만큼 평행이동한 점은?

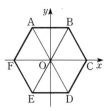

① B   ② C
③ D   ④ E
⑤ F

3-11 원 $x^2+y^2=2$를 x축의 방향으로 a만큼, y축의 방향으로 $1-a$만큼 평행이동하였더니 원의 중심이 직선 $y=x+2$ 위에 놓였다. 이때, a의 값을 구하시오.

3-12 좌표평면 위의 점 $P(x,\ y)$가 다음과 같은 규칙에 따라 이동하다가 멈춘다. 점 P가 점 $A(6,\ 5)$에서 출발하여 점 B에서 더 이상 이동하지 않고 멈추었다. 점 P가 점 A에서 출발하여 점 B에 도착할 때까지 이동한 횟수를 구하시오.

> (개) $y=2x$이면 이동하지 않는다.
> (내) $y<2x$이면 x축의 방향으로 -1만큼 이동한다.
> (대) $y>2x$이면 y축의 방향으로 -1만큼 이동한다.

3-13 제1사분면 위의 한 점 $A(a, b)$를 y축에 대하여 대칭이동한 점을 B라 하고, 점 B를 x축에 대하여 대칭이동한 점을 C라 하자. 삼각형 ABC의 넓이가 2일 때, ab의 값을 구하시오.

3-14 원 $x^2+y^2=4$를 x축의 방향으로 a만큼 평행이동한 후, 직선 $y=-x$에 대하여 대칭이동하면 직선 $3x-4y+2=0$에 접한다고 한다. 이때, a의 값을 모두 곱하면?

① -6 ② -4 ③ -1 ④ 3 ⑤ 8

3-15 직선 $y=-x$에 대한 대칭이동을 f, 원점에 대한 대칭이동을 g라 할 때,

$$f \longrightarrow g \longrightarrow f \longrightarrow g \longrightarrow f \longrightarrow g \cdots$$

과 같은 순서대로 직선 $x+y+1=0$을 99번 이동시킨 직선의 y절편을 구하시오.

3- 16 다음 두 조건을 만족시키는 직선의 방정식을 구하시오.

> (가) 직선 $y=\dfrac{1}{2}x-4$를 y축에 대하여 대칭이동한 직선에 수직이다.
>
> (나) 점 $(2,\ -1)$을 지난다.

3- 17 꼭짓점의 좌표가 $(2,\ -3)$이고 점 $(1,\ 2)$를 지나는 포물선을 $y=f(x)$라 할 때, 포물선 $y=-f(-x)$는 점 $(-1,\ k)$를 지난다. 이때, k의 값은?

① -2 ② -1 ③ 0 ④ 1 ⑤ 2

3- 18 두 원 $x^2+y^2+4x-2y+k=0$, $x^2+y^2+6x-4y+9=0$이 점 $P(a,\ b)$에 대하여 서로 대칭일 때, $a+b+k$의 값을 구하시오. (단, k는 상수이다.)

3- 19 좌표평면 위에 두 점 $A(4,\ 3)$, $B(6,\ 1)$이 있고, 두 점 P, Q가 각각 직선 $y=2x$, x축 위를 움직인다. 이때, $\overline{AP}+\overline{PQ}+\overline{QB}$의 최솟값을 구하시오.

3- 20 그림과 같이 폭이 $20\,\text{m}$로 일정한 직선 도로를 사이에 두고 학교와 도서관이 위치하고 있다. 학교에서 정동쪽으로 $800\,\text{m}$, 다시 그 지점에서 정남쪽으로 $620\,\text{m}$인 지점에 도서관이 위치한다. 학교에서 출발하여 길이가 $20\,\text{m}$인 횡단보도를 건너 도서관까지 가는 최단 거리를 구하시오. (단, 횡단보도의 폭은 고려하지 않는다.)

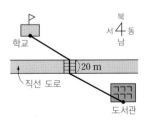

3-21 그림과 같이 직선 $l : x+y-8=0$은 제1사분면을 A, B 두 부분으로 나눈다. A 부분에 직선 l과 y축에 동시에 접하고, 반지름의 길이가 2인 원 C가 있다. 이 원 C를 x축의 방향으로 a만큼, y축의 방향으로 b만큼 평행이동하였더니 직선 l과 x축에 동시에 접하는 B 부분의 원 C′이 되었다. 이때, ab의 값을 구하시오.

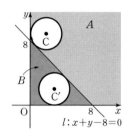

3-22 점 $A(-1, 3)$을 직선 $x-y+1=0$에 대하여 대칭이동한 점을 B라 하고, 이 직선 위의 한 점을 $C(a, b)$라 하였더니 삼각형 ABC의 넓이가 3이 되었다. 이때, $a+b$의 값을 구하시오. (단, $a>0$)

3-23 이차함수 $y=-x^2+4x+3$의 그래프를 원점에 대하여 대칭이동한 후, y축의 방향으로 a만큼 평행이동하였더니 모든 실수 x에 대하여 $y>0$이 되었다. 이때, 정수 a의 최솟값을 구하시오.

3-24 직선 $y=2x-1$을 직선 $y=-x+3$에 대하여 대칭이동한 직선의 방정식이 $mx-2y+n=0$일 때, 두 상수 m, n에 대하여 $m+n$의 값을 구하시오.

3-25 반지름의 길이가 20 m인 원 모양의 수영장이 있다. 그림과 같이 점 O는 수영장의 중심이고, 두 점 P, Q는 $\angle POQ=60°$인 원 위의 점이다. 호 PQ 위에 고정된 한 점 C가 있고, 갑과 을이 각각 P, Q에서 동시에 출발하여 중심 O를 향해 일직선으로 가고 있다. 갑과 을의 위치를 각각 A, B라 할 때, 세 지점 A, B, C를 서로 연결한 거리의 합 $\overline{AB}+\overline{BC}+\overline{CA}$의 최솟값을 구하시오.

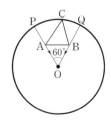

04
집합

04. 집합

1. 집합과 원소
(1) 집합 : 주어진 조건에 의하여 그 대상을 분명히 알 수 있는 것들의 모임
(2) 원소 : 집합을 이루고 있는 대상 하나하나

2. 집합의 표현
(1) 원소나열법 : 집합에 속하는 모든 원소를 기호 { } 안에 나열하는 방법
(2) 조건제시법 : 집합에 속하는 원소들의 공통된 성질을 조건으로 제시하는 방법
(3) 벤 다이어그램 : 집합에 속하는 원소를 원이나 사각형 같은 도형 안에 나열하여 그림으로
　　　　　　　　 나타낸 것

3. 원소의 개수
집합 A가 유한집합일 때, 집합 A의 원소의 개수를 기호로
　　$n(A)$
와 같이 나타낸다.

4. 부분집합
$x \in A$인 모든 원소 x가 $x \in B$일 때, A를 B의 부분집합이라 하고
　　$A \subset B$
와 같이 나타낸다.

5. 부분집합의 성질
(1) 공집합 $\varnothing$은 모든 집합의 부분집합이다. ➡ $\varnothing \subset A$
(2) 임의의 집합 A는 A의 부분집합이다. ➡ $A \subset A$
(3) $A \subset B$이고 $B \subset C$이면 $A \subset C$이다.

6. 서로 같은 집합
(1) 두 집합 A, B의 원소가 같을 때, A와 B는 서로 같다고 하며 이것을
　　$A = B$
와 같이 나타낸다.
(2) $A = B \Longleftrightarrow A \subset B$이고 $B \subset A$

7. 진부분집합
두 집합 A, B에 대하여
　　$A \subset B$이고 $A \neq B$
일 때, A를 B의 진부분집합이라고 한다.

집합의 뜻과 표현

① 집합과 원소

어떤 조건에 맞는 대상들의 모임을 표현할 때, 그 기준이 명확한 것과 명확하지 않은 것이 있다.
예를 들면,

6의 약수의 모임 ······㉠

과 같이 그 대상이 명확하게 1, 2, 3, 6으로 구해지는 경우가 있고,

큰 수들의 모임 ······㉡

과 같이 큰 수의 기준이 없어 그 대상을 명확히 알 수 없는 경우가 있다.

㉠과 같이 그 대상을 분명히 알 수 있는 것들의 모임을 **집합**이라고 한다. 이때, 집합(set)을
이루는 대상 하나하나를 그 집합의 **원소**(element)라고 한다.
한편, ㉡의 '큰 수'와 같이 그 기준이 명확하지 않은 경우는 집합이 아니다.

샘정리 ──────────────────────────── 집합과 원소

1 집합 : 주어진 조건에 의하여 그 대상을 분명히 알 수 있는 것들의 모임
2 원소 : 집합을 이루고 있는 대상 하나하나

예 ① ㄱ. 0보다 큰 수들의 모임
　　ㄴ. 작은 수들의 모임
　　ㄷ. 약수들의 모임
　　ㄹ. 소수들의 모임
　　ㄱ, ㄹ은 모임을 정하는 기준이 명확하므로 집합이 되지만, ㄴ은 작다는 기준이 명확하지
　　않고, ㄷ은 어떤 수의 약수인지 주어져 있지 않으므로 집합이라고 할 수 없다.
② 6보다 작은 자연수의 모임은 그 대상이 명확하므로 집합이고, 이 집합의 원소는 1, 2,
　　3, 4, 5의 5개이다.

일반적으로 집합은 영어의 알파벳 대문자 A, B, C, …으로 나타내고, 원소는 소문자 a, b, c, …으로 나타낸다.

a가 집합 A의 원소일 때,

'a는 A에 속한다.'

고 하며 이것을 기호로

$a \in A$

와 같이 나타낸다.

한편, d가 집합 A의 원소가 아닐 때,

'd는 A에 속하지 않는다.'

고 하며 이것을 기호로

$d \notin A$

와 같이 나타낸다.

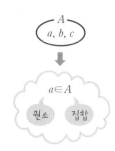

새 정리 | 집합과 원소 사이의 표현

1 $a \in A$ ➡ a는 집합 A의 원소이다.
(a는 집합 A에 속한다.)

2 $b \notin A$ ➡ b는 집합 A의 원소가 아니다.
(b는 집합 A에 속하지 않는다.)

예 주사위의 눈의 수 중에서 2의 배수의 집합을 A라 하면
① $2 \in A$ ② $3 \notin A$
③ $4 \in A$ ④ $8 \notin A$

② 집합의 표현

집합을 나타내는 방법에는 다음과 같이 3가지가 있다.

[방법 1] 기호 { } 안에 집합에 속하는 모든 원소를 직접 나열하는 원소나열법

[방법 2] 원소들이 갖는 공통된 성질을 {$x \mid x$의 공통된 조건}과 같이 제시하는 조건제시법

[방법 3] 원이나 사각형 같은 도형을 이용하여 그림으로 나타내는 벤 다이어그램

새⋒정리

1 **원소나열법** : 원소가 a, b, c, d인 집합을 S라 하면
$$S=\{a,\ b,\ c,\ d\}$$
2 **조건제시법** : 조건 $f(x)$를 만족하는 x 전체의 모임을 S라 하면
$$S=\{x\,|\,f(x)\}$$
3 **벤 다이어그램** : 도형 안에 원소를 적어 집합을 나타낸 그림

예   8의 약수의 모임을 집합 A라 하면

① 원소나열법 : $A=\{1,\ 2,\ 4,\ 8\}$

      └─── 모든 원소

② 조건제시법 : $A=\{x\,|\,x$는 8의 약수$\}$

     └─── 원소를 대표하는 문자

         └─── 원소의 공통된 성질

③ 벤 다이어그램 :   └── 집합 이름

참고   집합을 원소나열법으로 나타낼 때

① 원소의 순서는 바꿀 수 있으나 중복하여 쓰지 않는다.
$$\{b,\ a,\ a,\ c,\ c,\ c\}\ (\times)\ \Rightarrow\ \{a,\ b,\ c\}\ (\bigcirc)$$
② 원소가 많고 일정한 규칙이 있을 때 '⋯'을 이용하여 표현한다.
  자연수의 집합 $\Rightarrow\{1,\ 2,\ 3,\ \cdots\}$

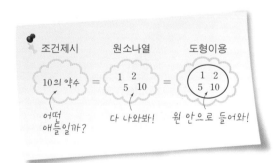

③ 집합의 구분

집합 $\{x \mid x$는 6의 약수$\}$, 즉 $\{1, 2, 3, 6\}$
과 같이 원소가 유한개(셀 수 있는)인 집합도 있고,

집합 $\{x \mid x$는 3의 배수$\}$, 즉 $\{3, 6, 9, \cdots\}$
과 같이 원소가 무한개(셀 수 없는)인 집합도 있다.

이때, 원소가 유한개인 집합을 **유한집합**, 원소가 무한개인 집합을 **무한집합**이라고 한다.

한편, 집합 $\{x \mid x$는 1보다 작은 자연수$\}$와 같이 원소가 하나도 없는 집합도 있는데 이런 집합을
공집합이라 하며, 이것을 기호로

$$\varnothing$$

과 같이 나타낸다.

샘 정리   **집합의 구분**

1 유한집합 : 원소의 개수가 유한개인 집합
2 무한집합 : 원소의 개수가 무한개인 집합
3 공집합 : 원소가 하나도 없는 집합

참고   공집합(empty set)은 유한집합이다.

예   ① $\{3, 6, 9, 12\}$ ➡ 유한집합
      ② $\{x \mid x$는 15의 약수$\}$ ➡ 유한집합
      ③ $\{2, 4, 6, 8, \cdots\}$ ➡ 무한집합
      ④ $\{x \mid x$는 10의 배수$\}$ ➡ 무한집합
      ⑤ $\{x \mid x$는 1 이하의 소수$\}$ ➡ 공집합(유한집합)

④ 유한집합의 원소의 개수

유한집합은 원소의 개수가 유한하므로 그 개수를 0 또는 자연수로 다음과 같이 나타낼 수 있다.

샘 정리   **원소의 개수**

집합 A가 유한집합일 때, 집합 A의 원소의 개수를 기호로

$$n(A)$$

와 같이 나타낸다.

예 ① 집합 $A=\{1,\ 2,\ 3,\ 4,\ 5\}$이면 $n(A)=5$
② 집합 $B=\{x\,|\,x$는 6의 약수$\}$이면 $n(B)=4$
③ 집합 $C=\{x\,|\,x$는 10보다 큰 8의 약수$\}$이면 $n(C)=0$

참고 공집합은 원소가 하나도 없으므로 $n(\varnothing)=0$이다.

개념확인코너

정답 및 해설 p.436

1 집합인 것만을 **보기**에서 있는 대로 고르시오.

┤ 보기 ├
ㄱ. 착한 학생들의 모임
ㄴ. 자연수의 모임
ㄷ. 축구를 잘하는 남학생들의 모임
ㄹ. 맛있는 과일의 모임
ㅁ. 5의 배수의 모임

2 다음 집합을 원소나열법과 조건제시법으로 나타내시오.
(1) 10보다 작은 소수의 집합 A (2) 자연수의 집합 B

3 다음 집합을 유한집합과 무한집합으로 구분하고, 공집합이 있는지 조사하시오.
(1) $A=\{x\,|\,x\leq10,\ x$는 자연수$\}$ (2) $B=\{x\,|\,x>1,\ x$는 자연수$\}$
(3) $C=\{x\,|\,x<1,\ x$는 자연수$\}$

4 두 집합 $A=\{1,\ 3,\ 5,\ 7\}$, $B=\{x\,|\,x$는 5 이하의 자연수$\}$를 각각 벤 다이어그램으로 나타내고, $n(A)+n(B)$의 값을 구하시오.

집합인 것만을 **보기**에서 있는 대로 고르시오.

> ┤ 보기 ├
>
> ㄱ. 5보다 작은 자연수의 모임
> ㄴ. H고등학교에서 키가 큰 학생들의 모임
> ㄷ. 1학년 6반에서 혈액형이 A형인 학생들의 모임
> ㄹ. 100에 가까운 수의 모임
> ㅁ. 수학을 잘하는 학생들의 모임

■ **길잡이**   주어진 조건에 알맞은 대상을 분명하게 구별할 수 있는지 파악한다.

■ **새**정리   (1) 집합 : 주어진 조건에 의하여 그 대상을 분명히 알 수 있는 것들의 모임
                   (2) 원소 : 집합을 이루고 있는 대상 하나하나

풀이   ㄱ. {1, 2, 3, 4}이므로 집합이다.
        ㄴ. '키가 크다' 의 기준이 사람마다 다르기 때문에 집합이 아니다.
        ㄷ. 명확한 기준이 있으므로 집합이다.
        ㄹ. 100에 가깝다는 기준이 명확하지 않으므로 집합이 아니다.
        ㅁ. '잘한다' 의 기준이 사람마다 다르기 때문에 집합이 아니다.
        따라서 집합인 것은 ㄱ, ㄷ이다.

답 ㄱ, ㄷ

유제 4-1   다음 중 집합이 <u>아닌</u> 것은?

        ① 다리가 4개인 동물들의 모임
        ② 암수 구별이 되는 동물들의 모임
        ③ 아름다운 동물들의 모임
        ④ 꼬리가 있는 동물들의 모임
        ⑤ 새끼를 낳는 동물들의 모임

다음 집합을 [   ] 안의 방법으로 나타내시오.

(1) $A=\{x \mid x$는 7보다 작은 자연수$\}$ [원소나열법]

(2) $B=\{x \mid x$는 5의 배수$\}$ [원소나열법]

(3) $C=\{1,\ 3,\ 5,\ 7,\ 9\}$ [조건제시법]

(4) $D=\{x \mid x$는 $1<x<10$인 짝수$\}$ [벤 다이어그램]

- **길잡이**   집합을 조건제시법으로 나타낼 때, 원소의 공통된 성질을 찾는다.

- **샘**저려   집합의 표현 방법

 (1) 원소나열법 : 집합에 속하는 원소를 { } 안에 나열하여 나타내는 방법

 (2) 조건제시법 : 원소들이 갖는 공통된 성질을 조건으로 제시하여 집합을 나타내는 방법

 (3) 벤 다이어그램 : 도형 안에 원소를 적어 집합을 그림으로 나타내는 방법

풀이   (1) $A=\{1,\ 2,\ 3,\ 4,\ 5,\ 6\}$

         (2) $B=\{5,\ 10,\ 15,\ 20,\ \cdots\}$

         (3) $C=\{x \mid x$는 10보다 작은 홀수$\}$

         (4)

답 풀이 참조

유제 4-2   10보다 작은 3의 배수의 집합을 A라 할 때, 집합 A를 다음과 같은 방법으로 나타내시오.

          (1) 원소나열법

          (2) 조건제시법

          (3) 벤 다이어그램

유제 4-3   그림과 같이 벤 다이어그램으로 나타낸 집합 A를 원소나열법과 조건제시법으로 나타내시오.

두 집합 $A=\{x \mid 0 < x < 7$인 2의 배수$\}$, $B=\{-1, 0, 1\}$에 대하여 다음 집합 C, D를 원소나열법으로 나타내시오.

(1) $C=\{x \mid x=a+b, a \in A, b \in A\}$

(2) $D=\{a \times b \mid a \in A, b \in B\}$

......■ **길잡이**   (1) a가 될 수 있는 값은 2, 4, 6이고, b가 될 수 있는 값도 2, 4, 6이다.

                       (2) a가 될 수 있는 값은 2, 4, 6이고, b가 될 수 있는 값은 -1, 0, 1이다.

풀이   (1) $A=\{2, 4, 6\}$이므로

        오른쪽 표에 의하여 $a+b$의 값이 될 수 있는 것은

        4, 6, 8, 10, 12이다.

        $\therefore C=\{4, 6, 8, 10, 12\}$

+	2	4	6
2	4	6	8
4	6	8	10
6	8	10	12

  (2) $A=\{2, 4, 6\}$, $B=\{-1, 0, 1\}$이므로

        오른쪽 표에 의하여 $a \times b$의 값이 될 수 있는 것은

        -6, -4, -2, 0, 2, 4, 6이다.

        $\therefore D=\{-6, -4, -2, 0, 2, 4, 6\}$

×	2	4	6
-1	-2	-4	-6
0	0	0	0
1	2	4	6

답 (1) $C=\{4, 6, 8, 10, 12\}$

    (2) $D=\{-6, -4, -2, 0, 2, 4, 6\}$

참고 $\{a \times b \mid a \in A, b \in B\}$는 $\{x \mid x=a \times b, a \in A, b \in B\}$와 같다.

Up

유제 4-4   두 집합 $A=\{-1, 0, 2\}$, $B=\{1, 3, 5\}$에 대하여 집합 S를

            $S=\{x \mid x=a+ab, a \in A, b \in B\}$

   로 정의할 때, 집합 S의 모든 원소의 합을 구하시오.

옳은 것만을 **보기**에서 있는 대로 고르시오. (단, $n(X)$는 집합 X의 원소의 개수이다.)

┤ 보기 ├

ㄱ. $A=\{\varnothing, 1, 2, 3\}$이면 $n(A)=4$이다.
ㄴ. $n(A)=n(B)$이면 $A=B$이다.
ㄷ. $n(A)=0$이면 $A=\varnothing$이다.
ㄹ. $n(\{3\})-n(\{2\})=1$이다.

········■ **길잡이** $n(A)$는 유한집합 A의 원소의 개수를 나타낸다.
                 즉, $A=\{a_1, a_2, a_3, \cdots, a_k\}$이면 $n(A)=k$이다.

풀이   ㄱ. 집합 A의 원소는 $\varnothing$, 1, 2, 3이므로 $n(A)=4$이다. (참)
       ㄴ. [반례] $A=\{1, 2\}$, $B=\{3, 4\}$라 하면
           $n(A)=n(B)$이지만 $A\neq B$이다. (거짓)
       ㄷ. 집합 A의 원소가 하나도 없으므로 $A=\varnothing$이다. (참)
       ㄹ. $n(\{3\})-n(\{2\})=1-1=0$ (거짓)
       따라서 옳은 것은 ㄱ, ㄷ이다.

답 ㄱ, ㄷ

유제 4-5   옳은 것만을 **보기**에서 있는 대로 고르시오.

┤ 보기 ├

ㄱ. $A=\{0\}$이면 $n(A)=0$이다.
ㄴ. $n(A)=n(\varnothing)$이면 $A=\varnothing$이다.
ㄷ. $A=\{100\}$, $B=\{200\}$이면 $n(A)<n(B)$이다.

유제 4-6   두 집합 $A=\{x \mid x^3-3x^2+2x=0\}$, $B=\{x \mid x=2n-1,\ n$은 6 이하의 자연수$\}$에
                대하여 $n(A)+n(B)$의 값을 구하시오.

다음 두 조건을 만족시키는 집합 A의 개수를 구하시오. (단, $A \neq \varnothing$)

> (가) 모든 원소가 자연수이다.   (나) $a \in A$이면 $8 - a \in A$

■ 길잡이   집합 A는 자연수를 원소로 가지므로 a와 $8 - a$가 모두 자연수임을 이용하여 구하자.

풀이 a와 $8 - a$가 모두 자연수이므로

$a \geq 1$, $8 - a \geq 1$ $\therefore 1 \leq a \leq 7$

즉, 집합 A의 원소가 될 수 있는 것은 1, 2, 3, 4, 5, 6, 7이다.

이때, $a \in A$이면 $8 - a \in A$이므로

$1 \in A$이면 $8 - 1 = 7 \in A$, $2 \in A$이면 $8 - 2 = 6 \in A$

$3 \in A$이면 $8 - 3 = 5 \in A$, $4 \in A$이면 $8 - 4 = 4 \in A$

$5 \in A$이면 $8 - 5 = 3 \in A$, $6 \in A$이면 $8 - 6 = 2 \in A$

$7 \in A$이면 $8 - 7 = 1 \in A$

원소의 개수에 따라 집합 A를 구해 보면

(i) 원소가 1개일 때, $\{4\}$

(ii) 원소가 2개일 때, $\{1, 7\}$, $\{2, 6\}$, $\{3, 5\}$

(iii) 원소가 3개일 때, $\{1, 4, 7\}$, $\{2, 4, 6\}$, $\{3, 4, 5\}$

(iv) 원소가 4개일 때, $\{1, 2, 6, 7\}$, $\{1, 3, 5, 7\}$, $\{2, 3, 5, 6\}$

(v) 원소가 5개일 때, $\{1, 2, 4, 6, 7\}$, $\{1, 3, 4, 5, 7\}$, $\{2, 3, 4, 5, 6\}$

(vi) 원소가 6개일 때, $\{1, 2, 3, 5, 6, 7\}$

(vii) 원소가 7개일 때, $\{1, 2, 3, 4, 5, 6, 7\}$

(i)~(vii)에 의하여 집합 A의 개수는 15이다.

답 15

유제 4-7   자연수를 원소로 가지는 집합 A가 조건 '$a \in A$이면 $7 - a \in A$'를 만족시킬 때, 집합 A 중에서 원소가 4개인 집합을 모두 구하시오.

유제 4-8   자연수를 원소로 가지는 집합 X가 $a \in X$이면 $\dfrac{16}{a} \in X$를 만족시킬 때, 집합 X의 개수를 구하시오. (단, $X \neq \varnothing$)

2 집합 사이의 포함 관계

① 부분집합

두 집합 $A=\{1,\ 3,\ 5\}$, $B=\{1,\ 2,\ 3,\ 4,\ 5\}$를 생각할 때, 집합 A의 원소 1, 3, 5는 모두 집합 B에 속한다는 것을 알 수 있다. 이와 같은 관계일 때, 집합 A는 집합 B의 **부분집합**이라 하고 기호로

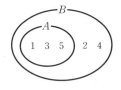

$$A \subset B \text{ (또는 } B \supset A \text{)}$$

와 같이 나타내며

'집합 A는 집합 B에 포함된다.' (또는 '집합 B는 집합 A를 포함한다.')

고 말한다.

한편, 집합 A가 집합 B의 부분집합이 아닐 때, 이것을 기호로

$$A \not\subset B$$

와 같이 나타낸다.

샘 정리   **부분집합**

$x \in A$인 모든 원소 x가 $x \in B$일 때, 집합 A를 집합 B의 **부분집합**이라 하고 기호로

$$A \subset B \text{ (또는 } B \supset A \text{)}$$

로 나타내며

'집합 A는 집합 B에 포함된다.' (또는 '집합 B는 집합 A를 포함한다.')

고 말한다.

예   두 집합 $A=\{x \mid x$는 6의 약수$\}$, $B=\{1,\ 2,\ 3,\ 4,\ 5,\ 6\}$에 대하여
$A \subset B$, $B \not\subset A$인 관계가 성립한다.

집합 $A=\{a,\ b\}$의 모든 원소 a, b는 집합 A에 속하므로 집합 A는 집합 A의 부분집합이라고 할 수 있다. 이와 같이 모든 집합은 자기 자신의 부분집합이다.

한편, 공집합은 모든 집합의 부분집합으로 정한다.

또한, 세 집합 A, B, C에서 대하여 $A \subset B$이고 $B \subset C$이면 벤 다이어그램에서 $A \subset C$임을 알 수 있다.

새b정리

1 공집합 $\varnothing$은 모든 집합의 부분집합이다.
    즉, 임의의 집합 A에 대하여 $\varnothing \subset A$
2 임의의 집합 A는 A 자신의 부분집합이다. 즉, $A \subset A$
3 $A \subset B$이고 $B \subset C$이면 $A \subset C$이다.

예 세 집합 $A = \{1, 2\}$, $B = \{1, 2, 3\}$, $C = \{1, 2, 3, 4\}$에 대하여
    ① $\varnothing \subset A$, $A \subset A$이다.
    ② $A \subset B$이고 $B \subset C$이므로 $A \subset C$이다.

어떤 집합의 부분집합을 모두 구할 때는 원소의 개수를 생각하며 구하면 편리하다. 예를 들어 집합 $A = \{a, b\}$의 모든 부분집합은

$\varnothing$ ← 원소의 개수 : 0
$\{a\}$, $\{b\}$ ← 원소의 개수 : 1
$\{a, b\}$ ← 원소의 개수 : 2

로 4개이다.

예 집합 $X = \{a, b, c\}$의 모든 부분집합은

$\varnothing$ ← 원소의 개수 : 0
$\{a\}$, $\{b\}$, $\{c\}$ ← 원소의 개수 : 1
$\{a, b\}$, $\{b, c\}$, $\{c, a\}$ ← 원소의 개수 : 2
$\{a, b, c\}$ ← 원소의 개수 : 3

로 8개이다.

아름아 네가 할 수 있는 것들은 내가 모두 할 수 있지!! 그러니까 너는 나의 부분집합인거야~~.

???

② 서로 같은 집합

두 집합
$$A=\{1, 2, 5, 10\}, B=\{x \mid x는 10의 약수\}$$
에서 $B=\{1, 2, 5, 10\}$이므로 집합 A와 집합 B의 원소는 모두 같다.

이와 같이 두 집합 A, B의 원소가 같을 때, A와 B는 서로 같다고 하며 이것을 기호로
$$A=B$$
와 같이 나타낸다.

이때, $A=B$이면 집합 A의 모든 원소는 집합 B에 속하고 집합 B의 모든 원소는 집합 A에 속한다. 즉, $A \subset B$이고 $B \subset A$이다.

또한, $A \subset B$이고 $B \subset A$이면 $A=B$이다.

한편, 두 집합 A, B가 같지 않을 때는 이것을 기호로
$$A \neq B$$
와 같이 나타낸다.

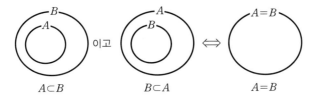

새롭정리

서로 같은 집합

1 두 집합 A, B의 원소가 같을 때, A와 B는 서로 같다고 하며 이것을
$$A=B$$
와 같이 나타낸다.

2 $A=B \Longleftrightarrow A \subset B$이고 $B \subset A$

(예) 두 집합 $A=\{a, b, c\}$, $B=\{x \mid x는 4의 약수\}$에 대하여 $A=B$일 때, 집합 A의 모든 원소의 합을 구해 보자.

집합 $B=\{1, 2, 4\}$이고, $\{a, b, c\}=\{1, 2, 4\}$이므로
$$a+b+c=1+2+4=7$$

(주의) $\{a, b, c\}=\{1, 2, 4\}$일 때, $a=1$, $b=2$, $c=4$인 것은 아니다.
$a=2$, $b=4$, $c=1$ 등 다른 경우도 있지만 세 수의 합은 7로 같다.

③ 진부분집합

두 집합 $A=\{1,\ 2\}$, $B=\{1,\ 2,\ 3\}$ 사이에는 $A{\subset}B$이고 $A{\neq}B$인 관계가 있다. 이와 같이 집합 A가 집합 B의 부분집합이고 A, B가 같지 않을 때, A를 B의 **진부분집합**이라고 한다.

새ᄆ 정리

두 집합 A, B에 대하여

$$A{\subset}B\text{이고 } A{\neq}B$$

일 때, A를 B의 **진부분집합**이라고 한다.

예 ① 두 집합 $A=\{1,\ 5\}$, $B=\{1,\ 3,\ 5\}$에 대하여 $A{\subset}B$이지만 $A{\neq}B$이므로
A는 B의 진부분집합이다.

② 집합 $\{1,\ 2,\ 3\}$의 진부분집합을 모두 구하면

$$\varnothing,\ \{1\},\ \{2\},\ \{3\},\ \{1,\ 2\},\ \{1,\ 3\},\ \{2,\ 3\}$$

참고 집합 A의 부분집합 중에서 A 자신을 제외한 집합들은 모두 진부분집합이다.

새ᄆ 보충

두 집합 사이의 포함 관계

일반적으로 두 집합 A, B는 벤 다이어그램을 기본으로 생각하면 된다.
이때, 두 집합 A, B 사이의 포함 관계는 색칠된 각 영역에 원소가
존재하는지에 따라 다음과 같이 여러 가지가 있다.

(i) ㄴ, ㄷ만 원소가 있는 경우 (ii) ㄱ, ㄴ만 원소가 있는 경우 (iii) ㄴ만 원소가 있는 경우

$A{\subset}B,\ A{\neq}B$

$B{\subset}A,\ A{\neq}B$

$A=B$

(iv) ㄱ, ㄷ만 원소가 있는 경우 (v) ㄱ, ㄴ, ㄷ에 모두 원소가 있는 경우

$A{\not\subset}B,\ B{\not\subset}A$

$A{\not\subset}B,\ B{\not\subset}A$

④ 부분집합의 개수

원소의 개수가 n인 집합의 부분집합의 개수는 다음과 같이 구한다.

부분집합의 개수 교육과정 外

원소의 개수가 n인 집합에 대하여

1 부분집합의 개수 ➡ 2^n

2 특정한 원소 m개를 포함하는 (또는 포함하지 않는) 부분집합의 개수 ➡ 2^{n-m}

3 진부분집합의 개수 ➡ 2^n-1

예 ① 집합 $\{a,\ b,\ c\}$의 부분집합의 개수

➡ $2^3=8$

② 집합 $\{a,\ b,\ c,\ d\}$의 진부분집합의 개수

➡ $2^4-1=15$

샘특강

$A \subset X \subset B$를 만족시키는 집합

두 집합 A, B에 대하여 $A \subset X \subset B$를 만족시키는 집합 X에 대하여

$$A \subset X \subset B \Longleftrightarrow A \subset X \text{이고 } X \subset B$$

이므로 X는 A를 포함하고, B의 부분집합임을 의미한다.

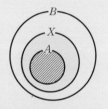

즉, 집합 X는 집합 B의 부분집합 중에서 집합 A의 원소를 모두 가지고 있는 것들이다.

예를 들어 $A=\{a, b\}$, $B=\{a, b, c, d\}$일 때, $A \subset X \subset B$를 만족시키는 집합 X는 집합 B의 부분집합

$$\varnothing, \{a\}, \{b\}, \{c\}, \{d\}, \underline{\{a, b\}}, \{a, c\}, \{a, d\}, \{b, c\}, \{b, d\}, \{c, d\},$$
$$\underline{\{a, b, c\}}, \underline{\{a, b, d\}}, \{a, c, d\}, \{b, c, d\}, \underline{\{a, b, c, d\}}$$

중에서 두 원소 a, b를 모두 포함하는 것들이다.

즉, $\{a, b\}, \{a, b, c\}, \{a, b, d\}, \{a, b, c, d\}$의 4개이다.

이때, 이 네 집합에서 두 원소 a, b를 모두 제외하면

$$\varnothing, \{c\}, \{d\}, \{c, d\}$$

이고 이 네 집합은 집합 $\{c, d\}$의 부분집합을 모두 구한 것과 같음을 알 수 있다.

이와 같이 $A \subset X \subset B$를 만족시키는 집합 X는 집합 B에서 집합 A의 원소를 제외한 집합의 모든 부분집합을 구한 후 집합 A의 원소를 써넣은 것과 같다.

5 세 집합

$$A=\{2,\,4\},\ B=\{x\,|\,x\text{는 8의 약수}\},\ C=\{x\,|\,x\text{는 2의 배수}\}$$

에 대하여 다음 □ 안에 기호 $\subset$, $\supset$, $\not\subset$ 중에서 알맞은 것을 써넣으시오.

(단, $\supset$이면 $\not\subset$를 쓰지 않는다.)

(1) $\varnothing\ \square\ A$

(2) $A\ \square\ B$

(3) $C\ \square\ A$

(4) $B\ \square\ C$

6 다음 집합의 부분집합을 모두 구하시오.

(1) $\{1,\,2\}$

(2) $\{x\,|\,x\text{는 9의 약수}\}$

7 집합 $A=\{x\,|\,x\text{는 10 이하의 소수}\}$라 할 때, 집합 A의 부분집합 중 원소가 2개인 것을 모두 구하시오.

8 두 집합 $A=\{2,\,3,\,a\}$, $B=\{3,\,7,\,b\}$에 대하여 $A=B$일 때, 두 상수 $a,\,b$의 합 $a+b$의 값을 구하시오.

9 집합 $\{x\,|\,x\text{는 25의 약수}\}$의 진부분집합을 모두 구하시오.

부분집합의 개수는 왜 2^n일까? [교육과정 外]

집합 $A=\{a,\ b,\ c,\ d\}$의 부분집합을 S라 하면 집합 S에 집합 A의 원소 a가 속할 수도 있고, 속하지 않을 수도 있다. 즉, 두 가지 경우가 존재한다. 이 두 가지 각각의 경우에 대하여 원소 b의 경우도 두 가지이므로 두 원소 a, b가 집합 A에 속하거나 속하지 않는 경우는 모두 $2\times2=4$이다. 또 원소 c도 위의 각각의 경우에 대하여 두 가지가 있다. 마찬가지로 원소 d도 각각의 경우에 대하여 두 가지 경우가 존재하므로 집합 S에 $a,\ b,\ c,\ d$ 각각의 원소들이 속하거나 속하지 않는 경우를 모두 구하면

$$2\times2\times2\times2=2^4$$

이다.

예를 들면, $a,\ b,\ c,\ d$ 모두 속하지 않는 경우를 구하면 $S=\varnothing$인 경우이고, $a,\ c,\ d$는 속하지 않고 b만 속하는 경우는 $S=\{b\}$, 즉 원소가 b 하나인 경우이다.

이와 같은 방법으로 집합 $\{a_1,\ a_2,\ \cdots,\ a_n\}$의 부분집합의 개수를 구하면

$$\underbrace{2\times2\times\cdots\times2}_{n개}=2^n$$

임을 추론할 수 있다.

예 집합 $A=\{1,\ 2,\ 3,\ \cdots,\ 10\}$의 부분집합의 개수는 $2^{10}=1024$이다.

특정한 원소를 포함하는 부분집합의 개수는 몇 개일까?

집합 $A=\{a,\ b,\ c,\ d\}$의 부분집합 중에서 두 원소 a, b를 포함하는 것을 모두 찾으려면 a, b를 제외한 집합, 즉 $\{c,\ d\}$의 부분집합을 이용하면 된다. $\{c,\ d\}$의 부분집합은 $\varnothing$, $\{c\}$, $\{d\}$, $\{c,\ d\}$의 4개인데, 이 각각의 집합에 두 원소 a, b를 넣으면 구하려는 부분집합이 되고, 그 개수는 $\{a,\ b\}$, $\{a,\ b,\ c\}$, $\{a,\ b,\ d\}$, $\{a,\ b,\ c,\ d\}$의 4이다.

이와 같은 방법으로 원소의 개수가 n인 집합에서 특정한 원소 m개를 포함하는 (또는 포함하지 않는) 부분집합의 개수는 나머지 $(n-m)$개의 원소로 구성된 부분집합의 개수와 같으므로

$$2^{n-m}$$

이다.

예 집합 $A=\{1,\ 2,\ 3,\ \cdots,\ 8\}$의 부분집합 중 두 원소 2, 3을 모두 포함하는 부분집합의 개수는 $2^{8-2}=2^6=64$이다.

집합 $A=\{1,\ 2,\ 3\}$에 대하여 다음을 모두 구하시오.

(1) 원소의 개수가 0인 부분집합

(2) 원소의 개수가 1인 부분집합

(3) 원소의 개수가 2인 부분집합

(4) 원소의 개수가 3인 부분집합

(5) 짝수를 포함하는 부분집합

■ 새 정리   (1) 공집합은 모든 집합의 부분집합이다. ➡ $\varnothing \subset A$

(2) 모든 집합은 자기 자신의 부분집합이다. ➡ $A \subset A$

(3) $A \subset B$이고 $B \subset C$이면 $A \subset C$이다.

풀이   (1) 원소의 개수가 0인 부분집합 : $\varnothing$

(2) 원소의 개수가 1인 부분집합 : $\{1\}$, $\{2\}$, $\{3\}$

(3) 원소의 개수가 2인 부분집합 : $\{1,\ 2\}$, $\{1,\ 3\}$, $\{2,\ 3\}$

(4) 원소의 개수가 3인 부분집합 : $\{1,\ 2,\ 3\}$

(5) 짝수를 포함하는 부분집합 : $\{2\}$, $\{1,\ 2\}$, $\{2,\ 3\}$, $\{1,\ 2,\ 3\}$

답 (1) $\varnothing$ (2) $\{1\}$, $\{2\}$, $\{3\}$ (3) $\{1,\ 2\}$, $\{1,\ 3\}$, $\{2,\ 3\}$

(4) $\{1,\ 2,\ 3\}$ (5) $\{2\}$, $\{1,\ 2\}$, $\{2,\ 3\}$, $\{1,\ 2,\ 3\}$

유제 4-9   집합 $A=\{2,\ 5,\ 7,\ 10\}$일 때, 다음을 모두 구하시오.

(1) 원소의 개수가 2인 부분집합

(2) 원소의 개수가 3인 부분집합

(3) 홀수만으로 이루어진 부분집합

유제 4-10   집합 $A=\{1,\ 3,\ 5,\ 7\}$에 대하여 두 원소 1, 3을 반드시 포함하는 진부분집합을 모두 구하시오.

집합 $A=\{0,\ 1,\ \{2\},\ \{1,\ 2\}\}$일 때, 다음 중 옳지 <u>않은</u> 것은?

① $\varnothing \subset A$ ② $\{2\} \in A$ ③ $\{0,\ 1\} \subset A$

④ $\{1,\ 2\} \subset A$ ⑤ $\{1,\ 2\} \in A$

■ **길잡이**   (1) x가 집합 A의 원소이면 $x \in A$, $\{x\} \subset A$
                   (2) $\{2\}$가 집합 A의 원소이면 $\{2\} \in A$, $\{\{2\}\} \subset A$

■ **새 정리**   (1) 공집합은 원소가 하나도 없는 집합이며, 모든 집합의 부분집합이다.
                   (2) 집합과 원소 사이는 속하는 관계($\in$), 집합과 집합 사이는 포함 관계($\subset$)
                   (3) 집합 속의 집합은 하나의 원소로 생각한다.

풀이   집합 A는 $0,\ 1,\ \{2\},\ \{1,\ 2\}$를 원소로 가지므로
       집합 A와 주어진 원소 및 부분집합 사이의 관계는 다음과 같다.
       ① 공집합은 모든 집합의 부분집합이므로 $\varnothing \subset A$
       ② $\{2\}$는 집합 A의 원소이므로 $\{2\} \in A$
       ③ $0,\ 1$은 집합 A의 원소이므로 $\{0,\ 1\} \subset A$
       ④ 2는 집합 A의 원소가 아니므로 $\{1,\ 2\} \not\subset A$
       ⑤ $\{1,\ 2\}$는 집합 A의 원소이므로 $\{1,\ 2\} \in A$
       따라서 옳지 않은 것은 ④이다.

                                                                         답 ④

유제 **4-11**   집합 $A=\{\varnothing,\ 1,\ \{2,\ 3\}\}$일 때, 다음 중 옳지 <u>않은</u> 것은?

             ① $\varnothing \in A$ ② $\{2,\ 3\} \in A$ ③ $\{1\} \subset A$

             ④ $\{\varnothing,\ 1\} \in A$ ⑤ $\{\varnothing,\ \{2,\ 3\}\} \subset A$

유제 **4-12**   옳은 것만을 **보기**에서 있는 대로 고르시오.

━━━━━━━━━━━━━━━━┥ 보기 ┝━━━━━━━━━━━━━━━

     ㄱ. $\varnothing \subset \varnothing$
     ㄴ. $0 \in \varnothing$
     ㄷ. $\{x \mid x<0$인 유리수$\}=\varnothing$
     ㄹ. $\{x \mid x$는 2의 배수$\} \supset \{x \mid x$는 4의 배수$\}$

세 집합

$$A=\{x\,|\,-1<x<4\},$$
$$B=\{x\,|\,a<x\le b\},$$
$$C=\{x\,|\,0\le x<3\}$$

에 대하여 $C\subset B\subset A$가 성립할 때, 두 정수 a, b의 값을 구하시오.

■ **길잡이**   각 집합의 원소가 되는 x의 값들을 수직선 위에 나타내어 포함 관계를 확인해 보자.

■ **새정리**   (1) $x\in A$이면 $x\in B \iff A\subset B$

                (2) $A\subset B$이고 $B\subset C$이면 $A\subset C$이다.

풀이   세 집합 A, B, C를 $C\subset B\subset A$가 성립하도록

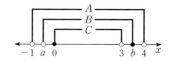

수직선 위에 나타내면 그림과 같으므로

$-1\le a<0$, $3\le b<4$

이때, a, b는 정수이므로

$a=-1$, $b=3$

                                                      답 $a=-1$, $b=3$

유제 4-13   두 집합 A, B가 $A=\{0,\ a,\ a+2\}$, $B=\{-1,\ 0,\ 1,\ 3\}$으로 주어질 때, $A\subset B$가 되도록 하는 실수 a의 값을 구하시오.

유제 4-14   두 집합 $A=\{x\,|\,-3\le x\le -2k\}$, $B=\{x\,|\,k\le x\le 4\}$에 대하여 $B\subset A$가 성립할 때, 실수 k의 값의 범위를 구하시오.

필수 예제 9 　　　　　　　　　　　　　　　　　　　서로 같은 두 집합

두 집합 A, B에 대하여 $A \subset B$이고 $B \subset A$일 때, 두 상수 a, b의 합 $a+b$의 값을 구하시오.

(1) $A = \{4,\ a-2,\ 7\}$, $B = \{b+2,\ 5,\ 7\}$

(2) $A = \{2,\ a^2-2a,\ 6\}$, $B = \{a-1,\ 3,\ b+2\}$

> ■ **새 저거** 두 집합 A, B에 대하여
> $$A \subset B \text{이고 } B \subset A \Longleftrightarrow A = B$$

풀이 $A \subset B$이고 $B \subset A$이므로 $A = B$

(1) $\{4,\ a-2,\ 7\} = \{b+2,\ 5,\ 7\}$에서

$a-2 = 5$, $b+2 = 4$

$\therefore a = 7$, $b = 2$

$\therefore a+b = 9$

(2) $\{2,\ a^2-2a,\ 6\} = \{a-1,\ 3,\ b+2\}$에서

$a^2-2a = 3$

$a^2-2a-3 = 0$, $(a+1)(a-3) = 0$

$\therefore a = -1$ 또는 $a = 3$

(i) $a = -1$일 때, $A = \{2, 3, 6\}$, $B = \{-2, 3, b+2\}$

즉, $-2 \notin A$이므로 $A \neq B$

(ii) $a = 3$일 때, $A = \{2, 3, 6\}$, $B = \{2, 3, b+2\}$

$A = B$이려면

$b+2 = 6$ 　 $\therefore b = 4$

(i), (ii)에 의하여 $a = 3$, $b = 4$이므로 $a+b = 7$

답 (1) 9 　(2) 7

유제 4-15 집합 $A = \{x,\ 4,\ y\}$와 벤 다이어그램의 집합 B에 대하여 $A \subset B$이고 $B \subset A$일 때, $2x+y$의 값을 구하시오.

(단, x, y는 실수이다.)

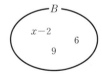

유제 4-16 두 집합 A, B에 대하여 $A = B$일 때, 두 상수 a, b의 값을 구하시오.

(1) $A = \{1,\ 3,\ a^2+1\}$, $B = \{2,\ a,\ b-1\}$

(2) $A = \{x \mid a \leq 3x-1 \leq 5\}$, $B = \{x \mid -1 \leq x \leq b\}$

집합 $A=\{1, 2, 3, 4, 5\}$에 대하여 다음 물음에 답하시오.

(1) 집합 A의 진부분집합 중에서 두 원소 1, 4를 모두 포함하는 집합의 개수를 구하시오.

(2) 집합 A의 부분집합 중에서 두 원소 1, 2는 반드시 포함하고, 원소 5는 포함하지 않는 집합의 개수를 구하시오.

생각거리　(1) 부분집합의 개수

① 원소의 개수가 n인 집합의 부분집합의 개수 ➡ 2^n

② 특정한 원소 m개를 원소로 갖는 부분집합의 개수 ➡ 2^{n-m}

③ 특정한 원소 m개를 원소로 갖지 않는 부분집합의 개수 ➡ 2^{n-m}

(2) 진부분집합의 개수

원소의 개수가 n인 집합의 진부분집합의 개수 ➡ 2^n-1

풀이　(1) 집합 $A=\{1, 2, 3, 4, 5\}$에서 두 원소 1, 4를 제외한 집합 $\{2, 3, 5\}$의 진부분집합을 구한 다음 각각에 1, 4를 넣어주면 된다.

그러므로 집합 A의 진부분집합 중 두 원소 1, 4를 포함하는 부분집합의 개수는 집합 $\{2, 3, 5\}$의 진부분집합의 개수와 같으므로 $2^3-1=7$이다.

(2) 집합 A의 부분집합 중에서 두 원소 1, 2는 반드시 포함하고, 원소 5는 포함하지 않는 집합의 개수는 집합 $\{3, 4\}$의 부분집합의 개수와 같으므로 $2^2=4$이다.

답 (1) 7　(2) 4

유제 4-17 두 집합 $A=\{x \,|\, x$는 12의 약수$\}$, $B=\{x \,|\, x$는 4의 약수$\}$에 대하여 A의 부분집합 중에서 B의 원소를 적어도 한 개 가지는 부분집합의 개수를 구하시오.

Up

유제 4-18 집합 $A=\{1, 2, 3, 4, 5, 6, 7\}$에 대하여 다음 세 조건을 만족시키는 집합 B의 개수를 구하시오.

> (가) $B \neq \varnothing$
>
> (나) $B \subset A$
>
> (다) $x \in B$이면 $x \geq 3$이다.

두 집합 $A=\{1,\ 2\}$, $B=\{1,\ 2,\ 3,\ 4\}$일 때, $A \subset X \subset B$를 만족시키는 집합 X의 개수를 구하시오.

■ **길잡이**　　$A \subset X \subset B$를 만족시키는 집합 X의 개수는 집합 B의 부분집합 중 집합 A의 모든 원소를 반드시 원소로 갖는 집합의 개수이다.

풀이　　$\{1,\ 2\} \subset X \subset \{1,\ 2,\ 3,\ 4\}$에서 집합 X는 두 원소 1, 2를 반드시 포함하는
집합 B의 부분집합이므로
집합 B에서 두 원소 1, 2를 제외한 집합 $\{3,\ 4\}$의 각 부분집합에 1, 2를 넣으면 된다.
한편, 집합 $\{3,\ 4\}$의 부분집합은 $\varnothing$, $\{3\}$, $\{4\}$, $\{3,\ 4\}$이므로
구하는 집합 X는 $\{1,\ 2\}$, $\{1,\ 2,\ 3\}$, $\{1,\ 2,\ 4\}$, $\{1,\ 2,\ 3,\ 4\}$의 4개이다.

답 4

다른 풀이
집합 $\{1,\ 2,\ 3,\ 4\}$의 부분집합 중 두 원소 1, 2를 포함하는 집합의 개수이므로
$2^{4-2}=2^2=4$

유제 4-19　그림과 같이 벤 다이어그램의 두 집합 A, B에 대하여
$B \subset X \subset A$를 만족시키는 집합 X 중에서 2를 원소로
갖지 않는 집합의 개수를 구하시오.

유제 4-20　두 집합 $A=\{5,\ 7\}$, $B=\{1,\ 2,\ 3,\ \cdots,\ n\}$에 대하여 $A \subset X \subset B$를 만족시키는 집합 X의 개수가 32일 때, n의 값을 구하시오.

4 – 1 집합인 것만을 **보기**에서 있는 대로 고르시오.

┤ 보기 ├
ㄱ. 10보다 큰 자연수의 모임 　　　　ㄴ. 사나운 동물들의 모임
ㄷ. 낚시를 좋아하는 사람들의 모임 　　ㄹ. 0과 1 사이에 있는 자연수의 모임

4 – 2 두 집합 $A=\{1,\ 2\}$, $B=\{a,\ b\}$에 대하여 다음 □ 안에 알맞은 것을 차례로 적은 것은?

$1 \ \square \ A$ 　　　　$2 \ \square \ B$ 　　　　$a \in \square$

① $\in$, $\in$, A 　　　② $\in$, $\notin$, A 　　　③ $\notin$, $\in$, A
④ $\in$, $\notin$, B 　　　⑤ $\notin$, $\in$, B

4 – 3 세 집합
$$A=\{x\,|\,x는\ 10의\ 약수\},$$
$$B=\{x\,|\,x는\ 10보다\ 작은\ 짝수\},$$
$$C=\{x\,|\,x는\ 10\times x=2를\ 만족하는\ 자연수\}$$
에 대하여 $n(A)+n(B)+n(C)$의 값을 구하시오.

4 – 4 벤 다이어그램의 집합 A를 조건제시법으로 바르게 나타낸 것은?

① $A=\{x\,|\,x는\ 2의\ 배수\}$
② $A=\{x\,|\,x는\ 8의\ 약수\}$
③ $A=\{x\,|\,x는\ 16의\ 약수\}$
④ $A=\{x\,|\,x는\ 16\ 이하인\ 자연수\}$
⑤ $A=\{x\,|\,x는\ 20보다\ 작은\ 4의\ 배수\}$

중요
4 – 5 두 집합 $A=\{-4,\ 0,\ 4,\ 5\}$, $B=\{x\,|\,-a<x<a\}$에 대하여 $A\subset B$를 만족시키는 자연수 a의 최솟값을 구하시오.

4 – 6 두 집합 X, Y에 대하여 옳은 것만을 **보기**에서 있는 대로 고른 것은?

┤ 보기 ├

ㄱ. $n(X) < n(Y)$이면 $X \subset Y$이다.
ㄴ. $X = Y$이면 $n(X) = n(Y)$이다.
ㄷ. $n(X) = n(Y)$이면 $X = Y$이다.

① ㄱ   ② ㄴ   ③ ㄷ   ④ ㄱ, ㄴ   ⑤ ㄴ, ㄷ

4 – 7 두 집합 $A = \{4,\ a-2,\ 9\}$, $B = \{b+2,\ 5,\ 9\}$에 대하여 $A = B$일 때, 두 상수 a, b에 대하여 $a - b$의 값을 구하시오.

4 – 8 두 집합 A, B에 대하여 A의 부분집합의 개수가 128이고, B의 진부분집합의 개수가 31일 때, $n(A) + n(B)$의 값을 구하시오.

4 – 9 집합 $A = \{1, 2, 3, 4, 5, 6, 7\}$의 부분집합 중에서 원소 2 또는 원소 3을 포함하는 집합의 개수는?

① 16   ② 24   ③ 48   ④ 96   ⑤ 124

4 – 10 다음 중 $\{5, 6\} \subset X \subset \{3, 4, 5, 6\}$를 만족시키는 집합 X가 될 수 <u>없는</u> 것은?

① $\{5, 6\}$ ② $\{3, 4, 5\}$ ③ $\{3, 5, 6\}$ ④ $\{4, 5, 6\}$ ⑤ $\{3, 4, 5, 6\}$

중요

4 – 11 집합 $A=\{2,\ 3,\ \{5\}\}$에 대하여 다음 중 옳지 <u>않은</u> 것은?

① $\varnothing \subset A$ ② $\{\{5\}\} \subset A$ ③ $\{2,\ 3\} \subset A$

④ $5 \in A$ ⑤ $\{2,\ 3,\ 5\} \not\subset A$

4 – 12 다음 중 옳은 것은?

① $n(\{1,\ 2,\ 3\})-n(\{1,\ 2\})=3$

② $A \subset B$이면 $n(A) \leq n(B)$이다.

③ $n(\varnothing) < n(A)$

④ $A \subset B \subset C$이면 $n(A) < n(C)$이다.

⑤ $n(A) < n(B)$이고 $n(B) < n(C)$이면 $A \subset C$이다.

4 – 13 두 집합 $A=\{2,\ 2^2,\ 2^3,\ 2^4,\ 2^5\}$, $B=\{2,\ 2^2,\ 2^3\}$에 대하여 집합 $C=\{xy\,|\,x \in A,\ y \in B\}$의 원소의 개수를 구하시오.

4 – 14 두 집합 $A=\{1,\ 3-a,\ b+5\}$, $B=\{5,\ a+1\}$에 대하여 $B \subset A$일 때, 두 실수 a, b의 합 $a+b$의 최댓값을 M, 최솟값을 m이라 하자. 이때, $M-m$의 값을 구하시오.

(단, $a \neq 4$)

중요

4 – 15 다음과 같은 세 집합 A, B, C에 대하여 $A \subset B \subset C$가 성립하도록 하는 정수 k의 모든 값의 합을 구하시오.

$$A=\{x\,|\,x \geq 4\},\ B=\{x\,|\,x > k\},\ C=\{x\,|\,x > -2\}$$

4 – 16 두 집합 A, B에 대하여 $A=\{-2, 3\}$, $B=\{a+1, a^2-3a\}$일 때, $A \subset B$이고 $B \subset A$ 를 만족시키는 상수 a의 값을 구하시오.

4 – 17 자연수 전체의 집합의 부분집합 중 다음 조건을 만족시키는 집합 A의 개수를 구하시오.
(단, $A \neq \varnothing$)

> a가 집합 A의 원소이면 $\dfrac{81}{a}$도 집합 A의 원소이다.

4 – 18 두 집합 A, B의 원소의 개수가 각각 a, b이고, 집합 A의 부분집합이 집합 B의 부분집합보다 4개 더 많을 때, $a+b$의 값은?

① 3   ② 4   ③ 5   ④ 6   ⑤ 7

4 – 19 두 집합
$$A=\{2x \mid 1 \leq x \leq 9, \ x \text{는 자연수}\}, \quad B=\{x \mid x=4k, \ k \text{는 } 1 \leq k < 5 \text{인 자연수}\}$$
에 대하여 $B \subset X \subset A$를 만족시키는 집합 X의 개수를 구하시오.

4 – 20 전체집합 $U=\{1, 2, 3\}$의 두 부분집합 A, B에 대하여 $A \subset B \subset U$를 만족시키는 A, B 의 순서쌍 (A, B)의 개수를 구하시오.

4 - 21 집합 S는 다음 두 조건을 만족시킨다.

> (가) $2 \in S$이고 $n(S)=3$ (나) $a \in S$이면 $\dfrac{1}{1-a} \in S$

이때, 집합 S의 원소 중 최댓값과 최솟값의 합을 구하시오.

4 - 22 실수 전체의 집합의 부분집합 A가 조건

『A의 임의의 두 원소 x, y에 대하여 $x-y \in A$이다.』

를 만족시킬 때, 옳은 것만을 **보기**에서 있는 대로 고르시오.

> ┤ 보기 ├
>
> ㄱ. $1 \in A$이면 $2 \in A$이다.
> ㄴ. $\dfrac{1}{2} \in A$이면 자연수 전체의 집합은 집합 A의 부분집합이다.
> ㄷ. $\dfrac{1}{3} \in A$이면 정수 전체의 집합은 집합 A의 부분집합이다.

4 - 23 집합 $S=\{1,\ 2,\ 3,\ 4,\ 5\}$의 공집합이 아닌 서로 다른 부분집합을 A_1, A_2, A_3, $\cdots$, A_{31}이라 하자. 이때, 각각의 집합 A_1, A_2, A_3, $\cdots$, A_{31}에서 최소인 원소를 뽑아 이들을 모두 더하면?

① 40 ② 44 ③ 53 ④ 55 ⑤ 57

4 - 24 집합 $X=\{1,\ 2,\ 3,\ 4,\ 5,\ 6\}$에서 홀수가 두 개만 포함되는 부분집합을 X_1, X_2, X_3, $\cdots$, X_n이라 할 때, 집합 X_n의 원소의 총합을 $S(X_n)$이라고 한다. $S(X_1)+S(X_2)+S(X_3)+\cdots+S(X_n)$의 값을 구하시오.

05
집합의 연산

05. 집합의 연산

1. 교집합과 합집합
(1) 교집합 : $A \cap B = \{x \mid x \in A$ 그리고 $x \in B\}$
(2) 합집합 : $A \cup B = \{x \mid x \in A$ 또는 $x \in B\}$

2. 서로소
$A \cap B = \varnothing$일 때, 두 집합 A와 B는 서로소이다.

3. 여집합과 차집합
(1) 여집합 : $A^C = \{x \mid x \in U$ 그리고 $x \notin A\}$
(2) 차집합 : $A - B = \{x \mid x \in A$ 그리고 $x \notin B\}$

4. 집합의 연산
전체집합 U의 두 부분집합 A와 B에 대하여
(1) $A^C = U - A$
(2) $A - B = A \cap B^C$
(3) $A \cup A = A$, $A \cap A = A$
(4) $A \cup \varnothing = A$, $A \cap \varnothing = \varnothing$, $A \cup U = U$, $A \cap U = A$
(5) $A \cup A^C = U$, $A \cap A^C = \varnothing$
(6) $U^C = \varnothing$, $\varnothing^C = U$
(7) $(A^C)^C = A$
(8) $(A \cup B)^C = A^C \cap B^C$, $(A \cap B)^C = A^C \cup B^C$ ← 드 모르간의 법칙

5. 집합의 연산법칙
(1) 교환법칙 : $A \cup B = B \cup A$
$A \cap B = B \cap A$
(2) 결합법칙 : $(A \cup B) \cup C = A \cup (B \cup C)$
$(A \cap B) \cap C = A \cap (B \cap C)$
(3) 분배법칙 : $A \cup (B \cap C) = (A \cup B) \cap (A \cup C)$
$A \cap (B \cup C) = (A \cap B) \cup (A \cap C)$

1 집합의 연산

① 교집합과 합집합

두 집합

$A=\{$피아노, 바이올린, 첼로$\}$, ← 피아노 3중주

$B=\{$바이올린, 비올라, 첼로$\}$ ← 현악 3중주

에 대하여 두 집합에 공통으로 속하는 원소(악기)는

바이올린, 첼로

이고, 두 집합 중 한 곳이라도 속하는 원소(악기)는

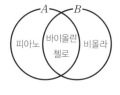

피아노, 바이올린, 비올라, 첼로

이다. 이와 같이 주어진 두 집합에 대하여

① 공통으로 속하는 원소들로 이루어진 집합 ← 교집합

② 어느 한 곳이라도 속하는 원소들로 이루어진 집합 ← 합집합

을 생각해 볼 수 있다.

◆ 두 집합 A, B에 대하여 A에도 속하고 B에도 속하는 모든 원소로 이루어진 집합을 A와 B의 **교집합**이라 하고 기호로

$$A \cap B$$

와 같이 나타낸다. 즉, 조건제시법으로 나타내면

$$A \cap B = \{x \mid x \in A \text{ 그리고 } x \in B\}$$

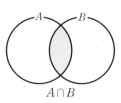

$A \cap B$

◆ 두 집합 A, B에 대하여 A 또는 B에 속하는 모든 원소로 이루어진 집합을 A와 B의 **합집합**이라 하고 기호로

$$A \cup B$$

와 같이 나타낸다. 즉, 조건제시법으로 나타내면

$$A \cup B = \{x \mid x \in A \text{ 또는 } x \in B\}$$

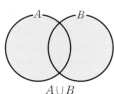

$A \cup B$

새 정리

두 집합 A, B에 대하여
1 교집합 : $A\cap B=\{x\,|\,x\in A$ 그리고 $x\in B\}$
2 합집합 : $A\cup B=\{x\,|\,x\in A$ 또는 $x\in B\}$

예 두 집합 $A=\{1,\ 2,\ 3,\ 4\}$, $B=\{1,\ 3,\ 5,\ 7\}$에 대하여
① $A\cap B=\{1,\ 3\}$
② $A\cup B=\{1,\ 2,\ 3,\ 4,\ 5,\ 7\}$

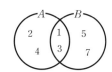

새 보충

세 집합 A, B, C의 교집합과 합집합을 벤 다이어그램으로 나타내면 다음과 같다.

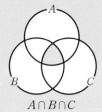
$A\cap B\cap C$

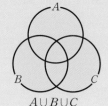
$A\cup B\cup C$

예 세 집합 $A=\{1,2\}$, $B=\{1,3\}$, $C=\{1,4\}$에 대하여
① $A\cap B\cap C=\{1\}$
② $A\cup B\cup C=\{1,2,3,4\}$

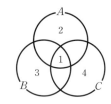

② 서로소

두 집합 $A=\{1,2\}$, $B=\{3,4,5\}$는 공통인 원소가 없다. 즉, 교집합의 원소가 없다.

이와 같이 두 집합 A와 B에서 공통인 원소가 하나도 없을 때, 즉
$$A\cap B=\varnothing$$
일 때, 두 집합 A와 B는 **서로소**라고 한다.

한편, 공집합 $\varnothing$은 모든 집합과 서로소이다.

새붐정리

두 집합 A, B 사이에 공통인 원소가 하나도 없을 때, 즉
$$A \cap B = \varnothing$$
일 때, 두 집합 A와 B는 **서로소**라고 한다.

예) 두 집합 $A=\{1, 3\}$, $B=\{2, 4\}$에 대하여 $A \cap B = \varnothing$이므로
두 집합 A와 B는 서로소이다.

참고) 자연수에서 3과 8처럼 1 이외의 공약수가 없을 때, 3과 8을 서로소라고 한다.

③ 여집합과 차집합

◆ 주어진 어떤 집합에 대하여 그것의 부분집합을 생각할 때, 처음에 주어진 집합을 **전체집합**이라 하고 기호로
$$U$$
와 같이 나타낸다.

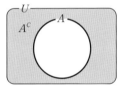

한편, 전체집합 U의 부분집합 A에 대하여 A에 속하지 않는 U의 원소 전체로 이루어진 집합을 A의 **여집합**이라 하고 기호로
$$A^C$$
과 같이 나타낸다. 즉, 조건제시법으로 나타내면
$$A^C = \{x \mid x \in U \text{ 그리고 } x \notin A\}$$

◆ 전체집합 U의 두 부분집합 A, B에 대하여 A에는 속하고 B에는 속하지 않는 원소 전체로 이루어진 집합을 A에 대한 B의 **차집합**이라 하고 기호로
$$A - B$$
와 같이 나타낸다. 즉, 조건제시법으로 나타내면
$$A - B = \{x \mid x \in A \text{ 그리고 } x \notin B\}$$
집합 A의 여집합 A^C은 전체집합 U에 대한 집합 A의 차집합으로 생각하면
$$A^C = U - A$$

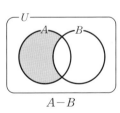

$A-B$

전체집합 U와 두 부분집합 A, B에 대하여

1 여집합 : $A^C=\{x\,|\,x\in U$ 그리고 $x\notin A\}$

2 차집합 : $A-B=\{x\,|\,x\in A$ 그리고 $x\notin B\}$

예 ① 전체집합 $U=\{1,\ 2,\ 3,\ 4,\ 5,\ 6\}$에 대하여
$A=\{2,\ 3,\ 5,\ 6\}$일 때, $A^C=\{1,\ 4\}$이다.

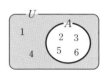

② 두 집합 $A=\{1,\ 2,\ 3,\ 4,\ 5\}$, $B=\{1,\ 3,\ 5,\ 7\}$에 대하여
$A-B=\{2,\ 4\}$이고, $B-A=\{7\}$이다.

대칭차집합

두 집합 A, B에 대하여
$$(A-B)\cup(B-A)=(A\cup B)-(A\cap B)$$

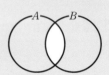

예 두 집합 $A=\{1, 2, 3\}$, $B=\{3, 4, 5\}$에 대하여
$$(A-B)\cup(B-A)=\{1, 2\}\cup\{4, 5\}$$
$$=\{1, 2, 4, 5\}$$

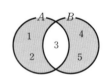

$$(A-B)\cup(B-A)=(A\cup B)-(A\cap B)$$

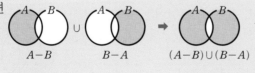

- 좌변

$A-B$ $\cup$ $B-A$ $\Rightarrow$ $(A-B)\cup(B-A)$

- 우변

$A\cup B$ $-$ $A\cap B$ $\Rightarrow$ $(A\cup B)-(A\cap B)$

일치

④ 집합의 연산에 대한 성질

집합의 연산에 대하여 다음의 여러 가지 성질이 성립한다.

새 정리 ──────────────────────── 교집합과 합집합의 성질

전체집합 U의 부분집합 A에 대하여

1 $A \cup A = A$, $A \cap A = A$

2 $A \cup \varnothing = A$, $A \cap \varnothing = \varnothing$

3 $A \cup U = U$, $A \cap U = A$

새 정리 ──────────────────────────── 여집합의 성질

전체집합 U의 부분집합 A에 대하여

1 $U^c = \varnothing$, $\varnothing^c = U$

2 $A \cup A^c = U$, $A \cap A^c = \varnothing$

3 $(A^c)^c = A$

새 정리 ──────────────────────────── 차집합의 성질

전체집합 U의 두 부분집합 A, B에 대하여

1 $A - B = A \cap B^c$

2 $A - A = \varnothing$, $A - \varnothing = A$

3 $A - B \neq B - A$

새 보충

$$A - B = A \cap B^c$$

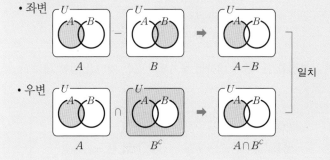

・좌변

$A - B$

・우변

$A \cap B^c$

일치

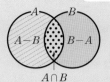
A−B의 성질

① $A-B=A-(A\cap B)=(A\cup B)-B$
② $A-B\subset A,\ B-A\subset B$
③ $(A-B)\cap(B-A)=\varnothing$

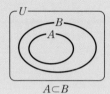

부분집합의 여러 가지 표현

전체집합 U의 두 부분집합 A, B 사이에 $A\subset B$인 포함 관계가 성립할 때, 다음과 같이 여러 가지로 표현할 수 있다.

$A\subset B\Longleftrightarrow A\cap B=A$
$\Longleftrightarrow A\cup B=B$
$\Longleftrightarrow A-B=\varnothing$
$\Longleftrightarrow B^{c}\subset A^{c}$
$\Longleftrightarrow A^{c}\cup B=U$

개념확인코너

정답 및 해설 p.443

1 두 집합 $A=\{a, b, c, d\}$, $B=\{a, c, e\}$에 대하여 다음을 구하시오.

(1) $A\cap B$ (2) $A\cup B$
(3) $A-B$ (4) $B-A$

2 전체집합 $U=\{x\,|\,x$는 12 이하의 자연수$\}$의 두 부분집합

$A=\{x\,|\,x$는 8의 약수$\}$, $B=\{x\,|\,x$는 12의 약수$\}$

에 대하여 다음을 구하시오.

(1) $A\cap B$ (2) $A\cup B$
(3) A^{c} (4) $A-B$

3 전체집합 U의 두 부분집합 A, B에 대하여 **보기**에서 옳은 것만을 있는 대로 고르시오.

┤ 보기 ├

ㄱ. $A\cup A=A$ ㄴ. $A\cap A=\varnothing$ ㄷ. $A\cap A^{c}=\varnothing$
ㄹ. $A\cap U=A$ ㅁ. $A-B=\varnothing$ ㅂ. $B\cap A^{c}=B-A$

전체집합 $U=\{x \mid x$는 10 이하의 자연수$\}$의 세 부분집합 A, B, C에 대하여

$\quad A=\{x \mid x$는 짝수$\}$, $B=\{x \mid x$는 소수$\}$, $C=\{x \mid x$는 8의 약수$\}$

일 때, 다음을 구하시오.

(1) $A \cup B$ (2) $A \cap B$

(3) $(A \cap B) \cap C$ (4) $(A \cup B) \cap C$

┈┈┈┈ ■ **길잡이**   집합의 연산 문제는 벤 다이어그램을 이용하여 구하면 편리하다.

풀이 $U=\{1,\ 2,\ 3,\ 4,\ 5,\ 6,\ 7,\ 8,\ 9,\ 10\}$,

        $A=\{2,\ 4,\ 6,\ 8,\ 10\}$,

        $B=\{2,\ 3,\ 5,\ 7\}$,

        $C=\{1,\ 2,\ 4,\ 8\}$

        이므로 그림과 같이 벤 다이어그램으로 나타낼 수 있다.

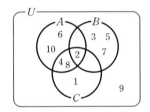

        (1) $A \cup B=\{2,\ 3,\ 4,\ 5,\ 6,\ 7,\ 8,\ 10\}$

        (2) $A \cap B=\{2\}$

        (3) $A \cap B=\{2\}$이므로 $(A \cap B) \cap C=\{2\}$

        (4) $A \cup B=\{2,\ 3,\ 4,\ 5,\ 6,\ 7,\ 8,\ 10\}$이므로

           $(A \cup B) \cap C=\{2,\ 4,\ 8\}$

                                  답 (1) $\{2,\ 3,\ 4,\ 5,\ 6,\ 7,\ 8,\ 10\}$

                                      (2) $\{2\}$ (3) $\{2\}$ (4) $\{2,\ 4,\ 8\}$

유제 5-1   두 집합 A, B에 대하여

            $A=\{1,\ 3,\ 5,\ 7\}$, $A \cap B=\{5,\ 7\}$, $A \cup B=\{1,\ 2,\ 3,\ 5,\ 6,\ 7,\ 8\}$

            일 때, 집합 B를 구하시오.

유제 5-2   세 집합 A, B, C에 대하여

            $A=\{2,\ 3\}$, $B=\{x+y \mid x \in A,\ y \in A\}$, $C=\{xy \mid x \in A,\ y \in A\}$

            일 때, $A \cup (B \cap C)$를 구하시오.

다음 물음에 답하시오.

(1) 네 집합 A, B, C, D가 **보기**와 같을 때, 서로소인 두 집합을 있는 대로 고르시오.

---- | 보기 | ----

ㄱ. $A=\{1, 2, 3\}$　　　　　　　ㄴ. $B=\{x \mid x$는 10의 약수$\}$

ㄷ. $C=\{x \mid x=2n,\ n$은 자연수$\}$　　ㄹ. $D=\{x \mid x=2n-1,\ n$은 자연수$\}$

(2) 두 집합 $A=\{x \mid 2 \leq x \leq a\}$, $B=\{x \mid x > 5\}$에 대하여 A, B가 서로소일 때, 정수 a의 최댓값을 구하시오.

■ **새**저려　(1) $A \cap \varnothing = \varnothing$이므로 공집합($\varnothing$)은 모든 집합과 서로소이다.

　　　　　　(2) 두 집합 A, B가 서로소이면

　　　　　　　① $A-B=A$, $B-A=B$

　　　　　　　② $A \subset B^C$, $B \subset A^C$

풀이　(1) $A=\{1, 2, 3\}$, $B=\{1, 2, 5, 10\}$, $C=\{2, 4, 6, 8, \cdots\}$, $D=\{1, 3, 5, 7, \cdots\}$이므로 $C \cap D = \varnothing$이다.

　　　　따라서 서로소인 두 집합은 C와 D이므로 ㄷ과 ㄹ이다.

　　(2) 두 집합 A와 B가 서로소이므로 $A \cap B = \varnothing$이다.

　　　　두 집합 A, B를 수직선 위에 나타내면 그림과 같고,

　　　　$A \cap B = \varnothing$이기 위해서는 $2 \leq a \leq 5$이어야 한다.

　　　　따라서 정수 a의 최댓값은 5이다.

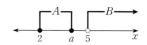

답 (1) ㄷ과 ㄹ (2) 5

유제 5-**3**　전체집합 $U=\{1, 2, 3, 4, 5, 6, 7\}$의 두 부분집합 A, B가 서로소이고 $A^C \cap B^C=\{3, 7\}$, $A \cap B^C=\{1, 2, 4\}$일 때, 집합 B를 구하시오.

유제 5-**4**　두 집합 $A=\{2, 3, x^2-3\}$, $B=\{5, 2x, 6\}$이 서로소가 되지 않도록 하는 모든 정수 x의 값의 합을 구하시오.

전체집합 $U=\{x \mid 3 \leq x \leq 8,\ x는\ 자연수\}$의 두 부분집합 A, B에 대하여
$A-B=\{4\}$, $A \cap B=\{3,\ 8\}$, $A^C \cap B^C=\{5,\ 6\}$일 때, 다음을 구하시오.
(1) A^C (2) $A \cup B$ (3) $B-A$

■ **길잡이**   벤 다이어그램을 이용하여 조건을 만족시키는 집합을 구해 보자.

■ **샘_{정리}**   (1) $A^C=\{x \mid x \in U\ 그리고\ x \not\in A\}$
　　　　　 (2) $A-B=\{x \mid \in A\ 그리고\ x \not\in B\}$

풀이   전체집합 $U=\{3,\ 4,\ 5,\ 6,\ 7,\ 8\}$과 주어진 조건을 만족시키는
　　　　두 부분집합 A, B를 벤 다이어그램으로 나타내면 그림과 같다.

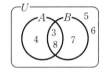

　　　(1) $A^C=\{5,\ 6,\ 7\}$
　　　(2) $A \cup B=\{3,\ 4,\ 7,\ 8\}$
　　　(3) $B-A=\{7\}$

답 (1) $\{5,\ 6,\ 7\}$
　 (2) $\{3,\ 4,\ 7,\ 8\}$
　 (3) $\{7\}$

유제 5-5   전체집합 $U=\{x \mid x는\ 12\ 이하의\ 자연수\}$의 두 부분집합 A, B에 대하여
　　　　　　$A=\{x \mid x는\ 12의\ 약수\}$, $B=\{x \mid x는\ 3의\ 배수\}$
　　　　　일 때, 다음을 구하시오.
　　　　　(1) B^C (2) $A-B$
　　　　　(3) $A \cup B^C$ (4) A^C-B

유제 5-6   전체집합 $U=\{x \mid x는\ 10보다\ 작은\ 자연수\}$의 두 부분집합 A, B에 대하여
　　　　　　$A-B=\{1,\ 3,\ 5\}$, $B-A=\{7,\ 9\}$, $A^C \cap B^C=\{6,\ 8\}$
　　　　　일 때, $A \cap B$의 모든 원소의 합을 구하시오.

전체집합 U의 두 부분집합

$$A=\{x \mid x^2-4x-5=0\}, \quad B=\{x \mid x^2-ax+4=0\}$$

에 대하여 $A-B=\{5\}$일 때, $A \cup B$를 구하시오. (단, a는 상수이다.)

■ **길잡이** $A=\{x \mid (x+1)(x-5)=0\}=\{-1, 5\}$이고 $A-B=\{5\}$이므로 $-1 \in B$임을 이용하여 미지수 a의 값을 구한다.

풀이 $A=\{x \mid (x+1)(x-5)=0\}=\{-1, 5\}$

$A-B=\{5\}$이므로 $-1 \in B$이다.

즉, $x^2-ax+4=0$의 한 근이 -1이므로

$1+a+4=0$ $\therefore a=-5$

$\therefore B=\{x \mid x^2+5x+4=0\}=\{x \mid (x+4)(x+1)=0\}=\{-4, -1\}$

$\therefore A \cup B=\{-4, -1, 5\}$

답 $\{-4, -1, 5\}$

유제 5-7   세 집합 $A=\{1, 3, 5, 7\}$, $B=\{2, a, 7\}$, $C=\{5, b\}$에 대하여
$A \cap B=C$를 만족시킬 때, 두 상수 a, b에 대하여 $a+b$의 값을 구하시오.

유제 5-8   두 집합 $A=\{a, 2, 3\}$, $B=\{b, b+1, 5\}$에 대하여 $A \cap B=\{1\}$일 때,
$B-A$를 구하시오. (단, a, b는 상수이다.)

전체집합 U의 두 부분집합 A, B에 대하여 $A \subset B$가 성립할 때, 다음 중 항상 옳은 것은?

① $A \cap B = B$ ② $A \cup B = U$ ③ $A - B = \varnothing$

④ $A^C \subset B^C$ ⑤ $A^C \cup B = B$

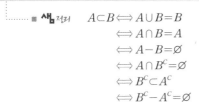

■ **새**정리 $A \subset B \Longleftrightarrow A \cup B = B$

$\Longleftrightarrow A \cap B = A$

$\Longleftrightarrow A - B = \varnothing$

$\Longleftrightarrow A \cap B^C = \varnothing$

$\Longleftrightarrow B^C \subset A^C$

$\Longleftrightarrow B^C - A^C = \varnothing$

풀이 $A \subset B$일 때, A, B 사이의 관계를 벤 다이어그램으로 나타내면 그림과 같다.

① $A \cap B = A$

② $A \cup B = B$

③ $A - B = \varnothing$

④ $B^C \subset A^C$

⑤ $A^C \cup B = U$

따라서 항상 옳은 것은 ③이다.

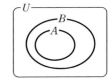

답 ③

유제 5-9   전체집합 U의 두 부분집합 A, B에 대하여 $A \cap B = B$가 성립할 때, 다음 중 옳지 않은 것은?

① $A \cup B = A$ ② $A^C \subset B^C$ ③ $B^C - A^C = \varnothing$

④ $A \cup B^C = U$ ⑤ $(B - A)^C = U$

유제 5-10   두 집합 A, B에 대하여 $A - B = A$를 만족시킬 때, 다음 중 항상 옳은 것은?

① $A \subset B$ ② $B \subset A^C$ ③ $A \cap B = A$

④ $A \cup B = B$ ⑤ $A - (A - B) = A$

두 집합 $A=\{x \mid x$는 10보다 작은 홀수$\}$, $B=\{2, 3, 5\}$에 대하여
$$A \cup X = A, \ (A-B) \cup X = X$$
를 만족시키는 집합 X의 개수를 구하시오.

■ **길잡이**   (1) $A \cup X = A \Longleftrightarrow X \subset A$
                    (2) $B \cup X = X \Longleftrightarrow B \subset X$

풀이 $A \cup X = A$에서 $X \subset A$
      $(A-B) \cup X = X$에서 $(A-B) \subset X$
      $\therefore (A-B) \subset X \subset A$
      $\therefore \{1, 7, 9\} \subset X \subset \{1, 3, 5, 7, 9\}$
      즉, 집합 X는 $\{1, 3, 5, 7, 9\}$의 부분집합 중 원소 1, 7, 9를 반드시 포함하는 집합이다.
      따라서 집합 X의 개수는
      $2^{5-3} = 2^2 = 4$

                                                         답 4

유제 5-11 두 집합 $A=\{a, b, f\}$, $B=\{a, b, c, d, e\}$일 때,
$$A \cap X = A, \ (A \cup B) \cup X = A \cup B$$
를 만족시키는 집합 X의 개수를 구하시오.

Up
유제 5-12 두 집합 $A=\{1, 2, 3, 4\}$, $B=\{3, 4, 5, 6\}$에 대하여
$$(A-B) - X = \varnothing, \ (A \cup B) \cap X = X$$
를 만족시키는 집합 X의 개수를 구하시오.

2 집합의 연산법칙

① 집합의 연산법칙

◆ 두 집합 A, B의 합집합과 교집합에
대하여 다음이 성립한다.

$$A \cup B = B \cup A$$

$$A \cap B = B \cap A$$

이것을 각각 합집합과 교집합에 대한 **교환법칙**이
라고 한다.

$A \cup B = B \cup A$

$A \cap B = B \cap A$

◆ 세 집합 A, B, C에 대하여 다음 연산법칙이 성립한다.

$$(A \cup B) \cup C = A \cup (B \cup C)$$

$$(A \cap B) \cap C = A \cap (B \cap C)$$

이것을 각각 합집합과 교집합에 대한 **결합법칙**이라고 한다.

$(A \cup B) \cup C$
$= A \cup (B \cup C)$
$= A \cup B \cup C$

◆ 세 집합 A, B, C에 대하여 다음 연산법칙이 성립한다.

$$A \cup (B \cap C) = (A \cup B) \cap (A \cup C)$$

$$A \cap (B \cup C) = (A \cap B) \cup (A \cap C)$$

이것을 집합의 연산에 대한 **분배법칙**이라고 한다.

$A \cap (B \cup C)$
$= (A \cap B) \cup (A \cap C)$

샘정리

집합의 연산법칙

세 집합 A, B, C에 대하여 다음 연산법칙이 성립한다.
1 교환법칙 : $A \cup B = B \cup A$
　　　　　　$A \cap B = B \cap A$
2 결합법칙 : $(A \cup B) \cup C = A \cup (B \cup C)$
　　　　　　$(A \cap B) \cap C = A \cap (B \cap C)$
3 분배법칙 : $A \cup (B \cap C) = (A \cup B) \cap (A \cup C)$
　　　　　　$A \cap (B \cup C) = (A \cap B) \cup (A \cap C)$

참고　흡수법칙 : $A \cup (A \cap B) = A$
　　　　　　　$A \cap (A \cup B) = A$

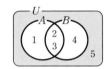

예 ① 세 집합 $A=\{1, 2, 3\}$, $B=\{3, 4\}$, $C=\{1, 5\}$에 대하여
$A\cap(B\cup C)=\{1, 2, 3\}\cap\{1, 3, 4, 5\}=\{1, 3\}$ ⎤
$(A\cap B)\cup(A\cap C)=\{3\}\cup\{1\}=\{1, 3\}$ ⎦ 같다.
② $A\cap(A\cup A^C)=(A\cap A)\cup(A\cap A^C)$
　　　　　　　　$=A\cup\varnothing$
　　　　　　　　$=A$

② 드 모르간의 법칙

전체집합 $U=\{1, 2, 3, 4, 5\}$의 두 부분집합
$$A=\{1, 2, 3\}, B=\{2, 3, 4\}$$
에 대하여
$$(A\cup B)^C=U-(A\cup B)=U-\{1, 2, 3, 4\}=\{5\}$$
$$A^C\cap B^C=\{4, 5\}\cap\{1, 5\}=\{5\}$$
에서 $(A\cup B)^C=A^C\cap B^C$임을 알 수 있다.
마찬가지로 $(A\cap B)^C=A^C\cup B^C$임도 알 수 있다.

일반적으로 합집합의 여집합과 교집합의 여집합에 대하여 다음과 같은 관계가 성립한다.

새ᄇ 정리 ━━━━━━━━━━━━━━━━━━━━━━━━━━ **드 모르간의 법칙**

전체집합 U의 두 부분집합 A, B에 대하여
1 $(A\cup B)^C=A^C\cap B^C$
2 $(A\cap B)^C=A^C\cup B^C$

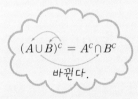

예 　$A\cap(A^C\cup B)^C=A\cap(A\cap B^C)$　← 드 모르간의 법칙
　　　　　　　　$=(A\cap A)\cap B^C$　← 결합법칙
　　　　　　　　$=A\cap B^C$
　　　　　　　　$=A-B$　　　　← 차집합의 성질

벤 다이어그램을 이용하여 다음 법칙이 성립함을 살펴보자.

① **결합법칙 : $(A \cup B) \cup C = A \cup (B \cup C)$**

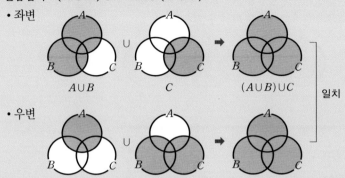

② **분배법칙 : $A \cap (B \cup C) = (A \cap B) \cup (A \cap C)$**

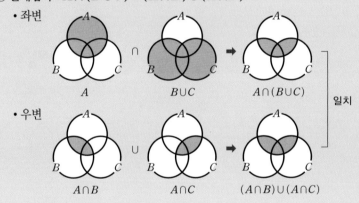

③ **드 모르간의 법칙 : $(A \cup B)^c = A^c \cap B^c$**

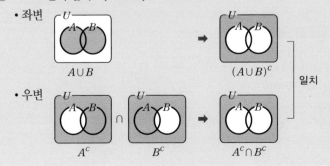

③ 합집합의 원소의 개수

두 유한집합 A, B에 대하여 합집합 $A \cup B$의 원소의 개수는 두 집합 A, B의 원소의 개수의 합에서 교집합 $A \cap B$의 원소의 개수를 빼서 구한다.

$$n(A \cup B) \qquad = \qquad n(A) \qquad + \qquad n(B) \qquad - \qquad n(A \cap B)$$

새샘 정리
합집합의 원소의 개수

두 유한집합 A, B에 대하여
1 $n(A \cup B) = n(A) + n(B) - n(A \cap B)$
2 $A \cap B = \varnothing$이면 $n(A \cup B) = n(A) + n(B)$

참고 $n(A \cap B) = n(A) + n(B) - n(A \cup B)$

예 $n(A) = 6$, $n(B) = 8$, $n(A \cap B) = 3$일 때,
$n(A \cup B) = 6 + 8 - 3 = 11$

새샘 특강

세 집합의 원소의 개수
세 유한집합 A, B, C에 대하여
$$n(A \cup B \cup C) = n(A) + n(B) + n(C)$$
$$- n(A \cap B) - n(B \cap C) - n(C \cap A)$$
$$+ n(A \cap B \cap C)$$

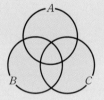

④ 여집합과 차집합의 원소의 개수

전체집합 U의 부분집합 A에 대하여 여집합 A^C의 원소의 개수는 전체집합의 원소의 개수에서 집합 A의 원소의 개수를 빼서 구한다.

$$n(A^C) \qquad = \qquad n(U) \qquad - \qquad n(A)$$

한편, 두 집합 A, B에 대하여 차집합 $A-B$의 원소의 개수는 집합 A의 원소의 개수에서 교집합 $A\cap B$의 원소의 개수를 빼서 구하거나, 합집합 $A\cup B$의 원소의 개수에서 집합 B의 원소의 개수를 빼서 구한다.

$$n(A-B) \qquad n(A) \quad n(A\cap B) \qquad n(A\cup B) \qquad n(B)$$

새念정리   여집합과 차집합의 원소의 개수

전체집합 U의 두 부분집합 A, B에 대하여
1 $n(A^C)=n(U)-n(A)$
2 $n(A-B)=n(A)-n(A\cap B)=n(A\cup B)-n(B)$

예   전체집합 U의 두 부분집합 A, B에 대하여
$$n(U)=30,\ n(A)=20,\ n(B)=15,\ n(A\cap B)=6$$
일 때,
① $n(A^C)=n(U)-n(A)=30-20=10$
② $n(A-B)=n(A)-n(A\cap B)=20-6=14$
③ $n(B-A)=n(B)-n(A\cap B)=15-6=9$
④ $n((A\cap B)^C)=n(U)-n(A\cap B)=30-6=24$

개념확인코너   정답 및 해설 p.443

4   다음을 간단히 하시오.
(1) $A\cup(A^C\cup B)$ (2) $(A^C-B)^C\cap A$

5   전체집합 U의 두 부분집합 A, B에 대하여 $A\subset B$일 때, $(A\cup B^C)\cap B$를 간단히 하시오.

6 $n(A)=14$, $n(B)=10$, $n(A\cap B)=6$일 때, 다음 값을 구하시오.
(1) $n(A\cup B)$ (2) $n(A-B)$

7 $n(A)=7$, $n(A\cup B)=12$, $n(A\cap B)=4$일 때, 집합 B의 원소의 개수를 구하시오.

집합의 연산법칙을 이용하여 다음 등식이 성립함을 보이시오.

(1) $A \cup (A \cap B)^C = U$

(2) $(A-B) \cup (A-C) = A - (B \cap C)$

샘 저력   (1) 차집합의 성질   : $A - B = A \cap B^C$

             (2) 결합법칙   : $(A \cup B) \cup C = A \cup (B \cup C)$

                                 $(A \cap B) \cap C = A \cap (B \cap C)$

             (3) 분배법칙   : $A \cup (B \cap C) = (A \cup B) \cap (A \cup C)$

                                 $A \cap (B \cup C) = (A \cap B) \cup (A \cap C)$

             (4) 드 모르간의 법칙 : $(A \cup B)^C = A^C \cap B^C$

                                 $(A \cap B)^C = A^C \cup B^C$

풀이   (1) $A \cup (A \cap B)^C = A \cup (A^C \cup B^C)$ ←── 드 모르간의 법칙

                    $= (A \cup A^C) \cup B^C$ ←── 결합법칙

                    $= U \cup B^C$ ←── 여집합의 성질

                    $= U$

  (2) $(A-B) \cup (A-C) = (A \cap B^C) \cup (A \cap C^C)$ ←── 차집합의 성질

                       $= A \cap (B^C \cup C^C)$ ←── 분배법칙

                       $= A \cap (B \cap C)^C$ ←── 드 모르간의 법칙

                       $= A - (B \cap C)$ ←── 차집합의 성질

답 풀이 참조

유제 5-13   전체집합 U의 두 부분집합 A, B에 대하여

          $\{(A \cup B) \cap (A \cup B^C)\} \cup \{(A^C \cap B^C) \cup (B-A)\}$

를 간단히 하시오.

유제 5-14   집합의 연산법칙을 이용하여 다음 등식이 성립함을 보이시오.

          (1) $B \cap (A \cap B)^C = B - A$

          (2) $(A-B) - C = A - (B \cup C)$

전체집합 U의 서로 다른 두 부분집합 A, B에 대하여

$$\{(A-B)\cup(A\cap B)\}-B=\varnothing$$

이 성립할 때, 다음 중 옳지 <u>않은</u> 것은?

① $A\cap B=A$ ② $A\cup B=B$ ③ $B-A=\varnothing$

④ $A\cap B^C=\varnothing$ ⑤ $A^C\cup B=U$

┄┄┄ ■ **길잡이**   집합의 연산법칙을 이용하여 주어진 식의 좌변을 간단히 한다.

풀이 $\{(A-B)\cup(A\cap B)\}-B=\{(A\cap B^C)\cup(A\cap B)\}-B$
$$=\{A\cap(B^C\cup B)\}-B$$
$$=(A\cap U)-B=A-B$$

이므로 $A-B=\varnothing$ …… ㉠

즉, ㉠이 성립하려면 그림의 벤 다이어그램과 같이

$A\subset B$이어야 한다.

① $A\cap B=A$

② $A\cup B=B$

③ $B-A\neq\varnothing$

④ $A\cap B^C=\varnothing$

⑤ $A^C\cup B=U$

따라서 옳지 않은 것은 ③이다.

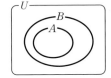

답 ③

유제 5-15   전체집합 U의 서로 다른 두 부분집합 A, B에 대하여

$$\{(A\cup B)\cap(A-B)^C\}\cap A=B$$

가 성립할 때, 다음 중 옳은 것은?

① $A\subset B$ ② $B\subset A$ ③ $A\cap B=\varnothing$

④ $A\cap B^C=U$ ⑤ $A\cup B^C=\varnothing$

전체집합 U의 두 부분집합 A, B에 대하여

　　$n(U)=40$, $n(A)=22$, $n(B)=25$, $n(A\cap B)=12$

일 때, 다음 값을 구하시오.

(1) $n(A^C)$ 　　　　　　　　　　　　(2) $n(A-B)$

(3) $n(A\cup B)$ 　　　　　　　　　(4) $n(A^C\cap B^C)$

■ 생각 접근
(1) $n(A^C)=n(U)-n(A)$
(2) $n(A-B)=n(A)-n(A\cap B)=n(A\cup B)-n(B)$
(3) $n(A\cup B)=n(A)+n(B)-n(A\cap B)$
(4) $n(A^C\cap B^C)=n((A\cup B)^C)=n(U)-n(A\cup B)$

풀이　(1) $n(A^C)=n(U)-n(A)$
　　　　　　$=40-22=18$
　　　(2) $n(A-B)=n(A)-n(A\cap B)$
　　　　　　$=22-12=10$
　　　(3) $n(A\cup B)=n(A)+n(B)-n(A\cap B)$
　　　　　　$=22+25-12=35$
　　　(4) $n(A^C\cap B^C)=n((A\cup B)^C)=n(U)-n(A\cup B)$
　　　　　　$=40-35=5$

답 (1) 18　(2) 10　(3) 35　(4) 5

참고　$n(A-B)=n(A)-n(A\cap B)=22-12=10$
　　　$n(B-A)=n(B)-n(A\cap B)=25-12=13$
　　　$n((A\cup B)^C)=40-(10+12+13)=5$
　　　이므로 그림과 같이 벤 다이어그램에 원소의 개수를 적어보면 쉽게
　　　해결할 수 있다.

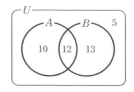

유제 5-16　전체집합 U의 두 부분집합 A, B에 대하여 $n(U)=50$, $n(A\cap B)=10$,
　　　　　$n(B^C)=26$일 때, $n(A^C\cap B)$의 값을 구하시오.

세 집합 A, B, C에 대하여 $A \cap C = \varnothing$이고
$$n(A) = 11,\ n(B) = 10,\ n(C) = 7,\ n(A \cup B) = 16,\ n(B \cup C) = 12$$
일 때, $n(A \cup B \cup C)$의 값을 구하시오.

> ■ **생각** 세 유한집합 A, B, C에 대하여
> $$n(A \cup B \cup C)$$
> $$= n(A) + n(B) + n(C) - n(A \cap B) - n(B \cap C) - n(C \cap A) + n(A \cap B \cap C)$$

풀이 $n(A \cap B) = n(A) + n(B) - n(A \cup B)$
$$= 11 + 10 - 16 = 5$$
$n(B \cap C) = n(B) + n(C) - n(B \cup C)$
$$= 10 + 7 - 12 = 5$$
$A \cap C = \varnothing$에서 $A \cap B \cap C = \varnothing$이므로
$n(A \cap C) = 0$, $n(A \cap B \cap C) = 0$
$\therefore n(A \cup B \cup C)$
$$= n(A) + n(B) + n(C) - n(A \cap B) - n(B \cap C) - n(C \cap A) + n(A \cap B \cap C)$$
$$= 11 + 10 + 7 - 5 - 5 - 0 + 0$$
$$= 18$$

답 18

유제 5-17 세 집합 A, B, C에 대하여 $n(A) = 13$, $n(B) = 12$, $n(C) = 8$, $n(A \cup B) = 18$, $n(B \cup C) = 20$, $n(C \cup A) = 17$일 때, $n(A \cup B \cup C)$의 값을 구하시오.

유제 5-18 전체집합 U의 세 부분집합 A, B, C에 대하여
$$A \cap B = \varnothing,\ A \cap C = \varnothing,\ n(U) = 40,\ n(B \cup C) = 27,\ n(A^c \cap B^c \cap C^c) = 8$$
일 때, $n(A)$의 값을 구하시오.

35명의 학생이 수학경시와 논술경시 중 적어도 한 과목을 신청하였다. 수학경시를 신청한 학생이 27명, 논술경시를 신청한 학생이 13명일 때, 논술경시만을 신청한 학생 수를 구하시오.

길잡이 유한집합의 원소의 개수에 대한 활용 문제를 해결할 때는
① 집합을 설정한다.
② 벤 다이어그램에 원소의 개수를 적어 보거나
  공식 $n(A \cup B) = n(A) + n(B) - n(A \cap B)$를 이용한다.

풀이 수학경시를 신청한 학생의 집합을 A, 논술경시를 신청한 학생의 집합을 B라 하면
문제의 조건에서
$$n(A) = 27, \ n(B) = 13$$
또한, 35명 모두 적어도 한 과목을 신청했으므로
$$n(A \cup B) = 35$$
$n(A \cup B) = n(A) + n(B) - n(A \cap B)$에서

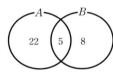

$$n(A \cap B) = n(A) + n(B) - n(A \cup B)$$
$$= 27 + 13 - 35$$
$$= 5$$
따라서 논술경시만을 신청한 학생의 집합은 $B - A$이므로 구하는 학생 수는
$$n(B - A) = n(B) - n(A \cap B)$$
$$= 13 - 5$$
$$= 8$$

답 8

유제 5-19 정원이 50명인 어떤 학급의 학생들이 방과 후 교육 활동으로 컴퓨터와 중국어 회화 중 적어도 하나를 신청하였다. 컴퓨터를 신청한 학생 수는 35명, 중국어 회화를 신청한 학생 수는 30명일 때, 두 가지를 모두 신청한 학생 수를 구하시오.

유제 5-20 100 이하의 자연수 중에서 4로도 나누어떨어지지 않고, 5로도 나누어떨어지지 않는 자연수의 개수를 구하시오.

50명의 학생에게 수학 문제 A, B, C를 풀게 하였더니 문제 A, B, C를 푼 학생은 각각 21명, 25명, 27명이고, 세 문제를 모두 푼 학생은 6명이라고 한다. 한 문제도 못 푼 학생은 없다고 할 때, 세 문제 중 두 문제만 푼 학생 수를 구하시오.

┈┈┈■ **길잡이**　　문장으로 복잡하게 조건이 주어진 경우에는 각각 조건을 집합으로 나타내고, 벤 다이어그램을 이용하여 문제를 해결한다.

풀이　문제 A, B, C를 푼 학생의 집합을 각각 A, B, C라 하면
문제의 조건에서 $n(A)=21$, $n(B)=25$, $n(C)=27$
한 문제도 못 푼 학생은 없으므로 $n(A \cup B \cup C)=50$
이때, (A, B), (B, C), (C, A) 두 문제만 푼 학생 수를
각각 a, b, c라 하면 세 문제를 모두 푼 학생 수는 6이므로
$$n(A \cup B \cup C)=n(A)+n(B)+n(C)-n(A \cap B)-n(B \cap C)$$
$$-n(C \cap A)+n(A \cap B \cap C)$$

에서
$$50=21+25+27-(a+6)-(b+6)-(c+6)+6$$
$$=73-(a+b+c)-12$$
$$\therefore a+b+c=11$$
따라서 두 문제만 푼 학생 수는 11이다.

답 11

유제 5-21　100명의 학생을 대상으로 방학 기간 중 실시되는 특강에 대한 희망조사를 하였더니 국어 영역을 62명, 수학 영역을 66명, 영어 영역을 57명 선택하였다. 이 중 국어 영역과 수학 영역을 모두 선택한 학생은 46명, 세 영역을 모두 선택한 학생은 30명이었다. 모든 학생들이 세 영역 중 적어도 하나의 영역을 선택하였다고 할 때, 영어 영역만 선택한 학생의 수를 구하시오.

5-1 세 집합 A, B, C에 대하여

$A=\{2, 4, 5, 8\}$, $B=\{x \mid x$는 $1 \leq x \leq 9$인 홀수$\}$, $C=\{x \mid x$는 12의 약수$\}$

일 때, $A \cap (B \cup C)$를 구하시오.

5-2 다음 중 집합 $A=\{1, 3\}$과 서로소가 <u>아닌</u> 집합은?

① $B=\varnothing$ ② $C=\{-4, -3\}$ ③ $D=\{0, 2, 5\}$
④ $E=\{x \mid x$는 10의 약수$\}$ ⑤ $F=\{x \mid x$는 2의 배수$\}$

5-3 전체집합 $U=\{x \mid x$는 9 이하의 자연수$\}$의 두 부분집합 A, B에 대하여
$A^C \cap B^C=\{5, 7\}$, $B-A=\{2, 4, 6\}$일 때, 집합 A를 구하시오.

5-4 실수를 원소로 하는 두 집합 $A=\{1, \ a^2-3a+1\}$, $B=\{a-2, \ a+1\}$에 대하여
$A \cap B=\{5\}$일 때, 상수 a의 값을 구하시오.

중요

5-5 두 집합 $A=\{1, 2, 3\}$, $B=\{2, 3, 4, 5\}$에 대하여
$(A \cap B) \subset X \subset (A \cup B)$를 만족시키는 집합 X의 개수를 구하시오.

5 – 6 벤 다이어그램에서 어두운 부분을 나타내는 집합은?

(단, U는 전체집합이다.)

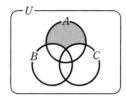

① $A \cap (B \cup C)^C$ 　　② $A \cup (B \cup C)^C$

③ $A \cap (B \cap C)^C$ 　　④ $A \cup (B \cap C)^C$

⑤ $A \cap (B \cap C^C)^C$

5 – 7 전체집합 U의 두 부분집합 X, Y에 대하여 $X \cap (X-Y)^C$을 간단히 하면?

① $X-Y$ 　　　② $Y-X$ 　　　③ $X \cap Y$

④ $X^C \cap Y^C$ 　　⑤ $X^C \cup Y^C$

5 – 8 집합 $A=\{1,\ 2,\ 3\}$에 대하여 $(A-B) \cup (B-A)=\{1,\ 3,\ 5\}$를 만족시키는 집합 B의 모든 원소의 합을 구하시오.

5 – 9 두 집합 A, B에 대하여 $n(A)=11$, $n(B)=8$, $n(A \cup B)=17$일 때, $n(A-B)$의 값을 구하시오.

5 – 10 40명의 학생 중 참치김밥을 좋아하는 학생이 18명, 참치김밥과 모둠김밥을 모두 좋아하는 학생이 8명, 참치김밥과 모둠김밥을 모두 싫어하는 학생이 2명일 때, 모둠김밥만을 좋아하는 학생 수를 구하시오.

5-11 두 집합 $A=\{x\,|\,x^2+4x+3>0\}$, $B=\{x\,|\,x^2-x+k\leq0\}$에 대하여 $A\cup B=R$, $A\cap B=\{x\,|\,-1<x\leq4\}$일 때, 상수 k의 값은? (단, R는 실수 전체의 집합이다.)

① -12 ② -4 ③ 4 ④ 12 ⑤ 16

5-12 두 집합 A, B에 대하여

$$A=\{-2,\ -1,\ 0,\ 1\},\ B=\{k\,|\,k=xy,\ x\in A,\ y\in A\}$$

일 때, 집합 $B-A$의 모든 원소의 합을 구하시오.

5-13 두 집합 $A=\{4,\ 6,\ a+1\}$, $B=\{6,\ 7,\ b\}$에 대하여 $(A-B)\cup(B\cap A^C)=\varnothing$일 때, 두 상수 a, b에 대하여 $a+b$의 값을 구하시오.

중요
5-14 두 집합 $A=\{1,\ 2,\ 3,\ 4,\ 5\}$, $B=\{1,\ 3,\ 7\}$에 대하여

$$A\cap X=X,\ (A-B)\cup X=X$$

를 만족시키는 집합 X의 개수를 구하시오.

중요
5-15 전체집합 U의 두 부분집합 A, B에 대하여 $(A-B^C)\cup(B^C-A^C)=A\cup B$가 성립할 때, 다음 중 항상 옳은 것은?

① $A\cup B=U$ ② $A\cap B=A^C$ ③ $B-A=B$
④ $A^C\cup B=U$ ⑤ $A-(A\cup B)=\varnothing$

5 - 16 자연수 n에 대하여 두 집합 A_n, B_n을
$$A_n=\{x \,|\, x\text{는 }n\text{과 서로소인 자연수}\},\ B_n=\{x \,|\, x\text{는 }n\text{의 배수인 자연수}\}$$
라 할 때, **보기**에서 옳은 것만을 있는 대로 고른 것은?

─────┤ 보기 ├─────

ㄱ. $A_2 \cup B_2=\{x \,|\, x\text{는 자연수}\}$ ㄴ. $A_2 \cup A_3=A_5$

ㄷ. $B_2 \cap B_3=B_5$

① ㄱ   ② ㄴ   ③ ㄱ, ㄷ   ④ ㄴ, ㄷ   ⑤ ㄱ, ㄴ, ㄷ

5 - 17 전체집합 U의 두 부분집합 A, B에 대하여
$$A*B=(A \cap B) \cup (A \cup B)^C$$
이라 정의할 때, 다음 중 항상 성립한다고 할 수 <u>없는</u> 것은? (단, $U \neq \varnothing$)

① $A*U=U$ ② $A*B=B*A$ ③ $A*\varnothing=A^C$

④ $A*B=A^C*B^C$ ⑤ $A*A^C=\varnothing$

5 - 18 전체집합 $U=\{1,\ 2,\ 3,\ \cdots,\ 10\}$의 두 부분집합 $A=\{1,\ 3,\ 6\}$, $B=\{1,\ 2,\ 4,\ 6\}$에 대하여 다음 두 조건을 모두 만족시키는 집합 X의 개수를 구하시오.

(가) $X \subset U$ (나) $A \cup X=B \cup X$

5 - 19 전체집합 U의 두 부분집합 A, B에 대하여
$$n(U)=32,\ n(A \cap B)=8,\ n(A^C \cap B^C)=20$$
일 때, $n(A)+n(B)$의 값을 구하시오.

5 - 20 40명의 학생 중에서 수학 과목을 신청한 학생이 28명, 영어 과목을 신청한 학생이 16명이다. 수학 과목과 영어 과목을 모두 신청한 학생 수의 최댓값을 M, 최솟값을 m이라 할 때, $M+m$의 값을 구하시오.

5-21 집합 $S=\{a, b, c\}$의 부분집합을 원소로 갖는 집합 X가 다음 두 조건을 만족시킨다.

> (가) $A \in X$이면 $S-A \in X$
> (나) $A \in X$, $B \in X$이면 $A \cup B \in X$

이때, 집합 X의 개수를 구하시오. (단, $X \neq \varnothing$)

5-22 자연수 n에 대하여 집합 A_n을
$$A_1=\varnothing, \quad A_{n+1}=A_n \cup \{A_n\}$$
으로 정의하자. 예를 들어, $A_2=\{\varnothing\}$, $A_3=\{\varnothing, \{\varnothing\}\}$일 때, **보기**에서 옳은 것만을 있는 대로 고르시오. (단, $\varnothing$은 공집합이다.)

─┤ 보기 ├─

ㄱ. $A_4=\{\varnothing, \{\varnothing\}, \{\varnothing, \{\varnothing\}\}\}$ ㄴ. $A_n \in A_{n+1}$

ㄷ. $A_{n+1}=\{A_1, A_2, A_3, \cdots, A_n\}$

5-23 전체집합 $U=\{1, 2, 3, 4, 5, 6, 7, 8, 9\}$의 두 부분집합 A, B가 다음 조건을 만족시킨다.

> (가) $n(A)=3$
> (나) $(B-A) \subset X \subset U$를 만족시키는 집합 X의 개수는 32이다.

집합 B의 모든 원소의 합을 $S(B)$라 할 때, $S(B)$의 최댓값과 최솟값의 합을 구하시오.

5-24 어느 고등학교 학생 50명에게 좋아하는 스포츠를 조사한 결과 축구에 22명, 농구에 18명, 야구에 11명으로 응답했다. 또 두 가지 이상의 스포츠를 좋아하는 학생들은 축구와 농구에 10명, 축구와 야구에 8명, 야구와 농구에 3명이었다. 이때, 축구, 농구, 야구 중 어느 것도 좋아하지 않는 학생은 최소 몇 명인지 구하시오.

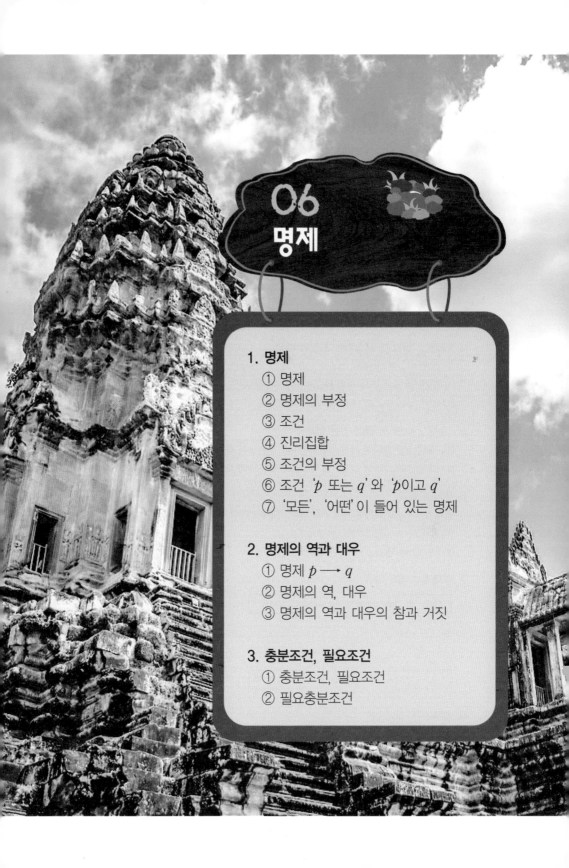

06
명제

06. 명제

1. 명제
참, 거짓을 판별할 수 있는 문장이나 식

2. 조건
문자의 값에 따라 참, 거짓이 결정되는 문장이나 식

3. 진리집합
전체집합 U에서 정의된 조건 $p(x)$의 진리집합을 P라 하면
$P=\{x\,|\,x\in U,\ p(x)\text{는 참}\}$

4. '또는', '이고'를 포함하는 조건의 부정
두 조건 p, q에 대하여
(1) 조건 'p 또는 q'의 부정 ➡ '$\sim p$이고 $\sim q$'
(2) 조건 'p이고 q'의 부정 ➡ '$\sim p$ 또는 $\sim q$'

5. '모든', '어떤'이 들어 있는 명제의 부정
(1) '모든 x에 대하여 $p(x)$'의 부정 ➡ '어떤 x에 대하여 $\sim p(x)$'
(2) '어떤 x에 대하여 $p(x)$'의 부정 ➡ '모든 x에 대하여 $\sim p(x)$'

6. 명제와 집합
명제 $p \longrightarrow q$에 대하여 가정 p와 결론 q의 진리집합을 각각 P, Q라 할 때,
(1) 명제 $p \longrightarrow q$가 참이다. ➡ $P \subset Q$
(2) $P \subset Q$ ➡ 명제 $p \longrightarrow q$가 참이다.

7. 명제에서 역과 대우
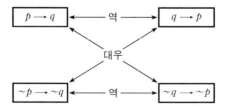

8. 충분조건, 필요조건
명제 $p \longrightarrow q$가 참일 때, 즉 $p \Longrightarrow q$일 때
(1) p는 q이기 위한 충분조건이다.
(2) q는 p이기 위한 필요조건이다.

명제

① 명제

우리가 사용하고 있는 문장이나 식에는 참, 거짓을 판별할 수 있는 것과 판별할 수 없는 것이 있다. 이때, 참, 거짓을 판별할 수 있는 문장 또는 식을 **명제**라고 한다.

예를 들면

> ① 서울은 대한민국의 수도이다.
>
> ② 4는 6의 약수이다.
>
> ③ 1은 작은 수이다.
>
> ④ $\{1,\ 2\} \subset A$

에서

> ①은 누구나 명확하게 참이라고 말할 수 있으므로 참인 명제이고,
>
> ②는 4가 6의 약수가 아니므로 거짓인 명제이다.
>
> ③은 작은 수의 기준이 없고,
>
> ④는 집합 A를 알 수 없으므로 참, 거짓을 말할 수 없다.

따라서 ③, ④는 명제가 아니다.

샘정리 ▶ 명제

> **명제** : 참, 거짓을 판별할 수 있는 문장이나 식

예 ① $2+3=6$ ② 이 학생은 축구를 잘 하는가?

③ $\varnothing \subset \{-1,\ 0,\ 1\}$ ④ $x+3=5$

에서

①은 명확히 틀렸으므로 거짓인 명제이다.

②와 같은 의문문, 감탄문 등은 명제가 아니다.

③은 $\varnothing$이 모든 집합의 부분집합이므로 참인 명제이다.

④는 x의 값에 따라 참, 거짓이 정해지므로 명제가 아니다.

참고 집합은 문자 A, B, C, $\cdots$, 원소는 문자 a, b, c, $\cdots$으로 나타내듯이 일반적으로 명제는 문자 p, q, r, $\cdots$으로 나타낸다.

주의 '거짓'인 문장이나 식도 명제임에 주의하자.

② 명제의 부정

참인 명제

　　　　　'4는 짝수이다.'

　　　　　'삼각형의 변은 세 개이다.'

　　　　　'$5+10=15$'

　　　　　'$3+5>6$'

의 부정은 각각

　　　　　'4는 짝수가 아니다.'

　　　　　'삼각형의 변은 세 개가 아니다.'

　　　　　'$5+10\neq15$'

　　　　　'$3+5\leq6$'

이고 이 명제들은 거짓인 명제가 된다.

　일반적으로 명제 p에 대하여 'p가 아니다.' 를 명제 p의 **부정**이라 하고, 이것을 기호로

　　　　$\sim p$

와 같이 나타낸다. 이때, 명제 p가 참이면 $\sim p$는 거짓이고, p가 거짓이면 $\sim p$는 참이다.

　그리고 $\sim p$의 부정은 p이다. 즉, $\sim(\sim p)=p$이다.

새 정리　　　　　　　　　　　　　　　　　　　　　　　　　**명제의 부정**

명제 p에 대하여

1 p의 부정 ➡ $\sim p$ (p가 아니다.)

2 p : 참 ➡ $\sim p$: 거짓,　　　p : 거짓 ➡ $\sim p$: 참

3 $\sim(\sim p)=p$

예　① '8은 2의 배수이다.' 의 부정은 '8은 2의 배수가 아니다.'

　　② '2와 3은 6의 배수이다.' 의 부정은 '2 또는 3은 6의 배수가 아니다.'

　　③ '$5<3$' 의 부정은 '$5\geq3$'

　　④ '3은 홀수이다.' 의 부정은 '3은 홀수가 아니다.'

주의　③에서 '$5<3$' 의 부정을 '$5>3$' 으로 하면 안된다.

　　두 수 사이의 대소 관계는 '크다', '같다', '작다' 의 세 가지이므로 '작다' 의 부정은 나머지 두 가지 '같다' 와 '크다' 를 모두 말해주어야 한다.

　　또한, ④에서 '3은 홀수이다.' 의 부정을 '3은 짝수이다.' 라고 하면 안된다.

　　자연수라는 전제조건이 없으므로 -4, 0.2, $\dfrac{1}{2}$, $\cdots$ 등도 부정에 포함되어야 한다.

③ 조건

참, 거짓을 명확하게 판정할 수 있는 명제와는 달리

$$x는 9의 약수이다.$$

와 같은 문장은 x가 무엇인지 알기 전에는 참, 거짓을 판별할 수 없다.

따라서 이와 같은 문장은 명제가 아니다. 하지만 x를 자연수라 하면 x의 값에 따라 참, 거짓을 판별할 수 있다. 즉,

$x=1$이면 참

$x=2$이면 거짓

$x=3$이면 참

⋮

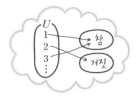

이와 같이 변수 x를 포함하는 문장이나 식이 x의 값에 따라 참, 거짓이 판별될 때, 이 문장이나 식을 조건이라고 한다. 일반적으로 조건을 $p(x)$, $q(x)$, $r(x)$, ⋯ 등으로 나타내거나 간단히 p, q, r, ⋯ 등으로 나타낸다.

샘정리 ──────────────────────────── 조건

조건 : 문자의 값에 따라 참, 거짓이 결정되는 문장이나 식

예 전체집합 $U=\{1,\ 2,\ 3,\ 4,\ 5\}$에 대하여 조건

$p(x):x>3$

일 때, $x=1$, $x=2$, $x=3$이면 $p(x)$는 거짓이고

$x=4$, $x=5$이면 $p(x)$는 참이다.

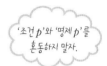

'조건 p'와 '명제 p'를 혼동하지 말자.

④ 진리집합

전체집합 $U=\{x|x는\ 10\ 이하인\ 자연수\}$의 원소 중에서 조건

$p(x):x는\ 10의\ 약수$

를 참이 되게 하는 x의 값들을 집합 P로 나타내면

$P=\{1,\ 2,\ 5,\ 10\}$

이다. 이와 같이 전체집합 U에서 정의된 조건 $p(x)$에 대하여 U의 원소 중에서 조건 $p(x)$를 참이 되게 하는 원소들의 집합을 조건 $p(x)$의 **진리집합**이라고 한다.

진리집합

새 정리

전체집합 U에서 정의된 조건 $p(x)$의 진리집합을 P라 하면
$$P=\{x \,|\, x \in U, \ p(x)\text{는 참}\}$$

참고 조건 p, q, r, $\cdots$의 진리집합은 보통 P, Q, R, $\cdots$으로 나타내고, 특별한 언급이 없으면 전체집합은 실수 전체의 집합으로 본다.

예 두 조건
$$p : x^2=2, \quad q : x\text{가 } 4\text{의 약수이다.}$$
의 진리집합을 각각 P, Q라 하면
$$P=\{-\sqrt{2}, \ \sqrt{2}\}, \quad Q=\{1, \ 2, \ 4\}$$

⑤ 조건의 부정

조건 p에 대하여 'p가 아니다.'를 조건 p의 부정이라 하고, 이것을 기호로
$$\sim p$$
와 같이 나타낸다. 한편, 조건 p의 진리집합을 P라 할 때, $\sim p$의 진리집합은 P^C이다.

$\sim p$
➡ 'p의 부정'
또는 '$not\ p$'라고
읽는다.

새 정리

조건 p의 진리집합 P에 대하여
1 조건 p의 부정 ➡ $\sim p$
2 조건 $\sim p$의 진리집합 ➡ P^C

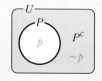

참고 조건 $\sim p$의 부정은 p, 즉 $\sim(\sim p)=p$이므로 $\sim(\sim p)$의 진리집합은 p의 신리집합과 같다.

예 ① $p : x+2=3$ ➡ $\sim p : x+2 \neq 3$
　② $q : x>5$ ➡ $\sim q : x \leq 5$

예 전체집합 $U=\{1, \ 2, \ 3, \ \cdots, \ 10\}$에서 조건
$$p : x\text{는 } 10\text{의 약수}$$
의 진리집합을 P라 하면
p의 부정 $\sim p$의 진리집합은
$$P^C=U-\{1, \ 2, \ 5, \ 10\}=\{3, \ 4, \ 6, \ 7, \ 8, \ 9\}$$

⑥ 조건 'p 또는 q'와 'p이고 q'

두 조건 $p : x>2$, $q : x<5$의 진리집합을 각각 P, Q라 하면
$$P=\{x\,|\,x>2\},\ Q=\{x\,|\,x<5\}$$
이다. 이때, 어떤 x에 대하여
$$\text{'}x>2 \text{ 또는 } x<5\text{'},\ \text{'}x>2\text{이고 } x<5\text{'}$$
도 각각 조건이다. 즉, 조건 'p 또는 q', 'p이고 q' 임을 알 수 있고 각각의 진리집합은
$$P\cup Q=\{x\,|\,x\text{는 모든 실수}\},\ P\cap Q=\{x\,|\,2<x<5\}$$
이다.

샘정리 ──────────────────── **'또는', '이고'를 이용한 조건**

두 조건 p, q의 진리집합을 각각 P, Q라 하면
1 조건 'p 또는 q'의 진리집합 ➡ $P\cup Q$
2 조건 'p이고 q'의 진리집합 ➡ $P\cap Q$

예 전체집합 $U=\{x\,|\,x\text{는 }10\text{ 이하인 자연수}\}$에서 정의된 두 조건
$$p : x\text{는 짝수이다.,}\quad q : x\text{는 소수이다.}$$
에 대하여
① 조건 'p 또는 q' ➡ x는 짝수이거나 소수이다.
      ➡ 진리집합 : $\{2,\ 3,\ 4,\ 5,\ 6,\ 7,\ 8,\ 10\}$
② 조건 'p이고 q' ➡ x는 짝수이고 소수이다.
      ➡ 진리집합 : $\{2\}$

조건 '$ab=0$' …… ㉠의 부정은 '$ab\neq0$' …… ㉡이다.
이때, ㉠은 '$a=0$ 또는 $b=0$'이고 ㉡은 '$a\neq0$이고 $b\neq0$'임을 알 수 있다.
즉, 조건 '$a=0$ 또는 $b=0$'의 부정은 '$a\neq0$이고 $b\neq0$'이다.

두 조건 p, q의 진리집합을 각각 P, Q라 할 때, 드모르간의 법칙에 의하여

$$(P\cup Q)^C=P^C\cap Q^C$$

$$(P\cap Q)^C=P^C\cup Q^C$$

이므로 다음과 같은 성질이 성립함을 알 수 있다.

두 조건 p, q에 대하여

1 조건 'p 또는 q'의 부정 ➡ '$\sim p$이고 $\sim q$'

2 조건 'p이고 q'의 부정 ➡ '$\sim p$ 또는 $\sim q$'

예   ① '$x=2$ 또는 $x=3$'의 부정은 '$x \neq 2$이고 $x \neq 3$'

     ② '$a=1$이고 $b=2$'의 부정은 '$a \neq 1$ 또는 $b \neq 2$'

     ③ '$x < -2$ 또는 $x > 3$'의 부정은 '$-2 \leq x \leq 3$'

⑦ '모든', '어떤'이 들어 있는 명제

조건은 참, 거짓을 판별할 수 없으므로 명제가 아니다. 하지만 조건 앞에 '모든' 또는 '어떤'이라는 단서가 있으면 참, 거짓을 판별할 수 있으므로 명제가 된다. 예를 들어 실수 x에 대하여 세 조건 $p : x^2+1>0$, $q : x^2=1$, $r : x^2=-1$의 진리집합을 각각 P, Q, R라 하면

$$P=\{x \mid x$는 모든 실수\}, \ Q=\{-1, \ 1\}, \ R=\varnothing$$

이므로 다음을 알 수 있다.

① 모든 실수 x에 대하여 $x^2+1>0$ ➡ 참인 명제

   어떤 실수 x에 대하여 $x^2+1>0$ ➡ 참인 명제

② 모든 실수 x에 대하여 $x^2=1$ ➡ 거짓인 명제

   어떤 실수 x에 대하여 $x^2=1$ ➡ 참인 명제

③ 모든 실수 x에 대하여 $x^2=-1$ ➡ 거짓인 명제

   어떤 실수 x에 대하여 $x^2=-1$ ➡ 거짓인 명제

전체집합 U에서 조건 p의 진리집합을 P라 할 때,

1 $P=U$이면   '모든 x에 대하여 p'는 참,

                    '어떤 x에 대하여 p'는 참

2 $P \neq U$, $P \neq \varnothing$이면 '모든 x에 대하여 p'는 거짓,

                    '어떤 x에 대하여 p'는 참

3 $P=\varnothing$이면   '모든 x에 대하여 p'는 거짓,

                    '어떤 x에 대하여 p'는 거짓

예 ① 모든 실수 x에 대하여 $x^2 \geq 0$이다. ➡ 참인 명제
　　어떤 실수 x에 대하여 $x^2 \geq 0$이다. ➡ 참인 명제
　② 모든 실수 x에 대하여 $x^2 = 0$이다. ➡ 거짓인 명제
　　어떤 실수 x에 대하여 $x^2 = 0$이다. ➡ 참인 명제
　③ 모든 실수 x에 대하여 $x^2 < 0$이다. ➡ 거짓인 명제
　　어떤 실수 x에 대하여 $x^2 < 0$이다. ➡ 거짓인 명제

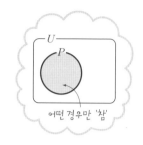

어떤 경우만 '참'

한편, '모든', '어떤'이 들어 있는 명제의 부정은 다음과 같다.

샘 정리

'모든', '어떤'의 부정

1 '모든 x에 대하여 $p(x)$'의 부정 ➡ '어떤 x에 대하여 $\sim p(x)$'
2 '어떤 x에 대하여 $p(x)$'의 부정 ➡ '모든 x에 대하여 $\sim p(x)$'

예 ① 　p : 모든 자연수는 정수이다. (참)
　　$\sim p$: 어떤 자연수는 정수가 아니다. (거짓)
　② 　p : 모든 실수 x에 대하여 $x^2 > 0$ (거짓)
　　$\sim p$: 어떤 실수 x에 대하여 $x^2 \leq 0$ (참)

1 명제인 것만을 **보기**에서 있는 대로 고르시오.

┤ 보기 ├

ㄱ. 9는 소수이다.　　　　　　　　ㄴ. $x^2 > 0$ (단, x는 실수이다.)
ㄷ. 농구선수는 키가 크다.　　　　　ㄹ. 2는 6의 약수이다.

2 다음 명제의 부정을 말하시오.

(1) 6은 3의 배수이다.　　　　　　(2) 축구는 올림픽 종목이다.
(3) $4+5=10$　　　　　　　　　　(4) $\sqrt{3}$은 무리수이다.

3 다음 두 조건 p, q의 진리집합을 각각 P, Q라 할 때, 두 진리집합 P, Q를 구하시오.

(1) $p : x^2 = 4$　　　　　　　　　(2) $q : x$는 20의 약수

4 다음 조건의 부정을 말하시오.

(1) a는 자연수이다.　　　　　　　(2) $x+2=0$
(3) $x=3$ 또는 $x=4$　　　　　　　(4) $3 < x \leq 4$

5 다음 명제의 참, 거짓을 판별하시오.

(1) 모든 실수 x에 대하여 $x^2 > |x|$ 이다.
(2) 어떤 직사각형은 정사각형이다.

6 다음 명제의 부정을 말하고, 그 부정의 참 거짓을 판별하시오.

(1) 모든 정삼각형은 이등변삼각형이다.
(2) 어떤 정수 x에 대하여 $x-3=0$이다.
(3) 모든 실수 x에 대하여 $|x| \geq x$이다.
(4) 어떤 실수 x에 대하여 $x^2 < 0$이다.

다음 중 명제인 것을 모두 말하고 명제인 것의 참, 거짓을 판별하시오.

(1) $4+5=7$ (2) $x+2=6$

(3) 저 꽃은 아름답다.   (4) $x^2 > x$

(5) $x+2 > x+1$

⋯⋯⋯ ▪ **새**저러   명제 : 참, 거짓을 분명히 판별할 수 있는 문장이나 식

                         조건 : x의 값에 따라 참과 거짓을 판별할 수 있는 문장이나 식

풀이   (1) $4+5=9 \neq 7$이므로 거짓인 명제이다.

       (2) $x=4$이면 참이고 $x \neq 4$이면 거짓이다.

           즉, 참, 거짓이 한 가지로 정해지지 않으므로 명제가 아니다.

       (3) '아름답다'의 기준이 명확하지 않으므로 참, 거짓을 판별할 수 없다.

           즉, 명제가 아니다.

       (4) $x<0$ 또는 $x>1$이면 참이고 $0 \leq x \leq 1$이면 거짓이다.

           즉, 참, 거짓이 한 가지로 정해지지 않으므로 명제가 아니다.

       (5) $x+2 > x+1$ ➡ $2 > 1$ (참)

                                               답 명제인 것 : (1), (5)

                                                     (1) 거짓 (5) 참

유제 6-1   다음 중 명제인 것을 모두 말하고 명제인 것의 참, 거짓을 판별하시오.

            (1) 모든 소수는 홀수이다.

            (2) 100은 큰 수이다.

            (3) 모든 원은 서로 합동이다.

            (4) π는 4보다 작다.

            (5) 수학은 재미있는 과목이다.

다음 명제 또는 조건의 부정을 말하고, 그 부정의 참, 거짓을 판별하시오.

(1) $x=1$ 또는 $x=2$

(2) 3은 4보다 작다.

(3) $\sqrt{2}$는 유리수이다.

(4) 1은 소수도 아니고, 합성수도 아니다.

■ 샘접거   (1) 부등호의 부정

$$\sim(>) \Longleftrightarrow \leq, \ \sim(<) \Longleftrightarrow \geq, \ \sim(\geq) \Longleftrightarrow <, \ \sim(\leq) \Longleftrightarrow >$$

(2) '또는'과 '이고'의 부정

$$\sim(p \text{ 또는 } q) \Longleftrightarrow \sim p \text{이고 } \sim q$$
$$\sim(p \text{이고 } q) \Longleftrightarrow \sim p \text{ 또는 } \sim q$$

풀이 (1) 부정은 '$x \neq 1$이고 $x \neq 2$'이고 참, 거짓을 판별할 수 없는 조건이다.

(2) 부정은 '3은 4보다 크거나 같다.'이고 이것은 거짓인 명제이다.

(3) 부정은 '$\sqrt{2}$는 유리수가 아니다.'이고 이것은 참인 명제이다.

(4) 부정은 '1은 소수이거나 합성수이다.'이고 이것은 거짓인 명제이다.
    1은 소수도 아니고, 합성수도 아니기 때문이다.

답 풀이 참조

참고   위의 (1)은 x의 값에 따라 참, 거짓이 결정되므로 조건이다.

유제 6-2   다음 명제 또는 조건의 부정을 말하고, 그 부정의 참, 거짓을 판별하시오.

(1) $1 < x < 2$

(2) 6은 2의 배수 또는 3의 배수이다.

(3) 정사각형은 마름모가 아니다.

(4) $x > 1$ 그리고 $y > 1$

전체집합 $U=\{1,\ 2,\ 3,\ \cdots,\ 7\}$에서 두 조건 p, q가

$\quad p : x\leq 3,\ q : x^2-9x+14<0$

일 때, 다음 조건의 진리집합을 구하시오.

(1) $\sim p$ (2) $\sim p$이고 q

(3) p 또는 $\sim q$ (4) $\sim p$이고 $\sim q$

> ■ **길잡이**   두 조건 p, q의 진리집합 P, Q를 구한 다음
>   부정 ➡ 여집합, 또는 ➡ $P\cup Q$, 그리고 ➡ $P\cap Q$
>   임을 이용하여 구한다.
>
> ■ **새 정리**   진리집합 : 전체집합 U에서 조건 p가 참이 되게 하는 원소들의 집합
> $P=\{x\in U\,|\,p(x)$가 참$\}$

풀이   두 조건 p, q의 진리집합을 각각 P, Q라 하면

$\quad p : x\leq 3$에서 $P=\{1,\ 2,\ 3\}$

$\quad q : x^2-9x+14<0$에서 $(x-2)(x-7)<0,\ 2<x<7$ $\therefore\ Q=\{3,\ 4,\ 5,\ 6\}$

(1) 조건 $\sim p$의 진리집합은 P^C이므로 구하는 진리집합은

$\quad P^C=\{4,\ 5,\ 6,\ 7\}$

(2) 조건 '$\sim p$이고 q'의 진리집합은 $P^C\cap Q$이므로 구하는 진리집합은

$\quad P^C\cap Q=\{4,\ 5,\ 6,\ 7\}\cap\{3,\ 4,\ 5,\ 6\}=\{4,\ 5,\ 6\}$

(3) 조건 'p 또는 $\sim q$'의 진리집합은 $P\cup Q^C$이므로 구하는 진리집합은

$\quad P\cup Q^C=\{1,\ 2,\ 3\}\cup\{1,\ 2,\ 7\}=\{1,\ 2,\ 3,\ 7\}$

(4) 조건 '$\sim p$이고 $\sim q$'의 진리집합은 $P^C\cap Q^C$이므로 구하는 진리집합은

$\quad P^C\cap Q^C=\{4,\ 5,\ 6,\ 7\}\cap\{1,\ 2,\ 7\}=\{7\}$

                                      답 (1) $\{4,\ 5,\ 6,\ 7\}$ (2) $\{4,\ 5,\ 6\}$ (3) $\{1,\ 2,\ 3,\ 7\}$ (4) $\{7\}$

유제 6-3   전체집합 $U=\{1,\ 2,\ 3,\ 4,\ 5\}$에 대하여 조건 p가 '$p : x$는 소수이다.' 일 때,
                       조건 p의 진리집합을 구하시오.

유제 6-4   전체집합 $U=\{-2,\ -1,\ 0,\ 1,\ 2,\ 3\}$에서 두 조건

                       $p : -2<x<3,\ q : x^2-3x=0$

                     에 대하여 조건 'p이고 $\sim q$'의 진리집합을 구하시오.

전체집합 $U=\{1, 2, 3, 4, 5\}$이고 $x \in U$, $y \in U$일 때, 참인 명제인 것만을 **보기**에서 있는 대로 고르시오.

┤ 보기 ├

ㄱ. 모든 x에 대하여 $x+1 < 7$이다.   ㄴ. 어떤 x에 대하여 $x^2 = 36$이다.

ㄷ. 어떤 x, y에 대하여 $y < x^2$이다.   ㄹ. 모든 x, y에 대하여 $x^2+y^2 < 51$이다.

ㅁ. 어떤 x, y에 대하여 $x^2+y^2 < 2$이다.

■ **생각** (1) 전체집합 U에서의 조건 $p(x)$의 진리집합을 P라 할 때

① '모든 x에 대하여 $p(x)$'가 참이려면 $P=U$

② '어떤 x에 대하여 $p(x)$'가 참이려면 $P \neq \varnothing$

(2) '모든 것이(임의의 것이) p'의 부정 '어떤 것은(적어도 하나가) $\sim p$'

풀이 ㄱ. $p : x+1 < 7$로 놓고 조건 p의 진리집합을 P라 하면

$p : x+1 < 7$에서 $x < 6$이므로 $P = \{1, 2, 3, 4, 5\}$

즉, $P=U$이므로 주어진 명제는 참이다.

ㄴ. U의 어떤 x에 대하여 $x^2 = 36$인 x가 존재하지 않는다. (거짓)

ㄷ. $x=2$, $y=1$일 때, $1 < 2^2$이므로 $y < x^2$을 만족하는 x, y가 존재한다. (참)

ㄹ. x^2+y^2이 가장 크게 되는 것은 $x=5$, $y=5$일 때, $x^2+y^2 = 50$이므로

$x^2+y^2 < 51$은 U의 모든 x, y에 대하여 성립한다. (참)

ㅁ. x^2+y^2이 가장 작게 되는 것은 $x=1$, $y=1$일 때, $x^2+y^2 = 2$이므로

$x^2+y^2 < 2$인 x, y는 U에 존재하지 않는다. (거짓)

따라서 참인 명제는 ㄱ, ㄷ, ㄹ이다.

답 ㄱ, ㄷ, ㄹ

유제 6-5 전체집합 $U=\{-1, 0, 1, 2\}$이고 $x \in U$, $y \in U$일 때, 참인 명제인 것만을 **보기**에서 있는 대로 고르시오.

┤ 보기 ├

ㄱ. 모든 x에 대하여 $x^2-2x+1 \geq 0$이다.

ㄴ. 모든 x, y에 대하여 $x^2+y^2 > 0$이다.

ㄷ. 어떤 x에 대하여 $x^2 \neq 1$이다.

ㄹ. 어떤 x에 대하여 $x+3 > 6$이다.

유제 6-6 명제 '모든 실수 x에 대하여 $x^2-12x+k \geq 0$이다.'가 참이 되도록 하는 실수 k의 최솟값을 구하시오.

2 명제의 역과 대우

① 명제 $p \longrightarrow q$

두 조건 p, q에 대하여 'p이면 q이다.' 의 꼴로 나타내어지는 명제를

$$p \longrightarrow q$$

와 같이 나타내고, p를 가정, q를 **결론**이라고 한다.

예를 들어

$$p : x는 4의 약수이다., \qquad q : x는 8의 약수이다.$$

라 할 때, p, q는 각각 조건이지만

'x가 4의 약수이면 x는 8의 약수이다.' ← p이면 q이다.

는 참, 거짓을 판별할 수 있으므로 명제이고, $p \longrightarrow q$로 나타낸다.

새 정리

기호 $\Longrightarrow$

두 조건 p, q에 대하여

1 명제 $p \longrightarrow q$가 참일 때, 기호 $\boldsymbol{p \Longrightarrow q}$로 나타낸다.

2 명제 $p \longrightarrow q$가 거짓일 때, 기호 $\boldsymbol{p \not\Longrightarrow q}$로 나타낸다.

한편, 참인 명제 '$x=1$이면 $x^2=1$이다.' 에서

$$p : x=1, \qquad q : x^2=1$$

이라 하고 두 조건 p, q의 진리집합을 각각 P, Q라 하면

$$P=\{1\}, \qquad Q=\{-1,\ 1\}$$

이므로 $P \subset Q$임을 알 수 있다.

일반적으로 명제 $p \longrightarrow q$는

> 조건 p가 성립할 때 조건 q가 성립

하면 참이다. 즉,

> '명제 $p \longrightarrow q$가 참'

이라는 것은 조건 p의 진리집합 P의 모든 원소가 조건 q의 진리집합 Q에 속한다는 뜻이다.

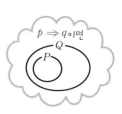

따라서 명제 $p \longrightarrow q$의 참, 거짓은 조건 p, q의 진리집합의 포함 관계를 이용하여 다음과 같이 판별할 수 있다.

새 정리

명제 $p \longrightarrow q$에 대하여 가정 p와 결론 q의 진리집합을 각각 P, Q라 할 때,

1 명제 $p \longrightarrow q$가 참이다. ➡ $P \subset Q$

2 $P \subset Q$ ➡ 명제 $p \longrightarrow q$가 참이다.

예 두 조건
$$p : x+3=0, \ q : x^2-9=0$$
에 대하여 두 조건의 진리집합을 각각 P, Q라 하면
$$P=\{-3\}, \ Q=\{-3, \ 3\}$$
따라서 $P \subset Q$이므로 명제 $p \longrightarrow q$는 참이다.

참고 위의 **예**에서 $3 \notin P$이므로 $Q \not\subset P$이다. 따라서 명제 $q \longrightarrow p$는 거짓이다.
이와 같이 Q에는 속하지만 P에는 속하지 않는 한 원소의 예를 보여주면 $Q \not\subset P$,
즉 $q \not\Longrightarrow p$라 할 수 있다. 이와 같은 예를 반례라고 한다.

② **명제의 역과 대우** (고교 교육과정에 '이'는 나오지 않음)

명제 $p \longrightarrow q$에 대하여
$q \longrightarrow p$를 역, $\sim q \longrightarrow \sim p$를 대우라고 한다.

새 정리

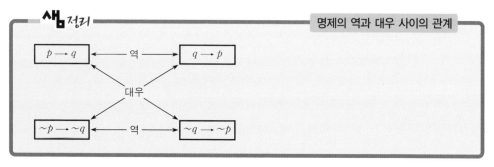

예 명제 $(p \longrightarrow q)$: $x=2$이면 $x^2=4$이다.
역 $(q \longrightarrow p)$: $x^2=4$이면 $x=2$이다.
대우 $(\sim q \longrightarrow \sim p)$: $x^2 \neq 4$이면 $x \neq 2$이다.

참고 명제 $p \longrightarrow q$에 대하여 $\sim p \longrightarrow \sim q$를 이라고 한다.

③ 명제의 역과 대우의 참과 거짓

그림을 참고로 하여 명제의 역과 대우의 참과 거짓을
조사해보면 다음과 같다.

① 명제 : 사람이면 동물이다. (참)

② 역 : 동물이면 사람이다. (거짓)

    [반례] 말, 고양이, …

③ 대우 : 동물이 아니면 사람이 아니다. (참)

앞의 예와 같이 어떤 명제가 참이면 그 명제의 대우는 반드시 참이지만, 그 명제의 역이 반드시
참이 되는 것은 아니다.

샘정리
명제의 역과 대우의 참과 거짓

1 명제 $p \longrightarrow q$가 참이면 대우 $\sim q \longrightarrow \sim p$도 반드시 참이다.

   명제 $p \longrightarrow q$가 거짓이면 대우 $\sim q \longrightarrow \sim p$도 반드시 거짓이다.

2 명제 $p \longrightarrow q$가 참이라 해도 역 $q \longrightarrow p$가 반드시 참인 것은 아니다.

참고   두 명제 $q \longrightarrow p$와 $\sim p \longrightarrow \sim q$도 대우 관계이므로 참, 거짓이 같다.

예   명제 '$x^5 + x^3 \neq 2$이면 $x \neq 1$이다.'의 대우는 '$x = 1$이면 $x^5 + x^3 = 2$이다.'이고
    이것은 참임을 쉽게 알 수 있다. 즉, 대우가 참이므로 원래의 명제가 참이다.

주의   '$p \longrightarrow \sim q$' 또는 '$\sim p \longrightarrow q$' 등을 명제 '$p \longrightarrow q$'의 부정이라고 하지 않는다.

샘특강

삼단논법

세 조건 p, q, r에 대하여

$$\text{'}p \Longrightarrow q \text{이고 } q \Longrightarrow r \text{' 이면 '} p \Longrightarrow r \text{'}$$

이다. 즉, 세 조건 p, q, r의 진리집합을 각각 P, Q, R라 할 때
'$P \subset Q$이고 $Q \subset R$'이면 '$P \subset R$'이다.

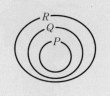

예   두 명제 $p \longrightarrow q$, $q \longrightarrow r$가 모두 참이면

$$p \longrightarrow r, \ \sim q \longrightarrow \sim p, \ \sim r \longrightarrow \sim q, \ \sim r \longrightarrow \sim p$$

    도 모두 참이다.

7 다음 두 조건 p, q에 대하여 명제 $p \longrightarrow q$와 명제 $q \longrightarrow p$의 참, 거짓을 판별하시오.

(1) p : $a+b$가 짝수이다.

　q : a, b가 짝수이다.

(2) p : 사각형 ABCD는 정사각형이다.

　q : 사각형 ABCD는 마름모이다.

8 다음 명제의 역과 대우를 말하고, 참, 거짓을 판별하시오.

(1) $x=1$이고 $y=1$이면 $xy=1$이다.

(2) 두 집합 A, B에 대하여 $A \cap B = A$이면 $A \subset B$이다.

다음 명제의 참, 거짓을 판별하고, 거짓인 것은 반례를 말하시오.

(1) $0 < x < 2$이면 $1 \leq x < 3$이다.

(2) $x = 2$이면 $x^2 = 4$이다.

(3) $x + y = 0$이면 $x = 0$ 또는 $y = 0$이다.

(4) xy가 짝수이면 x, y는 모두 짝수이다.

■ **길잡이**   명제 $p \longrightarrow q$가 거짓임을 보이려면 p이면서 $\sim q$인 반례를 찾는다. ➡ $P \cap Q^C$

■ **샘정리**   두 조건 p, q의 진리집합을 각각 P, Q 할 때

(1) $P \subset Q$이면 명제 $p \longrightarrow q$는 참이다.

(2) $P \not\subset Q$이면 명제 $p \longrightarrow q$는 거짓이다.

풀이   (1) $p : 0 < x < 2$, $q : 1 \leq x < 3$으로 놓고 두 조건 p, q의 진리집합을 각각 P, Q라 하면

$P = \{x \mid 0 < x < 2\}$, $Q = \{x \mid 1 \leq x < 3\}$

따라서 $P \not\subset Q$이므로 주어진 명제는 거짓이다.

[반례] $x = \dfrac{1}{2}$이면 $0 < x < 2$이지만 $x < 1$이다.

(2) $p : x = 2$, $q : x^2 = 4$로 놓고 두 조건 p, q의 진리집합을 각각 P, Q라 하면

$P = \{2\}$, $Q = \{-2, \ 2\}$

따라서 $P \subset Q$이므로 주어진 명제는 참이다.

(3) [반례] $x = 2$, $y = -2$일 때, $x + y = 0$이므로 주어진 명제는 거짓이다.

(4) [반례] $x = 2$, $y = 3$일 때, $xy = 6$은 짝수이지만 y는 홀수이다.

따라서 주어진 명제는 거짓이다.

답 풀이 참조

유제 6-7   두 조건 p, q에 대하여 명제 $p \longrightarrow q$가 참인 것만을 **보기**에서 있는 대로 고르시오.

┤ 보기 ├

ㄱ. $p : x^2 - 3x + 2 = 0$ $q : 0 < x < 3$

ㄴ. $p : xy = 0$ $q : x^2 + y^2 = 0$

ㄷ. $p : x < 0$이고 $y < 0$ $q : xy < 0$

ㄹ. $p : x$는 8의 약수 $q : x$는 2의 약수

필수 예제 6 $p \longrightarrow q$의 참, 거짓과 진리집합의 포함 관계

전체집합 U의 두 부분집합 P, Q는 각각 두 조건 p, q의 진리집합이다.

명제 $p \longrightarrow q$가 참일 때, 다음 중 항상 옳은 것은?

① $P \cap Q = Q$ ② $P \cup Q = U$ ③ $P - Q = \varnothing$

④ $P \cup Q^C = U$ ⑤ $Q^C - P^C = U$

■ **길잡이**   명제 $p \longrightarrow q$가 참이면 $P \subset Q$이다.

■ **새$_{저려}$** $A \subset B \Longleftrightarrow A \cup B = B$
$ \Longleftrightarrow A \cap B = A$
$ \Longleftrightarrow A - B = \varnothing$
$ \Longleftrightarrow A \cap B^C = \varnothing$
$ \Longleftrightarrow B^C \subset A^C$
$ \Longleftrightarrow B^C - A^C = \varnothing$

풀이   명제 $p \longrightarrow q$가 참이면 $P \subset Q$이므로 세 집합 U, P, Q의
포함 관계를 벤 다이어그램으로 나타내면 그림과 같다.

① $P \cap Q = P$ (거짓)

② $P \cup Q = Q$ (거짓)

③ $P - Q = \varnothing$ (참)

④ $P \cup Q^C \neq U$ (거짓)

⑤ $Q^C - P^C = \varnothing$ (거짓)

따라서 옳은 것은 ③이다.

답 ③

유제 6-8   전체집합 U의 두 부분집합 P, Q는 각각 두 조건 p, q의 진리집합이다.
명제 $p \longrightarrow \sim q$가 참일 때, 다음 중 항상 옳은 것은?

① $P \cup Q = U$ ② $P - Q = P$ ③ $Q - P = \varnothing$

④ $P \cap Q = P$ ⑤ $P^C \cup Q^C = \varnothing$

필수 예제 7　　　　　　　　　　　　　　　명제가 참이 되도록 하는 미정계수 구하기

다음 물음에 답하시오.

(1) 두 조건 $p : 3 \leq x \leq 6$, $q : a \leq x \leq a+4$에 대하여 명제 $p \longrightarrow q$가 참이기 위한 상수 a의 값의 범위를 구하시오.

(2) 명제 '$-2 \leq x < a-1$이면 $1-a < x < 3$이다.' 가 참이기 위한 상수 a의 값의 범위를 구하시오. (단, $a > -1$)

> ■ **길잡이**　　　두 조건 p, q가 부등식으로 주어졌으므로 각각을 만족시키는 집합을 수직선 위에 나타내는 것이 이해하기 쉽다.
>
> ■ **새저러**　　　두 조건 p, q를 만족시키는 집합을 각각 P, Q라 하면 $P \subset Q$일 때, $p \Longrightarrow q$이다.

풀이　(1) 두 조건 p, q의 진리집합을 각각 P, Q라 하면
　　　　$P = \{x \mid 3 \leq x \leq 6\}$, $Q = \{x \mid a \leq x \leq a+4\}$
　　　　명제 $p \longrightarrow q$가 참이려면
　　　　$P \subset Q$이어야 하므로 그림에서
　　　　$a \leq 3$이고 $a+4 \geq 6$
　　　　$\therefore 2 \leq a \leq 3$

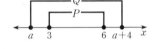

　　　(2) $p : -2 \leq x < a-1$, $q : 1-a < x < 3$으로 놓고
　　　　두 조건 p, q의 진리집합을 각각 P, Q라 하면
　　　　$P = \{x \mid -2 < x < a-1\}$, $Q = \{x \mid 1-a < x < 3\}$
　　　　명제 $p \longrightarrow q$가 참이려면
　　　　$P \subset Q$이어야 하므로 그림에서
　　　　$1-a < -2$이고 $-2 < a-1 \leq 3$
　　　　$\therefore 3 < a \leq 4$

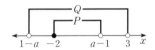

답 (1) $2 \leq a \leq 3$　(2) $3 < a \leq 4$

유제 6-9　명제 '$1 < x \leq 3$이면 $a < x < a+3$이다.' 가 참일 때, 상수 a의 값의 범위를 구하시오.

유제 6-10　두 조건 $p : |x-1| \leq a$, $q : x < -5$에 대하여 명제 $p \longrightarrow {\sim}q$가 참이 되도록 하는 양수 a의 최댓값을 구하시오.

다음 명제의 역과 대우를 말하고, 참, 거짓을 판별하시오. (단, x, y는 실수이다.)

(1) $x=1$이고 $y=3$이면 $x+y=4$이다.

(2) $x \le 2$이면 $2x+3 \le 5$이다.

- **길잡이**　　명제가 참이면 명제의 대우도 참이다.

- **새**저리　　명제 : $p \longrightarrow q$ ➡ 역 : $q \longrightarrow p$

　　　　　　　대우 : $\sim q \longrightarrow \sim p$

풀이 (1) 명제 : $x=1$이고 $y=3$이면 $x+y=4$이다. (참)

　　　역 : $x+y=4$이면 $x=1$이고 $y=3$이다. (거짓)

　　　　　[반례] $x=2$, $y=2$이면 $x+y=4$이지만 $x \ne 1$이고 $y \ne 3$

　　　대우 : $x+y \ne 4$이면 $x \ne 1$ 또는 $y \ne 3$이다. (참)

　　(2) 명제 : $x \le 2$이면 $2x+3 \le 5$이다. (거짓)

　　　　　[반례] $x=\dfrac{3}{2}$이면 $x \le 2$이지만 $2x+3=6>5$

　　　역 : $2x+3 \le 5$이면 $x \le 2$이다. (참)

　　　대우 : $2x+3>5$이면 $x>2$이다. (거짓)

　　　　　[반례] $x=\dfrac{3}{2}$이면 $2x+3=6>5$이지만 $x<2$

답 풀이 참조

유제 6-11 다음 명제의 역과 대우를 말하고, 참, 거짓을 판별하시오. (단, x, y는 실수이다.)

(1) $x^2=x$이면 $x=0$ 또는 $x=1$이다.

(2) $xy>1$이면 $x>1$이고 $y>1$이다.

유제 6-12 어느 회사에서 만드는 낱말 카드의 한쪽 면에는 한글의 자음 또는 모음이, 다른 쪽에는 영어의 자음 또는 모음이 쓰여 있다. 이 회사의 A 공장에서는 '카드의 한쪽 면에 한글의 자음이 쓰여 있으면 반드시 다른 쪽 면에는 영어의 모음을 써넣었다.'고 한다. 이 회사의 어느 공장에서 생산한 카드 6장의 한쪽 면에 ㅈ, ㅓ, ㅇ, J, U, N 이 각각 쓰여 있을 때, 이 카드가 A 공장에서 만든 카드인지 알기 위해서 확인할 필요가 있는 카드를 모두 말하시오.

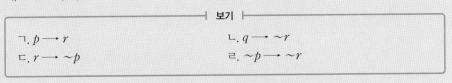
두 명제 $p \longrightarrow q$와 $r \longrightarrow \sim q$가 모두 참일 때, 반드시 참인 명제인 것만을 **보기**에서 있는
대로 고르시오.

---| 보기 |---

ㄱ. $p \longrightarrow r$ ㄴ. $q \longrightarrow \sim r$

ㄷ. $r \longrightarrow \sim p$ ㄹ. $\sim p \longrightarrow \sim r$

■ **샘**접근   (1) 대우의 성질 : 명제 $p \longrightarrow q$가 참이면 그 대우인 명제 $\sim q \longrightarrow \sim p$도 참이다.

                 (2) 삼단논법 : 두 명제 $p \longrightarrow q$와 $q \longrightarrow r$가 참이면 $p \longrightarrow r$도 참이다.

풀이   ㄴ. 명제 $r \longrightarrow \sim q$가 참이므로 그 대우인 명제 $q \longrightarrow \sim r$도 참이다.

        ㄷ. 명제 $p \longrightarrow q$와 명제 $q \longrightarrow \sim r$가 참이므로 명제 $p \longrightarrow \sim r$도 참이고

           그것의 대우인 명제 $r \longrightarrow \sim p$도 참이다.

        따라서 참인 것은 ㄴ, ㄷ이다.

                                                         답 ㄴ, ㄷ

유제 6-13 네 조건 p, q, r, s에 대하여 세 명제 $p \longrightarrow q$, $q \longrightarrow \sim r$, $\sim s \longrightarrow \sim q$가 모두
참일 때, 항상 참인 명제인 것만을 **보기**에서 있는 대로 고르시오.

---| 보기 |---

ㄱ. $p \longrightarrow \sim r$ ㄴ. $r \longrightarrow \sim p$ ㄷ. $p \longrightarrow s$

Up

유제 6-14 두 명제

        '건강하지 않으면 체력이 약하다.',

        '식사를 잘하지 않으면 건강하지 않다.'

가 모두 참일 때, 반드시 참인 명제인 것만을 **보기**에서 있는 대로 고르시오.

---| 보기 |---

ㄱ. 식사를 잘하지 않으면 체력이 약하다.

ㄴ. 건강하면 식사를 잘한다.

ㄷ. 건강하면 체력이 약하지 않다.

세 조건 p, q, r의 진리집합을 각각 P, Q, R라 하면 $P \cup Q = P$, $Q \cap R = R$인 관계가 성립한다. 다음 중 반드시 참인 명제가 <u>아닌</u> 것은?

① $q \longrightarrow p$ ② $r \longrightarrow q$ ③ $r \longrightarrow p$

④ $\sim p \longrightarrow \sim r$ ⑤ $\sim r \longrightarrow \sim q$

> ■ **새,정리**   두 조건 p, q의 진리집합을 각각 P, Q라 할 때,
> $P \subset Q$이면 $p \Longrightarrow q$이고 역도 성립한다.

풀이 $P \cup Q = P$이므로 $Q \subset P$ ...... ㉠

         $\therefore q \Longrightarrow p$

         또 $Q \cap R = R$이므로 $R \subset Q$ ...... ㉡

         $\therefore r \Longrightarrow q$

         ㉠, ㉡에 의해 $R \subset Q \subset P$ $\therefore r \Longrightarrow p$ ...... ㉢

         ㉢의 대우도 참이므로 $\sim p \Longrightarrow \sim r$

         따라서 ⑤는 반드시 참인 명제라고 할 수 없다.

                                                                답 ⑤

유제 6-15   전체집합 U의 공집합이 아닌 두 부분집합 P, Q를 각각 조건 p, q의 진리집합이라 하자. $P \cap Q = \varnothing$일 때, 다음 중 항상 참인 명제는?

       ① $p \longrightarrow q$ ② $\sim p \longrightarrow q$ ③ $q \longrightarrow \sim p$

       ④ $q \longrightarrow p$ ⑤ $\sim p \longrightarrow \sim q$

유제 6-16   전체집합 U에서 세 조건 p, q, r의 진리집합을 각각 P, Q, R라 하자. 두 명제 $p \longrightarrow q$, $r \longrightarrow \sim q$가 모두 참일 때, 옳은 것만을 **보기**에서 있는 대로 고르시오.

> ┤ **보기** ├
>
> ㄱ. $P - Q = \varnothing$ ㄴ. $P \cap R^C = P$ ㄷ. $(P \cap R)^C = Q$

3 충분조건, 필요조건

① 충분조건, 필요조건

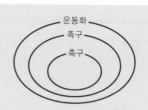

> 아샘이는 자기 마을에 사는 청년 중에서 마을 대항 족구 경기에
> 나갈 선수를 선발하려고 한다.
>
> 지성 : 저는 축구선수인데요~~
> 아샘 : 오케이! 그럼 **충분**하지!
> 병만 : 저는 운동화가 있는데요~~
> 아샘 : 얘!! 그건 당연히 **필요**한 거고~~

명제 '축구선수이면 운동선수이다.' 는 참이다. 이때, '축구선수' 라는 조건은 '운동선수' 라고 할
수 있는 **충분조건**이고, '운동선수' 라는 조건은 '축구선수' 라고 할 수 있는 필요조건이다.

 샘 정리

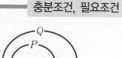 충분조건, 필요조건

> 명제 $p \longrightarrow q$가 참일 때, 즉 $p \Longrightarrow q$일 때
> **1** p는 q이기 위한 **충분조건**이다.
> **2** q는 p이기 위한 **필요조건**이다.

예 두 조건

$p : x$는 자연수이다., $q : x$는 정수이다.

에 대하여 명제 $p \longrightarrow q$가 참이고, 명제 $q \longrightarrow p$는 거짓이다.
즉, $p \Longrightarrow q$이므로 x가 자연수인 것은 정수이기 위한 충분조
건이고, x가 정수인 것은 자연수이기 위한 필요조건이다.

② 필요충분조건

두 조건 p, q에 대하여 $p \Longrightarrow q$이고 $q \Longrightarrow p$이면 $p \Longleftrightarrow q$로 나타내며, p는 q이기 위한 충분 조건도 되고 필요조건도 된다. 또 q도 p이기 위한 충분조건도 되고 필요조건도 된다. 이때, 두 조건 p, q를 필요충분조건이라고 한다.

새 정리 — 필요충분조건

명제 $p \longrightarrow q$와 그 역 $q \longrightarrow p$가 모두 참일 때, 즉 $p \Longrightarrow q$이고 $q \Longrightarrow p$일 때, 이것을 기호로 $p \Longleftrightarrow q$와 같이 나타내고 p는 q이기 위한 **필요충분조건**이라고 한다.

예 두 조건 '$p : x^2 = 1$, $q : x = 1$ 또는 $x = -1$'에 대하여 $p \Longrightarrow q$이고 $q \Longrightarrow p$이므로 '$x^2 = 1$'은 '$x = 1$ 또는 $x = -1$'이기 위한 필요충분조건이다.
또 '$x = 1$ 또는 $x = -1$'은 '$x^2 = 1$'이기 위한 필요충분조건이다.

새 정리 — 충분조건, 필요조건과 진리집합

두 조건 p, q의 진리집합을 각각 P, Q라 할 때,

1 $p \Longrightarrow q$이면 $P \subset Q$ ⎤
2 $q \Longrightarrow p$이면 $Q \subset P$ ⎬ ← 역도 성립한다
3 $p \Longleftrightarrow q$이면 $P = Q$ ⎦

참고

$p \Longrightarrow q$

$q \Longrightarrow p$

$p \Longleftrightarrow q$

개념확인코너

정답 및 해설 p.450

9 다음 ☐ 안에 충분, 필요, 필요충분 중에서 가장 알맞은 것을 써넣으시오.

(1) $x = 2$는 $x^2 = 4$이기 위한 ☐ 조건이다.

(2) $x < 2$는 $x < 1$이기 위한 ☐ 조건이다.

(3) $A \subset B$이고 $B \subset A$는 $A = B$이기 위한 ☐ 조건이다.

다음 두 조건 p, q에 대하여 p는 q이기 위한 어떤 조건인지 말하시오.

(단, x, y, z는 실수이다.)

(1) $p : x^2-4x+3=0$ $q : x=1$

(2) $p : x=y$ $q : xz=yz$

(3) $p : x^2=4$ $q : |x|=2$

■ **샘**정리   명제 $p \longrightarrow q$가 참일 때, 즉 $p \Longrightarrow q$일 때

              (1) p는 q이기 위한 충분조건이다.

              (2) q는 p이기 위한 필요조건이다.

풀이   (1) $x^2-4x+3=0$이면 $x=1$ 또는 $x=3$이므로 $p \not\Longrightarrow q$

               $x=1$이면 $x^2-4x+3=0$이므로 $q \Longrightarrow p$

               따라서 p는 q이기 위한 필요조건이다.

          (2) $x=y$이면 $xz=yz$이므로 $p \Longrightarrow q$

               $x=2$, $y=3$이고 $z=0$이면 $xz=yz$이지만 $x \neq y$이므로 $q \not\Longrightarrow p$

               따라서 p는 q이기 위한 충분조건이다.

          (3) $x^2=4$에서 $x=\pm 2$이고, $|x|=2$에서 $x=\pm 2$이다.

               따라서 $p \Longleftrightarrow q$이므로 p는 q이기 위한 필요충분조건이다.

답 (1) 필요조건 (2) 충분조건 (3) 필요충분조건

참고 p는 q이기 위한 어떤 조건인지 확인할 때에는 p를 기준으로 생각한다.

           ① $p \Longrightarrow q$이면 p는 q에게 주는 쪽이므로 p는 q이기 위한 충분조건이다.

           ② $p \Longleftarrow q$이면 p는 q에게 받는 쪽이므로 p는 q이기 위한 필요조건이다.

유제 6-17   다음 두 조건 p, q에 대하여 p는 q이기 위한 어떤 조건인지 말하시오.

(단, a, b는 실수, m, n은 자연수이다.)

            (1) $p : a^2=b^2$ $q : a=b$

            (2) $p : m+n$이 홀수이다. $q : mn$은 짝수이다.

            (3) $p : a^2 \leq 0$ $q : a=0$

전체집합 U의 두 부분집합 P, Q가 각각 두 조건 p, q의 진리집합이라 할 때, p는 $\sim q$
이기 위한 충분조건이다. 다음 중 옳은 것은?

① $P \subset Q$ ② $Q \subset P$ ③ $P^C \subset Q$

④ $P \cap Q = \varnothing$ ⑤ $P \cap Q^C = Q$

⬛ 길잡이 P, Q의 포함 관계를 벤 다이어그램으로 나타낸다.

⬛ 샘정리 $P \subset Q \Longleftrightarrow p$는 q이기 위한 충분조건
            q는 p이기 위한 필요조건
            $P = Q \Longleftrightarrow p$는 q이기 위한 필요충분조건

풀이 p는 $\sim q$이기 위한 충분조건이므로 $P \subset Q^C$
       세 집합 U, P, Q의 포함 관계를 벤 다이어그램으로 나타내면
       그림과 같다.
       $\therefore P \cap Q = \varnothing$

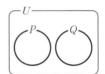

답 ④

유제 6-18   전체집합 U에서 세 조건 p, q, r의 진리집합을 각각 P, Q, R라 할 때,
           $(P-Q) \cup (Q-R^C) = \varnothing$이 성립한다. 다음 [ ] 안에 충분, 필요, 필요충분 중
           에서 가장 알맞은 것을 써넣으시오.
           (1) p는 $\sim r$이기 위한 [ ]조건이다.
           (2) $\sim r$는 q이기 위한 [ ]조건이다.

유제 6-19   전체집합 U에서 두 조건 p, q의 진리집합을 각각 P, Q라 할 때,
           $P \cup (Q-P) = Q$가 성립한다. 다음 중 옳은 것은?
           ① p는 q이기 위한 필요조건이다.
           ② p는 $\sim q$이기 위한 충분조건이다.
           ③ $\sim p$는 q이기 위한 충분조건이다.
           ④ q는 p이기 위한 필요조건이다.
           ⑤ $\sim q$는 $\sim p$이기 위한 필요충분조건이다.

두 조건

$$p : x \geq a, \ q : 1 \leq x \leq 3$$

에 대하여 p는 q이기 위한 필요조건일 때, 상수 a의 값의 범위를 구하시오.

■ 길잡이   두 조건을 만족시키는 집합을 수직선 위에 나타내어 본다.
이때, p는 q이기 위한 필요조건이므로 $p \Longleftarrow q$이다.

■ 새**旦**적거   명제 $p \longrightarrow q$에 대하여 가정 p와 결론 q를 만족시키는 집합을 각각 P, Q라 할 때
(1) 명제 $p \longrightarrow q$가 참이면 $P \subset Q$이다.
(2) $P \subset Q$이면 명제 $p \longrightarrow q$가 참이다.

풀이   두 조건 p, q를 만족시키는 집합을 각각 P, Q라 하면
$P=\{x \,|\, x \geq a\}$, $Q=\{x \,|\, 1 \leq x \leq 3\}$
이때, p는 q이기 위한 필요조건이므로
$p \Longleftarrow q$, 즉 $P \supset Q$
두 집합 P, Q를 수직선 위에 나타내면 그림과 같다.

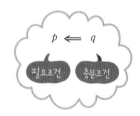

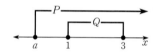

따라서 구하는 a의 값의 범위는 $a \leq 1$이다.

답 $a \leq 1$

유제 6-20   두 조건

$$p : x \leq a, \ q : x^2 - x - 2 = 0$$

에 대하여 p가 q이기 위한 필요조건일 때, 상수 a의 최솟값을 구하시오.

유제 6-21   실수 x에 대하여 세 조건 p, q, r가

$$p : -1 \leq x \leq 3 \ \text{또는} \ x \geq 4,$$
$$q : x > a,$$
$$r : x > b$$

에 대하여 q는 p이기 위한 필요조건이고, r는 p이기 위한 충분조건이 되는 정수 a의 최댓값을 M, 정수 b의 최솟값을 m이라 할 때, $M + m$의 값을 구하시오.

네 조건 p, q, r, s에 대하여

    p는 q이기 위한 충분조건,

    p는 r이기 위한 필요조건,

    q는 r이기 위한 충분조건,

    s는 q이기 위한 필요충분조건

이다. 이때, r는 s이기 위한 무슨 조건인지 말하시오.

■ **길잡이** $p \Longrightarrow q$이고 $q \Longrightarrow r$이면 $p \Longrightarrow r$이다.

■ **새정리**   (1) p가 q이기 위한 충분조건이면 $p \Longrightarrow q$

          (2) p가 q이기 위한 필요조건이면 $p \Longleftarrow q$

풀이 p는 q이기 위한 충분조건이므로

    $p \Longrightarrow q$ ······ ㉠

    p는 r이기 위한 필요조건이므로

    $r \Longrightarrow p$ ······ ㉡

    q는 r이기 위한 충분조건이므로

    $q \Longrightarrow r$ ······ ㉢

    ㉠, ㉡에서 $r \Longrightarrow p$, $p \Longrightarrow q$이므로 $r \Longrightarrow q$ ······ ㉣

    ㉢, ㉣에서 $q \Longrightarrow r$, $r \Longrightarrow q$이므로 $q \Longleftrightarrow r$ ······ ㉤

    이때, s는 q이기 위한 필요충분조건이므로 $q \Longleftrightarrow s$ ······ ㉥

    ㉤, ㉥에서 $r \Longleftrightarrow q$, $q \Longleftrightarrow s$이므로 $r \Longleftrightarrow s$

    따라서 r는 s이기 위한 필요충분조건이다.

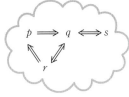

답 **필요충분조건**

유제 6-22   세 조건 p, q, r에 대하여 p는 q이기 위한 충분조건이고, $\sim q$는 $\sim r$이기 위한 필요조건일 때, 항상 옳은 명제인 것만을 **보기**에서 있는 대로 고르시오.

┤ 보기 ├

    ㄱ. $p \Longrightarrow r$ ㄴ. $r \Longrightarrow \sim q$

    ㄷ. $q \Longrightarrow r$ ㄹ. $r \Longrightarrow \sim p$

6-1 명제인 것만을 **보기**에서 있는 대로 고르시오.

┤ 보기 ├

ㄱ. $2+3=4$

ㄴ. $x+2=3$

ㄷ. $x=0$이면 $x+2=3$이다.

ㄹ. $x+2=3$은 명제이다.

6-2 조건 '$x<-2$ 또는 $x\geq3$'의 부정은?

① $-2<x<3$

② $-2\leq x<3$

③ $x\leq-2$ 그리고 $x>3$

④ $x\leq-2$ 또는 $x\geq3$

⑤ $x\leq-2$ 그리고 $x\geq3$

6-3 전체집합 $U=\{x\,|\,x$는 10 이하인 자연수$\}$에 대하여 다음 두 조건 p, q의 진리집합을 각각 P, Q라 할 때, $P\cup Q$의 원소의 개수를 구하시오.

p : x는 소수이고, 홀수가 아니다. q : x는 15의 약수이다.

6-4 명제 '$x^2-ax+6\neq0$이면 $x\neq1$이다.'가 참이 되도록 하는 상수 a의 값을 구하시오.

6-5 공집합이 아닌 전체집합 U에 대하여 조건 $p(x)$의 진리집합을 P라 할 때, 참인 명제인 것만을 **보기**에서 있는 대로 고른 것은?

┤ 보기 ├

ㄱ. '모든 x에 대하여 $p(x)$'가 참이면 $P=U$이다.

ㄴ. '어떤 x에 대하여 $p(x)$'가 참이면 $P\neq\varnothing$이다.

ㄷ. '어떤 x에 대하여 $p(x)$'가 거짓이면 $P=\varnothing$이다.

① ㄱ

② ㄷ

③ ㄱ, ㄴ

④ ㄴ, ㄷ

⑤ ㄱ, ㄴ, ㄷ

6-6 세 조건 p, q, r의 진리집합을 가가 P, Q, R라 할 때, $P \cap Q = R$이다. 다음 중 항상 참인 명제는?

① $\sim r \longrightarrow \sim p$ ② $q \longrightarrow r$ ③ $r \longrightarrow p$
④ $\sim p \longrightarrow \sim q$ ⑤ $p \longrightarrow q$

6-7 역과 대우가 모두 참인 것만을 **보기**에서 있는 대로 고른 것은?

┤ 보기 ├

ㄱ. 12의 약수이면 6의 약수이다.
ㄴ. a, b가 유리수이면 ab도 유리수이다.
ㄷ. 삼각형 ABC가 정삼각형이면 세 각의 크기가 같다.

① ㄱ ② ㄴ ③ ㄷ ④ ㄴ, ㄷ ⑤ ㄱ, ㄴ, ㄷ

6-8 다음 ☐ 안에 충분, 필요, 필요충분 중 가장 알맞은 것을 써넣으시오.

(1) $x^2 - x - 2 = 0$은 $x = 2$이기 위한 ☐ 조건이다.
(2) 정삼각형은 이등변삼각형이기 위한 ☐ 조건이다.
(3) $A \cup B = A$는 $A \cap B = B$이기 위한 ☐ 조건이다.

6-9 실수 x에 대하여 $|x| = 2$이기 위한 충분조건이지만 필요조건은 <u>아닌</u> 것만을 **보기**에서 있는 대로 고르시오.

┤ 보기 ├

ㄱ. $x = 2$ ㄴ. $x \leq 2$ ㄷ. $x^2 = 4$

6-10 $x^3 + ax^2 + bx \neq 0$은 $x \neq 1$이고 $x \neq 3$이기 위한 충분조건일 때, 두 상수 a, b의 차 $a - b$의 값을 구하시오.

6-11 다음 명제의 부정을 말하고 그것의 참, 거짓을 판별하시오.

(1) 모든 실수 x에 대하여 $x \geq 1$ 또는 $x < -1$이다.

(2) $U = \{1,\ 2,\ 3,\ 4\}$를 전체집합이라 할 때, 어떤 x에 대하여 $3x - 10 \geq 0$이다.

6-12 두 조건 $p : |x+2| \leq 3$, $q : x \leq -2$에 대하여 다음 조건 중 진리집합이 $\{x \mid -2 < x \leq 1\}$인 것은?

① p 또는 $\sim q$　　　　② $\sim p$ 또는 q　　　　③ $\sim p$ 그리고 q

④ p 그리고 $\sim q$　　　　⑤ $\sim p$ 그리고 $\sim q$

6-13 명제 '$0 < x < 4$이면 $k-1 < x < k+5$이다.'가 참일 때, 상수 k의 값의 범위를 구하시오.

Up
6-14 명제 '$|x-a| \leq 2$를 만족시키는 어떤 x는 $1 \leq x \leq 3$인 범위에 존재한다.'가 참이 되도록 하는 상수 a의 값의 범위를 구하시오.

6-15 전체집합 U에 대하여 세 조건 p, q, r의 진리집합을 각각 P, Q, R라 하자. 세 명제 $p \longrightarrow q$, $\sim p \longrightarrow q$, $\sim p \longrightarrow r$가 모두 참일 때, 옳은 것만을 **보기**에서 있는 대로 고른 것은?

┤ 보기 ├

ㄱ. $Q - R^C = R$　　　　ㄴ. $P - R = \varnothing$　　　　ㄷ. $Q - P \subset R$

① ㄱ　　　　② ㄷ　　　　③ ㄱ, ㄷ　　　　④ ㄴ, ㄷ　　　　⑤ ㄱ, ㄴ, ㄷ

6-16 세 조건 p, q, r의 진리집합을 각각 P, Q, R라 할 때, P, Q, R 사이의 포함 관계가 그림과 같다. 다음 중 거짓인 명제는?
(단, U는 전체집합이다.)

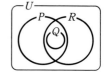

① $q \longrightarrow p$ ② $q \longrightarrow r$

③ $\sim p \longrightarrow \sim r$ ④ $\sim p \longrightarrow \sim q$ ⑤ $\sim r \longrightarrow \sim q$

6-17 전체집합 U에서 두 조건 p, q의 진리집합을 각각 P, Q라 하자. $(P \cap Q^c) \cup Q = P$가 성립할 때, 다음 중 참인 명제는?

① $p \longrightarrow q$ ② $p \longrightarrow \sim q$ ③ $\sim p \longrightarrow q$

④ $\sim p \longrightarrow \sim q$ ⑤ $\sim q \longrightarrow \sim p$

6-18 다음 중 p가 q이기 위한 충분조건이지만 필요조건은 <u>아닌</u> 것은?

① $p : x^2 = 1$ $q : x = 1$

② $p : x + y = 0$ $q : x^2 + y^2 = 0$

③ $p : x < 3$ $q : |x| < 3$

④ $p : A - B = A$ $q : A \cap B = \varnothing$

⑤ $p : x > 0,\ y > 0$ $q : xy > 0$

6-19 전체집합 U에서 세 조건 p, q, r를 만족시키는 원소들의 집합을 각각 P, Q, R라 할 때, 세 집합 P, Q, R 사이에 그림과 같은 관계가 성립한다. 다음 중 옳은 것은?

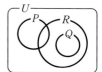

① $\sim p$는 q이기 위한 충분조건이다.

② $\sim r$는 $\sim q$이기 위한 필요조건이다.

③ p는 $\sim q$이기 위한 필요조건이다.

④ 명제 'p이면 $\sim r$이다.' 는 참이다.

⑤ 명제 '$\sim r$이면 p이다.' 는 거짓이다.

6-20 '$a \le x \le 5$' 는 '$2 \le x \le 3$' 이기 위한 필요조건이고 '$b \le x \le 2$' 는 '$-2 \le x \le 2$' 이기 위한 충분조건일 때, a의 최댓값과 b의 최솟값의 합을 구하시오. (단, $a \le 5$, $b \le 2$)

6-21 교내 체육대회에 아름, 다운, 새미, 수샘이가 달리기 선수로 참가하였다. 달리기를 응원한 세 명의 학생 A, B, C에게 경기 결과를 물어보았다.

> A : "아름이는 1등, 수샘이는 2등을 했습니다."
> B : "다운이는 2등, 새미는 4등을 했습니다."
> C : "아름이는 3등, 다운이는 4등을 했습니다."

이들 모두 두 선수의 순위를 대답했지만, 두 선수의 순위에 대한 대답 중 하나는 옳고 하나는 틀리다고 한다. 1등을 한 학생과 4등을 한 학생을 순서대로 나열하시오.

(단, 같은 순위의 선수는 없다.)

6-22 명제 '모든 실수 x에 대하여 $x^2+8\geq p$이다.' 는 참이 되고, 명제 '어떤 실수 x에 대하여 $2-x^2\geq p$이다.' 는 거짓이 되는 정수 p의 개수를 구하시오.

6-23 두 명제 '창의력이 뛰어난 학생은 수학을 좋아한다.', '수학 성적이 우수하면 전교과 성적이 우수하다.' 가 모두 참이라고 가정할 때, 다음 중 '수학을 좋아하지 않으면 수학 성적이 우수하지 않다.' 를 참이 되도록 하기 위해 필요한 참인 명제는?

① 수학을 좋아하면 창의력이 뛰어나다.
② 전교과 성적이 우수하면 수학 성적이 우수하다.
③ 창의력이 뛰어나면 수학 성적이 우수하다.
④ 수학 성적이 우수하지 않으면 수학을 좋아하지 않는다.
⑤ 창의력이 뛰어나지 않으면 전교과 성적이 우수하지 않다.

6-24 전체집합 U의 두 부분집합 A, B에 대하여 연산 $\diamond$을 $A\diamond B=(A-B)\cup(B-A)$로 정의할 때, (가), (나)에 알맞은 것을 순서대로 나열한 것은?

> $A\diamond B=\varnothing$은 $A=B$이기 위한 ☐(가)☐ 조건
> $A\diamond B=A$는 $B=\varnothing$이기 위한 ☐(나)☐ 조건

① 충분, 필요
② 필요, 필요충분
③ 필요충분, 충분
④ 필요충분, 필요
⑤ 필요충분, 필요충분

나의 수학여행은 어디까지 왔나?

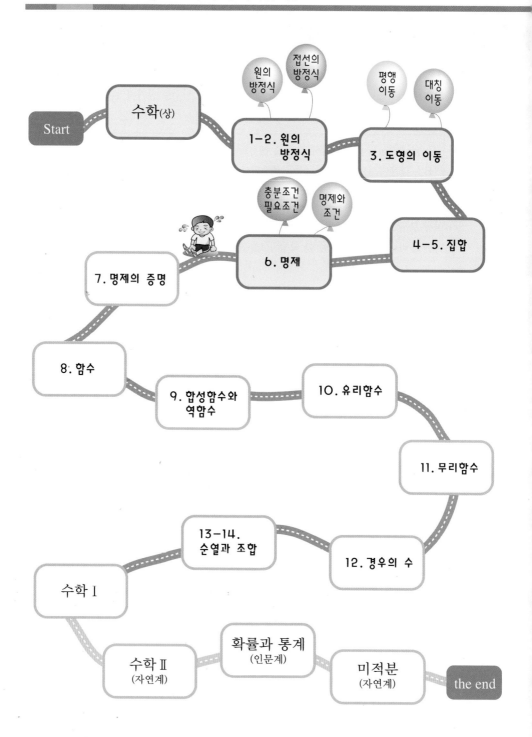

07
명제의 증명

07. 명제의 증명

1. 정의, 증명, 정리

(1) 정의 : (수학에 나오는) 어떤 용어의 뜻을 명확하게 정한 것

(2) 증명 : 어떤 명제가 참임을 밝히는 것

(3) 정리 : (수학적으로) 증명된 명제 중에서 여러 성질들을 증명할 때 기본이 되는 명제

2. 증명 방법

(1) 대우를 이용한 증명

명제 $p \longrightarrow q$가 참임을 증명할 때, 대우 $\sim q \longrightarrow \sim p$가 참임을 보여도 된다.

(2) 귀류법

명제 p가 참임을 증명할 때, 명제의 부정 $\sim p$가 거짓임을 보여도 된다.

3. 기본적인 절대부등식

실수 a, b, c에 대하여

(1) $a^2 + 2ab + b^2 \geq 0$ (단, 등호는 $a + b = 0$일 때 성립)

(2) $a^2 - 2ab + b^2 \geq 0$ (단, 등호는 $a - b = 0$일 때 성립)

(3) $a^2 + b^2 + c^2 - ab - bc - ca \geq 0$ (단, 등호는 $a = b = c$일 때 성립)

(4) $|a| + |b| \geq |a + b|$, $|a| - |b| \leq |a - b|$

4. 산술평균과 기하평균의 관계

$a > 0$, $b > 0$일 때, $\dfrac{a+b}{2} \geq \sqrt{ab}$ (단, 등호는 $a = b$일 때 성립)

5. 코시-슈바르츠의 부등식

a, b, x, y가 실수일 때,

$$(a^2 + b^2)(x^2 + y^2) \geq (ax + by)^2 \left(\text{단, 등호는 } \dfrac{x}{a} = \dfrac{y}{b} \text{일 때 성립} \right)$$

1 증명

1 정의와 정리

정삼각형을 다음과 같이 여러 가지로 말할 수 있다.

'세 변의 길이가 모두 같은 삼각형'

'세 내각의 크기가 모두 같은 삼각형'

그러나 한 용어의 뜻을 여러 가지로 정하면 혼란이 생길 수 있으므로

정삼각형의 뜻은 '세 변의 길이가 모두 같은 삼각형'으로 정한다.

이와 같이 용어의 뜻을 명확하게 정한 문장을 그 용어의 정의(definition)라고 한다.

즉, 정의는 용어의 뜻에 대한 약속이다.

예를 들어 '유리수'라는 용어의 정의는

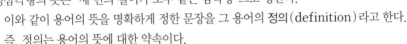

두 정수 m, n에 대하여 $\dfrac{n}{m}$ $(m \neq 0)$의 꼴로 나타내어지는 수를 유리수라고 한다.

이다.

샘정리   정의

정의 : (수학에 나오는) 어떤 용어의 뜻을 명확하게 정한 것

예 '직각삼각형'의 정의 ➡ 한 내각의 크기가 직각인 삼각형

'복소수'의 정의 ➡ 두 실수 a, b에 대하여 $a+bi$의 꼴로 나타내어지는 수 (단, $i=\sqrt{-1}$)

다음과 같은 명제

'선분의 수직이등분선 위의 점은 선분의 양 끝점에서 같은 거리에 있다.'

가 참임을 설명해 보자.

즉, 그림에서 점 P는 선분 AB의 수직이등분선 l 위의 한 점이고, 점 M은 직선 l과 선분 AB의 교점일 때,

$$\overline{PA}=\overline{PB}$$

임을 알아보자.

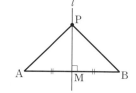

두 삼각형 PAM과 PBM에서 직선 l이 선분 AB의 수직이등분선이므로

$\overline{AM}=\overline{BM}$ ······㉠

$\angle AMP=\angle BMP=90°$ ······㉡

$\overline{PM}$은 공통 ······㉢

㉠, ㉡, ㉢으로부터 두 변의 길이와 그 끼인각의 크기가 각각 같으므로

$$\triangle PAM \equiv \triangle PBM$$

이다.

따라서 합동인 두 삼각형의 대응하는 변의 길이는 같으므로

$$\overline{PA}=\overline{PB}$$

이다.

이와 같이 이미 알려진 사실이나 성질들을 이용하여 명제의 가정으로부터 결론을 이끌어 내어 그 명제가 참임을 밝히는 것을 **증명**(proof)이라고 한다.

가정 : 점 P는 선분 AB의 수직이등분선 위의 점이다.
결론 : $\overline{PA}=\overline{PB}$

또 증명된 명제 중에서 기본이 되는 것이나, 앞으로 여러 가지 성질을 증명할 때 활용이 되는 명제를 **정리**(theorem)라고 한다.

새❤정리 ━━━━━━━━━━━━━━━━━━━━━━━━━━━━ **증명, 정리**

1 증명 : 어떤 명제가 참임을 밝히는 것
2 정리 : (수학적으로) 증명된 명제 중에서 여러 성질들을 증명할 때 기본이 되는 명제

예 다음과 같은 명제들을 정리라고 한다.

① 세 실수 a, b, c에 대하여 $a>b$이면 $a+c>b+c$이다.

② 다항식 $f(x)$를 일차식 $x-a$로 나눈 나머지는 $f(a)$이다.

② 대우를 이용한 증명

앞 단원에서

> 명제 $p \longrightarrow q$가 '참' ➡ 대우 $\sim q \longrightarrow \sim p$도 '참'
>
> 명제 $p \longrightarrow q$가 '거짓' ➡ 대우 $\sim q \longrightarrow \sim p$도 '거짓'

이고, 반대로 대우가 '참 (또는 거짓)'이면 명제도 '참 (또는 거짓)'임을 공부했다.

따라서 어떤 명제 '$p \longrightarrow q$'가 참임을 증명할 때 이 명제의 대우 '$\sim q \longrightarrow \sim p$'가 참임을 보여도 된다.

예를 들어 두 실수 a, b에 대하여
명제

> '$a+b$가 자연수가 아니면 a 또는 b는 자연수가 아니다.'

가 있다. 이때,

$$p : a+b\text{는 자연수가 아니다.}, \qquad q : a \text{ 또는 } b\text{는 자연수가 아니다.}$$

로 놓으면

$$\sim p : a+b\text{는 자연수이다.}, \qquad \sim q : a\text{와 } b\text{는 자연수이다.}$$

이므로 명제 '$\sim q \longrightarrow \sim p$'는

> 'a와 b가 자연수이면 $a+b$는 자연수이다.'

이고 이 명제는 자연수의 성질에 의하여 참임을 알 수 있다.

따라서 명제 '$a+b$가 자연수가 아니면 a 또는 b는 자연수가 아니다.'는 참이다.

이와 같이 어떤 명제의 대우가 참임을 이용하여 명제가 참임을 증명할 수 있다.

새 정리   **대우를 이용한 증명**

> 명제 $p \longrightarrow q$가 참임을 증명할 때
> 그 명제의 대우 $\sim q \longrightarrow \sim p$가 참임을 보이면 된다.
> $$\sim q \longrightarrow \sim p : \text{참} \blacktriangleright p \longrightarrow q : \text{참}$$

예   두 자연수 m, n에 대하여
명제 'mn이 짝수이면 m 또는 n이 짝수이다.'를 증명해 보자.
명제의 대우가 'm과 n이 홀수이면 mn이 홀수이다.'이므로
$m=2a-1$, $n=2b-1$ (a, b는 자연수)로 놓으면
$$mn=(2a-1)(2b-1)=4ab-2a-2b+1=2(2ab-a-b+1)-1$$
이때, $2ab-a-b+1$은 자연수이므로 mn은 홀수이다.
따라서 명제 'mn이 짝수이면 m 또는 n이 짝수이다.'는 참이다.

두 조건 p, q의 진리집합을 각각 P, Q라 할 때

$$Q^C \subset P^C \text{이면 } P \subset Q$$

이므로 $Q^C \subset P^C$임을 보이면 명제 $p \longrightarrow q$가 참임이 증명된다.

예 전체집합 $U=\{1,\ 2,\ 3,\ \cdots,\ 10\}$의 두 부분집합 $A=\{1,\ 2,\ 3,\ 4,\ 5\}$, $B=\{4,\ 5,\ 6\}$에 대하여 명제 '$x \in B^C$이면 $x \in (A \cap B)^C$이다.' 가 참임을 알아보자.

명제의 대우가 '$x \in (A \cap B)$이면 $x \in B$이다.' 이고

'$x \in A \cap B$' 와 '$x \in B$' 의 진리집합이 각각 $\{4,\ 5\}$, $\{4,\ 5,\ 6\}$이므로

$\{4, 5\} \subset \{4, 5, 6\}$ (참)

따라서 명제 '$x \in B^C$이면 $x \in (A \cap B)^C$이다.' 는 참이다.

③ 귀류법

앞 단원에서

명제 p가 '참' ⟹ 명제의 부정 $\sim p$는 '거짓'
명제 p가 '거짓' ⟹ 명제의 부정 $\sim p$는 '참'

임을 공부했다. 마찬가지로 명제 $\sim p$가 거짓이면 이것의 부정 $\sim(\sim p)$, 즉 명제 p는 참이다.

따라서 어떤 명제 p가 '참' 임을 증명할 때 명제의 부정

$$\sim p$$

가 '거짓' 임을 보여도 된다. 이와 같은 증명 방법을 **귀류법**이라고 한다.

즉, 귀류법은 「명제의 부정이 참이라고 가정하여 그것의 불합리성(모순 또는 거짓)을 증명함으로써 원래의 명제가 참임을 보이는 것」이다.

예를 들어 명제 '$\sqrt{3}$은 유리수가 아니다.' 를 증명할 때 명제의 부정

'$\sqrt{3}$은 유리수이다.'

가 거짓임을 보여도 된다. 필수예제 3

이와 같이 명제를 증명할 때 직접 증명하지 않고 간접적으로 증명하는 방법을 **간접증명법**이라고 한다.

한편, 명제 $p \longrightarrow q$의 의미는

조건 p를 만족시키는 모든 x는 조건 q를 만족시킨다.

이므로 명제 $p \longrightarrow q$의 부정은

조건 p를 만족시키는 어떤 x는 조건 q를 만족시키지 않는다.

이다.

예를 들어 'x가 홀수이면 x^2도 홀수이다.'의 부정은

　　　　'어떤 x는 홀수이지만 x^2은 홀수가 아니다.'

라고 표현할 수 있다.

샘 정리 귀류법

명제 p가 참임을 증명할 때

➡ 명제의 부정 $\sim p$가 거짓임을 보여도 된다.

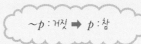

$\sim p$: 거짓 ➡ p : 참

이와 같이 명제의 부정이 참이라고 가정했을 때

거짓 (또는 모순)을 보임으로써 원래의 명제가 참임을 보이는 증명 방법을 **귀류법**이라고 한다.

샘 특강

명제 $p \longrightarrow q$의 부정

두 조건 p, q의 진리집합을 각각 P, Q라 할 때,

「$p \Longrightarrow q$」$\Longleftrightarrow P \subset Q \Longleftrightarrow P^C \cup Q = U$이므로

　　　「명제 $p \longrightarrow q$」$\Longleftrightarrow$「모든 x에 대하여 $\sim p$ 또는 q이다.」

이고 부정은

　　　$\sim$「명제 $p \longrightarrow q$」$\Longleftrightarrow$「어떤 x는 p이고 $\sim q$이다.」

라고 쓸 수 있다.

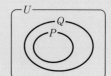

주의　거짓인 명제 '$x^3 - x = 0$이면 $x^2 - 1 = 0$이다.' ······㉠

의 부정을 '$x^3 - x = 0$이면 $x^2 - 1 \neq 0$이다.' ······㉡

라고 하면 안된다.

㉡의 대우 '$x^2 - 1 = 0$이면 $x^3 - x \neq 0$이다.'가 거짓이므로

㉡도 거짓이다. 따라서 ㉠은 참인 명제가 되는 오류가 생긴다.

📝 개념확인코너 정답 및 해설 p.457

1 다음은 명제를 증명하는 방법을 서술한 것이다. ☐안에 알맞은 것을 써넣으시오.

(1) 대우를 이용하여 명제 $p \longrightarrow q$가 참임을 증명할 때, 그 명제의 ☐☐인

명제 ☐☐☐☐가 참임을 증명하면 된다.

(2) 귀류법으로 명제 p가 참임을 증명할 때, 그 명제의 ☐☐ $\sim p$가

☐☐임을 보이면 된다.

07. 명제의 증명 | **195**

다음은 삼각형 ABC의 세 내각의 크기의 합은 180°임을 증명하는 과정이다.

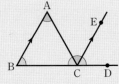

[가정] ∠A, ∠B, ∠C는 삼각형 ABC의 세 내각이다.

[결론] ∠A+∠B+∠C= (가)

[증명] 삼각형 ABC에서 변 BC의 연장선 위에 점 D를 잡고,
꼭짓점 C에서 변 (나) 에 평행하도록 반직선 CE를
그으면

∠A= (다) (엇각)

∠B=∠ECD((라))

이므로 ∠A+∠B+∠C=∠ACE+∠ECD+∠ACB= (가) (평각)

따라서 삼각형 ABC의 세 내각의 크기의 합은 180°이다.

위의 증명에서 (가)~(라)에 알맞은 것을 순서대로 써넣으시오.

┈┈ ▪ **길잡이** 평행한 두 직선이 한 직선과 만날 때, 동위각과 엇각의 크기는 같다.

풀이 [결론] ∠A+∠B+∠C= 180°

[증명] 삼각형 ABC에서 변 BC의 연장선 위에 점 D를 잡고,
꼭짓점 C에서 변 AB 에 평행하도록 반직선 CE를 그으면

∠A= ∠ACE (엇각)

∠B=∠ECD(동위각)

이므로

∠A+∠B+∠C=∠ACE+∠ECD+∠ACB= 180° (평각)

답 (가) 180°, (나) AB, (다) ∠ACE, (라) 동위각

유제 7-1 다음 명제가 참임을 증명하시오.

(1) 두 홀수의 합은 짝수이다.

(2) 두 홀수의 곱은 홀수이다.

중요

필수 예제 2 **대우를 이용한 증명**

다음 명제가 참임을 대우를 이용하여 증명하시오.

(1) $ab\neq1$이면 $a\neq1$ 또는 $b\neq1$이다.

(2) 자연수 n에 대하여 n^2이 짝수이면 n도 짝수이다.

■ **길잡이** 명제가 참임을 직접 증명하기 어려우면 그 대우가 참임을 증명한다.

■ **샘정리** 명제 $p \longrightarrow q$가 참이면 대우 $\sim q \longrightarrow \sim p$도 참이다.
명제 $p \longrightarrow q$가 거짓이면 대우 $\sim q \longrightarrow \sim p$도 거짓이다.

풀이 주어진 명제의 대우가 참임을 증명하면 된다.

(1) 대우 : $a=1$이고 $b=1$이면 $ab=1$이다.
따라서 주어진 명제의 대우가 참이므로
명제 '$ab\neq1$이면 $a\neq1$ 또는 $b\neq1$이다.' 도 참이다.

(2) 대우 : 자연수 n에 대하여 n이 홀수이면 n^2도 홀수이다.
n이 홀수이므로 $n=2k-1$ (k는 자연수)로 놓으면

$$n^2=(2k-1)^2$$
$$=4k^2-4k+1$$
$$=2(2k^2-2k+1)-1$$

이때, $2k^2-2k+1$은 자연수이므로 n^2도 홀수이다.
따라서 주어진 명제의 대우가 참이므로
명제 '자연수 n에 대하여 n^2이 짝수이면 n도 짝수이다.' 도 참이다.

답 풀이 참조

유제 7-2 다음 명제가 참임을 대우를 이용하여 증명하시오.

(1) 자연수 n에 대하여 n^2이 홀수이면 n도 홀수이다.

(2) 자연수 n에 대하여 n^2이 3의 배수이면 n도 3의 배수이다.

다음 물음에 답하시오.

(1) $\sqrt{3}$이 유리수가 아님을 증명하시오.

(2) $\sqrt{3}$이 유리수가 아님을 이용하여 $1+\sqrt{3}$이 유리수가 아님을 증명하시오.

     ■ **길잡이**   (1) $\sqrt{3}$이 유리수라고 가정하여 이끌어 낸 결론이 모순이 됨을 밝힌다.

                        (2) $1+\sqrt{3}$이 유리수라고 가정하여 모순임을 보인다.

풀이   (1) 주어진 명제를 부정하여 $\sqrt{3}$이 유리수라 가정하면

$$\sqrt{3}=\frac{n}{m} \ (m \neq 0이고, \ m, \ n은 \ 서로소인 \ 정수)$$

인 m, n이 존재한다.

$\sqrt{3}=\dfrac{n}{m}$의 양변을 제곱하면 $3=\dfrac{n^2}{m^2}$ $\therefore n^2=3m^2 \ \cdots\cdots \ \bigcirc$

n^2이 3의 배수이므로 n도 3의 배수이다.

n이 3의 배수이므로 $n=3k$ (k는 정수)로 놓고 $\bigcirc$에 대입하면

$(3k)^2=3m^2$ $\therefore m^2=3k^2$

m^2이 3의 배수이므로 m도 3의 배수이다.

따라서 m, n이 서로소라는 가정에 모순이므로 $\sqrt{3}$은 유리수가 아니다.

  (2) 주어진 명제를 부정하여 $1+\sqrt{3}$을 유리수라고 가정하면

$1+\sqrt{3}$과 -1은 유리수이고

$(1+\sqrt{3})+(-1)=\sqrt{3}$도 유리수이다.

이것은 $\sqrt{3}$이 유리수가 아니라는 사실에 모순이므로 $1+\sqrt{3}$은 유리수가 아니다.

                                                답 풀이 참조

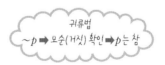

귀류법
$\sim p \Rightarrow$ 모순(거짓) 확인 $\Rightarrow p$는 참

유제 7-3   두 유리수 a, b에 대하여 $a+b\sqrt{2}=0$이면 $a=b=0$임을 증명하시오.

2 절대부등식

① 실수와 부등식의 기본 성질

실수는 크기를 가지고 있는 수이고, 수직선 위에 나타낼 수 있다.
또 실수 전체의 집합은

양의 실수,   0,   음의 실수

의 세 개의 집합으로 구분할 수 있으며, 임의의 실수는 이들 세 개의 집합 중 어느 하나에 속한다.

샘 정리 ────────────────────────────── **실수의 기본 성질**

1 실수 a에 대하여 다음 중 어느 하나만 성립한다.

$$a>0, \ a=0, \ a<0$$

2 $a>0, \ b>0$이면 $a+b>0, \ ab>0$

3 $a>0$이면 $-a<0$

4 $a^2 \geq 0$

미지수가 포함된 부등식에서도 실수의 대소 관계와 마찬가지로 다음과 같은 부등식의 기본 성질이 이용된다.

샘 정리 ────────────────────────────── **부등식의 기본 성질**

실수 $a, \ b, \ c$에 대하여

1 $a>b, \ b>c$이면 $a>c$

2 $a>b$이면 $a+c>b+c, \ a-c>b-c$

3 $a>b, \ c>0$이면 $ac>bc, \ \dfrac{a}{c}>\dfrac{b}{c}$

4 $a>b, \ c<0$이면 $ac<bc, \ \dfrac{a}{c}<\dfrac{b}{c}$ ← 부등호의 방향이 바뀐다.

② 절대부등식

등식 $x-1>0$은 $x>1$일 때 성립하지만 $x\leq1$일 때는 성립하지 않는다.

그러나 부등식
$$x^2+1>0, \; x^2-2x+1\geq0$$
은 모든 실수 x에 대하여 성립한다. 이와 같이 문자에 임의의 실수 값을 대입해도 성립하는 부등식을 절대부등식이라고 한다.

부등식 $\left\{\begin{array}{l}\text{조건부등식}\\\text{절대부등식}\end{array}\right.$

새ᄆ정리 ━━━━━━━━━━━━━━━━━━━━━━━━━━━━━ **절대부등식의 뜻**

절대부등식 : 문자에 대입할 수 있는 모든 실수에 대하여 항상 성립하는 부등식

예
① $x^2-6x+9=(x-3)^2\geq0$
② $x^2+y^2+1>0$
③ $x^2+x+1>0$
④ $|x+2|\geq0$

한편, 주어진 부등식이 절대부등식임을 증명할 때는 그 부등식이 모든 실수에 대하여 항상 성립함을 보여야 한다. 이때, 다음과 같은 실수의 성질이 자주 이용된다.

새ᄆ정리 ━━━━━━━━━━━━━━━━━━━━━ **부등식의 증명에 이용되는 실수의 성질**

실수 a, b에 대하여
1 $a>b\Longleftrightarrow a-b>0$
2 $a^2\geq0, \; a^2+b^2\geq0$
3 $a^2+b^2=0\Longleftrightarrow a=0, \; b=0$
4 $|a|^2=a^2, \; |ab|=|a||b|$
5 $a>0, \; b>0$일 때, $\left\{\begin{array}{l}a>b\Longleftrightarrow a^2>b^2\\a\geq b\Longleftrightarrow a^2\geq b^2\end{array}\right.$

예
① $x^2-4x+4=(x-2)^2\geq0$
② $x>0$일 때, $(\sqrt{3x})^2=3x, \; (\sqrt{2x}+\sqrt{x})^2=3x+2\sqrt{2x}\sqrt{x}$
　 이때, $(\sqrt{3x})^2<(\sqrt{2x}+\sqrt{x})^2$이므로
$$\sqrt{3x}<\sqrt{2x}+\sqrt{x}$$

두 수 또는 두 식 A, B의 대소 관계는 다음 방법 중 하나를 이용한다.

(1) $A-B$의 부호를 조사한다. ➡
- ① $A-B>0 \Longleftrightarrow A>B$
- ② $A-B=0 \Longleftrightarrow A=B$
- ③ $A-B<0 \Longleftrightarrow A<B$

(2) A^2-B^2의 부호를 조사한다. ➡
(단, $A\geq0$, $B\geq0$)
- ① $A^2-B^2>0 \Longleftrightarrow A>B$
- ② $A^2-B^2=0 \Longleftrightarrow A=B$
- ③ $A^2-B^2<0 \Longleftrightarrow A<B$

예

① 두 수 $(\sqrt{3}+1)^2$, $2\sqrt{3}$의 대소 관계는

$$(\sqrt{3}+1)^2-2\sqrt{3}=3+2\sqrt{3}+1-2\sqrt{3}=4>0$$

$$\therefore (\sqrt{3}+1)^2>2\sqrt{3}$$

② $3\sqrt{3}$, $2\sqrt{7}$의 대소 관계는 $3\sqrt{3}>0$, $2\sqrt{7}>0$이므로

$$(3\sqrt{3})^2-(2\sqrt{7})^2=27-28=-1<0$$

$$\therefore 3\sqrt{3}<2\sqrt{7}$$

③ 기본적인 절대부등식

다음은 문제를 해결하는 데 자주 이용되는 기본적인 절대부등식이다.

새B정리　　　　　　　　　　　　　　　**기본적인 절대부등식**

실수 a, b, c에 대하여

1 $a^2+2ab+b^2\geq0$ (단, 등호는 $a+b=0$일 때 성립)

2 $a^2-2ab+b^2\geq0$ (단, 등호는 $a-b=0$일 때 성립)

3 $a^2+ab+b^2\geq0$

4 $a^2-ab+b^2\geq0$

5 $a^2+b^2+c^2-ab-bc-ca\geq0$ (단, 등호는 $a=b=c$일 때 성립)

6 $|a|+|b|\geq|a+b|$, $|a|-|b|\leq|a-b|$

증명 **1** $a^2+2ab+b^2=(a+b)^2\geq0$　　　　**2** $a^2-2ab+b^2=(a-b)^2\geq0$

3 $a^2+ab+b^2=\left(a+\dfrac{b}{2}\right)^2+\dfrac{3}{4}b^2$에서 $\left(a+\dfrac{b}{2}\right)^2\geq0$, $\dfrac{3}{4}b^2\geq0$이므로

$$a^2+ab+b^2\geq0$$

5 $a^2+b^2+c^2-ab-bc-ca=\dfrac{1}{2}\{2a^2+2b^2+2c^2-2ab-2bc-2ca\}$

$$=\dfrac{1}{2}\{(a-b)^2+(b-c)^2+(c-a)^2\}\geq 0$$

여기에서 등호는 $a-b=0$, $b-c=0$, $c-a=0$, 즉 $a=b=c$일 때 성립한다.

④ 산술평균과 기하평균의 관계

두 양수 a, b에 대하여

$$\dfrac{a+b}{2}\text{를 산술평균, } \sqrt{ab}\text{를 기하평균}$$

이라고 한다. 산술평균과 기하평균의 관계는 다음과 같다.

새 정리 ━━━━━━━━━━━━━━━━━━━━ **산술평균과 기하평균의 관계**

$a>0$, $b>0$일 때, $\dfrac{a+b}{2}\geq\sqrt{ab}$ (단, 등호는 $a=b$일 때 성립)

증명 $\dfrac{a+b}{2}-\sqrt{ab}=\dfrac{a+b-2\sqrt{ab}}{2}=\dfrac{(\sqrt{a})^2-2\sqrt{a}\sqrt{b}+(\sqrt{b})^2}{2}=\dfrac{(\sqrt{a}-\sqrt{b})^2}{2}\geq 0$

$\qquad\therefore \dfrac{a+b}{2}\geq\sqrt{ab}$

예 $\dfrac{3+5}{2}>\sqrt{3\times 5}$가 되어 (산술평균)>(기하평균)이다.

그러나 같은 두 수에 대해서는 $\dfrac{3+3}{2}=\sqrt{3\times 3}$과 같이 서로 같게 된다.

참고 산술평균과 기하평균의 관계를 이용하여
- 두 양수의 곱이 일정하면 ➡ 두 양수의 합의 최솟값
- 두 양수의 합이 일정하면 ➡ 두 양수의 곱의 최댓값

을 구할 수 있다.

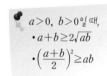

$a>0$, $b>0$일 때,
- $a+b\geq 2\sqrt{ab}$
- $\left(\dfrac{a+b}{2}\right)^2\geq ab$

새 보충

조화평균

$a>0$, $b>0$일 때, $\dfrac{2ab}{a+b}$를 조화평균이라고 한다. 이때, 다음이 성립한다.

$$\dfrac{a+b}{2}\geq\sqrt{ab}\geq\dfrac{2ab}{a+b}\text{ (단, 등호는 }a=b\text{일 때 성립)}$$

네 실수 a, b, x, y에 대하여

$$(a^2+b^2)(x^2+y^2)=a^2x^2+a^2y^2+b^2x^2+b^2y^2 \quad \cdots\cdots \text{㉠}$$
$$(ax+by)^2=a^2x^2+2abxy+b^2y^2 \quad \cdots\cdots \text{㉡}$$

㉠－㉡을 하면

$$a^2y^2+b^2x^2-2abxy=(ay-bx)^2 \geq 0$$

이므로 $a^2y^2+b^2x^2 \geq 2abxy$

여기에서 등호는 $ay=bx$, 즉 $\dfrac{x}{a}=\dfrac{y}{b}$일 때 성립한다.

따라서 $(a^2+b^2)(x^2+y^2) \geq (ax+by)^2$임을 알 수 있다.

이 절대부등식을 코시－슈바르츠의 부등식이라고 한다.

샘정리   **코시－슈바르츠의 부등식**

a, b, x, y가 실수일 때,

$$(a^2+b^2)(x^2+y^2) \geq (ax+by)^2 \left(\text{단, 등호는 } \dfrac{x}{a}=\dfrac{y}{b} \text{일 때 성립} \right)$$

(예) 실수 x, y에 대하여 $x^2+y^2=5$일 때, $2x+y$의 최댓값과 최솟값을 구해 보면

$$(2^2+1^2)(x^2+y^2) \geq (2x+y)^2$$
$$(2x+y)^2 \leq 25 \quad \therefore -5 \leq 2x+y \leq 5$$

따라서 $2x+y$의 최댓값은 5, 최솟값은 -5이다.

개념확인코너 정답 및 해설 p.457

2 x가 실수일 때, 다음 두 식의 대소를 비교하시오.

     (1) $x^2+5, 4x$ (2) $|x+2|, |x|+2$

3 $a>0, b>0$일 때, 다음 식의 최솟값을 구하시오.

     (1) $a+\dfrac{1}{a}$ (2) $\dfrac{b}{a}+\dfrac{a}{b}$

a, b가 실수일 때, 다음 부등식이 성립함을 증명하시오.

(1) $(a+b)^2 \geq 4ab$ (2) $a^2+b^2 \geq ab$

> ■ 길잡이   부등식 $A \geq B$를 증명할 때는 $A-B$를 변형시켜 다음의 꼴로 이끌어 낸다.
> (실수)$^2 \geq 0$, (실수)$^2+$(실수)$^2 \geq 0$, (실수)$^2+$(양수)>0
> 특히, 등호가 있을 때는 등호가 성립하는 경우를 분명하게 밝혀야 한다.

풀이 (1) $(a+b)^2-4ab \geq 0$임을 보이면 된다.

$$(a+b)^2-4ab = a^2-2ab+b^2$$
$$= (a-b)^2 \geq 0$$

여기에서 등호는 $a-b=0$, 즉 $a=b$일 때 성립한다.

$$\therefore (a+b)^2 \geq 4ab$$

(2) $a^2+b^2-ab \geq 0$임을 보이면 된다.

$$(a^2+b^2)-ab = \left\{ a^2-ab+\left(\frac{b}{2}\right)^2-\left(\frac{b}{2}\right)^2 \right\}+b^2$$
$$= \left(a-\frac{b}{2}\right)^2+\frac{3}{4}b^2 \geq 0$$

여기에서 등호는 $a-\dfrac{b}{2}=0$, $b=0$, 즉 $a=b=0$일 때 성립한다.

$$\therefore a^2+b^2 \geq ab$$

답 풀이 참조

유제 7-4 a, b가 실수일 때, 다음 부등식이 성립함을 증명하시오.

(1) $a^2+2ab+2b^2 \geq 0$ (2) $4a^2+3b^2 \geq 4ab$

유제 7-5 x, y가 실수일 때, 다음 부등식이 성립함을 증명하시오.

$$5(x^2+y^2) \geq (x+2y)^2$$

다음 부등식이 성립함을 증명하시오.

(1) $|a|+|b| \geq |a+b|$ (단, a, b는 실수이다.)

(2) $\sqrt{a}+\sqrt{b} > \sqrt{a+b}$ (단, a, b는 양수이다.)

       ■ **길잡이** $A \geq 0$, $B \geq 0$일 때, $A \geq B$를 증명할 때는 $A^2-B^2 \geq 0$임을 증명해도 된다.

풀이   (1) $|a|+|b| \geq 0$, $|a+b| \geq 0$이므로

       $(|a|+|b|)^2-|a+b|^2 \geq 0$임을 보이면 된다.

       $(|a|+|b|)^2-|a+b|^2 = a^2+2|a||b|+b^2-(a^2+2ab+b^2)$

                       $= 2(|ab|-ab)$

       이때, $|ab| \geq ab$이므로 $2(|ab|-ab) \geq 0$

       여기에서 등호는 $|ab|=ab$, 즉 $ab \geq 0$일 때 성립한다.

       따라서 $(|a|+|b|)^2 \geq |a+b|^2$이므로 $|a|+|b| \geq |a+b|$

   (2) $\sqrt{a}+\sqrt{b} > 0$, $\sqrt{a+b} > 0$이므로

       $(\sqrt{a}+\sqrt{b})^2-(\sqrt{a+b})^2 > 0$임을 보이면 된다.

       $(\sqrt{a}+\sqrt{b})^2-(\sqrt{a+b})^2 = a+2\sqrt{ab}+b-(a+b)$

                       $= 2\sqrt{ab} > 0$

       따라서 $(\sqrt{a}+\sqrt{b})^2 > (\sqrt{a+b})^2$이므로

       $\sqrt{a}+\sqrt{b} > \sqrt{a+b}$

                                                       답 풀이 참조

유제 7-6   다음 부등식이 성립함을 증명하시오.

       (1) $|a-b| \geq |a|-|b|$ (단, a, b는 실수이다.)

       (2) $\sqrt{a-b} > \sqrt{a}-\sqrt{b}$ (단, $a > b > 0$)

$a>0$, $b>0$일 때, 다음 부등식이 성립함을 증명하시오.

$$\frac{a}{b}+\frac{9b}{a}\geq 6$$

........■ **길잡이**   두 수 $\dfrac{a}{b}$와 $\dfrac{9b}{a}$가 모두 양수이므로 산술평균과 기하평균의 관계를 이용한다.

........■ **새**정리   **산술평균과 기하평균의 관계**
$a>0$, $b>0$일 때
$$\frac{a+b}{2}\geq\sqrt{ab}\ (단, 등호는 a=b일 때 성립)$$

풀이 $\dfrac{a}{b}>0$, $\dfrac{9b}{a}>0$이므로 산술평균과 기하평균의 관계에 의하여

$$\frac{a}{b}+\frac{9b}{a}\geq 2\sqrt{\frac{a}{b}\times\frac{9b}{a}}=6$$

여기에서 등호는 $\dfrac{a}{b}=\dfrac{9b}{a}$, 즉 $a=3b$일 때 성립한다.

따라서 $\dfrac{a}{b}+\dfrac{9b}{a}\geq 6$이다.

답 풀이 참조

다른 풀이

$$\frac{a}{b}+\frac{9b}{a}-6=\left(\frac{\sqrt{a}}{\sqrt{b}}\right)^2-2\times\frac{\sqrt{a}}{\sqrt{b}}\times\frac{3\sqrt{b}}{\sqrt{a}}+\left(\frac{3\sqrt{b}}{\sqrt{a}}\right)^2$$
$$=\left(\frac{\sqrt{a}}{\sqrt{b}}-\frac{3\sqrt{b}}{\sqrt{a}}\right)^2\geq 0$$

여기에서 등호는 $\dfrac{\sqrt{a}}{\sqrt{b}}-\dfrac{3\sqrt{b}}{\sqrt{a}}=0$, 즉 $a=3b$일 때 성립한다.

따라서 $\dfrac{a}{b}+\dfrac{9b}{a}\geq 6$이다.

유제 7-7 $a>0$, $b>0$일 때, 다음 부등식이 성립함을 증명하시오.

(1) $a+\dfrac{1}{a}\geq 2$ (2) $(a+b)\left(\dfrac{1}{a}+\dfrac{1}{b}\right)\geq 4$

필수 예제 7 산술평균과 기하평균의 응용 (1)

$x>0, y>0$일 때, 다음 물음에 답하시오.

(1) $xy=1$일 때, $2x+3y$의 최솟값을 구하시오.

(2) $x+2y=16$일 때, xy의 최댓값을 구하시오.

⋯⋯⋯ ■ **길잡이**   양수라는 조건이 있으므로 산술평균과 기하평균의 관계를 이용한다.

풀이 (1) $x>0$, $y>0$이므로 산술평균과 기하평균의 관계에 의하여

$2x+3y \geq 2\sqrt{2x \times 3y} = 2\sqrt{6xy}$ (단, 등호는 $2x=3y$일 때 성립)

이때, $xy=1$이므로 $2x+3y \geq 2\sqrt{6}$

따라서 $2x+3y$의 최솟값은 $2\sqrt{6}$이다.

(2) $x>0$, $y>0$이므로 산술평균과 기하평균의 관계에 의하여

$x+2y \geq 2\sqrt{x \times 2y} = 2\sqrt{2xy}$ (단, 등호는 $x=2y$일 때 성립)

이때, $x+2y=16$이므로 $2\sqrt{2xy} \leq 16$에서 $\sqrt{2xy} \leq 8$

양변을 제곱하면

$2xy \leq 64$ $\therefore xy \leq 32$

따라서 xy의 최댓값은 32이다.

답 (1) $2\sqrt{6}$ (2) 32

참고 (2)에서 $x=2y$일 때 최댓값을 갖는다. 즉,

$x+2y=16$에서 $2x=16$ $\therefore x=8$

따라서 $x=8$, $y=4$일 때, $xy=32$이다.

유제 7-8 $x>0$, $y>0$이고 $xy=\dfrac{1}{2}$일 때, $x+2y$의 최솟값과 그 때의 x, y의 값을 구하시오.

Up

유제 7-9   두 양수 x, y에 대하여 $2x+5y=8$일 때, $\sqrt{2x}+\sqrt{5y}$의 최댓값을 구하시오.

$a>0$, $b>0$일 때, $\left(a+\dfrac{1}{b}\right)\left(b+\dfrac{4}{a}\right)$의 최솟값을 구하시오.

········ ■ 길잡이   주어진 식을 전개한 후 산술평균과 기하평균의 관계를 이용하여
$$a+b+(상수)\geq 2\sqrt{ab}+(상수)$$
의 꼴로 만든다.

풀이 $\left(a+\dfrac{1}{b}\right)\left(b+\dfrac{4}{a}\right)=ab+4+1+\dfrac{4}{ab}$

$\qquad\qquad\qquad\qquad =ab+\dfrac{4}{ab}+5$

$\qquad\qquad\qquad\qquad \geq 2\sqrt{ab\times\dfrac{4}{ab}}+5=9\left(\text{단, 등호는 } ab=\dfrac{4}{ab} \text{ 일 때 성립}\right)$

따라서 $\left(a+\dfrac{1}{b}\right)\left(b+\dfrac{4}{a}\right)$의 최솟값은 9이다.

답 9

$$\left(a+\dfrac{1}{b}\right)\left(b+\dfrac{4}{a}\right)\geq 2\sqrt{a\times\dfrac{1}{b}}\times 2\sqrt{b\times\dfrac{4}{a}}=4\sqrt{a\times\dfrac{1}{b}\times b\times\dfrac{4}{a}}=8$$

이때, $a+\dfrac{1}{b}\geq 2\sqrt{a\times\dfrac{1}{b}}$과 $b+\dfrac{4}{a}\geq 2\sqrt{b\times\dfrac{4}{a}}$에서 각각 등호가 성립하는 경우는

$a=\dfrac{1}{b}$ ······ ㉠, $b=\dfrac{4}{a}$ ······ ㉡일 때이다.

그런데 ㉠, ㉡을 동시에 만족하는 a, b의 값이 존재하지 않으므로
식의 최솟값은 8이 될 수 없다.

유제 7-10 $a>0$, $b>0$일 때, $(a+2b)\left(\dfrac{2}{a}+\dfrac{1}{b}\right)$의 최솟값을 구하시오.

유제 7-11 두 양수 x, y에 대하여 $\left(x+\dfrac{2}{y}\right)\left(y+\dfrac{8}{x}\right)$은 $xy=a$일 때, 최솟값 b를 갖는다.
이때, $a+b$의 값을 구하시오.

유제 7-12 $x>0$, $y>0$이고 $\dfrac{2}{x}+\dfrac{3}{y}=1$일 때, $x+y$의 최솟값을 구하시오.

$x>1$일 때, 다음 물음에 답하시오.

(1) $x+\dfrac{1}{x-1}$ 의 최솟값을 구하시오.

(2) $4x-1+\dfrac{1}{x-1}$ 의 최솟값을 구하시오.

> ■ **길잡이**　　주어진 식을 $f(x)+\dfrac{1}{f(x)}$ $(f(x)>0)$의 꼴로 적절히 변형한 후 산술평균과 기하평균의 관계를 이용한다.

풀이　(1) $x+\dfrac{1}{x-1}=(x-1)+\dfrac{1}{x-1}+1\geq 2\sqrt{(x-1)\times\dfrac{1}{x-1}}+1=3$

$$\left(단,\ 등호는\ x-1=\dfrac{1}{x-1}\ 일\ 때\ 성립\right)$$

따라서 $x+\dfrac{1}{x-1}$ 의 최솟값은 3이다.

(2) $4x-1+\dfrac{1}{x-1}=4(x-1)+\dfrac{1}{x-1}+3\geq 2\sqrt{4(x-1)\times\dfrac{1}{x-1}}+3=7$

$$\left(단,\ 등호는\ 4(x-1)=\dfrac{1}{x-1}\ 일\ 때\ 성립\right)$$

따라서 $4x-1+\dfrac{1}{x-1}$ 의 최솟값은 7이다.

답 (1) 3　(2) 7

유제 7-13　$x>1$일 때, $2x+\dfrac{2}{x-1}$ 의 최솟값을 구하시오.

유제 7-14　$a>1$일 때, $a-\dfrac{1}{a}+\dfrac{2a}{a^2-1}$ 의 최솟값을 구하시오.

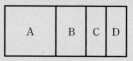

길이가 100 m인 줄을 겹치는 부분없이 모두 사용하여 그림과 같이 서로 다른 크기의 직사각형으로 이루어진 네 구역을 만들려고 한다. 구역의 전체 넓이가 최대가 되도록 할 때, 네 구역 A, B, C, D로 만들어지는 큰 직사각형의 둘레의 길이를 구하시오.

(단, 줄의 굵기는 무시한다.)

.... ▣ **길잡이** 큰 직사각형의 가로와 세로의 길이를 각각 x m, y m라 하고 관계식을 세운다.

풀이 그림과 같이 큰 직사각형의 가로의 길이를 x m, 세로의 길이를 y m라 하면 줄의 전체 길이가 100 m이므로

$$2x+5y=100$$

이때, $2x>0$, $5y>0$이므로 산술평균과 기하평균의 관계에 의하여

$$2x+5y \geq 2\sqrt{2x \times 5y} = 2\sqrt{10xy}$$

여기에서 등호는 $2x=5y$일 때 성립하고

$2x+5y=100$이므로

$$x=25, \ y=10$$

따라서 $x=25$, $y=10$일 때 구역의 전체 넓이가 최대이므로

큰 직사각형의 둘레의 길이는 70 m이다.

답 70 m

참고 ① 길이가 일정할 때 넓이의 최댓값을 구하는 문제는 대표적인 산술평균과 기하평균의 관계에 관한 문제이다.

② 도형의 최대, 최소 문제는 일단 산술평균과 기하평균의 관계를 생각한다.

Up

유제 7-15 한 변의 길이가 2인 정사각형 ABCD에서 변 BC 위의 한 점 P에 대하여 직선 AP와 직선 DC의 교점을 Q라 하고, 삼각형 ABP와 삼각형 QCP의 넓이를 각각 S_1, S_2라 하자. $S=S_1+S_2$일 때, S의 최솟값을 구하시오.

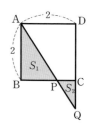

x, y가 실수일 때, 다음 물음에 답하시오.

(1) $x^2+y^2=3$일 때, $\sqrt{2}x+y$의 값의 범위를 구하시오.

(2) $3x+4y=25$일 때, x^2+y^2의 최솟값을 구하시오.

- **새** 저거　a, b, x, y가 실수일 때,

$$(a^2+b^2)(x^2+y^2)\geq(ax+by)^2 \left(\text{단, 등호는 } \frac{x}{a}=\frac{y}{b}\text{일 때 성립}\right)$$

풀이　(1) x, y가 실수이므로 코시-슈바르츠의 부등식에 의하여

$$\{(\sqrt{2})^2+1^2\}(x^2+y^2)\geq(\sqrt{2}x+y)^2 \left(\text{단, 등호는 } \frac{x}{\sqrt{2}}=y\text{일 때 성립}\right)$$

이때, $x^2+y^2=3$이므로

$$(\sqrt{2}x+y)^2\leq3^2$$

$$\therefore -3\leq\sqrt{2}x+y\leq3$$

(2) x, y가 실수이므로 코시-슈바르츠의 부등식에 의하여

$$(3^2+4^2)(x^2+y^2)\geq(3x+4y)^2 \left(\text{단, 등호는 } \frac{x}{3}=\frac{y}{4}\text{일 때 성립}\right)$$

이때, $3x+4y=25$이므로

$$25(x^2+y^2)\geq25^2$$

$$\therefore x^2+y^2\geq25$$

따라서 x^2+y^2의 최솟값은 25이다.

답 (1) $-3\leq\sqrt{2}x+y\leq3$　(2) 25

유제 7-16　두 실수 x, y가 $x^2+y^2=1$을 만족시킬 때, $3x+4y$의 값의 범위를 구하시오.

유제 7-17　네 실수 a, b, x, y에 대하여 $a^2+b^2=4$, $ax+by=6$일 때, x^2+y^2의 최솟값을 구하시오.

7-1 x가 실수일 때, 절대부등식인 것만을 **보기**에서 있는 대로 고르시오.

┤ 보기 ├

ㄱ. $4x+8<0$ ㄴ. $2x^2>2x^2-5$

ㄷ. $-(x+1)^2<0$ ㄹ. $x^2+2x+5>0$

7-2 a, b, c, x, y가 실수일 때, 부등식이 항상 옳은 것만을 **보기**에서 있는 대로 고르시오.

┤ 보기 ├

ㄱ. $a^2-ab+b^2\geq0$ ㄴ. $|a|+|b|\geq|a+b|$

ㄷ. $a^2+a+1\leq0$ ㄹ. $\sqrt{a+b}>\sqrt{a}+\sqrt{b}$ (단, $a>0, b>0$)

ㅁ. $a^2+b^2+c^2\geq ab+bc+ca$ ㅂ. $(a^2+b^2)(x^2+y^2)\geq(ax+by)^2$

7-3 a, b가 양수일 때, 부등식이 항상 옳은 것만을 **보기**에서 있는 대로 고르시오.

┤ 보기 ├

ㄱ. $a+\dfrac{1}{a}\geq2$ ㄴ. $b+\dfrac{4}{b}\geq4$ ㄷ. $\dfrac{b}{2a}+\dfrac{4a}{b}\geq8$

7-4 다음은 명제 '정삼각형 ABC의 세 내각의 크기는 같다.'를 증명하는 과정이다.

┤ 증명 ├

변 BC의 중점을 M이라 하고 선분 AM을 그으면
$\overline{AB}=\overline{AC}, \overline{BM}=\overline{CM}, \overline{AM}$은 공통이므로
　　$\triangle ABM\equiv\triangle ACM$ (SSS 합동)
　　$\therefore \angle B=\boxed{\text{(가)}}$ ┄┄┄ ㉠
마찬가지로 $\overline{BC}=\boxed{\text{(나)}}$이므로 $\angle B=\boxed{\text{(다)}}$ ┄┄┄ ㉡
㉠, ㉡에서 $\angle A=\angle B=\angle C$이다.

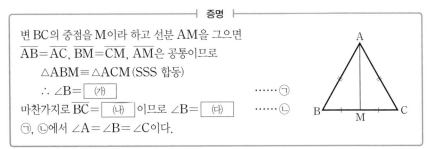

위의 증명에서 (가), (나), (다)에 알맞은 것을 순서대로 써넣으시오.

7-5 $a>0, b>0$일 때, 다음을 구하시오.

(1) $a+b=8$일 때, ab의 최댓값

(2) $ab=9$일 때, $4a+9b$의 최솟값

7 – 6 다음은 두 양수 a, b에 대하여 $\dfrac{a+b}{2} \geq \sqrt{ab}$임을 증명한 것이다.

┤ 증명 ├

$$\dfrac{a+b}{2} - \sqrt{ab} = \dfrac{(\sqrt{a})^2 + (\sqrt{b})^2 - 2\sqrt{a}\sqrt{b}}{2} = \dfrac{\boxed{\text{(가)}}}{2}$$

그런데 a, b는 모두 양수이므로

$$(\sqrt{a} - \sqrt{b})^2 \boxed{\text{(나)}} 0 \Longleftrightarrow \dfrac{a+b}{2} - \sqrt{ab} \boxed{\text{(나)}} 0 \Longleftrightarrow \dfrac{a+b}{2} \geq \sqrt{ab}$$

(단, 등호는 $a = b$일 때 성립한다.)

위의 증명에서 (가), (나)에 알맞은 것을 순서대로 써넣으시오.

7 – 7 $a > 0$일 때, $(1+a)\left(1 + \dfrac{1}{a}\right)$의 최솟값을 구하시오.

7 – 8 $x > 3$일 때, $x + \dfrac{9}{x-3}$는 $x = a$에서 최솟값 m을 갖는다. 이때, $a + m$의 값은?

① 6   ② 9   ③ 12   ④ 15   ⑤ 18

7 – 9 a, b, x, y가 실수일 때, $a^2 + b^2 = 3$, $x^2 + y^2 = 8$일 때, $ax + by$의 최댓값을 구하시오.

7 – 10 이차부등식 $4x^2 + 4ax + a + 6 > 0$이 절대부등식이 되도록 하는 a의 값의 범위를 구하시오.

7 – 11 다음은 삼각형 ABC의 세 변의 수직이등분선이 한 점에서 만남을 증명하는 과정이다.

┤ 증명 ├

삼각형 ABC에서 두 변 AB, AC의 수직이등분선의 교점을
O, 점 O에서 세 변에 내린 수선의 발을 각각 D, E, F라 하면
$\overline{OA}=$ [(가)], [(나)]$=\overline{OC}$이므로 $\overline{OB}=\overline{OC}$
또 $\overline{OE}$는 공통, $\angle OEB=$ [(다)]$=90°$이므로
　　$\triangle OBE \equiv \triangle OCE($ [(라)] 합동$)$
즉, $\overline{BE}=$ [(마)]이므로 $\overline{OE}$는 $\overline{BC}$의 [(바)]이다.
따라서 세 변의 수직이등분선은 한 점 O에서 만난다.

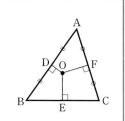

위의 증명에서 (가)~(바)에 알맞은 것을 순서대로 써넣으시오.

7 – 12 다음 명제가 참임을 그 대우를 써서 증명하시오.

a, b가 실수일 때, $a^2+b^2=0$이면 $a=0$, $b=0$이다.

7 – 13 다음은 $\sqrt{2}$가 유리수가 아님을 증명한 것이다.

┤ 증명 ├

$\sqrt{2}$를 유리수라고 가정하면 $\sqrt{2}=\dfrac{q}{p}$ $(p\neq0,\ p,\ q$는 [(가)]인 정수$)$ 　∴ $\sqrt{2}p=q$

양변을 제곱하면 $2p^2=q^2$이므로 q는 [(나)]이다.

$q=2k\,(k$는 정수$)$로 놓으면 p는 [(다)]이므로 p, q가 [(가)]인 조건에 모순이다.

따라서 $\sqrt{2}$는 유리수가 아니다.

위의 증명에서 (가), (나), (다)에 알맞은 것을 순서대로 써넣으시오.

7 – 14 $x>0$, $y>0$일 때, $x+y+\dfrac{4}{x}+\dfrac{9}{y}$의 최솟값을 구하시오.

7 – 15 $a>0$, $b>0$, $c>0$일 때, $\dfrac{b+c}{a}+\dfrac{c+a}{b}+\dfrac{a+b}{c}$의 최솟값을 구하시오.

7 - 16 그림과 같이 점 (a, b)가 제1사분면에 있는 곡선 $y = \dfrac{8}{x}$

위의 점일 때, $2a + b$의 최솟값을 구하시오.

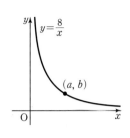

7 - 17 한 개의 길이가 1인 성냥개비 40개를 연결하여 그림과 같이 탁자 위에 직사각형을 만들려고 한다. 이때, 직사각형의 넓이의 최댓값을 구하시오.

7 - 18 두 실수 a, b가 $\dfrac{a}{3} + \dfrac{b}{4} = 5$를 만족시킬 때, $a^2 + b^2$의 최솟값은?

① 5　　　　② 7　　　　③ 25　　　　④ 60　　　　⑤ 144

7 - 19 두 이차함수 $f(x) = kx^2 + 6x$, $g(x) = 3x^2 + 2x - k$에 대하여 x에 대한 부등식 $f(x) > g(x)$가 절대부등식이 되도록 하는 상수 k의 값의 범위를 구하시오.

7 - 20 x에 대한 부등식 $a(x^2 - 2x + 2) > 4x - 1$이 모든 실수 x에 대하여 성립할 때, 실수 a의 값의 범위를 구하시오.

7-21 $a>0$, $b>0$, $c>0$일 때, 다음 부등식을 증명하시오.

(1) $a^3+b^3+c^3 \geq 3abc$

(2) $(a+b)(b+c)(c+a) \geq 8abc$

(3) $\sqrt{a}+\sqrt{b} \leq \sqrt{2(a+b)}$

7-22 $a>0$, $b>0$, $c>0$일 때, $(a+b+c)\left(\dfrac{1}{a}+\dfrac{1}{b+c}\right)$의 최솟값을 구하시오.

7-23 $a^2+b^2=16$, $x^2+y^2=4$를 만족시키는 네 실수 a, b, x, y에 대하여 $\alpha \leq ax+by \leq \beta$, $\gamma \leq ab+xy \leq \delta$이다. 이때, $\alpha\gamma+\beta\delta$의 값을 구하시오.

7-24 그림과 같은 직육면체의 대각선의 길이가 $\sqrt{12}$일 때, 모든 모서리의 길이의 합의 최댓값을 구하시오.

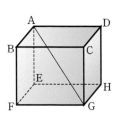

08
함수

08. 함수

1. 함수의 정의

두 집합 X, Y에서 X의 각 원소에 Y의 원소가 오직 하나씩 대응할 때, 이 대응 f를 X에서 Y로의 함수라 하고 기호로

$$f : X \longrightarrow Y$$

와 같이 나타낸다.

2. 함수의 정의역, 공역, 치역

집합 X에서 집합 Y로의 함수 f에 대하여

(1) X : 함수 f의 정의역　　　　　　　　(2) Y : 함수 f의 공역

(3) $\{f(x)\,|\,x \in X\}$: 함수 f의 치역

3. 함수의 그래프

일반적으로 함수 $f : X \longrightarrow Y$가 주어졌을 때,

정의역의 원소 x와 이에 대응하는 함숫값 $f(x)$의 순서쌍 전체의 집합

$$\{(x, y)\,|\,y = f(x),\ x \in X\}$$

를 함수 f의 그래프라고 한다.

4. 일대일함수

정의역의 임의의 두 원소 x_1, x_2에 대하여

$$x_1 \neq x_2 \text{이면 } f(x_1) \neq f(x_2)$$

일 때, 함수 f를 일대일함수라고 한다.

5. 일대일대응

(1) 치역과 공역이 같고

(2) 정의역의 임의의 두 원소 x_1, x_2에 대하여 $x_1 \neq x_2$이면 $f(x_1) \neq f(x_2)$

일 때, 함수 f를 일대일대응이라고 한다.

6. 항등함수

정의역의 각 원소에 자기 자신을 대응시키는 함수, 즉

$$f : X \longrightarrow X,\ f(x) = x\ (x \in X)$$

를 항등함수라고 한다.

7. 상수함수

함수 $f : X \longrightarrow Y$에서 정의역 X의 모든 원소 x가 공역 Y의 한 원소에만 대응될 때, 즉

$$f(x) = c\ (c \in Y,\ c \text{는 상수})$$

일 때, 함수 f를 상수함수라고 한다.

1 함수

① 함수의 뜻

우찬 ⟶ 학습부장, 세은 ⟶ 체육부장, 지연 ⟶ 총무부장

위와 같이 세 명의 학생을 세 종류의 임원으로 임명하는 것은 두 집합

$$X = \{우찬, \ 세은, \ 지연\},$$
$$Y = \{학습부장, \ 체육부장, \ 총무부장\}$$

에 대하여 집합 X의 원소 '학생'과 집합 Y의 원소 '임원'을 짝지어 주는 것이다. 이와 같은 것을 집합 X에서 집합 Y로의 대응이라고 한다.

새 정리 **대응**

> 두 집합 X, Y에 대하여 집합 X의 원소에 집합 Y의 원소를 짝짓는 것을 집합 X에서
> 집합 Y로의 대응이라고 한다. 이때, 집합 X의 원소 x에 집합 Y의 원소 y가 짝지어지
> 면 x에 y가 대응한다고 하고, 이것을 기호로
>
> $$x \longrightarrow y$$
>
> 와 같이 나타낸다.

예 두 집합 $X = \{1, \ 2, \ 3\}$, $Y = \{1, \ 2, \ 3, \ 4, \ 5\}$에 대하여
X의 각 원소 x에 Y의 원소 y를 $y = x+2$의 관계에
의하여 대응시키면 그림과 같다.

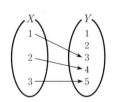

위의 예 에서 집합 X의 모든 원소는

$$1 \longrightarrow 3, \qquad 2 \longrightarrow 4, \qquad 3 \longrightarrow 5$$

와 같이 집합 Y의 원소에 오직 하나씩 대응한다.

이와 같이 공집합이 아닌 두 집합 X, Y에서 X의 각 원소에 Y의 원소가 하나씩만 대응할 때,
이 대응을

　　　　X에서 Y로의 함수

라고 한다.

새 정리

두 집합 X, Y에서 X의 각 원소에 Y의 원소가 오직 하나씩 대응할 때, 이 대응 f를 X에서 Y로의 **함수**라 하고, 기호로

$$f : X \longrightarrow Y$$

와 같이 나타낸다.

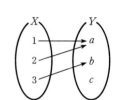

예   집합 X에서 집합 Y로의 대응 관계가 그림과 같을 때, X의 두 원소 1, 2에 대하여 Y의 원소 a가 대응되고, Y의 원소 c에 대응되는 X의 원소가 없지만 함수의 조건을 만족하므로 이 대응 관계는 함수이다.

참고   함수(function)를 나타낼 때는 보통 알파벳 소문자 f, g, h, $\cdots$을 사용한다.

새 보충

두 집합 X, Y의 대응 관계가 함수가 아닌 경우

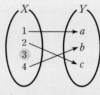

[그림 1]

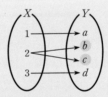

[그림 2]

[그림 1]은 X의 원소 3에 대응하는 Y의 원소가 없다.
[그림 2]는 X의 원소 2에 대응하는 Y의 원소가 두 개이다.

정의역 부족

② 함수의 정의역, 공역, 치역

함수 $f : X \longrightarrow Y$에 대하여 집합 X를 함수 f의 **정의역**, 집합 Y를 함수 f의 **공역**이라고 한다.

정의역 X의 원소 x에 대응하는 공역 Y의 원소를 $f(x)$로 나타내고, $f(x)$를

함수 f에 대한 x의 함숫값

이라고 한다.

함숫값 전체의 집합 $\{f(x)\,|\,x \in X\}$를 함수 f의 **치역**이라 하고, 함수 $f : X \longrightarrow Y$의 치역은 공역 Y의 부분집합이다.

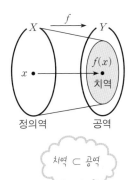

치역 $\subset$ 공역

샘정리

함수의 정의역, 공역, 치역

집합 X에서 집합 Y로의 함수 f에 대하여

1 X : 함수 f의 정의역

2 Y : 함수 f의 공역

3 $\{f(x)\,|\,x \in X\}$: 함수 f의 치역

$f : X \longrightarrow Y$
정의역   공역

예 두 집합 $X = \{1,\ 2,\ 3\}$, $Y = \{y\,|\,y$는 5 이하의 자연수$\}$에 대하여 함수 $f : X \longrightarrow Y$를 $f(x) = x + 1$로 정의할 때, 이 함수의 정의역, 공역, 치역을 구해 보자.

두 집합 $X = \{1,\ 2,\ 3\}$, $Y = \{1,\ 2,\ 3,\ 4,\ 5\}$의 원소 x, y 사이의 대응 관계가 $y = x + 1$이므로 그림과 같다.

따라서 정의역은 $\{1,\ 2,\ 3\}$이고, 공역은 $\{1,\ 2,\ 3,\ 4,\ 5\}$, 치역은 $\{2,\ 3,\ 4\}$이다.

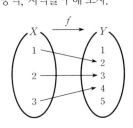

참고 함수 $y = f(x)$의 정의역이 주어져 있지 않은 경우에는 $f(x)$가 정의되는 실수 x의 값 전체의 집합을 정의역으로 생각하고, 실수 전체의 집합 R를 공역으로 생각한다.

예 함수 $y = x^2 + 1$의 정의역과 치역을 구해 보자.

함수 $y = x^2 + 1$의 그래프는 그림과 같으므로 정의역은 $\{x\,|\,x$는 모든 실수$\}$이고, 치역은 $\{y\,|\,y \geq 1$인 실수$\}$이다.

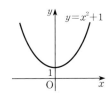

참고 함수는 대응 관계이므로
      '자동판매기의 버튼과 음료수'
      '휴대전화 번호와 상대방'
      '우리 학교 학생과 담임 선생님'
   등과 같이 일상생활 속에서도 여러 가지 대응 관계를 찾아볼 수 있다.

③ 서로 같은 함수

정의역이 $X=\{-1,\ 0,\ 1\}$, 공역이 $Y=\{x\,|\,x$는 실수$\}$인 두 함수 $f(x)=|x|$, $g(x)=x^2$의 대응 관계를 살펴보면 다음과 같다.

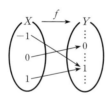 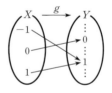

위와 같이 두 함수 f, g에 대하여 두 함수의 정의역과 공역이 각각 서로 같고, 정의역에 속하는 모든 원소 x에 대하여 $f(x)=g(x)$일 때, 두 함수 f와 g는 서로 같다고 하고, 기호로
$$f=g$$
와 같이 나타낸다.

새 정리   **서로 같은 함수**

두 함수 f, g에 대하여
1 정의역과 공역이 각각 서로 같고
2 정의역의 모든 원소 x에 대하여 $f(x)=g(x)$
➡ $f=g$ (두 함수는 서로 같다.)

예 집합 $X=\{0,\ 2\}$를 정의역으로 하는 두 함수 $f(x)=2x$, $g(x)=x^2$에서
$$f(0)=g(0)=0, f(2)=g(2)=4$$
이므로 $f=g$이다.

④ 함수의 그래프

함수 $y=x+1$의 정의역이 $X=\{1,\ 2,\ 3\}$일 때, 정의역의 각 원소를
x좌표, 이에 대응하는 함숫값을 y좌표로 하는 순서쌍은
$$(1,\ 2),\ (2,\ 3),\ (3,\ 4)$$
이다. 이 순서쌍들의 집합 $\{(1,\ 2),\ (2,\ 3),\ (3,\ 4)\}$를 함수의 그래프라고
한다. 한편, 이 순서쌍을 좌표로 하는 점들을 좌표평면 위에 그림과 같이 세
개의 점으로 나타낼 수 있다.

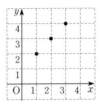

새 정리

함수의 그래프

일반적으로 함수 $f : X \longrightarrow Y$가 주어졌을 때, 정의역 X의 원소 x와 이에 대응하는
함숫값 $f(x)$의 순서쌍 전체의 집합
$$\{(x,\ y)\,|\,y=f(x),\ x\in X\}$$
를 함수 f의 그래프라고 한다.

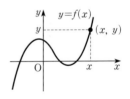

한편, 함수 $y=f(x)$의 정의역과 공역이 모두 실수 전체의 집합일
때, 이 함수의 그래프의 원소인 순서쌍 $(x,\ y)$를 좌표로 하는 **점들의
집합**을 좌표평면 위에 그림으로 나타낼 수 있다.

이것을 흔히 함수 $y=f(x)$의 그래프라고 하는데 이는 '함수의 그
래프를 좌표평면 위에 나타낸 것'으로 함수의 그래프의 기하학적 표현
이다.

예 다음 [그림 1]과 같은 함수의 대응 관계를 나타내는 그래프를 좌표평면 위에 나타내면 [그림 2]와
같다.

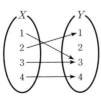

[그림 1]

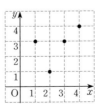

[그림 2]

참고 ① 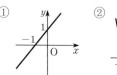 ② ③ ④

위의 그림에서 ①, ②, ③은 정의역(모든 실수)의 각 원소 x에 대하여 함숫값, 즉 y의 값이 하나씩 대응되므로 함수의 그래프이다.

특히, ②는 $x_1 \neq x_2$일 때, $f(x_1) = f(x_2)$인 경우도 있지만 함수이다. 또 ③은 모든 x에 대하여 함숫값이 3으로 같지만 함수의 조건을 만족한다.

그러나 ④의 경우는 정의역의 원소 x가 $-1 < x < 1$인 경우 함숫값이 두 가지씩 나타나므로 함수의 그래프가 아니다. 물론 $x > 1$, $x < -1$인 경우는 함숫값이 존재하지 않으므로 이 이유로도 함수의 그래프라고 할 수 없다.

개념확인코너

정답 및 해설 p.463

1 다음의 집합 X에서 집합 Y로의 대응 중 함수인 것을 찾고, 그 함수의 정의역과 공역, 치역을 구하시오.

(1) 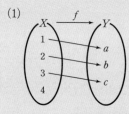   (2) 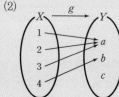   (3)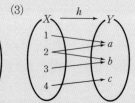

2 두 집합 $X = \{x \,|\, x$는 6의 약수$\}$, $Y = \{y \,|\, y$는 8 이하의 자연수$\}$일 때, X에서 Y로의 함수 $f(x) = x + 2$에 대하여 다음을 구하시오.

(1) 정의역   (2) 공역

(3) 3에 대한 함숫값   (4) 치역

(5) 함수 $y = f(x)$의 그래프를 좌표평면 위에 나타내시오.

두 집합 $X=\{-1,\ 0,\ 1\}$, $Y=\{0,\ 1,\ 2\}$에 대하여 X에서 Y로의 함수인 것만을 **보기**
에서 있는 대로 고르시오.

┤ 보기 ├

ㄱ. $f:x \longrightarrow |x|$ ㄴ. $g:x \longrightarrow 2x+1$
ㄷ. $h:x \longrightarrow 1$ ㄹ. $k:x \longrightarrow x^3+1$

■ **길잡이** X에서 Y로의 대응 관계를 그림으로 나타낸 후, X의 각 원소에 Y의 원소가 오직 하나씩 대응되는지 알아본다.

■ **샘**정리   집합 X에서 집합 Y로의 함수가 되려면
(1) X의 모든 원소에 Y의 원소가 대응해야 한다.
(2) X의 각 원소에 대응하는 Y의 원소는 오직 하나이어야 한다.

풀이   주어진 대응 관계를 그림으로 나타내면 다음과 같다.

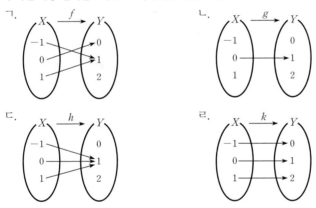

이때, ㄴ은 X의 원소 -1, 1에 대응하는 Y의 원소가 없으므로 함수가 아니다.
따라서 함수인 것은 ㄱ, ㄷ, ㄹ이다.

답 ㄱ, ㄷ, ㄹ

유제 8-1   두 집합 $X=\{-2,\ 0,\ 1,\ 2\}$, $Y=\{0,\ 1,\ 2,\ 3,\ 4\}$에 대하여 X에서 Y로의 함수
인 것만을 **보기**에서 있는 대로 고르시오.

┤ 보기 ├

ㄱ. $f:x \longrightarrow x+2$ ㄴ. $g:x \longrightarrow |x|+1$
ㄷ. $h:x \longrightarrow x^2-1$ ㄹ. $k:x \longrightarrow x^3-4x$

두 집합 $X=\{x\,|\,x$는 10 이하의 소수$\}$, $Y=\{y\,|\,1\leq y\leq 5, y$는 자연수$\}$에 대하여
X에서 Y로의 함수 $f(x)=|x-4|$일 때, 다음을 구하시오.

(1) 함수 f의 정의역, 공역

(2) $f(2)$, $f(3)$의 값

(3) 함수 f의 치역

━ **길잡이**   조건제시법으로 주어진 두 집합 X, Y의 원소를 각각 구하고, 집합 X의 원소를 주어진
              함수 f에 대입하여 집합 Y로 대응시켜 본다.

━ **새정리**   집합 X에서 집합 Y로의 함수 f에 대하여
              (1) 정의역 : 집합 X
              (2) 공역 : 집합 Y
              (3) 치역 : 함숫값 전체의 집합 $\{f(x)\,|\,x\in X\}$

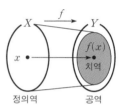

풀이 (1) 정의역 $X=\{2,\ 3,\ 5,\ 7\}$
        공역 $Y=\{1,\ 2,\ 3,\ 4,\ 5\}$

      (2) $f(2)=|2-4|=2$, $f(3)=|3-4|=1$

      (3) $f(2)=2$, $f(3)=1$, $f(5)=1$, $f(7)=3$이므로
        치역은 $\{1,\ 2,\ 3\}$이다.

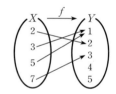

답 (1) 정의역 : $\{2,\ 3,\ 5,\ 7\}$, 공역 : $\{1,\ 2,\ 3,\ 4,\ 5\}$

  (2) $f(2)=2$, $f(3)=1$

  (3) $\{1,\ 2,\ 3\}$

유제 8-2   함수 $f : X \longrightarrow Y$의 대응 관계가 그림과 같을 때, 다음을
              구하시오.

              (1) 함수 f의 정의역, 공역

              (2) $f(a)=2$인 a의 값

              (3) 함수 f의 치역

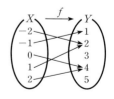

다음 물음에 답하시오.

(1) 두 집합 $X=\{0, 1, 2, 3, 4\}$, $Y=\{y \mid y$는 정수$\}$에 대하여 함수 $f : X \longrightarrow Y$를

$$f(x)=(x^2을 5로 나누었을 때의 나머지)$$

　　로 정의할 때, $f(3)-2f(4)$의 값을 구하시오.

(2) 실수 전체의 집합 R에 대하여 R에서 R로의 함수 f를

$$f(x)=\begin{cases} 3x-1 \ (x<1) \\ x^2+x \ (x\geq1) \end{cases}$$

　　로 정의할 때, $f(-2)+f(4)$의 값을 구하시오.

........■ **길잡이**　　(2) -2와 4가 각각 $x<1$인지 $x\geq1$인지를 판단한 후, 알맞은 함수의 식에 대입한다.

풀이　(1) $f(3)=(9를 5로 나누었을 때의 나머지)=4$

　　　　$f(4)=(16을 5로 나누었을 때의 나머지)=1$

　　　　$\therefore f(3)-2f(4)=4-2=2$

　　(2) $-2<1$이므로 $f(-2)=3\times(-2)-1=-7$

　　　　$4\geq1$이므로 $f(4)=4^2+4=20$

　　　　$\therefore f(-2)+f(4)=-7+20=13$

답 (1) 2 　(2) 13

유제 **8-3**　　실수 전체의 집합 R에 대하여 R에서 R로의 함수 f를

$$f(x)=\begin{cases} \sqrt{2}x+3 \ (x는 유리수) \\ -2x+3 \ (x는 무리수) \end{cases}$$

　　　　　으로 정의할 때, $f(2)+f(\sqrt{2})$의 값을 구하시오.

유제 **8-4**　　자연수 전체의 집합 N에 대하여 N에서 N으로의 함수 f를

$$f(x)=(3^x의 일의 자리의 숫자)$$

　　　　　로 정의할 때, $f(6)+f(13)$의 값을 구하시오.

함수 f가 임의의 두 실수 x, y에 대하여 $f(x+y)=f(x)+f(y)$를 만족시키고
$f(1)=2$일 때, $f(-2)$의 값을 구하시오.

········■ **길잡이**　　적당한 x, y의 값을 대입하여 $f(a)$의 값을 구한다.

풀이　　$f(x+y)=f(x)+f(y)$　　······㉠
　　　　이므로 ㉠에 $x=0$, $y=0$을 대입하면
　　　　$f(0)=f(0)+f(0)$
　　　　$\therefore f(0)=0$
　　　　㉠에 y 대신에 $-x$를 대입하면
　　　　$f(0)=f(x)+f(-x)=0$
　　　　$\therefore f(-x)=-f(x)$　　······㉡
　　　　㉠에 $x=1$, $y=1$을 대입하면
　　　　$f(2)=f(1)+f(1)=4$ ($\because f(1)=2$)
　　　　따라서 ㉡에 의하여
　　　　$f(-2)=-f(2)=-4$

답 -4

유제 8-**5**　　함수 f가 임의의 두 양수 x, y에 대하여 $f(xy)=f(x)+f(y)$이고 $f(2)=5$일
　　　　　　때, $f(8)$의 값을 구하시오.

유제 8-**6**　　함수 f가 임의의 두 정수 x, y에 대하여 $f(x)f(y)=f(x+y)+f(x-y)$를 만족
　　　　　　시키고 $f(1)=1$일 때, $f(3)$의 값을 구하시오.

집합 $\{1, 2\}$를 정의역으로 하는 두 함수 $f(x)=ax-2$, $g(x)=x^2-x+b$에 대하여 $f=g$가 성립할 때, 두 상수 a, b의 값을 구하시오.

> ■ **샘**겨리   두 함수 f, g에 대하여 $f=g$이려면
> (1) 두 함수의 정의역과 공역이 각각 서로 같다.
> (2) 정의역의 모든 원소 x에 대하여 $f(x)=g(x)$이다.

풀이 $f=g$이므로 정의역의 모든 원소 x에 대하여 $f(x)=g(x)$이다.

$f(1)=g(1)$에서 $a-2=1-1+b$

$\therefore a-b=2$ $\cdots\cdots$ ㉠

$f(2)=g(2)$에서 $2a-2=4-2+b$

$\therefore 2a-b=4$ $\cdots\cdots$ ㉡

㉠, ㉡을 연립하여 풀면

$a=2$, $b=0$

답 $a=2$, $b=0$

유제 8-7   정의역이 집합 $X=\{-1, a\}$인 두 함수 f, g가 $f(x)=x^2+b$, $g(x)=2x-1$일 때, $f=g$가 성립한다. 이때, 두 상수 a, b의 합 $a+b$의 값을 구하시오.
(단, $a\neq -1$)

Up
유제 8-8   실수 전체의 집합 R의 부분집합 X를 정의역으로 하는 두 함수 $f(x)=2x+3$, $g(x)=x^2-x-1$에 대하여 $f=g$가 성립하도록 하는 집합 X를 모두 구하시오. (단, $X\neq\varnothing$)

함수의 그래프인 것만을 **보기**에서 있는 대로 고르시오.

┤ 보기 ├

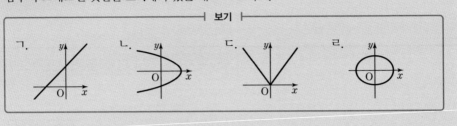

ㄱ.   ㄴ.   ㄷ.   ㄹ.

⋯⋯⋯⋯ ■ **길잡이**   그래프 위에 직선 $x=k$ (k는 정의역의 x의 값)를 그어, 그래프와 교점이 항상 1개이면 함수의 그래프이다.

풀이   주어진 그래프에 정의역의 한 원소 k에 대하여 x축에 수직인 직선 $x=k$를 그어 교점을 나타 내면 다음 그림과 같다.

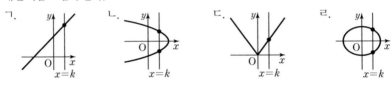

ㄱ.   ㄴ.   ㄷ.   ㄹ.

$x=k$ $x=k$ $x=k$ $x=k$

ㄱ, ㄷ의 그래프는 모든 x에 대하여 직선 $x=k$와 오직 한 점에서 만나므로 함수의 그래프 이다.

ㄴ, ㄹ의 그래프는 직선 $x=k$와 2개의 점에서 만나는 경우가 존재하므로 함수의 그래프가 아니다.

답 ㄱ, ㄷ

유제 8-**9**   함수의 그래프인 것만을 **보기**에서 있는 대로 고르시오.

┤ 보기 ├

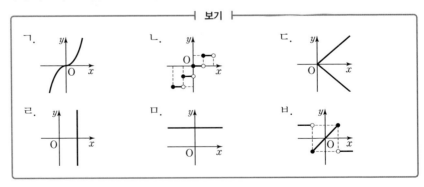

ㄱ.   ㄴ.   ㄷ.

ㄹ.   ㅁ.   ㅂ.

2 여러 가지 함수

1 일대일함수

두 집합 $X=\{1,\ 2,\ 3\}$, $Y=\{1,\ 2,\ 3,\ 4\}$에 대하여 X에서 Y로의 함수 f가 $f(x)=x+1$일 때, 집합 X의 각 원소에 집합 Y의 서로 다른 원소가 하나씩 대응한다.

이와 같이 $f:X \longrightarrow Y$에서 정의역 X의 서로 다른 두 원소에 대응되는 공역 Y의 원소가 서로 다를 때, 이 함수 f를 일대일함수라고 한다.

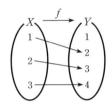

샘 정리 ━━━━━━━━━━━━━━━━ 일대일함수

함수 $f:X \longrightarrow Y$에서 정의역 X의 임의의 두 원소 x_1, x_2에 대하여

$$x_1 \neq x_2 \text{이면 } f(x_1) \neq f(x_2)$$

일 때, 함수 f를 일대일함수라고 한다.

예

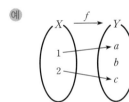

[일대일함수이다.]

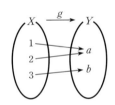

[일대일함수가 아니다.]

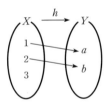

[함수가 아니다.]

2 일대일대응

두 집합 $X=\{1,\ 2,\ 3\}$, $Y=\{2,\ 4,\ 6\}$에 대하여 함수 $f:X \longrightarrow Y$, $f(x)=2x$는 집합 Y의 각각의 원소에 대응하는 집합 X의 원소가 오직 하나씩 있다. 이와 같이

공역 Y와 치역 $\{f(x)\,|\,x \in X\}$가 같고,
공역 Y의 한 원소에 대응하는 정의역 X의 원소가 하나씩만 존재하면

이러한 함수 f를 일대일대응이라고 한다.

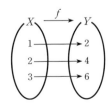

새 정리

함수 $f : X \longrightarrow Y$에서
1 치역과 공역이 같고
2 정의역 X의 임의의 두 원소 x_1, x_2에 대하여 $x_1 \neq x_2$이면 $f(x_1) \neq f(x_2)$
일 때, 함수 f를 일대일대응이라고 한다.

예 다음 대응 관계에서 일대일대응인 것은 [그림 1]뿐이다.

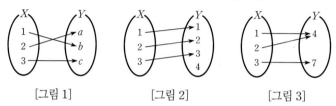

[그림 1]　　　　[그림 2]　　　　[그림 3]

[그림 2]는 치역과 공역이 다르므로 일대일대응이 아니다.
[그림 3]은 정의역의 두 원소 1, 2의 함숫값이 같으므로 일대일대응이 아니다.

참고 함수 f가 일대일함수일 때, 치역과 공역이 같으면 일대일대응이다.

새 보충

일대일대응의 그래프

정의역이 모든 실수일 때, 일대일대응의 그래프는 x축에 평행한 모든 직선에 대하여 한 점에서 만난다.

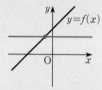 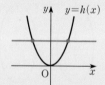

[일대일대응이다.]　　　[일대일대응이다.]　　　[일대일대응이 아니다.]

새 특강

함수의 개수

두 집합 X, Y의 원소의 개수가 각각 x, y일 때, 함수 $f : X \longrightarrow Y$에 대하여
① 함수 f의 개수 ➡ $y \times y \times y \times \cdots \times y = y^x$
② 일대일함수 f의 개수 ➡ $y(y-1)(y-2) \times \cdots \times \{y-(x-1)\}$ (단, $y \geq x$)
③ 일대일대응 f의 개수 ➡ $y(y-1)(y-2) \times \cdots \times 2 \times 1$ (단, $x = y$)

예 두 집합 $X=\{1, 2, 3\}$, $Y=\{a, b, c\}$에 대하여 함수 $f : X \longrightarrow Y$일 때

① 함수 f의 개수는 ➡ $3^3=27$

② 일대일대응 f의 개수는 ➡ $3 \times 2 \times 1=6$

③ 항등함수

자연수 전체의 집합을 정의역으로 하는 함수 $f(x)=x$의 대응 관계는 그림과 같이 함숫값이 항상 자기 자신이 된다. 이와 같은 함수를 항등함수라고 한다.

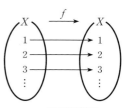

새 정리

정의역 X의 각 원소에 자기 자신을 대응시키는 함수, 즉

$$f : X \longrightarrow X, \ f(x)=x \ (x \in X)$$

를 항등함수라고 한다.

참고 정의역에 따른 항등함수의 그래프

① $X=\{1, 2, 3\}$ ② $X=\{x \mid a \leq x \leq b\}$ ③ $X=\{x \mid x$는 실수$\}$

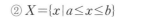

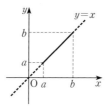

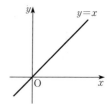

④ 상수함수

자연수 전체의 집합을 정의역으로 하는 함수 $f(x)=2$의 대응 관계에서는 그림과 같이 x의 값에 관계없이 함숫값이 항상 2가 된다. 이와 같은 함수를 상수함수라고 한다.

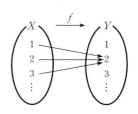

함수 $f : X \longrightarrow Y$에서 정의역 X의 모든 원소 x가 공역 Y의 한 원소에만 대응될 때, 즉

$$f : X \longrightarrow Y, \ f(x)=c \ (c \in Y, \ c \text{는 상수})$$

일 때, 함수 f를 상수함수라고 한다.

참고 정의역에 따른 상수함수의 그래프

① $X=\{1, \ 2, \ 3\}$ ② $X=\{x \,|\, a \leq x \leq b\}$ ③ $X=\{x \,|\, x \text{는 실수}\}$

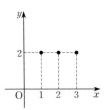 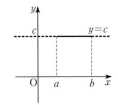 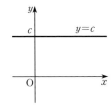

개념확인코너 정답 및 해설 p.463

3 (1)~(5)에 해당하는 그래프인 것만을 각각 **보기**에서 있는 대로 고르시오.

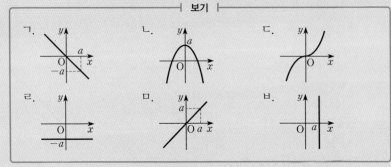

(1) 함수 (2) 일대일함수 (3) 일대일대응
(4) 항등함수 (5) 상수함수

4 일대일대응인 것만을 **보기**에서 있는 대로 고르시오.

┤ 보기 ├

ㄱ. $y=x^2$ ㄴ. $y=x+1$ ㄷ. $y=-x-2$ ㄹ. $y=4$

(1)~(4)에 해당하는 함수의 그래프인 것만을 각각 **보기**에서 있는 대로 고르시오.
　　　　　　　　　　　　(단, 정의역과 공역은 모두 실수 전체의 집합이다.)

┤ 보기 ├

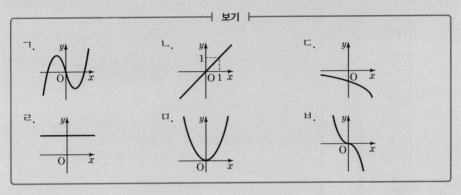

(1) 일대일함수　　(2) 일대일대응　　(3) 항등함수　　　(4) 상수함수

■ **새**정리
(1) 일대일함수의 그래프 ➡ 직선 $y=k$와의 교점이 1개이다.
(2) 일대일대응의 그래프 ➡ 직선 $y=k$와의 교점이 1개이고, (치역)=(공역)이다.
(3) 항등함수의 그래프 ➡ 직선 $y=x$
(4) 상수함수의 그래프 ➡ x축에 평행한 직선

풀이　(1) ㄴ, ㄷ, ㅂ은 치역의 각 원소 k에 대하여 직선 $y=k$와 오직 한 점에서 만나므로 일대일함
　　　　수이다.
　　　(2) ㄴ, ㅂ은 치역과 공역이 같고, 치역의 각 원소 k에 대하여 직선 $y=k$와 오직 한 점에서
　　　　만나므로 일대일대응이다.
　　　(3) ㄴ은 함수 $y=x$의 그래프이므로 항등함수이다.
　　　(4) ㄹ은 x축에 평행한 직선이므로 상수함수이다.

답 (1) ㄴ, ㄷ, ㅂ (2) ㄴ, ㅂ (3) ㄴ (4) ㄹ

유제 8-**10**　두 집합 $X=\{x\,|\,0\leq x\leq2\}$, $Y=\{y\,|\,0\leq y\leq2\}$에 대하여 함수 $f:X\longrightarrow Y$의
　　　　　　그래프가 **보기**와 같을 때, 일대일함수, 일대일대응, 항등함수, 상수함수인 것만을
　　　　　　각각 있는 대로 고르시오.

┤ 보기 ├

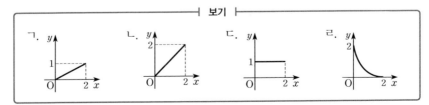

두 집합 $X=\{x\,|\,a\leq x\leq 2\}$, $Y=\{y\,|\,-5\leq y\leq 3\}$에 대하여 X에서 Y로의
함수 $f(x)=2x+b$가 일대일대응이 되도록 하는 두 상수 a, b의 값을 구하시오.

■ **새**정리   함수 $f:X \longrightarrow Y$가 일대일대응이 되려면 다음 두 조건을 모두 만족해야 한다.
(1) 치역과 공역이 같다.
(2) 일대일함수이다. 즉, x_1, $x_2 \in X$에 대하여 $x_1 \neq x_2$이면 $f(x_1) \neq f(x_2)$이다.

풀이   함수 $f(x)=2x+b$의 그래프는 증가하는 그래프이므로
치역은 $\{y\,|\,2a+b\leq y\leq 4+b\}$
이때, 함수 f가 일대일대응이 되려면 치역과 공역이 일치해야 한다.
공역은 $\{y\,|\,-5\leq y\leq 3\}$이므로
$2a+b=-5$ $\qquad$ ……㉠
$4+b=3$ $\qquad$ ……㉡
㉠, ㉡을 연립하여 풀면
$a=-2$, $b=-1$

$\qquad\qquad\qquad\qquad\qquad\qquad\qquad\qquad$ 답 $a=-2$, $b=-1$

유제 8-11 두 집합 $X=\{x\,|\,-1\leq x\leq 1\}$, $Y=\{y\,|\,0\leq y\leq 1\}$에 대하여
$\qquad\qquad f:X \longrightarrow Y,\ f(x)=ax+b\ (a>0)$
로 정의되는 f가 일대일대응이 되도록 두 상수 a, b의 값을 정할 때, $f\left(\dfrac{1}{2}\right)$의 값을
구하시오.

유제 8-12 집합 $X=\{x\,|\,x\geq k\}$에 대하여 X에서 X로의 함수 $f(x)=2x+5$가 일대일대응
일 때, 상수 k의 값을 구하시오.

실수 전체의 집합에서 정의된 함수 $f(x)=ax+|x-1|+2$가 일대일대응이 되도록 하는 상수 a의 값의 범위를 구하시오.

　　　■ 길잡이　　(1) x의 값의 범위에 따라 함수 f의 절댓값 기호를 없앤다.
　　　　　　　　　(2) 일대일대응이 되려면 함수 f가 증가하거나 감소하는 함수이어야 한다.

풀이　$f(x)=ax+|x-1|+2=\begin{cases}(a+1)x+1 & (x\geq1) \\ (a-1)x+3 & (x<1)\end{cases}$이므로

　(i) 주어진 함수가 일대일대응이 되려면
　　　이 함수의 그래프는 $x\geq1$, $x<1$일 때,
　　　기울기의 부호가 같아야 하므로
　　　$(a+1)(a-1)>0$
　　　$\therefore a<-1$ 또는 $a>1$

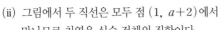

　(ii) 그림에서 두 직선은 모두 점 $(1, a+2)$에서
　　　만나므로 치역은 실수 전체의 집합이다.
　(i), (ii)에 의하여 주어진 함수가 일대일대응이 되도록 하는 상수 a의 값의 범위는
　$a<-1$ 또는 $a>1$

답 $a<-1$ 또는 $a>1$

유제 8-13　실수 전체의 집합에서 정의된 함수
$$f(x)=\begin{cases}ax+1 & (x\geq0) \\ 3x+b & (x<0)\end{cases}$$
가 일대일대응이 되도록 하는 두 정수 a, b에 대하여 $a+b$의 최솟값을 구하시오.

유제 8-14　실수 전체의 집합에서 정의된 함수
$$f(x)=\begin{cases}x^2 & (1\leq x\leq3) \\ ax+b & (x<1 \text{ 또는 } x>3)\end{cases}$$
가 일대일대응이 되도록 하는 두 상수 a, b에 대하여 $a-b$의 값을 구하시오.

(단, $a>0$)

다음 물음에 답하시오.

(1) 실수 전체의 집합에서 정의된 두 함수 f, g에 대하여 f는 항등함수이고, $g(x)=-2$
일 때, $f(5)+g(-3)$의 값을 구하시오.

(2) 집합 $X=\{x\,|\,x$는 자연수$\}$에 대하여 X에서 X로의 함수 f는 상수함수이다.
$f(99)=3$일 때, $f(1)+f(3)+f(5)+\cdots+f(99)$의 값을 구하시오.

⋯⋯⋯ ☰ **샘**정리   (1) 항등함수 ➡ $f:X \longrightarrow X$에서 $f(x)=x\,(x\in X)$

(2) 상수함수 ➡ $f:X \longrightarrow Y$에서 $f(x)=c\,(x\in X,\ c\in Y)$

풀이 (1) f는 항등함수이므로 $f(x)=x$

$\therefore f(5)=5$

$g(x)=-2$이므로 g는 상수함수이다.

$\therefore g(-3)=-2$

$\therefore f(5)+g(-3)=5+(-2)=3$

(2) f가 상수함수이고, $f(99)=3$이므로 $f(x)=3$이다.

$f(1)=f(3)=f(5)=\cdots=f(99)=3$

$\therefore f(1)+f(3)+f(5)+\cdots+f(99)=3\times 50=150$

답 (1) 3 (2) 150

유제 8-**15** 집합 $X=\{2,\ 3,\ 5\}$에 대하여 X에서 X로의 두 함수 f, g가 각각 항등함수, 상수
함수이고 $f(5)=g(3)=k$일 때, $\dfrac{f(3)}{g(2)}$의 값을 구하시오.

유제 8-**16** 집합 $X=\{a,\ b,\ c\}$에 대하여 X에서 X로의 함수 f가

$$f(x)=\begin{cases} -3 & (x<-2) \\ 2x-1 & (-2\leq x\leq 1) \\ 2 & (x>1) \end{cases}$$

이다. f가 항등함수일 때, $a+b+c$의 값을 구하시오.

(단, a,b,c는 서로 다른 상수이다.)

두 집합 $X=\{1,\ 3,\ 5,\ 7,\ 9\}$, $Y=\{2,\ 4,\ 6,\ 8,\ 10,\ 12,\ 14\}$에 대하여 다음 조건을 만족시키는 X에서 Y로의 함수 f의 개수를 구하시오.

> (가) $f(5)=8$
> (나) 집합 X의 임의의 두 원소 x_1, x_2에 대하여 $x_1<x_2$이면 $f(x_1)<f(x_2)$이다.

> ■ **길잡이**   정의역의 각 원소에 대하여 조건을 만족하는 함숫값이 될 수 있는 경우를 생각하여 함수의 개수를 구한다.

풀이 $f(5)=8$이므로 조건 (나)에 의하여 $f(1)<f(3)<8<f(7)<f(9)$이어야 한다.

$f(1)<f(3)$에서

$f(1)=2$일 때 $f(3)$의 값은 4, 6 중 하나이고,

$f(1)=4$일 때 $f(3)$의 값은 6이므로

$f(1)$, $f(3)$의 값을 정하는 방법은 $2+1=3$(가지)이다.

마찬가지로 $f(7)$, $f(9)$의 값을 정하는 방법도 3가지이다.

따라서 구하는 함수 f의 개수는 $3\times3=9$이다.

답 9

> 📌 두 집합 X, Y의 원소의 개수가 각각 x, y일 때,
> (1) 함수의 개수 ➡ y^x
> (2) 일대일함수의 개수 ➡ $y(y-1)(y-2)\times\cdots\times(y-x+1)$ (단, $y\geq x$)
> (3) 일대일대응의 개수 ➡ $y(y-1)(y-2)\times\cdots\times2\times1$ (단, $y=x$)
> (4) 상수함수의 개수 ➡ y

유제 8-17   두 집합 $X=\{1,\ 2,\ 3\}$, $Y=\{1,\ 2,\ 3,\ 4\}$에 대하여 X에서 X로의 함수 중에서 일대일대응의 개수를 a, X에서 Y로의 함수 중에서 일대일함수의 개수를 b라 하자. 이때, $a+b$의 값을 구하시오.

유제 8-18   집합 $X=\{x_1,\ x_2,\ \cdots,\ x_n\}$에서 집합 $Y=\{y_1,\ y_2,\ \cdots,\ y_n\}$으로의 상수함수가 아닌 함수의 개수를 $f(n)$, x_1이 y_1에 대응되지 않는 일대일대응의 개수를 $g(n)$이라 할 때, $f(3)+g(4)$의 값을 구하시오.

8-1 두 집합 $X=\{-1, 0, 1\}$, $Y=\{1, 2, 3, 4\}$에 대하여 X에서 Y로의 함수인 것만을 **보기**에서 있는 대로 고르시오.

┤ 보기 ├

ㄱ. $f(x)=3$ ㄴ. $g(x)=x+2$

ㄷ. $h(x)=x^2+3$ ㄹ. $k(x)=x^2+2x+1$

8-2 그림과 같은 함수 $f : X \longrightarrow Y$에 대하여 다음을 구하시오.

(1) $f(3)$

(2) $f(a)=5$인 a의 값

(3) 정의역

(4) 치역

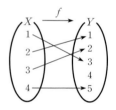

8-3 집합 $X=\{1, 2, 3\}$일 때, $f : X \longrightarrow X$인 함수 f를 다음과 같이 정의한다.

$$f(x)=\begin{cases} x+1 & (x \leq 2) \\ 1 & (x=3) \end{cases}$$

이때, $f(2)+f(3)$의 값을 구하시오.

8-4 정의역이 $X=\{-2, 1, 2, a\}$일 때, 함수 $f(x)=2x-1$의 치역은 $\{-5, 1, 7, b\}$이다. 이때, 두 상수 a, b에 대하여 $a+b$의 값을 구하시오.

8-5 정의역이 $X=\{1, 2\}$, 공역이 $Y=\{0, 1, 2, 3\}$인 두 함수 $f(x)=x^2-x$, $g(x)=ax+b$에 대하여 $f(x)=g(x)$일 때, $a-b$의 값을 구하시오.

(단, a, b는 상수이다.)

8-6 정의역이 $\{x|0\leq x\leq 4\}$인 함수 $f(x)=ax+b$의 치역이 $\{y|-4\leq y\leq 12\}$일 때, 두 상수 a, b의 합 $a+b$의 값을 구하시오. (단, $a>0$)

8-7 다음 그래프 중에서

「X의 임의의 두 원소 x_1, x_2에 대하여 $f(x_1)=f(x_2)$이면 $x_1=x_2$이다.」

를 만족시키는 함수 $f:X\longrightarrow Y$의 그래프인 것은?

(단, X, Y는 실수 전체의 집합이다.)

① ② ③

④ ⑤

8-8 실수 전체의 집합에서 정의된 두 함수 f, g에 대하여 f는 항등함수이고, g는 상수함수이다. $f(10)+g(20)=50$일 때, $f(30)+g(40)$의 값을 구하시오.

8-9 두 집합 $X=\{x|1\leq x\leq b\}$, $Y=\{y|a\leq y\leq 7\}$에 대하여 X에서 Y로의 함수 $f(x)=2x+1$이 일대일대응일 때, 두 상수 a, b의 합 $a+b$의 값을 구하시오.

8-10 집합 $X=\{1, 2, 3, 4\}$에 대하여 X에서 X로의 함수 중에서 일대일대응의 개수를 a, 상수함수의 개수를 b, 항등함수의 개수를 c라 할 때, $a+b+c$의 값을 구하시오.

8-11 두 집합 $X=\{-1, 0, 1, 2, 3\}$, $Y=\{1, 2, 3, 4, 5\}$에 대하여 X에서 Y로의 함수 f를
$$f(x)=\begin{cases} -x^2+2 & (x<1) \\ 3 & (x=1) \\ x-1 & (x>1) \end{cases}$$
로 정의할 때, 함수 f의 치역을 구하시오.

8-12 음이 아닌 정수 전체의 집합에서 함수 f를
$$f(x)=\begin{cases} x+1 & (0\le x\le 4) \\ f(x-4) & (x>4) \end{cases}$$
로 정의할 때, $f(3)+f(27)$의 값을 구하시오.

8-13 자연수 전체의 집합 N에서 함수 $f : N \longrightarrow N$을 임의의 자연수 n에 대하여 $f(n)=(n$의 약수의 개수)로 정의할 때, **보기**에서 옳은 것만을 있는 대로 고르시오.

┤ 보기 ├
ㄱ. $f(2)=2$ ㄴ. $f(3)+f(4)=7$
ㄷ. $f(n)=2$를 만족시키는 10 이하의 자연수 n의 개수는 4이다.

8-14 정수 전체의 집합에서 정의된 함수 f가 다음 두 조건을 만족시킬 때, $f(5)$의 값을 구하시오.

(가) $f(1)=1$ (나) $f(x+y)-f(y)=f(x)+xy$

8-15 실수를 원소로 갖는 집합 X가 정의역인 두 함수 $f(x)=2x^2$, $g(x)=x^3-3x$에 대하여 두 함수 f와 g가 서로 같을 때, 집합 X의 개수를 구하시오. (단, $X\ne\varnothing$)

8 – 16 집합 $X=\{2, 3, 6\}$에 대하여 X에서 X로의 일대일대응, 항등함수, 상수함수를 각각 f, g, h라 하자. 세 함수 f, g, h가 다음 두 조건을 만족시킬 때, $f(3)+h(2)$의 값은?

> (가) $f(2)=g(3)=h(6)$ 　　　　　　 (나) $f(2)f(3)=f(6)$

① 4 　　　　② 5 　　　　③ 6 　　　　④ 8 　　　　⑤ 9

8 – 17 실수 전체의 집합에서 정의된 함수 $f(x)=a|x-2|+x-1$이 일대일대응이 되도록 하는 실수 a의 값의 범위를 구하시오.

8 – 18 두 집합 $X=\{x|x\geq3\}$, $Y=\{y|y\geq3\}$에 대하여 X에서 Y로의 함수 $f(x)=2x^2-4x+k$가 일대일대응일 때, 상수 k의 값을 구하시오.

8 – 19 실수 전체의 집합에서 정의된 함수 f가
$$f(x)=\begin{cases} x+2 & (x\geq1) \\ ax-b & (x<1) \end{cases}$$
이다. 함수 f가 일대일대응일 때, 상수 b의 값의 범위는? (단, a는 상수이다.)

① $b>-3$ 　　② $b>-2$ 　　③ $b>1$ 　　④ $b>2$ 　　⑤ $b<3$

8 – 20 집합 $A=\{-1, 0, 1\}$에서 집합 $B=\{-2, -1, 0, 1, 2\}$로의 함수 f가 $x\in A$인 모든 x에 대하여 $f(-x)=f(x)$를 만족시킬 때, 함수 f의 개수를 구하시오.

8-21 2 이상의 자연수의 집합에서 정의된 함수 f가 다음 두 조건을 만족시킨다.

> (개) x가 소수일 때, $f(x)=x$　　　　(내) $f(xy)=f(x)+f(y)$

이때, $f(1000)$의 값을 구하시오.

8-22 두 집합 $X=\{1,\ 2,\ 3\}$, $Y=\{2,\ 3,\ 4\}$가 있다. 함수 $f:X \longrightarrow Y$ 중 $x_1,\ x_2 \in X$에 대하여 $x_1 \neq x_2$이면 $f(x_1) \neq f(x_2)$인 함수들의 집합을 A, $f(1)=2$를 만족시키는 함수들의 집합을 B라 할 때, $n(A \cup B)$의 값을 구하시오.

8-23 함수 f가 다음 두 조건을 만족시킨다.

> (개) $f(x)= \begin{cases} -x-2 & (-2 \leq x < -1) \\ x & (-1 \leq x < 1) \\ -x+2 & (1 \leq x \leq 2) \end{cases}$　　　(내) $f(x)=f(x+4)$

이때, 방정식 $f(x)=\dfrac{1}{n}x$를 만족시키는 x의 개수가 27일 때, 자연수 n의 최솟값을 구하시오.

8-24 함수 f가 임의의 두 실수 a, b에 대하여
$$f(a+b)=f(a)+f(b)+1$$
을 만족시킬 때, **보기**에서 옳은 것만을 있는 대로 고른 것은?

> ┤ 보기 ├
> ㄱ. $f(0)=-1$　　　　　　　　ㄴ. $f(x)=-f(-x)$
> ㄷ. 함수 $y=f(x)$는 점 $(0,\ -1)$에 대하여 대칭이다.

① ㄱ　　　　② ㄴ　　　　③ ㄷ　　　　④ ㄱ, ㄷ　　　　⑤ ㄱ, ㄴ, ㄷ

09 합성함수와 역함수

09. 합성함수와 역함수

1. 합성함수의 정의

두 함수 $f : X \longrightarrow Y$, $g : Y \longrightarrow Z$의 합성함수는

$$g \circ f : X \longrightarrow Z,$$
$$(g \circ f)(x) = g(f(x))$$

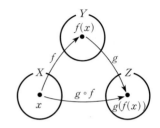

2. 합성함수의 성질

일반적으로 함수의 합성에서

(1) 교환법칙이 성립하지 않는다.

$$f \circ g \neq g \circ f$$

(2) 결합법칙이 성립한다.

$$f \circ (g \circ h) = (f \circ g) \circ h$$

3. 역함수의 정의

함수 $f : X \longrightarrow Y$, $y = f(x)$가 일대일대응일 때, 함수 f의 역함수 f^{-1}가 존재한다.

$$f^{-1} : Y \longrightarrow X, \ x = f^{-1}(y)$$

4. 역함수의 성질

함수 $f : X \longrightarrow Y$가 일대일대응일 때,

(1) 역함수 $f^{-1} : Y \longrightarrow X$가 존재한다.

(2) $y = f(x) \Longleftrightarrow x = f^{-1}(y)$

(3) $(f^{-1} \circ f)(x) = x \, (x \in X)$, $(f \circ f^{-1})(y) = y \, (y \subset Y)$

(4) $(f^{-1})^{-1}(x) = f(x) \, (x \in X)$

5. 역함수의 그래프의 성질

함수 $y = f(x)$의 그래프와 그 역함수 $y = f^{-1}(x)$의 그래프는 직선 $y = x$에 대하여 대칭이다.

1 합성함수

1 합성함수의 뜻

통나무 원목으로 합판을 만드는 공장 A와 합판으로 탁자를 만드는 공장 B가 있다. 생산비를 절감하기 위하여 새로 지은 공장 C에서는 통나무 원목으로 탁자를 만든다고 하면, 이때 공장 C는 두 공장 A, B의 공정을 한 번에 진행하는 곳이다.

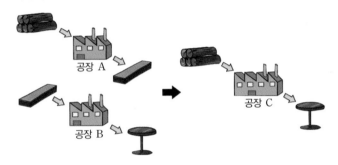

위에서

통나무 ⤳ 합판, 합판 ⤳ 탁자

를 만드는 두 공장 A, B를 각각 함수 f, g라 하면, 통나무 ⤳ 탁자를 만드는 공장 C는 두 함수 f, g를 합성한 함수 $g \circ f$의 의미를 갖는다.

이제 합성함수의 정확한 뜻을 수학적으로 알아보자.

세 집합 $X = \{a, b, c\}$, $Y = \{p, q, r\}$, $Z = \{1, 2\}$에 대하여 두 함수 f, g의 대응 관계가 그림과 같다고 하자.

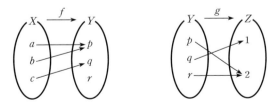

이때, 함수 f에 의하여 X의 각 원소에 Y의 원소를 대응시키고, 또 함수 g에 의하여 Y의 각 원소에 Z의 원소를 대응시키는 관계를 한 번에 표현하면 다음 그림과 같다.

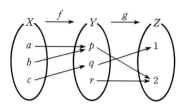

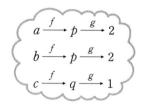

즉, 위의 그림에서 이 대응은 $x \longrightarrow f(x) \longrightarrow g(f(x))$로 X의 원소 x에 대한 함숫값 $g(f(x))$를 Z의 원소에

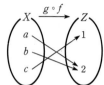

$$a \longrightarrow 2, \ b \longrightarrow 2, \ c \longrightarrow 1$$

과 같이 대응시킨 것이고, 그림과 같이 X에서 Z로의 함수가 된다.

일반적으로 두 함수

$$f : X \longrightarrow Y, \ y = f(x)$$
$$g : Y \longrightarrow Z, \ z = g(y)$$

에 대하여 X의 임의의 원소 x에 Z의 원소 $g(f(x))$를 대응시키면 X를 정의역, Z를 공역으로 하는 새로운 함수를 정할 수 있다.

이 함수를 f와 g의 **합성함수**라 하고, 기호로

$$g \circ f$$

와 같이 나타낸다. 즉,

$$g \circ f : X \longrightarrow Z, \ (g \circ f)(x) = g(f(x))$$

$$y = f(x), \ z = g(y) = g(f(x)) \qquad z = g(f(x)) = (g \circ f)(x)$$

새롭 정리

합성함수

두 함수 $f : X \longrightarrow Y$, $g : Y \longrightarrow Z$의 합성함수는

$$g \circ f : X \longrightarrow Z,$$
$$(g \circ f)(x) = g(f(x))$$

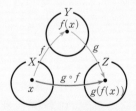

예 두 함수 $f(x)=x^2$, $g(x)=x+2$에 대하여

① $(f \circ g)(x)=f(g(x))=f(x+2)=(x+2)^2=x^2+4x+4$

② $(g \circ f)(x)=g(f(x))=g(x^2)=x^2+2$

② 합성함수의 성질

위의 예와 같이 두 함수가 $f(x)=x^2$, $g(x)=x+2$일 때,

$$f \circ g \neq g \circ f$$

임을 알 수 있다. 즉,

$$(f \circ g)(3)=f(g(3))=f(5)=25$$
$$(g \circ f)(3)=g(f(3))=g(9)=11$$

과 같이 일반적으로 함수의 합성에서는 교환법칙이 성립하지 않는다.

한편, 세 함수 $f(x)=x^2$, $g(x)=x+2$, $h(x)=2x$에 대하여

$$(f \circ (g \circ h))(x)=f((g \circ h)(x))=f(2x+2)=(2x+2)^2=4x^2+8x+4$$
$$((f \circ g) \circ h)(x)=(f \circ g)(h(x))=(f \circ g)(2x)=(2x+2)^2=4x^2+8x+4$$

와 같이 결합법칙이 성립한다. 즉,

$$f \circ (g \circ h)=(f \circ g) \circ h$$

새ㅁ정리 ──────────────────────────── 합성함수의 성질

일반적으로 함수의 합성에서

1 교환법칙이 성립하지 않는다.

$$f \circ g \neq g \circ f$$

2 결합법칙이 성립한다.

$$f \circ (g \circ h)=(f \circ g) \circ h$$

예 ① 두 함수 $f(x)=2x$, $g(x)=x+3$에 대하여

$$(f \circ g)(x)=f(g(x))=f(x+3)=2(x+3)=2x+6$$
$$(g \circ f)(x)=g(f(x))=g(2x)=2x+3$$
$$\therefore f \circ g \neq g \circ f \quad \leftarrow \text{교환법칙이 성립하지 않는다.}$$

② 세 함수 $f(x)=2x$, $g(x)=x+3$, $h(x)=x^2-1$에 대하여

$$(f \circ (g \circ h))(2)=f((g \circ h)(2))=f(g(3))=f(6)=12$$
$$((f \circ g) \circ h)(2)=(f \circ g)(h(2))=(f \circ g)(3)=f(g(3))=f(6)=12$$
$$\therefore (f \circ (g \circ h))(2)=((f \circ g) \circ h)(2) \quad \leftarrow \text{결합법칙이 성립한다.}$$

함수의 합성에서 교환법칙이 항상 성립하지 않는 것은 아니다.

두 함수 $f(x)=x^2+1$, $g(x)=x$에 대하여

$$(f \circ g)(x)=f(g(x))=f(x)=x^2+1$$
$$(g \circ f)(x)=g(f(x))=g(x^2+1)=x^2+1$$

과 같이 $f \circ g=g \circ f$인 경우도 있다.

항등함수 I와의 합성함수

함수 I를 집합 X에서의 항등함수라 할 때,

두 함수 f와 I의 합성함수는 함수 f가 된다.

$$f : X \longrightarrow X일 \ 때, \ f \circ I=I \circ f=f$$

개념확인코너

정답 및 해설 p.470

1 그림과 같은 두 함수 f, g에 대하여 다음을 구하 시오.

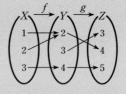

(1) $(g \circ f)(1)$

(2) $(g \circ f)(2)$

(3) 함수 $g \circ f$의 치역

2 두 함수 $f(x)=x^2-1$, $g(x)=3x$에 대하여 다음 합성함수를 구하시오.

(1) $f \circ g$ (2) $g \circ f$

3 세 함수 $f(x)=x^2$, $g(x)=x+1$, $h(x)=2x-3$에 대하여 다음 값을 구 하시오.

(1) $(f \circ g)(2)$ (2) $(g \circ f)(2)$

(3) $(f \circ (g \circ h))(-1)$ (4) $((f \circ g) \circ h)(-1)$

필수 예제 1 합성함수 (1)

그림과 같은 두 함수 $f:X \longrightarrow Y$, $g:Y \longrightarrow Z$에 대하여 다음을 구하시오.

(1) $(g \circ f)(1) + (g \circ f)(-1)$

(2) 함수 $g \circ f$의 치역

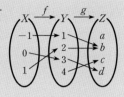

■ 길잡이 (1) $(g \circ f)(x) = g(f(x))$는 $g(x)$의 x의 자리에 $f(x)$를 대입하라는 뜻이다.

(2) X의 각 원소에 대응되는 Z의 원소를 찾아본다.

■ 새로운 정리 두 함수 $f:X \longrightarrow Y$, $g:Y \longrightarrow Z$의 합성함수는

➡ $g \circ f:X \longrightarrow Z$, $(g \circ f)(x) = g(f(x))$

풀이 (1) $(g \circ f)(1) = g(f(1)) = g(2) = b$

$(g \circ f)(-1) = g(f(-1)) = g(1) = b$

∴ $(g \circ f)(1) + (g \circ f)(-1) = 2b$

(2) $(g \circ f)(-1) = b$, $(g \circ f)(1) = b$,

$(g \circ f)(0) = g(f(0)) = g(3) = d$

따라서 합성함수 $g \circ f$의 치역은 $\{b, \ d\}$이다.

답 (1) $2b$ (2) $\{b, \ d\}$

참고 합성함수 $g \circ f$의 치역과 함수 g의 치역이 같지 않다는 것에 주의하자.

함수 f의 치역이 함수 g의 정의역과 같지 않으므로 함수 g의 정의역의 원소 4에 대응하는 c는 합성함수 $g \circ f$의 치역의 원소가 아니다.

유제 9-1 그림과 같이 정의된 두 함수

$f:X \longrightarrow Y$, $g:Y \longrightarrow Z$

에 대하여 다음을 구하시오.

(1) $(g \circ f)(2) + (g \circ f)(3)$

(2) 함수 $g \circ f$의 치역

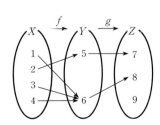

세 함수 $f(x)=2x+1$, $g(x)=x^2$, $h(x)=-x+1$에 대하여 다음 값 또는 합성함수를 구하시오.

(1) $(g \circ f)(2)$ (2) $(h \circ g)(-3)$ (3) $h \circ (g \circ f)$

■ **길잡이** $(f \circ g)(a)$의 값은 먼저 $g(a)$의 값을 구한 후, $(f \circ g)(a)=f(g(a))$임을 이용한다.

풀이   (1) $f(2)=2 \times 2+1=5$이므로

         $(g \circ f)(2)=g(f(2))=g(5)=5^2=25$

    (2) $g(-3)=(-3)^2=9$이므로

         $(h \circ g)(-3)=h(g(-3))=h(9)=-9+1=-8$

    (3) $(g \circ f)(x)=g(f(x))=g(2x+1)=(2x+1)^2$이므로

         $(h \circ (g \circ f))(x)=h((g \circ f)(x))=h((2x+1)^2)$

                       $=-(2x+1)^2+1$

                       $=-4x^2-4x$

                               답 (1) 25 (2) -8

                                      (3) $(h \circ (g \circ f))(x)=-4x^2-4x$

유제 9-2   세 함수 $f(x)=-x+1$, $g(x)=2x+3$, $h(x)=-x^2+2$에 대하여 다음 값 또는 합성함수를 구하시오.

        (1) $(f \circ f)(2)$ (2) $(g \circ f)(-1)$

        (3) $(h \circ g) \circ f$

유제 9-3   세 함수 f, g, h에 대하여 $(f \circ g)(x)=2x^2-5$, $h(x)=x-3$일 때, $(f \circ (g \circ h))(4)$의 값을 구하시오.

유제 9-4   두 함수 $f(x)=2x+1$, $g(x)=\begin{cases} 3x-1 & (x \geq 1) \\ -x^2+3x & (x < 1) \end{cases}$에 대하여

        $(g \circ f)(-2)+(f \circ g)(3)$의 값을 구하시오.

필수 예제 3 $f \circ g = g \circ f$인 경우

두 함수 $f(x) = -3x + k$, $g(x) = 2x + 4$에 대하여 $(f \circ g)(x) = (g \circ f)(x)$가 항상 성립할 때, $f(-3)$의 값을 구하시오. (단, k는 상수이다.)

····· ■ **길잡이** $(f \circ g)(x) = (g \circ f)(x)$임을 이용하여 k의 값을 구한 다음 $f(-3)$의 값을 구한다.

풀이 $f(x) = -3x + k$, $g(x) = 2x + 4$에서

$$(f \circ g)(x) = f(2x+4)$$
$$= -3(2x+4) + k$$
$$= -6x - 12 + k \quad \cdots\cdots \ \boxdot$$
$$(g \circ f)(x) = g(-3x+k)$$
$$= 2(-3x+k) + 4$$
$$= -6x + 2k + 4 \quad \cdots\cdots \ \boxdot$$

$\boxdot$과 $\boxdot$이 같아야 하므로

$$-6x - 12 + k = -6x + 2k + 4$$
$$\therefore k = -16$$

따라서 $f(x) = -3x - 16$이므로

$$f(-3) = -3 \times (-3) - 16 = -7$$

일반적으로는
$f \circ g \neq g \circ f$

답 -7

유제 9-5   두 함수 $f(x) = ax + 3$, $g(x) = 2x - 1$에 대하여 $f \circ g = g \circ f$가 항상 성립할 때, 상수 a의 값을 구하시오.

유제 9-6   실수 전체의 집합에서 정의된 두 함수 f, g가
$$f(x) = ax + b, \ g(x) = 2x^2 + 3x + 1$$
이고, 모든 실수 x에 대하여 $(f \circ g)(x) = (g \circ f)(x)$를 만족시킬 때, $f(1) + f(2) + f(3) + \cdots + f(10)$의 값을 구하시오.

(단, $a \neq 0$이고, a, b는 상수이다.)

필수 예제 4   **함수 h 구하기**

두 함수 $f(x)=2x+1$, $g(x)=-4x+3$에 대하여 다음을 만족시키는 함수 h를 구하시오.

(1) $(f \circ h)(x)=g(x)$ (2) $(h \circ f)(x)=g(x)$

········· ■ **길잡이**   (1) $(f \circ h)(x)=g(x)$에서 $f(h(x))=g(x)$이므로 $f(x)=2x+1$의 x에 $h(x)$를 대입하여 구한다.

(2) $(h \circ f)(x)=g(x)$에서 $h(f(x))=g(x)$이므로 $f(x)=2x+1$에서 $2x+1=t$로 치환하여 구한다.

풀이 (1) $(f \circ h)(x)=f(h(x))=2h(x)+1=g(x)$에서

$2h(x)+1=-4x+3$

$2h(x)=-4x+2$

$\therefore h(x)=-2x+1$

(2) $(h \circ f)(x)=h(f(x))=h(2x+1)=g(x)$에서

$2x+1=t$로 치환하면 $x=\dfrac{t-1}{2}$이므로

$h(t)=g\left(\dfrac{t-1}{2}\right)=-4 \times \dfrac{t-1}{2}+3=-2t+5$

t를 x로 바꾸면

$h(x)=-2x+5$

> 함수 h가 일차함수라는 조건이 있는 경우는 $h(x)=ax+b$로 놓고 풀면 쉽다.

답 (1) $h(x)=-2x+1$ (2) $h(x)=-2x+5$

유제 9-7   두 함수 $f(x)=3x+4$, $g(x)=6x-3$에 대하여 다음을 만족시키는 함수 h를 구하시오.

(1) $(h \circ f)(x)=g(x)$ (2) $(h \circ g \circ f)(x)=g(x)$

유제 9-8   실수 전체의 집합에서 정의된 함수 f가 $f\left(\dfrac{3x-1}{2}\right)=6x+4$일 때, 함수 f를 구하시오.

집합 $X=\{0,\ 1,\ 2\}$에 대하여
X에서 X로의 함수 f가 그림과 같다.
$f^1=f$, $f^{n+1}=f\circ f^n\,(n=1,\ 2,\ 3,\ \cdots)$으로 정의할 때,
$f^{99}(0)+2f^{100}(1)+3f^{101}(2)$의 값을 구하시오.

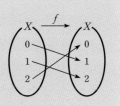

> ┈┈┈┈┈┈ ■ **길잡이**　$f^n(a)$의 값을 구할 때, $f^2(a)$, $f^3(a)$, $f^4(a)$, $\cdots$에서 규칙을 찾는다.

풀이　함수 f를 연속하여 3번 합성하면 그림과 같다.

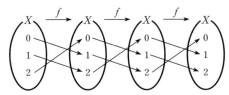

즉, $f^3(x)=x$이므로
$f^{3n}(x)=x$, $f^{3n+1}(x)=f(x)$, $f^{3n+2}(x)=f^2(x)$
$\therefore f^{99}(0)=0,\ f^{100}(1)=f(1)=2,\ f^{101}(2)=f^2(2)=f(f(2))=f(0)=1$
$\therefore f^{99}(0)+2f^{100}(1)+3f^{101}(2)=0+2\times2+3\times1=7$

답 7

유제 9-9　함수 $f(x)=x-1$에 대하여
$$f^1=f,\ f^{n+1}=f\circ f^n\ (n=1,\ 2,\ 3,\ \cdots)$$
일 때, $f^{50}(a)=50$을 만족시키는 상수 a의 값을 구하시오.

유제 9-10　집합 $X=\{1,\ 2,\ 3,\ 4\}$에 대하여 함수 $f:X\longrightarrow X$를 다음과 같이 정의한다.
$$f(x)=\begin{cases}x-1\ (x>1)\\ 4\quad (x=1)\end{cases},\ f^1=f,\ f^{n+1}=f\circ f^n\,(n=1,\ 2,\ 3,\ \cdots)$$
이때, $f^{102}(1)+f^{103}(4)$의 값을 구하시오.

그림은 함수 $y=f(x)$의 그래프와 직선 $y=x$를 나타낸 것이다. 다음 물음에 답하시오.

(1) $(f \circ f)(c)$의 값을 구하시오.

(2) $(f \circ f)(x)=b$를 만족시키는 x의 값을 구하시오.

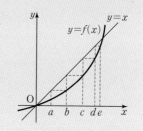

-------- ■ **길잡이**   직선 $y=x$를 이용하여 y축과 점선이 만나는 점의 y좌표를 구한다.

풀이 (1) $f(c)=b, f(b)=a$이므로

$(f \circ f)(c)=f(f(c))=f(b)=a$

(2) $f(x)=t$로 치환하면

$(f \circ f)(x)=f(f(x))=f(t)=b$

이때, $f(c)=b$이므로 $t=c$

따라서 $f(x)=c$를 만족시키는 x의 값은

$x=d$

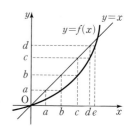

답 (1) a (2) d

유제 9-11 그림은 함수 $y=f(x)$의 그래프와 직선 $y=x$를 나타낸 것이다. 다음 물음에 답하시오.

(1) $(f \circ f \circ f)\left(\dfrac{1}{4}\right)$의 값을 구하시오.

(2) $(f \circ f)(x)=c$를 만족시키는 x의 값을 구하시오.

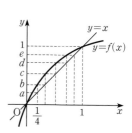

함수 $y=f(x)$의 그래프가 그림과 같고, 함수 g가
$g(x)=x+1$일 때, 합성함수 $y=(f\circ g)(x)$의 그래프를
그리시오.

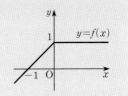

■ **길잡이** 주어진 그래프에서 함수 $y=f(x)$는 x의 값의 범위에 따라 함수의 식이 다르다.
따라서 합성함수 $y=(f\circ g)(x)$의 그래프는 x의 값의 범위를 나누어 함수 $y=f(x)$의
식을 구한 후, 함수 $y=f(g(x))$의 식을 구하여 그래프를 그린다.

풀이 $f(x)=\begin{cases} 1 & (x\geq 0) \\ x+1 & (x<0) \end{cases}$, $g(x)=x+1$에서

$(f\circ g)(x)=f(g(x))$

$\qquad\qquad =\begin{cases} 1 & (g(x)\geq 0) \\ g(x)+1 & (g(x)<0) \end{cases}$

$\qquad\qquad =\begin{cases} 1 & (x\geq -1) \\ x+2 & (x<-1) \end{cases}$

따라서 함수 $y=(f\circ g)(x)$의 그래프는 그림과 같다.

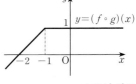

답 풀이 참조

참고 꺾인 형태의 그래프는 꺾인 점을 기준으로 정의역의 범위를 나누어 함수의 식을 생각한다.

Up
유제 9-12 함수 $y-f(x)$의 그래프가 그림과 같고,
함수 $g(x)=-x+1$이라 할 때,
합성함수 $y=(f\circ g)(x)$의 그래프를 그리시오.

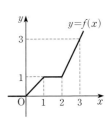

2 역함수

① 역함수의 뜻

대응 관계가 그림과 같은 두 함수 f, g를 생각하자.

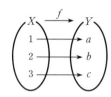 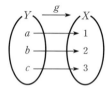

두 함수 f, g는 각각 일대일대응이며 정의역과 공역이 서로 바뀌었고, 대응하는 화살표의 방향이 서로 반대임을 알 수 있다. 즉,

$$f(1)=a, \qquad g(a)=1$$
$$f(2)=b, \qquad g(b)=2$$
$$f(3)=c, \qquad g(c)=3$$

이다.

이와 같이 함수 $f : X \longrightarrow Y$가 X에서 Y로의 일대일대응이면 Y의 임의의 원소 y에 대하여 $f(x)=y$를 만족시키는 X의 원소 x가 단 하나 존재한다.

따라서 Y의 원소 y를 $f(x)=y$인 X의 원소 x에 대응시키면 Y를 정의역, X를 공역으로 하는 새로운 함수를 얻는다.

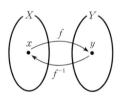

이 새로운 함수를 함수 $f : X \longrightarrow Y$의 **역함수**라 하며, 기호로

$$f^{-1} : Y \longrightarrow X, \ x=f^{-1}(y)$$

와 같이 나타낸다.

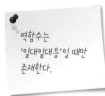

역함수는
'일대일대응'일 때만
존재한다.

새봄 정리

함수 $f : X \longrightarrow Y$, $y = f(x)$가 일대일대응일 때, 함수 f의 역함수 f^{-1}가 존재한다.
$f^{-1} : Y \longrightarrow X$, $x = f^{-1}(y)$

참고 함수 f가 일대일대응일 때만 역함수 f^{-1}가 존재하고, 함수 f의 역함수 f^{-1}의 정의역은 f의 치역, f^{-1}의 치역은 f의 정의역이다.

예 ① 그림에서 함수 $f : X \longrightarrow Y$는 일대일대응이므로 역함수 f^{-1}가 존재하고 f^{-1}의 정의역은 $\{2, 3, 4\}$, 치역은 $\{1, 2, 3\}$이다.

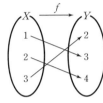 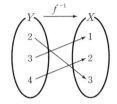

또 $f(1) = 3$, $f(2) = 4$, $f(3) = 2$이므로 $f^{-1}(3) = 1$, $f^{-1}(4) = 2$, $f^{-1}(2) = 3$이다.

② 함수 $f(x) = 2x + 1$이면 f는 일대일대응이고 $f(1) = 3$, $f(2) = 5$이므로 $f^{-1}(3) = 1$, $f^{-1}(5) = 2$이다.

③ 그림에서 함수 $f : X \longrightarrow Y$는 일대일대응이 아니므로 역함수 f^{-1}가 존재하지 않는다.

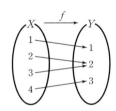

미팅에서 남자가 여자를 선택하는 것이 함수라면, 역함수는 여자가 남자를 선택하는 것이겠군~~

음~~!! 그러니까 미팅에 참여한 남, 여 인원수가 같아야 겠군!!

② 역함수 구하기

함수 $y=f(x)$가 일대일대응이면 역함수 $x=f^{-1}(y)$가 존재하고, $y=f(x)$를 x에 대하여 풀 수 있을 경우, x에 대하여 푼 식을 $x=g(y)$라 하면

$$x=g(y)=g(f(x))$$

이므로 $g=f^{-1}$이다.

즉, 함수 $y=f(x)$를 x에 대하여 푼 식 $x=f^{-1}(y)$는 함수 f의 역함수이다. 그러나 일반적으로 함수를 식으로 나타낼 때 정의역의 변수를 x, 치역의 변수를 y로 나타내므로 앞으로는 함수 $y=f(x)$의 역함수 $x=f^{-1}(y)$를 x와 y를 바꾸어

$$y=f^{-1}(x)$$

로 나타낸다.

참고 함수 f의 역함수가 존재한다면 함수 f는 일대일대응이다.

새정리   역함수 구하는 방법

함수 $y=f(x)$의 역함수는 다음의 순서로 구한다.
1 함수 $y=f(x)$가 일대일대응인지 확인한다.
2 $y=f(x)$를 x에 대하여 푼다. 즉, $x=f^{-1}(y)$의 꼴로 고친다.
3 $x=f^{-1}(y)$에서 x와 y를 서로 바꾸어 $y=f^{-1}(x)$로 나타낸다.

참고 함수의 정의역 ➡ 역함수의 공역(치역)
함수의 공역(치역) ➡ 역함수의 정의역

예 함수 $f(x)=x+3$의 역함수를 구해 보자.
(i) 함수 f는 일대일대응이므로 역함수가 존재한다.
(ii) $y=x+3$으로 놓고 x에 대하여 풀면
$x=y-3$이다.
(iii) x와 y를 바꾸면 $y=x-3$
따라서 함수 f의 역함수는 $f^{-1}(x)=x-3$이다.

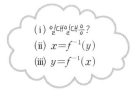

③ 역함수의 성질

함수 $y=f(x)$의 역함수가 존재하면
$$y=f(x) \Longleftrightarrow x=f^{-1}(y)$$
가 성립한다. 이로부터 다음을 알 수 있다.
$$(f^{-1} \circ f)(x)=f^{-1}(f(x))=f^{-1}(y)=x \ (x \in X)$$
$$(f \circ f^{-1})(y)=f(f^{-1}(y))=f(x)=y \ (y \in Y)$$
즉, 합성함수 $f^{-1} \circ f$는 X에서의 항등함수이고, $f \circ f^{-1}$는 Y에서의 항등함수이다.
이상을 정리하면 다음과 같다.

새 정리　　　　　　　　　　　　　　　　　　　　　**역함수의 성질**

함수 $f : X \longrightarrow Y$가 일대일대응일 때,
1 역함수 $f^{-1} : Y \longrightarrow X$가 존재한다.
2 $y=f(x) \Longleftrightarrow x=f^{-1}(y)$
3 $(f^{-1} \circ f)(x)=x \ (x \in X), \ (f \circ f^{-1})(y)=y \ (y \in Y)$
4 $(f^{-1})^{-1}(x)=f(x) \ (x \in X)$

예　① 함수 $f(x)=2x+1$에 대하여 $f^{-1}(7)=a$라 하면 $f(a)=7$이므로
　　　$2a+1=7$　　$\therefore a=3$
　　　$\therefore f^{-1}(7)=3 \Longleftrightarrow f(3)=7$

② 함수 $f(x)=2x-1$에 대하여 $f(2)=3$이므로 $f^{-1}(3)=2$
　　　$\therefore (f^{-1} \circ f)(2)=f^{-1}(f(2))=f^{-1}(3)=2$

③ 함수 $f(x)=x-3$의 역함수를 g라 하면 $y=x-3$에서
　　　$x=y+3$　　$\therefore g(x)=x+3$
　　또 함수 g의 역함수를 구해 보면 $y=x+3$에서
　　　$x=y-3$　　$\therefore g^{-1}(x)=x-3$
　　　$\therefore g^{-1}(x)=(f^{-1})^{-1}(x)=f(x)$

$f(a)=b$
$\Longleftrightarrow f^{-1}(b)=a$

참고　$f^{-1} \circ f$와 $f \circ f^{-1}$는 모두 항등함수 I이지만 정의역이 다르므로 서로 같은 함수라고 할 수 없다.

일반적으로 두 함수 f, g의 역함수가 존재할 때, 합성함수 $f \circ g$의 역함수에는 다음과 같은 성질이 있다.

새 정리

두 함수 $f:X \longrightarrow Y$, $g:Y \longrightarrow Z$가 일대일대응일 때,
$$(g \circ f)^{-1} = f^{-1} \circ g^{-1}$$

(예) 두 함수 $f(x)=x+4$, $g(x)=2x$에 대하여

$$(f \circ g)(x) = f(g(x)) = 2x+4 \qquad \therefore (f \circ g)^{-1}(x) = \frac{1}{2}x-2$$

이때, $f^{-1}(x)=x-4$, $g^{-1}(x)=\frac{1}{2}x$이므로

$$(g^{-1} \circ f^{-1})(x) = \frac{1}{2}x-2 \qquad \therefore (f \circ g)^{-1} = g^{-1} \circ f^{-1}$$

새 보충

$f \circ g = h$일 때,
① $f \circ g \circ g^{-1} = h \circ g^{-1}$ ➡ $f = h \circ g^{-1}$
② $f^{-1} \circ f \circ g = f^{-1} \circ h$ ➡ $g = f^{-1} \circ h$

(주의) f^{-1}와 g^{-1}의 위치에 주의하자.

④ 역함수의 그래프

함수 $y=f(x)$의 그래프와 그 역함수 $y=f^{-1}(x)$의 그래프 사이의
관계를 알아보자.

점 (a, b)가 함수 $y=f(x)$의 그래프 위의 점이면 $b=f(a)$가 성
립한다. 또 함수 f의 역함수 f^{-1}가 존재할 때, 역함수의 대응 관계에
의하여

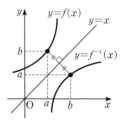

$$b=f(a) \Longleftrightarrow a=f^{-1}(b)$$

가 성립하므로 점 (b, a)는 함수 $y-f^{-1}(x)$의 그래프 위의 점이다.

그런데 두 점 (a, b), (b, a)는 직선 $y=x$에 대하여 대칭이므로 함수 $y=f(x)$의 그래프와
그 역함수 $y=f^{-1}(x)$의 그래프는 직선 $y=x$에 대하여 대칭이다.

새 정리

함수 $y=f(x)$의 그래프와 그 역함수 $y=f^{-1}(x)$의 그래프는 직선 $y=x$에 대하여
대칭이다.

주의 역함수의 정의역은 주어진 함수의 치역임을 기억하자.

예 함수 $f(x)=2x-2$의 역함수의 그래프를 그려보자.

함수 $y=f(x)$의 그래프가 [그림 1]과 같으므로 역함수 $y=f^{-1}(x)$의 그래프는 함수 $y=f(x)$의 그래프를 직선 $y=x$에 대하여 대칭이동시켜 [그림 2]와 같이 그릴 수 있다.

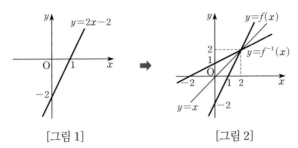

[그림 1]   [그림 2]

개념확인코너
정답 및 해설 p.470

4 함수 $f:X \longrightarrow Y$의 대응 관계가 그림과 같을 때, 다음을 구하시오.

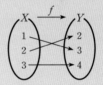

(1) $f^{-1}(3)$

(2) 함수 f^{-1}의 치역

5 다음 함수의 역함수를 구하시오.

(1) $f(x)=3x-9$ (2) $g(x)=4x+2$

6 두 함수 $f(x)=x-2$, $g^{-1}(x)=2x-3$에 대하여 다음을 구하시오.

(1) $f^{-1}(-3)$ (2) $(g \circ f)^{-1}(4)$

7 정의역과 공역이 실수 전체의 집합인 함수들의 그래프가 보기와 같을 때, 역함수가 존재하는 것을 있는 대로 고르시오.

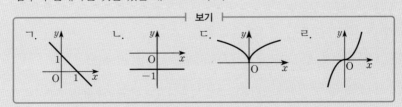

다음 물음에 답하시오.

(1) 함수 $f(x)=5x-2$에 대하여 $f^{-1}(3)$의 값을 구하시오.

(2) 함수 $f(x)=ax+b\ (a\neq 0)$의 역함수를 g라 하고, $f(2)=7$, $g(2)=1$일 때, 두 상수 a, b에 대하여 $a-b$의 값을 구하시오.

$\vdots\cdots\cdots$ ■ **길잡이** $f(a)=b \Longleftrightarrow f^{-1}(b)=a$

풀이   (1) $f^{-1}(3)=k$라 하면 $f(k)=3$이므로

$\qquad 5k-2=3 \quad \therefore k=1$

$\qquad \therefore f^{-1}(3)=1$

     (2) $f(2)=7$에서 $2a+b=7$ $\quad\cdots\cdots$ ㉠

$\qquad g(2)=f^{-1}(2)=1$에서

$\qquad f(1)=2$이므로 $a+b=2$ $\quad\cdots\cdots$ ㉡

$\qquad$ ㉠, ㉡을 연립하여 풀면

$\qquad a=5,\ b=-3$

$\qquad \therefore a-b=8$

> $(f$의 정의역$)=(f^{-1}$의 치역$)$
> $(f$의 치역$)=(f^{-1}$의 정의역$)$

답 (1) 1   (2) 8

유제 9-13   함수 $f(x)=2x+k$의 역함수 f^{-1}에 대하여 $f^{-1}(1)=2$일 때, $f(1)$의 값을 구하시오.

유제 9-14   실수 전체의 집합 R에서 R로의 함수 f를 $f(x)=\begin{cases} 2x+3 & (x\geq 0) \\ -x^2+3 & (x<0) \end{cases}$ 으로 정의할 때, $f^{-1}(2)+f^{-1}(a)=5$를 만족시키는 상수 a의 값을 구하시오.

다음 물음에 답하시오.

(1) 두 집합 $X=\{x\,|\,-1\leq x\leq 1\}$, $Y=\{y\,|\,-1\leq y\leq 5\}$에 대하여 X에서 Y로의 함수 $f(x)=ax+b$의 역함수가 존재할 때, 두 상수 a, b에 대하여 a^2+b^2의 값을 구하시오. (단, $a>0$)

(2) 실수 전체의 집합에서 정의된 함수 $f(x)=\begin{cases} 3x+2 & (x\geq 0) \\ (a+1)x+2 & (x<0) \end{cases}$의 역함수가 존재할 때, 실수 a의 값의 범위를 구하시오.

‧‧‧‧‧‧ ■ **길잡이**   함수 f의 역함수 f^{-1}가 존재하기 위해서는 함수 f가 일대일대응이어야 한다.

풀이 (1) 함수 f의 역함수가 존재하므로 함수 f는 일대일대응이다.
직선 $y=f(x)$의 기울기가 양수이므로
$f(-1)=-a+b=-1$ ‧‧‧‧‧‧ ㉠
$f(1)=a+b=5$ ‧‧‧‧‧‧ ㉡
㉠, ㉡을 연립하여 풀면 $a=3$, $b=2$
$\therefore a^2+b^2=13$

(2) 함수 f의 역함수가 존재하므로 함수 f는 일대일대응이다.
이때, $x\geq 0$인 부분에서의 직선의 기울기가 양수이므로
$x<0$인 부분에서의 직선의 기울기도 양수이어야 한다.
즉, $a+1>0$이므로
$a>-1$

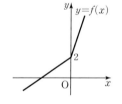

답 (1) 13 (2) $a>-1$

유제 9-15 두 집합 $X=\{x\,|\,1\leq x\leq a\}$, $Y=\{y\,|\,-3\leq y\leq b\}$에 대하여 X에서 Y로의 함수 $f(x)=-2x+5$의 역함수가 존재할 때, $a+b$의 값을 구하시오.
(단, a, b는 상수이다.)

유제 9-16 실수 전체의 집합에서 정의된 함수
$$f(x)=|x-2|+ax-5$$
가 역함수가 존재하도록 하는 실수 a의 값의 범위를 구하시오.

다음 함수의 역함수를 구하고, 그 그래프를 그리시오.

(1) $y = x - 1$

(2) $y = \dfrac{1}{3}x - \dfrac{1}{3}$, 정의역 : $\{x \mid x \geq 1\}$, 공역 : $\{y \mid y \geq 0\}$

- **길잡이**　함수 $y = f(x)$의 그래프와 그 역함수 $y = f^{-1}(x)$의 그래프는 직선 $y = x$에 대하여 서로 대칭이고, 역함수의 정의역은 원래 함수의 치역과 같다.

- **새ᄆ전개**　역함수 구하는 방법
　　① 함수 $y = f(x)$가 일대일대응인지 확인한다.
　　② $y = f(x)$를 x에 대하여 풀어 $x = f^{-1}(y)$의 꼴로 고친다.
　　③ x와 y를 서로 바꾸어 놓는다.
　　④ f의 정의역과 치역은 각각 f^{-1}의 치역과 정의역이 된다.

풀이　(1) $y = x - 1$은 실수 전체의 집합 R에서 R로의 일대일
　　　　대응이므로 역함수가 존재한다.
　　　　$y = x - 1$을 x에 대하여 풀면 $x = y + 1$
　　　　x와 y를 바꾸면 구하는 역함수는
　　　　$y = x + 1$

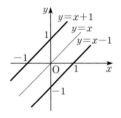

　　　　(2) $y = \dfrac{1}{3}x - \dfrac{1}{3}$ 은 $x \geq 1$일 때, 일대일대응이므로
　　　　　역함수가 존재한다.
　　　　　$y = \dfrac{1}{3}x - \dfrac{1}{3}$ 을 x에 대하여 풀면 $x = 3y + 1$
　　　　　x와 y를 바꾸면 $y = 3x + 1$
　　　　　이때, 주어진 함수의 치역은 $\{y \mid y \geq 0\}$이므로
　　　　　역함수의 정의역은 $\{x \mid x \geq 0\}$이다.
　　　　　$\therefore y = 3x + 1$, 정의역 : $\{x \mid x \geq 0\}$

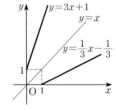

답 풀이 참조

유제 9-**17**　다음 함수의 역함수를 구하시오.

　　　　(1) $y = \dfrac{1}{2}x + 3$

　　　　(2) $y = -2x + 4$, 정의역 : $\{x \mid x \geq 1\}$, 공역 : $\{y \mid y \leq 2\}$

두 함수 $f(x)=x+1$, $g(x)=2x-1$에 대하여 다음 값 또는 함수를 구하시오.

(1) $(f \circ g)^{-1}$ (2) $(g \circ (f \circ g)^{-1} \circ g)(1)$

■ **길잡이** f^{-1}, g^{-1}를 각각 구한 다음 합성함수의 역함수의 성질을 이용하거나 합성함수를 먼저 구한 다음 역함수를 구한다.

■ **샘정리**   함수 $f : X \longrightarrow Y$가 일대일대응이면

(1) $(f^{-1})^{-1}=f$

(2) $f \circ f^{-1}=f^{-1} \circ f=I$ (I는 항등함수)

(3) $g \circ f=I$, $f \circ g=I \Longleftrightarrow g=f^{-1}$

(4) $(g \circ f)^{-1}=f^{-1} \circ g^{-1}$

풀이   (1) $(f \circ g)(x)=f(g(x))=f(2x-1)=(2x-1)+1=2x$

         $y=(f \circ g)(x)$에서 $y=2x$로 놓으면 $x=\dfrac{1}{2}y$

         x와 y를 바꾸면 $y=\dfrac{1}{2}x$

         $\therefore (f \circ g)^{-1}(x)=\dfrac{1}{2}x$

   (2) $g \circ (f \circ g)^{-1} \circ g=g \circ (g^{-1} \circ f^{-1}) \circ g=(g \circ g^{-1}) \circ (f^{-1} \circ g)$

                          $=I \circ f^{-1} \circ g=f^{-1} \circ g$ ($\because$ I는 항등함수)

         $\therefore (f^{-1} \circ g)(1)=f^{-1}(g(1))=f^{-1}(1)$

         이때, $f^{-1}(1)=k$라 하면 $f(k)=1$이므로

         $k+1=1$ $\therefore k=0$

         $\therefore (g \circ (f \circ g)^{-1} \circ g)(1)=0$

답 (1) $(f \circ g)^{-1}(x)=\dfrac{1}{2}x$ (2) 0

유제 9-18 두 함수 $f(x)=4x-3$, $g(x)=3x-5$에 대하여 다음 물음에 답하시오.

       (1) $(g^{-1} \circ f^{-1})(a)=3$을 만족시키는 상수 a의 값을 구하시오.

       (2) $(f \circ (g \circ f)^{-1} \circ f)(2)$의 값을 구하시오.

유제 9-19 두 함수 $f(x)=\begin{cases} -x+2 & (x \geq 0) \\ x^2+2 & (x<0) \end{cases}$, $g(x)=2x-3$에 대하여

       $((f^{-1} \circ g)^{-1} \circ f)(5)$의 값을 구하시오.

필수 예제 12 　　　　　　　　　　　　　　　그래프를 이용하여 역함수의 함숫값 구하기

함수 $y=f(x)$의 그래프와 직선 $y=x$가 그림과 같을 때, 다음
값을 구하시오.

(1) $f^{-1}(b)$

(2) $(f \circ f)^{-1}(b)$

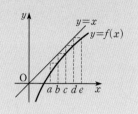

■ 길잡이　　함수 $y=f(x)$의 그래프와 역함수 $y=f^{-1}(x)$의 그래프는 직선 $y=x$에 대하여 서로 대
칭이므로 함수 $y=f(x)$의 그래프가 점 (a, b)를 지나면 역함수 $y=f^{-1}(x)$의 그래프는
점 (b, a)를 지난다. 즉,
$$f(a)=b \Longleftrightarrow f^{-1}(b)=a$$

풀이　직선 $y=x$를 이용하여 y축과 점선이 만나는 점의 y좌표를
　　　주어진 그림에 나타내면 그림과 같다.

　　　(1) $f^{-1}(b)=k$라 하면 $f(k)=b$이므로 $k=c$

　　　　　$\therefore f^{-1}(b)=c$

　　　(2) $(f \circ f)^{-1}(b)=f^{-1}(f^{-1}(b))=f^{-1}(c) \, (\because (1))$

　　　　　$f^{-1}(c)=l$이라 하면 $f(l)=c$이므로 $l=d$

　　　　　$\therefore (f \circ f)^{-1}(b)=d$

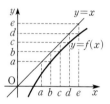

답 (1) c　(2) d

유제 9-20　　세 함수 $y=f(x)$, $y=g(x)$, $y=x$의 그래프는 그림과 같다.
　　　　　　　이때, $(f \circ g)^{-1}(b)$의 값을 구하시오.

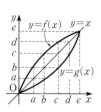

다음 물음에 답하시오.

(1) 함수 $f(x)=ax+8$의 그래프와 그 역함수 $y=f^{-1}(x)$의 그래프의 교점의 x좌표가 4일 때, 상수 a의 값을 구하시오.

(2) 함수 $f(x)=x^2-4x+6 \ (x \geq 2)$의 역함수를 g라 할 때, 두 함수 $y=f(x)$와 $y=g(x)$의 그래프의 두 교점 사이의 거리를 구하시오.

> ■ **길잡이**　　함수 $y=f(x)$의 그래프와 그 역함수 $y=f^{-1}(x)$의 그래프의 교점
> ➡ 함수 $y=f(x)$의 그래프와 직선 $y=x$의 교점과 일치한다.

풀이　(1) 두 함수 $y=f(x)$와 $y=f^{-1}(x)$의 그래프의 교점은
　　　　함수 $y=f(x)$의 그래프와 직선 $y=x$의 교점과 같다.
　　　　$ax+8=x$에서 교점의 x좌표가 4이므로 $x=4$를 대입하면
　　　　$4a+8=4$　　∴ $a=-1$

　　(2) 두 함수 $y=f(x)$와 $y=g(x)$의 그래프의 두 교점은
　　　　함수 $y=f(x)$의 그래프와 직선 $y=x$의 교점과 같다.
　　　　$x^2-4x+6=x$에서 $x^2-5x+6=0$
　　　　$(x-2)(x-3)=0$　　∴ $x=2$ 또는 $x=3$
　　　　따라서 두 함수 $y=f(x)$와 $y=g(x)$의 그래프의 두 교점은 $(2, \ 2)$, $(3, \ 3)$이므로
　　　　두 교점 사이의 거리는
　　　　$\sqrt{(3-2)^2+(3-2)^2}=\sqrt{2}$

　　　　　　　　　　　　　　　　　　　　　　　　　　　　답 (1) -1　(2) $\sqrt{2}$

다른 풀이

(2) $x^2-4x+6=x$, 즉 이차방정식 $x^2-5x+6=0$의 두 근을 α, β라 하면
　　이차방정식의 근과 계수의 관계에 의하여 $\alpha+\beta=5$, $\alpha\beta=6$
　　따라서 두 함수 $y=f(x)$와 $y=g(x)$의 그래프의 두 교점 $(\alpha, \ \alpha)$, $(\beta, \ \beta)$ 사이의 거리는
　　$\sqrt{(\alpha-\beta)^2+(\alpha-\beta)^2}=\sqrt{2\{(\alpha+\beta)^2-4\alpha\beta\}}=\sqrt{2(5^2-4\times 6)}=\sqrt{2}$

유제 9-21　함수 $f(x)=\dfrac{1}{2}x+3$과 그 역함수 f^{-1}에 대하여 두 함수 $y=f(x)$, $y=f^{-1}(x)$의 그래프의 교점의 좌표를 구하시오.

유제 9-22　함수 $f(x)=x^2-2x+k \ (x \geq 1)$의 그래프와 그 역함수 $y=f^{-1}(x)$의 그래프의 교점을 P라 할 때, $\overline{OP}=2\sqrt{2}$이다. 이때, 상수 k의 값을 구하시오.
　　　　　　　　　　　　　　　　　　　　　　　　　　　　　　(단, 점 O는 원점이다.)

9-1 두 함수 $f(x)=-3x+1$, $g(x)=x^2+1$에 대하여 다음 합성함수를 구하시오.

(1) $f\circ g$ (2) $g\circ f$

9-2 세 함수 $f(x)=x+2$, $g(x)=2x-1$, $h(x)=3x-2$에 대하여 $((h\circ g)\circ f)(2)$의 값을 구하시오.

9-3 그림과 같이 정의된 두 함수 $f:X\longrightarrow Y$, $g:Y\longrightarrow Z$에 대하여 $(g\circ f)(1)+(g\circ f)(3)$의 값은?

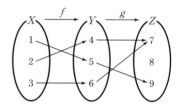

① 14   ② 15   ③ 16

④ 17   ⑤ 18

9-4 두 함수 $f(x)=x^2-2x+1$, $g(x)=2x-3$에 대하여 $1\leq x\leq 2$에서 정의된 합성함수 $f\circ g$의 치역이 $\{y\,|\,a\leq y\leq b\}$일 때, $a+b$의 값을 구하시오.

9-5 함수 $f(x)=\dfrac{x}{3}$에 대하여

$$f^1=f,\ f^{n+1}=f\circ f^n\ (n=1,2,3,\cdots)$$

일 때, $f^5(a)=3$을 만족시키는 상수 a의 값을 구하시오.

9-6 함수 $f(x)=3x+k$의 역함수 f^{-1}에 대하여 $f^{-1}(1)=2$일 때, $f(10)$의 값을 구하시오. (단, k는 실수이다.)

9-7 일차함수 $y=f(x)$에 대하여 역함수 $y=f^{-1}(x)$의 그래프가 그림과 같을 때, $f(7)$의 값을 구하시오.

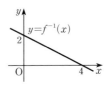

9-8 두 함수 $f(x)=-\dfrac{2}{3}x+2$, $g(x)=-3x+2$에 대하여 $(f \circ (g \circ f)^{-1} \circ f)(2)$의 값을 구하시오.

9-9 두 함수 $f(x)=x+a$, $g(x)=bx-4$에 대하여 합성함수 $(f \circ g)(x)=x-2$일 때, $f^{-1}(4)+g^{-1}(-4)$의 값을 구하시오. (단, a, b는 실수이다.)

9-10 함수 $f(x)=x^2-6x$ $(x \geq 3)$의 그래프와 그 역함수 $y=f^{-1}(x)$의 그래프의 교점이 점 (a, b)일 때, $10ab$의 값을 구하시오.

9-11 두 함수 $f(x)=2x+3$, $g(x)=-4x-5$일 때, $(h \circ f)(x)=g(x)$를 만족시키는 일차함수 h에 대하여 $(h \circ g)(-2)$의 값을 구하시오.

9-12 함수 $f(x)=2x-1$에 대하여 함수 $g(x)=(f \circ f \circ f)(x)$라 하자. $1 \leq x \leq 3$에서 함수 $y=g(x)$의 최댓값을 M, 최솟값을 m이라 할 때, $M+m$의 값을 구하시오.

9-13 집합 $A=\{x \mid 0 \leq x \leq 2\}$에 대하여 $f : A \longrightarrow A$를

$$f(x)=\begin{cases} x+1 & (0 \leq x < 1) \\ x-1 & (1 \leq x \leq 2) \end{cases}, \ f^1=f, \ f^{n+1}=f \circ f^n \ (n=1, 2, 3, \cdots)$$

와 같이 정의한다. 이때, $f^1\left(\dfrac{1}{2}\right)+f^2\left(\dfrac{1}{2}\right)+\cdots+f^{10}\left(\dfrac{1}{2}\right)$의 값을 구하시오.

9-14 두 함수 $y=f(x)$, $y=g(x)$의 그래프가 그림과 같을 때, 합성함수 $y=(g \circ f)(x)$의 그래프는?

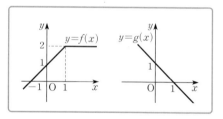

①   ②

③   ④   ⑤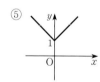

9-15 역함수를 갖는 함수 f에 대하여 $f^{-1}(1)=4$이고 $f(3x+1)=h(x)$라 할 때, $h^{-1}(1)$의 값을 구하시오.

9 - 16 그림은 함수 $y=f(x)$의 그래프와 직선 $y=x$를 나타낸 것이다. 함수 $y=f(x)$의 역함수를 g라 할 때, 다음 값을 구하시오.

(1) $f(b)+g(b)$

(2) $(f\circ f)^{-1}(a)$

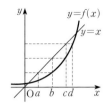

9 - 17 집합 $A=\{x\,|\,x\geq a\}$에 대하여 A에서 A로의 함수 $f(x)=x^2-2x-10$이 역함수를 가질 때, 실수 a의 값을 구하시오.

9 - 18 집합 $A=\{1,\,2,\,3,\,4,\,5\}$에 대하여 A에서 A로의 두 함수 f, g가 있다. 두 함수 $y=f(x)$, $y=(f\circ g)(x)$의 그래프가 각각 그림과 같을 때, $g(2)+(g\circ f)^{-1}(1)$의 값을 구하시오.

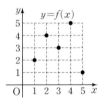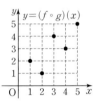

9 - 19 함수 f에 대하여 $f^1=f$, $f^{n+1}=f\circ f^n (n=1,\,2,\,3,\,\cdots)$으로 정의할 때, 집합 $X=\{1,\,2,\,3\}$에 대하여 함수 $f:X\longrightarrow X$가 다음 조건을 모두 만족시킨다.

(가) $f(1)=3$　　　　　　　(나) $f^3=I$ (I는 항등함수이다.)

함수 f의 역함수를 g라 할 때, $g^{10}(2)+g^{11}(3)$의 값을 구하시오.

9 - 20 그림과 같은 함수 $y=f(x)$의 그래프와 그 역함수 $y=f^{-1}(x)$의 그래프가 다음 조건을 모두 만족시킨다.

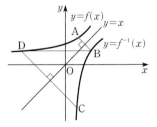

(가) 두 선분 AB, CD는 직선 $y=x$에 수직이다.

(나) 선분 BD는 x축에 평행하다.

점 A의 좌표가 $(1,\,2)$이고 $f(1)-f^{-1}(1)=7$일 때, 삼각형 ADB의 넓이를 구하시오.

9-21 두 함수 f, g가

$$f(x)=\begin{cases}1 & (x\text{가 홀수})\\2 & (x\text{가 짝수})\end{cases},\ g(x)=\begin{cases}2 & (x\text{가 홀수})\\3 & (x\text{가 짝수})\end{cases}$$

이고 $h=f\circ g$라 할 때, $h(1)+h(2)+\cdots+h(10)$의 값을 구하시오.

9-22 두 함수 $f(x)=x^2-x-6$, $g(x)=x^2-ax+4$일 때, 모든 실수 x에 대하여 $(f\circ g)(x)\geq0$이 되는 실수 a의 값의 범위를 구하시오.

9-23 함수 $f(x)=(x-a)^2+a$에 대하여 $\{x\,|\,(f\circ f)(x)=f(x)\}$의 모든 원소의 합이 3일 때, 실수 a의 값을 구하시오.

9-24 집합 $S=\{1,\ 2,\ 3,\ 4\}$의 두 부분집합 A, B가 $A\cup B=S$, $A\cap B=\varnothing$을 만족시킬 때, 함수 $f:A\longrightarrow B$ 중에서 역함수가 존재하는 함수 f의 개수를 구하시오.

9-25 실수 전체의 집합 R에서 R로의 함수 f가

$$f(x)=\begin{cases}x-2 & (x<1)\\x^2+nx+m & (x\geq1)\end{cases}$$

로 정의될 때, 역함수가 존재하기 위한 m, n 사이의 관계를 그래프로 나타낸 것은?

①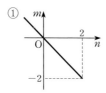

②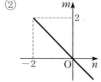

③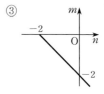

④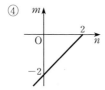

⑤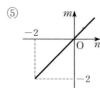

10. 유리함수

1. 유리식
① 유리식의 뜻
② 유리식의 계산

2. 유리함수
① 유리함수의 뜻

② 유리함수 $y=\dfrac{k}{x}\ (k\neq0)$의 그래프

③ 유리함수 $y=\dfrac{k}{x-p}+q\ (k\neq0)$의 그래프

④ 유리함수 $y=\dfrac{ax+b}{cx+d}$ $(c\neq0,\ ad-bc\neq0)$의 그래프

핵심 Point

10. 유리함수

1. 유리식의 성질

$$\frac{A}{B} = \frac{A \times C}{B \times C}, \ \frac{A}{B} = \frac{A \div C}{B \div C} \ (단, \ B \neq 0, \ C \neq 0)$$

2. 유리식의 계산

다항식 A, B, C, D에 대하여

(1) $\dfrac{A}{C} + \dfrac{B}{C} = \dfrac{A+B}{C}, \ \dfrac{A}{C} - \dfrac{B}{C} = \dfrac{A-B}{C} \ (단, \ C \neq 0)$

(2) $\dfrac{A}{B} + \dfrac{C}{D} = \dfrac{AD+BC}{BD}, \ \dfrac{A}{B} - \dfrac{C}{D} = \dfrac{AD-BC}{BD} \ (단, \ B \neq 0, \ D \neq 0)$

(3) $\dfrac{A}{B} \times \dfrac{C}{D} = \dfrac{A \times C}{B \times D} = \dfrac{AC}{BD} \ (단, \ B \neq 0, \ D \neq 0)$

(4) $\dfrac{A}{B} \div \dfrac{C}{D} = \dfrac{A}{B} \times \dfrac{D}{C} = \dfrac{AD}{BC} \ (단, \ B \neq 0, \ C \neq 0, \ D \neq 0)$

3. 유리함수 $y = \dfrac{k}{x} \ (k \neq 0)$의 그래프

(1) 정의역, 치역은 모두 0을 제외한 실수 전체의 집합이다.

(2) 원점에 대하여 대칭인 그래프이다.

(3) 점근선은 x축, y축이다.

(4) $k > 0$이면 그래프가 제1, 3사분면에 있고,
    $k < 0$이면 그래프가 제2, 4사분면에 있다.

(5) $|k|$의 값이 커질수록 원점에서 멀어진다.

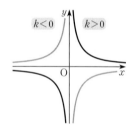

4. 유리함수 $y = \dfrac{k}{x-p} + q \ (k \neq 0)$의 그래프

(1) 함수 $y = \dfrac{k}{x}$의 그래프를
    x축의 방향으로 p만큼,
    y축의 방향으로 q만큼
    평행이동한 것이다.

(2) 정의역 : $\{x \,|\, x는 \ x \neq p인 \ 실수\}$
    치역 : $\{y \,|\, y는 \ y \neq q인 \ 실수\}$

(3) 점 $(p, \ q)$에 대하여 대칭인 그래프이다.

(4) 점근선은 두 직선 $x = p, \ y = q$이다.

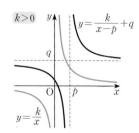

1 유리식

① 유리식의 뜻

두 정수 a, b $(b \neq 0)$에 대하여 $\dfrac{a}{b}$의 꼴로 나타내어지는 수가 유리수라는 것을 알고 있다.

마찬가지로 $\dfrac{x-1}{x+1}$과 같이 두 다항식 A, B에 대하여 $\dfrac{A}{B}$ $(B \neq 0)$의 꼴로 나타내어지는 식을 유리식이라 하고 A를 분자, B를 분모라고 한다.

특히, 분모가 일차 이상의 다항식인 유리식을 분수식이라고 한다.

예 유리식 $\begin{cases} \text{다항식}: \dfrac{1}{2}x^2,\ 2x-3,\ 5x^2-2x,\ \cdots \\[2mm] \text{분수식}: \dfrac{2}{x},\ \dfrac{x-2}{x+1},\ \dfrac{x^3+2x+5}{x^2-3},\ \cdots \end{cases}$

새로운 정리 ───────────────────────── 유리식

유리식 : 두 다항식 A, B에 대하여 $\dfrac{A}{B}$ (단, $B \neq 0$)의 꼴로 나타내어지는 식

유리수의 경우와 마찬가지로 유리식에서도 다음과 같은 성질이 성립한다.

새로운 정리 ───────────────────────── 유리식의 성질

유리식 $\dfrac{A}{B}$ $(B \neq 0)$에 대하여 C가 0이 아닌 다항식일 때,

$$\frac{A}{B} = \frac{A \times C}{B \times C}, \quad \frac{A}{B} = \frac{A \div C}{B \div C}$$

분수의 약분과 같이 유리식의 성질을 역으로 이용하여 분수식에서 분자와 분모를 인수분해했을 때, 각각을 공통인 인수로 나누어 간단한 식으로 고치는 것을 약분한다고 한다.

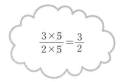

예 ① $\dfrac{2xy^2}{6x^3y}=\dfrac{2}{6}\times\dfrac{x}{x^3}\times\dfrac{y^2}{y}=\dfrac{1}{3}\times\dfrac{1}{x^2}\times y=\dfrac{y}{3x^2}$ ← 약분

② $\dfrac{x^2-1}{x^2-x}=\dfrac{(x+1)(x-1)}{x(x-1)}=\dfrac{x+1}{x}$ ← 약분

참고 위의 예에서 $\dfrac{y}{3x^2}$, $\dfrac{x+1}{x}$과 같이 더 이상 약분할 수 없는 분수식, 즉 분자와 분모가 서로
소(공통인 인수가 없는 두 다항식)일 때, 이 분수식을 **기약분수식**이라고 한다.

샘특강

다항식의 최소공배수 [교육과정 外]
다항식 P, Q, A, B, C에 대하여
$$P=A\times B,\ Q=A\times C\,(A\text{는 }P\text{와 }Q\text{가 공통으로 가지고 있는 인수 전체의 곱})$$
로 인수분해될 때, $A\times B\times C$를 두 다항식 P, Q의 **최소공배수**라고 한다.
한편, 2개 이상의 분수식에서 분수식의 분모를 같게 하는 것을 **통분**한다고 한다.

예 ① $x^2y^3=x^2y^2\times y$
$x^2y^2z=x^2y^2\times z$
   ∴ 최소공배수 : $x^2y^2\times y\times z=x^2y^3z$
② $(x-1)^3(x+1)=(x-1)\times(x-1)^2(x+1)$
$(x-1)(x+2)=(x-1)\times(x+2)$
   ∴ 최소공배수 : $(x-1)\times(x-1)^2(x+1)\times(x+2)=(x-1)^3(x+1)(x+2)$

② 유리식의 계산

유리식의 덧셈과 뺄셈은 유리수와 마찬가지로 분모가 서로 다를 때는 분모를 통분하여 같게 한
다음 분자끼리 덧셈, 뺄셈을 한다.

샘정리 ━━━━━━━━━━━━━━━━━━━━━━━━ 유리식의 덧셈, 뺄셈

다항식 A, B, C, D에 대하여

1 $\dfrac{A}{C}+\dfrac{B}{C}=\dfrac{A+B}{C}$, $\dfrac{A}{C}-\dfrac{B}{C}=\dfrac{A-B}{C}$ (단, $C\neq0$)

2 $\dfrac{A}{B}+\dfrac{C}{D}=\dfrac{AD+BC}{BD}$, $\dfrac{A}{B}-\dfrac{C}{D}=\dfrac{AD-BC}{BD}$ (단, $B\neq0$, $D\neq0$)

예 ① $\dfrac{x}{x^2-1}-\dfrac{1}{x^2-1}=\dfrac{x-1}{x^2-1}=\dfrac{x-1}{(x-1)(x+1)}=\dfrac{1}{x+1}$

② $\dfrac{1}{x}+\dfrac{2}{x+1}=\dfrac{x+1}{x(x+1)}+\dfrac{2x}{x(x+1)}=\dfrac{(x+1)+2x}{x(x+1)}=\dfrac{3x+1}{x(x+1)}$

참고 분수식의 덧셈, **뺄셈**에서 분자의 차수가 분모의 차수보다 높거나 같을 때는 다항식과 분수
식의 합으로 나타내어 계산하면 편리하다.

① $\dfrac{x+3}{x-2}=\dfrac{(x-2)+5}{x-2}=1+\dfrac{5}{x-2}$

② $\dfrac{x^2+x+3}{x+1}=\dfrac{x(x+1)+3}{x+1}=x+\dfrac{3}{x+1}$

유리식의 곱셈, 나눗셈도 유리수와 마찬가지로 다음과 같이 계산한다.

샘 정리 ──────────────────────────── **유리식의 곱셈, 나눗셈**

다항식 $A,\ B,\ C,\ D$에 대하여

1 $\dfrac{A}{B}\times\dfrac{C}{D}=\dfrac{A\times C}{B\times D}=\dfrac{AC}{BD}$ (단, $B\ne0,\ D\ne0$)

2 $\dfrac{A}{B}\div\dfrac{C}{D}=\dfrac{A}{B}\times\dfrac{D}{C}=\dfrac{AD}{BC}$ (단, $B\ne0,\ C\ne0,\ D\ne0$)

예 ① $\dfrac{x}{x+1}\times\dfrac{x^2+x}{3x-1}=\dfrac{x(x^2+x)}{(x+1)(3x-1)}=\dfrac{x^2(x+1)}{(x+1)(3x-1)}$

$=\dfrac{x^2}{3x-1}$

② $\dfrac{x+y}{x-y}\div\dfrac{x^2+y^2}{x^2-y^2}=\dfrac{x+y}{x-y}\times\dfrac{x^2-y^2}{x^2+y^2}=\dfrac{(x+y)(x+y)(x-y)}{(x-y)(x^2+y^2)}$

$=\dfrac{(x+y)^2}{x^2+y^2}$

샘 보충 ───────

유리식에서도 두 유리식의 곱이 1인 경우 이들을 서로 다른 쪽의 역수라고 한다.

즉, $\dfrac{A}{B}$의 역수는 $\dfrac{B}{A}$이다.

예 $\dfrac{x+5}{2x-3}\times\dfrac{2x-3}{x+5}=1$

즉, $\dfrac{x+5}{2x-3}$의 역수는 $\dfrac{2x-3}{x+5}$이다.

번분수식의 계산

다항식 A, B, C, D에 대하여 (단, $B \neq 0$, $C \neq 0$, $D \neq 0$)

(1) $\dfrac{\dfrac{A}{B}}{\dfrac{C}{D}} = \dfrac{A}{B} \div \dfrac{C}{D} = \dfrac{A}{B} \times \dfrac{D}{C} = \dfrac{AD}{BC}$

(2) $\dfrac{\dfrac{A}{B}}{C} = \dfrac{\dfrac{A}{B}}{\dfrac{C}{1}} = \dfrac{A}{BC}$, $\quad \dfrac{A}{\dfrac{B}{C}} = \dfrac{\dfrac{A}{1}}{\dfrac{B}{C}} = \dfrac{AC}{B}$

예 ① $\dfrac{1}{\dfrac{b}{a}} = 1 \div \dfrac{b}{a} = 1 \times \dfrac{a}{b} = \dfrac{a}{b}$

② $\dfrac{\dfrac{x^2}{x+1}}{\dfrac{x}{x-1}} = \dfrac{x^2(x-1)}{x(x+1)} = \dfrac{x(x-1)}{x+1}$

참고 ① **중중모 상하자**

가운데 두 수(또는 식)의 곱이 분모가 되고 위, 아래 두
수(또는 식)의 곱이 분자가 된다.

② 다항식의 나눗셈을 역수와의 곱셈으로 바꾸어 계산할
수 있음을 기억하자.

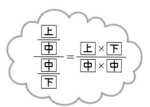

$$\dfrac{\dfrac{上}{中}}{\dfrac{中}{下}} = \dfrac{上 \times 下}{中 \times 中}$$

부분분수로의 변형

$\dfrac{1}{AB} = \dfrac{1}{B-A}\left(\dfrac{1}{A} - \dfrac{1}{B}\right)$ (단, $A \neq 0$, $B \neq 0$, $A \neq B$)

예 ① $\dfrac{1}{3 \times 4} = \dfrac{1}{4-3}\left(\dfrac{1}{3} - \dfrac{1}{4}\right) = \dfrac{1}{3} - \dfrac{1}{4}$

② $\dfrac{1}{x(x+2)} = \dfrac{1}{(x+2)-x}\left(\dfrac{1}{x} - \dfrac{1}{x+2}\right) = \dfrac{1}{2}\left(\dfrac{1}{x} - \dfrac{1}{x+2}\right)$

참고 $\dfrac{b}{a(a+b)} = \dfrac{b}{(a+b)-a}\left(\dfrac{1}{a} - \dfrac{1}{a+b}\right)$

$\qquad\qquad = \dfrac{1}{a} - \dfrac{1}{a+b}$

1 다음 유리식을 다항식과 분수식으로 구분하시오.

$$-3, \quad \frac{2x}{5}, \quad \frac{2}{x}, \quad x-3, \quad \frac{x-1}{x+1}, \quad \frac{x^2+2x}{x-3}$$

2 다음 유리식을 기약분수식으로 나타내시오.

(1) $\dfrac{6xy^3}{3x^2y^2z^2}$

(2) $\dfrac{(x-1)(x-2)}{x^2-1}$

3 다음 두 유리식을 통분하시오.

(1) $\dfrac{3}{xy}, \quad \dfrac{y}{x^2}$

(2) $\dfrac{3}{x-2}, \quad \dfrac{x}{x-1}$

4 다음 식을 간단히 하시오.

(1) $\dfrac{1}{x-1} - \dfrac{1}{x(x-1)}$

(2) $\dfrac{x^2+x-2}{x-1} + \dfrac{x^2-x-2}{x+1}$

5 다음 식을 간단히 하시오.

(1) $\dfrac{x-2}{x^2+2x} \times \dfrac{x}{x^2-4}$

(2) $\dfrac{x^2}{x^2-1} \div \dfrac{x+1}{x(x-1)}$

6 다음 분수식을 간단히 하시오.

(1) $\dfrac{\dfrac{y}{x}}{\dfrac{1}{x^2}}$

(2) $\dfrac{\dfrac{2}{x-1}}{\dfrac{x}{x+1}}$

비례식 [교육과정 外]

'6은 2의 3배이다' 처럼 두 수나 양 사이의 배수 관계를 비라 하며, a의 b에 대한

비를 $a : b$로 나타내고, $\dfrac{a}{b}$를 비의 값이라고 한다.

두 개의 비 $a : b$와 $c : d$의 비의 값이 같을 때

$$a : b = c : d$$

로 나타내고, 이 식을 비례식이라고 한다.

참고 $a : b = c : d$이면 $ad = bc$ (외항의 곱은 내항의 곱과 같다.)

새 정리
비례식의 성질

$a : b = c : d$, 즉 $\dfrac{a}{b} = \dfrac{c}{d}$가 성립하면

1 $ad = bc$　　　　　　　　　**2** $\dfrac{a+b}{b} = \dfrac{c+d}{d}$

3 $\dfrac{a-b}{b} = \dfrac{c-d}{d}$　　　　　**4** $\dfrac{a+b}{a-b} = \dfrac{c+d}{c-d}$ (단, $a \neq b$, $c \neq d$)

참고 $x : y = 2 : 3$이면 $\dfrac{x}{y} = \dfrac{2}{3}$에서 $\dfrac{x}{2} = \dfrac{y}{3}$이므로 $\dfrac{x}{2} = \dfrac{y}{3} = k$ (k는 비례상수)라 하면

$x = 2k$, $y = 3k$로 고칠 수 있다.

예 $x : y = 3 : 4$일 때, $\dfrac{xy}{(x+y)^2}$의 값을 구해 보자.

$\dfrac{x}{3} = \dfrac{y}{4} = k$ (k는 비례상수)라 하면 $x = 3k$, $y = 4k$이므로

$$\frac{xy}{(x+y)^2} = \frac{3k \times 4k}{(3k+4k)^2} = \frac{12k^2}{49k^2} = \frac{12}{49}$$

새 특강

가비의 리

$a : b = c : d = e : f$, 즉 $\dfrac{a}{b} = \dfrac{c}{d} = \dfrac{e}{f}$가 성립하면

$$\frac{a}{b} = \frac{c}{d} = \frac{e}{f} = \frac{a+c+e}{b+d+f} = \frac{pa+qc+re}{pb+qd+rf}$$

$$(b+d+f \neq 0,\ pb+qd+rf \neq 0)$$

가 성립한다. 이때, 이 성질을 **가비의 리**라고 한다.

다음 식을 간단히 하시오.

(1) $\dfrac{2}{x+1}+\dfrac{3}{x-2}$

(2) $\dfrac{x-1}{x^2-2x}-\dfrac{1}{x-2}$

■ **길잡이**   (2) 분모를 인수분해한 후 최소공배수를 구해서 통분하자.

■ **새전겨**   다항식 A, B, C, D에 대하여
$$\frac{A}{B}+\frac{C}{D}=\frac{AD+BC}{BD},\ \frac{A}{B}-\frac{C}{D}=\frac{AD-BC}{BD}\ \text{(단, } B\neq0,\ D\neq0\text{)}$$

풀이   (1) $\dfrac{2}{x+1}+\dfrac{3}{x-2}=\dfrac{2(x-2)+3(x+1)}{(x+1)(x-2)}$

$\qquad\qquad\qquad\qquad\ =\dfrac{2x-4+3x+3}{(x+1)(x-2)}$

$\qquad\qquad\qquad\qquad\ =\dfrac{5x-1}{(x+1)(x-2)}$

$\qquad$ (2) $\dfrac{x-1}{x^2-2x}-\dfrac{1}{x-2}=\dfrac{x-1}{x(x-2)}-\dfrac{1}{x-2}$

$\qquad\qquad\qquad\qquad\quad\ =\dfrac{x-1-x}{x(x-2)}$

$\qquad\qquad\qquad\qquad\quad\ =-\dfrac{1}{x(x-2)}$

답 (1) $\dfrac{5x-1}{(x+1)(x-2)}$ (2) $-\dfrac{1}{x(x-2)}$

유제 10-**1**   다음 식을 간단히 하시오.

(1) $\dfrac{a}{a^2-b^2}+\dfrac{b}{b^2-a^2}$

(2) $\dfrac{a}{a+3}-\dfrac{2a+27}{2a^2+5a-3}$

다음 식을 간단히 하시오.

(1) $\dfrac{1}{x+1} - \dfrac{1}{x+2} - \dfrac{1}{x+3} + \dfrac{1}{x+4}$

(2) $\dfrac{x+2}{x} - \dfrac{x+3}{x+1} - \dfrac{x-5}{x-3} + \dfrac{x-6}{x-4}$

■ **길잡이**   (1) 두 항씩 묶어서 계산한다.

           (2) 분모와 분자의 차수가 같으므로 다항식과 분수식의 합의 꼴로 변형하여 계산한다.

풀이   (1) (주어진 식) $= \left(\dfrac{1}{x+1} - \dfrac{1}{x+2} \right) - \left(\dfrac{1}{x+3} - \dfrac{1}{x+4} \right)$

$\qquad = \dfrac{1}{(x+1)(x+2)} - \dfrac{1}{(x+3)(x+4)}$

$\qquad = \dfrac{(x+3)(x+4) - (x+1)(x+2)}{(x+1)(x+2)(x+3)(x+4)}$

$\qquad = \dfrac{2(2x+5)}{(x+1)(x+2)(x+3)(x+4)}$

     (2) (주어진 식) $= \left(1 + \dfrac{2}{x} \right) - \left(1 + \dfrac{2}{x+1} \right) - \left(1 - \dfrac{2}{x-3} \right) + \left(1 - \dfrac{2}{x-4} \right)$

$\qquad = \dfrac{2}{x} - \dfrac{2}{x+1} + \dfrac{2}{x-3} - \dfrac{2}{x-4}$

$\qquad = \dfrac{2}{x(x+1)} - \dfrac{2}{(x-3)(x-4)}$

$\qquad = \dfrac{2(x-3)(x-4) - 2x(x+1)}{x(x+1)(x-3)(x-4)}$

$\qquad = -\dfrac{8(2x-3)}{x(x+1)(x-3)(x-4)}$

$\qquad$ **답** (1) $\dfrac{2(2x+5)}{(x+1)(x+2)(x+3)(x+4)}$ (2) $-\dfrac{8(2x-3)}{x(x+1)(x-3)(x-4)}$

유제 10-2   다음 식을 간단히 하시오.

     (1) $\dfrac{1}{x-1} - \dfrac{1}{x} - \dfrac{1}{x+2} + \dfrac{1}{x-3}$ (2) $\dfrac{x-1}{x-2} - \dfrac{x}{x-1} - \dfrac{x+2}{x+1} + \dfrac{x+3}{x+2}$

다음 식을 간단히 하시오.

(1) $\dfrac{x^2-5x+4}{x^2-9} \times \dfrac{x-3}{x^2+2x-3}$

(2) $\dfrac{x+2}{x^2-6x+9} \div \dfrac{x^2-2x-8}{x^2-4x+3}$

■ 길잡이　(1) 유리식의 곱셈은 각 식을 인수분해하여 약분한 후 계산한다.
　　　　　(2) 유리식의 나눗셈은 곱셈으로 바꾸어 계산하다.

■ 새記러　다항식 $A,\ B,\ C,\ D\,(B\neq0,\ D\neq0)$에 대하여

(1) $\dfrac{A}{B} \times \dfrac{C}{D} = \dfrac{A \times C}{B \times D}$

(2) $\dfrac{A}{B} \div \dfrac{C}{D} = \dfrac{A}{B} \times \dfrac{D}{C} = \dfrac{A \times D}{B \times C}$ (단, $C\neq0$)

풀이　(1) $\dfrac{x^2-5x+4}{x^2-9} \times \dfrac{x-3}{x^2+2x-3} = \dfrac{(x-1)(x-4)}{(x+3)(x-3)} \times \dfrac{x-3}{(x+3)(x-1)}$

$\qquad\qquad = \dfrac{x-4}{(x+3)^2}$

(2) $\dfrac{x+2}{x^2-6x+9} \div \dfrac{x^2-2x-8}{x^2-4x+3} = \dfrac{x+2}{x^2-6x+9} \times \dfrac{x^2-4x+3}{x^2-2x-8}$

$\qquad\qquad = \dfrac{x+2}{(x-3)^2} \times \dfrac{(x-1)(x-3)}{(x+2)(x-4)}$

$\qquad\qquad = \dfrac{x-1}{(x-3)(x-4)}$

답 (1) $\dfrac{x-4}{(x+3)^2}$ (2) $\dfrac{x-1}{(x-3)(x-4)}$

유제 10-3　다음 식을 간단히 하시오.

(1) $\dfrac{x^2+3x}{x-2} \times \dfrac{x^2-4}{x^3-2x^2-15x}$

(2) $\dfrac{x^2+xy}{x^2+2xy+y^2} \div \dfrac{3x^2}{x^2-xy-2y^2}$

유제 10-4　$\dfrac{x^2-x-6}{x^2+4x} \times \dfrac{x-1}{x+2} \div \dfrac{x^2-4x+3}{x+4}$ 을 간단히 하시오.

다음 식을 간단히 하시오.

(1) $\dfrac{\dfrac{x-1}{x}}{x-\dfrac{1}{x}}$

(2) $\dfrac{1}{x(x+1)}+\dfrac{1}{(x+1)(x+2)}+\dfrac{1}{(x+2)(x+3)}+\dfrac{1}{(x+3)(x+4)}$

■ **새**정리   (1) $\dfrac{\dfrac{A}{B}}{\dfrac{C}{D}}=\dfrac{A}{B}\div\dfrac{C}{D}=\dfrac{A}{B}\times\dfrac{D}{C}=\dfrac{AD}{BC}$ (단, $B\neq0,\ C\neq0,\ D\neq0$)

(2) $\dfrac{1}{AB}=\dfrac{1}{B-A}\left(\dfrac{1}{A}-\dfrac{1}{B}\right)$ (단, $A\neq0,\ B\neq0,\ A\neq B$)

풀이   (1) $\dfrac{\dfrac{x-1}{x}}{x-\dfrac{1}{x}}=\dfrac{\dfrac{x-1}{x}}{\dfrac{x^2-1}{x}}=\dfrac{x(x-1)}{x(x^2-1)}=\dfrac{x-1}{x^2-1}=\dfrac{x-1}{(x+1)(x-1)}$

$=\dfrac{1}{x+1}$

(2) $\dfrac{1}{x(x+1)}+\dfrac{1}{(x+1)(x+2)}+\dfrac{1}{(x+2)(x+3)}+\dfrac{1}{(x+3)(x+4)}$

$=\left(\dfrac{1}{x}-\dfrac{1}{x+1}\right)+\left(\dfrac{1}{x+1}-\dfrac{1}{x+2}\right)+\left(\dfrac{1}{x+2}-\dfrac{1}{x+3}\right)+\left(\dfrac{1}{x+3}-\dfrac{1}{x+4}\right)$

$=\dfrac{1}{x}-\dfrac{1}{x+4}=\dfrac{4}{x(x+4)}$

답 (1) $\dfrac{1}{x+1}$ (2) $\dfrac{4}{x(x+4)}$

유제 10-**5**   다음 식을 간단히 하시오.

(1) $1+\dfrac{1}{1+\dfrac{1}{1+\dfrac{1}{x}}}$

(2) $\dfrac{1}{x(x+2)}+\dfrac{1}{(x+2)(x+4)}+\dfrac{1}{(x+4)(x+6)}$

2 유리함수

1 유리함수의 뜻

함수 $y=f(x)$에서 $f(x)$가 x에 대한 다항식일 때, 이 함수를 다항함수라 하고, $f(x)$가 x에 대한 분수식일 때, 이 함수를 분수함수라고 한다. 그리고 다항함수와 분수함수를 통틀어 유리함수라고 한다.

예를 들어 함수

$$y=3, \ y=2x+5, \ y=\frac{3}{x}, \ y=\frac{2x+3}{x-2}$$

은 모두 유리함수이다.

이때, $y=3$, $y=2x+5$는 다항함수이고,

$$y=\frac{3}{x}, \ y=\frac{2x+3}{x-2}$$ 은 분수함수이다.

참고   분수함수에서 정의역이 특별히 주어지지 않을 때는 분모를 0으로 하지 않는 실수 전체의 집합을 정의역으로 한다.

예   분수함수 $y=\dfrac{4}{x-2}$의 정의역은 $\{x \,|\, x$는 $x \neq 2$인 실수$\}$이다.

2 유리함수 $y=\dfrac{k}{x} \ (k \neq 0)$의 그래프

이차함수 $y=ax^2$의 그래프는 a의 부호와 절댓값의 크기에 따라 그래프의 모양이 달라짐을 알고 있다.

이제, k의 부호 및 절댓값의 크기에 따른 유리함수 $y=\dfrac{k}{x}$의 그래프의 모양을 살펴보자.

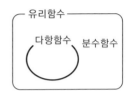

이차함수 $y=ax^2$의 그래프
• a의 부호 ➡ 그래프의 방향
• $|a|$의 크기 ➡ 그래프의 폭

(1) 두 유리함수 $y=\dfrac{1}{x}$, $y=\dfrac{2}{x}$의 그래프를 그려서 서로 비교하여 보자.

x	$\cdots$	-2	-1	$-\dfrac{1}{2}$	0	$\dfrac{1}{2}$	1	2	$\cdots$
$y\left(=\dfrac{1}{x}\right)$	$\cdots$	$-\dfrac{1}{2}$	-1	-2	없다.	2	1	$\dfrac{1}{2}$	$\cdots$
$y\left(=\dfrac{2}{x}\right)$	$\cdots$	-1	-2	-4	없다.	4	2	1	$\cdots$

위의 대응 관계를 이용하여 그래프를 그려 보면 다음 그림과 같다.

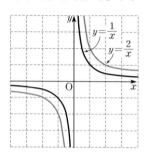

- 정의역 : $\{x \mid x \neq 0$인 모든 실수$\}$
  치역 : $\{y \mid y \neq 0$인 모든 실수$\}$
- 원점에 대하여 대칭이며 제1, 3사분면에 그려진다.
- $y=\dfrac{2}{x}$의 그래프가 $y=\dfrac{1}{x}$의 그래프보다 원점이나 축으로부터 멀리 떨어져 있다.

(2) 유리함수 $y=-\dfrac{1}{x}$, $y=-\dfrac{2}{x}$의 그래프를 그려서 서로 비교하여 보자.

x	$\cdots$	-2	-1	$-\dfrac{1}{2}$	0	$\dfrac{1}{2}$	1	2	$\cdots$
$y\left(=-\dfrac{1}{x}\right)$	$\cdots$	$\dfrac{1}{2}$	1	2	없다.	-2	-1	$-\dfrac{1}{2}$	$\cdots$
$y\left(=-\dfrac{2}{x}\right)$	$\cdots$	1	2	4	없다.	-4	-2	-1	$\cdots$

위의 대응 관계를 이용하여 그래프를 그려 보면 다음 그림과 같다.

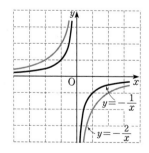

- 정의역 : $\{x \mid x \neq 0$인 모든 실수$\}$
  치역 : $\{y \mid y \neq 0$인 모든 실수$\}$
- 원점에 대하여 대칭이며 제2, 4사분면에 그려진다.
- $y=-\dfrac{2}{x}$의 그래프가 $y=-\dfrac{1}{x}$의 그래프 보다 원점이나 축으로부터 멀리 떨어져 있다.

(3) 유리함수 $y=\dfrac{k}{x}$ $(k\neq0)$의 그래프를 그려 보자.

　유리함수 $y=\dfrac{k}{x}$의 그래프는 여러 가지 k의 값에 따라 아래 그림과 같이 대칭하는 두 개의 곡선 모양으로 그려진다.

　특히, k의 부호에 따라 그려지는 위치가 다르다. 즉, k가 양수이면 그래프는 제1, 3 사분면에 그려지고, k가 음수이면 그래프는 제2, 4 사분면에 그려진다.

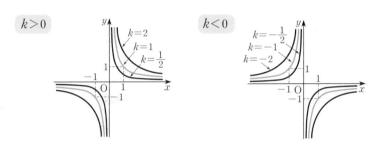

　위의 그림에서 알 수 있듯이 x의 절댓값이 커지면 그래프 위의 점은 한없이 x축에 가까워지고 x의 절댓값이 0에 가까워지면 그래프 위의 점은 한없이 y축에 가까워짐을 알 수 있다.

　이와 같이 곡선이 어떤 직선에 한없이 가까워질 때, 이 직선을 그 곡선의 **점근선**이라고 한다.

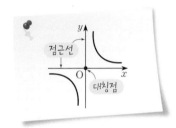

새ㅁ정리　　　　　　　　유리함수 $y=\dfrac{k}{x}$의 꼴의 그래프

1 정의역, 치역은 모두 0을 제외한 실수 전체의 집합이다.
2 원점에 대하여 대칭인 그래프이다.
3 직선 $y=x$, $y=-x$에 대하여 대칭인 그래프이다.
4 점근선은 x축, y축이다.
5 $k>0$이면 그래프가 제1, 3 사분면에 있고,
　　$k<0$이면 그래프가 제2, 4 사분면에 있다.
6 $|k|$의 값이 커질수록 원점에서 멀어진다.

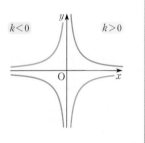

참고　함수 $y=\dfrac{k}{x}$ $(k\neq0)$의 그래프를 x축 또는 y축에 대하여 대칭이동하면

　　　　$y=-\dfrac{k}{x}$ $(k\neq0)$의 그래프가 된다.

③ 유리함수 $y = \dfrac{k}{x-p} + q \ (k \neq 0)$ 의 그래프

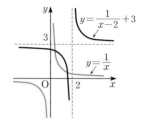

유리함수 $y = \dfrac{1}{x}$ 의 그래프를 x축의 방향으로 2만큼, y축의 방향으로 3만큼 평행이동하면 $y = \dfrac{1}{x-2} + 3$ 의 그래프가 됨을 예상할 수 있다.

일반적으로 유리함수 $y = \dfrac{k}{x-p} + q$ 의 그래프는 유리함수 $y = \dfrac{k}{x}$ 의 그래프를

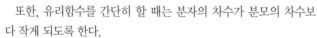

평행이동한 것이다.

이때, 유리함수 $y = \dfrac{k}{x}$ 의 그래프의 점근선의 방정식은

$$x = 0, \ y = 0$$

이고 유리함수 $y = \dfrac{k}{x-p} + q$ 의 그래프의 점근선의 방정식은

$$x = p, \ y = q$$

가 된다.

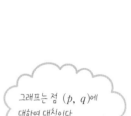

한편, 유리함수의 정의역과 치역은 점근선에 해당하는 값을 제외한 구간에서 생각한다.

또한, 유리함수를 간단히 할 때는 분자의 차수가 분모의 차수보다 작게 되도록 한다.

> 그래프는 점 $(p, \ q)$에 대하여 대칭이다.

새 정리 — 유리함수 $y = \dfrac{k}{x-p} + q$ 의 꼴의 그래프

1 함수 $y = \dfrac{k}{x}$ 의 그래프를 x축의 방향으로 p만큼, y축의 방향으로 q만큼 평행이동한 것이다.

2 정의역은 $\{x \,|\, x$는 $x \neq p$인 실수$\}$, 치역은 $\{y \,|\, y$는 $y \neq q$인 실수$\}$이다.

3 점 $(p, \ q)$에 대하여 대칭인 그래프이다.

4 점근선은 두 직선 $x = p, \ y = q$이다.

참고 함수 $y = \dfrac{k}{x-p} + q$ 의 그래프는 직선 $y = x - p + q, \ y = -x + p + q$에 대하여 대칭이다.

예) 함수 $y=-\dfrac{2}{x-3}+1$의 그래프는 함수 $y=-\dfrac{2}{x}$의

그래프를 x축의 방향으로 3만큼, y축의 방향으로

1만큼 평행이동하면 되므로 그림과 같고

    정의역은 $\{x\,|\,x$는 $x\neq3$인 실수$\}$

    치역은 $\{y\,|\,y$는 $y\neq1$인 실수$\}$

    점근선은 두 직선 $x=3$, $y=1$

이다.

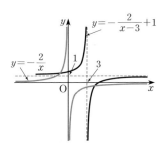

④ 유리함수 $y=\dfrac{ax+b}{cx+d}$ $(c\neq0,\ ad-bc\neq0)$의 그래프

유리함수 $y=\dfrac{3x-5}{x-2}$의 그래프를 그려 보자.

$$y=\dfrac{3x-5}{x-2}=\dfrac{3(x-2)+1}{x-2}$$

$$=\dfrac{1}{x-2}+3$$

이므로 $y=\dfrac{1}{x}$의 그래프를

    x축의 방향으로 2만큼,

    y축의 방향으로 3만큼

평행이동한 것이다.

이때, 점근선은 두 직선 $x=2$, $y=3$이다.

> $y=\dfrac{ax+b}{cx+d}$의 꼴
>
> ➡ $y=\dfrac{k}{x-p}+q$의 꼴로 변형

샘정리   **유리함수 $y=\dfrac{ax+b}{cx+d}$의 꼴의 그래프**

유리함수 $y=\dfrac{ax+b}{cx+d}$의 그래프는 $y=\dfrac{k}{x-p}+q$의 꼴로 고쳐서 그린다.

$$(단,\ c\neq0,\ ad-bc\neq0)$$

예) 유리함수 $y=\dfrac{-2x+1}{x+1}$을 $y=\dfrac{k}{x-p}+q$의 꼴로 고쳐 보자.

$$y=\dfrac{-2x+1}{x+1}=\dfrac{-2(x+1)+3}{x+1}=-2+\dfrac{3}{x+1}$$

$$\therefore y=\dfrac{3}{x+1}-2$$

유리함수 $y=\dfrac{ax+b}{cx+d}$의 그래프의 점근선의 방정식은 $x=-\dfrac{d}{c}$, $y=\dfrac{a}{c}$이다.

$y=\dfrac{k}{x+\dfrac{d}{c}}+\dfrac{a}{c}$ (k는 상수)로 변형되므로

① $-\dfrac{d}{c}$ ➡ (분모)$=0$이 되는 x의 값   ② $\dfrac{a}{c}$ ➡ $\dfrac{\text{(분자의 일차항의 계수)}}{\text{(분모의 일차항의 계수)}}$

예 유리함수 $y=\dfrac{-4x+1}{2x-6}$의 점근선의 방정식은 $\underset{x=-\frac{-6}{2}}{\underline{x=3}}$, $\underset{y=\frac{-4}{2}}{\underline{y=-2}}$이다.

개념확인코너

정답 및 해설 p.478

7 다음 유리함수의 그래프를 그리시오.

(1) $y=\dfrac{3}{x}$ (2) $y=-\dfrac{2}{x}$

8 다음 유리식을 $\dfrac{b}{x+a}+c$ (a, b, c는 상수)의 꼴로 나타내시오.

(1) $\dfrac{x+2}{x-3}$ (2) $\dfrac{4x-5}{x-3}$

9 다음 유리함수의 그래프를 그리고, 정의역, 치역을 구하시오.

(1) $y=-\dfrac{2}{x}-1$ (2) $y=\dfrac{2}{x-3}+1$

10 다음 유리함수의 그래프를 그리고, 점근선의 방정식을 구하시오.

(1) $y=\dfrac{2x}{x-1}$ (2) $y=\dfrac{x-4}{2-x}$

다음 함수의 그래프를 그리고, 정의역, 치역, 점근선의 방정식을 구하시오.

$$(1)\, y = \frac{3x-2}{x-1} \qquad\qquad\qquad (2)\, y = \frac{-x-5}{x+2}$$

■ **길잡이** $y = \dfrac{ax+b}{cx+d}$ 의 꼴을 $y = \dfrac{k}{x-p} + q$의 꼴로 변형하여 그래프를 그려 본다.

■ **샘**전개 $y = \dfrac{ax+b}{cx+d}$ $(c \neq 0,\ ad - bc \neq 0)$에 대하여

    ➡ 점근선의 방정식 : $x = -\dfrac{d}{c},\ y = \dfrac{a}{c}$

풀이   (1) $y = \dfrac{3x-2}{x-1} = \dfrac{3(x-1)+1}{x-1} = \dfrac{1}{x-1} + 3$이므로

주어진 함수의 그래프는 $y = \dfrac{1}{x}$의 그래프를 x축의 방향으로

1만큼, y축의 방향으로 3만큼 평행이동한 것이다.

∴ 정의역 : $\{x \mid x$는 $x \neq 1$인 실수$\}$

    치역 : $\{y \mid y$는 $y \neq 3$인 실수$\}$

    점근선의 방정식 : $x = 1,\ y = 3$

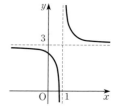

(2) $y = \dfrac{-x-5}{x+2} = \dfrac{-(x+2)-3}{x+2} = -\dfrac{3}{x+2} - 1$이므로

주어진 함수의 그래프는 $y = -\dfrac{3}{x}$의 그래프를 x축의 방향으로

-2만큼, y축의 방향으로 -1만큼 평행이동한 것이다.

∴ 정의역 : $\{x \mid x$는 $x \neq -2$인 실수$\}$

    치역 : $\{y \mid y$는 $y \neq -1$인 실수$\}$

    점근선의 방정식 : $x = -2,\ y = -1$

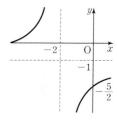

답 풀이 참조

유제 10-6   다음 함수의 그래프를 그리고, 정의역, 치역, 점근선의 방정식을 구하시오.

$$(1)\, y = \frac{2x+1}{x-1} \qquad\qquad\qquad (2)\, y = \frac{3x-2}{2-x}$$

필수 예제 6   **유리함수의 식 구하기**

함수 $f(x) = \dfrac{ax+b}{x-c}$ 의 그래프가 그림과 같이 점 $(1, 0)$을

지날 때, $a+b+c$의 값을 구하시오. (단, a, b, c는 상수이다.)

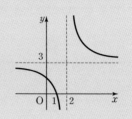

■ **길잡이**   점근선의 방정식이 $x=p$, $y=q$인 유리함수는 $y = \dfrac{k}{x-p} + q$ $(k \neq 0)$로 놓을 수 있다.

풀이   점근선의 방정식이 $x=2$, $y=3$이므로 $f(x) = \dfrac{k}{x-2} + 3$으로 놓을 수 있다.

이 함수의 그래프가 점 $(1, 0)$을 지나므로

$0 = \dfrac{k}{1-2} + 3$ $\therefore k=3$

즉, $f(x) = \dfrac{3}{x-2} + 3 = \dfrac{3+3x-6}{x-2} = \dfrac{3x-3}{x-2} = \dfrac{ax+b}{x-c}$ 이므로

$a=3$, $b=-3$, $c=2$

$\therefore a+b+c=2$

답 2

참고 $y = \dfrac{ax+b}{cx+d}$ $(c \neq 0,\ ad-bc \neq 0)$의 점근선의 방정식은 $x = -\dfrac{d}{c}$, $y = \dfrac{a}{c}$ 임을 이용하여 풀 수도 있다.

유제 10-7   함수 $y = \dfrac{b}{x+a} + c$의 그래프가 그림과 같을 때,

세 상수 a, b, c에 대하여 abc의 값을 구하시오.

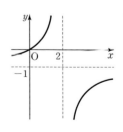

유제 10-8   함수 $y = \dfrac{ax+b}{x+c}$의 그래프가 점 $(2, 4)$를 지나고, 점근선의 방정식이

$x=1$, $y=2$일 때, 세 상수 a, b, c의 값을 구하시오.

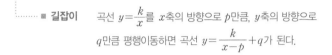

함수 $y=\dfrac{3x+5}{x+1}$의 그래프를 x축의 방향으로 a만큼, y축의 방향으로 b만큼 평행이동하면 함수 $y=\dfrac{k}{x}$의 그래프와 겹친다. 이때, 세 상수 a, b, k의 합 $a+b+k$의 값을 구하시오.

> ┈┈ ■ **길잡이**   곡선 $y=\dfrac{k}{x}$를 x축의 방향으로 p만큼, y축의 방향으로 q만큼 평행이동하면 곡선 $y=\dfrac{k}{x-p}+q$가 된다.

풀이 $y=\dfrac{3x+5}{x+1}=\dfrac{3(x+1)+2}{x+1}=\dfrac{2}{x+1}+3$의 그래프는

x축의 방향으로 1만큼, y축의 방향으로 -3만큼 평행이동하면

$y=\dfrac{2}{x}$의 그래프와 겹친다.

$\therefore a=1,\ b=-3,\ k=2$

$\therefore a+b+k=0$

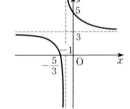

답 0

유제 10-**9**   함수 $y=\dfrac{2x-1}{x-1}$의 그래프를 x축의 방향으로 m만큼, y축으로 방향으로 n만큼 평행이동하면 함수 $y=\dfrac{-3x-2}{x+1}$의 그래프와 겹칠 때, $m+n$의 값을 구하시오.

유제 10-**10**   함수 $y=-\dfrac{2x+c}{x+1}$의 그래프를 평행이동하여 함수 $y=-\dfrac{3}{x}$의 그래프와 일치할 수 있도록 하는 상수 c의 값을 구하시오.

다음 물음에 답하시오.

(1) 함수 $y=\dfrac{3x+1}{x-1}$ 의 그래프가 점 (a, b)에 대하여 대칭일 때, $a-b$의 값을 구하시오.

(2) 함수 $y=\dfrac{ax+3}{x+b}$ 의 그래프가 두 직선 $y=-x+1$, $y=x-3$에 대하여 각각 대칭일

때, 두 상수 a, b의 합 $a+b$의 값을 구하시오.

> ■ 생각거리 $y=\dfrac{k}{x-p}+q\,(k\neq0)$의 그래프의 대칭성
> (1) 점 (p, q)에 대하여 대칭
> (2) 점 (p, q)를 지나고 기울기가 ±1인 두 직선에 대하여 대칭

풀이 (1) $y=\dfrac{3x+1}{x-1}=\dfrac{3(x-1)+4}{x-1}=\dfrac{4}{x-1}+3$이므로 점근선의 방정식은 $x=1$, $y=3$이다.

따라서 점 $(1, 3)$에 대하여 대칭이므로 $a=1$, $b=3$

$\therefore a-b=-2$

(2) $y=\dfrac{ax+3}{x+b}=\dfrac{a(x+b)-ab+3}{x+b}=\dfrac{3-ab}{x+b}+a$에서

점근선의 방정식이 $x=-b$, $y=a$이므로 두 점근선의

교점인 점 $(-b, a)$를 지나면서 기울기가 1 또는 -1

인 직선에 대하여 각각 대칭이다.

이때, 두 직선 $y=-x+1$, $y=x-3$의 교점의 좌표가

$(2, -1)$이므로 $b=-2$, $a=-1$이다.

$\therefore a+b=-3$

답 (1) -2 (2) -3

유제 10-11 함수 $y=\dfrac{3x+10}{x+3}$ 의 그래프가 직선 $y=ax+b\,(a>0)$에 대하여 대칭일 때,

두 상수 a, b의 합 $a+b$의 값을 구하시오.

Up

유제 10-12 함수 $y=\dfrac{2x+1}{3x-1}$ 의 그래프가 두 직선 $y=x+a$, $y=bx+c$에 대하여 각각 대칭

일 때, 세 상수 a, b, c의 곱 abc의 값을 구하시오.

함수 $f(x) = \dfrac{4x-11}{x-3}$ 의 정의역이 $\{x \,|\, 4 \leq x \leq 5\}$일 때, 함수 f의 최댓값을 M,

최솟값을 m이라 하자. 이때, $M+m$의 값을 구하시오.

> **길잡이** x의 값의 범위가 제한되어 있을 때, 유리함수의 최대 · 최소는 주어진 x의 값의 범위에
> 서 그래프를 그려 해결한다.

풀이 $f(x) = \dfrac{4x-11}{x-3} = \dfrac{4(x-3)+1}{x-3}$

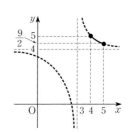

               $= \dfrac{1}{x-3} + 4$

이므로 $4 \leq x \leq 5$에서 $y = f(x)$의 그래프는 그림과 같다.

따라서 $x = 4$일 때, 최댓값 $M = 5$

           $x = 5$일 때, 최솟값 $m = \dfrac{9}{2}$

이므로 $M + m = 5 + \dfrac{9}{2} = \dfrac{19}{2}$

답 $\dfrac{19}{2}$

유제 10-13 함수 $f(x) = \dfrac{3x+3}{x-1}$ 의 정의역이 $\{x \,|\, x \leq -2 \text{ 또는 } x \geq 3\}$일 때, 함수 f의

              최댓값을 M, 최솟값을 m이라 하자. 이때, $M+m$의 값을 구하시오.

유제 10-14 함수 $y = \dfrac{bx+a}{x+a}$ 의 점근선의 방정식이 $x = -1$, $y = 2$일 때, $a \leq x \leq b$에서의

              이 함수의 최댓값과 최솟값의 합을 구하시오. (단, a, b는 상수이다.)

다음 물음에 답하시오.

(1) 함수 $f(x) = \dfrac{x-1}{x-2}$ 의 역함수를 구하시오.

(2) 함수 $f(x) = \dfrac{ax}{2x+5}$ 의 역함수 f^{-1} 에 대하여 $f(x) = f^{-1}(x)$ 가 성립하도록 하는 상수 a의 값을 구하시오.

┈┈┈ ■ **길잡이** $y=f(x)$의 역함수는 $y=f(x)$를 x에 대하여 정리한 후 x와 y를 바꾸어 구한다.

풀이 (1) $y = \dfrac{x-1}{x-2}$ 로 놓고 x에 대하여 풀면 $xy - 2y = x - 1$

$$x(y-1) = 2y-1, \ x = \frac{2y-1}{y-1}$$

x와 y를 바꾸면 $y = \dfrac{2x-1}{x-1}$ $\therefore f^{-1}(x) = \dfrac{2x-1}{x-1}$

(2) $y = \dfrac{ax}{2x+5}$ 로 놓고 x에 대하여 풀면 $2xy + 5y = ax$

$$(2y-a)x = -5y, \ x = \frac{-5y}{2y-a}$$

x와 y를 바꾸면 $y = \dfrac{-5x}{2x-a}$ $\therefore f^{-1}(x) = \dfrac{-5x}{2x-a}$

$f(x) = f^{-1}(x)$이므로 $\dfrac{ax}{2x+5} = \dfrac{-5x}{2x-a}$

$$\therefore a = -5$$

답 (1) $f^{-1}(x) = \dfrac{2x-1}{x-1}$ (2) -5

참고 ① 유리함수 $f(x) = \dfrac{ax+b}{cx+d}$ 의 꼴의 역함수는 a와 d의 부호와 자리를 바꾸면 된다. 즉,

$$f^{-1}(x) = \frac{-dx+b}{cx-a}$$

② 유리함수 $f(x) = \dfrac{ax+b}{cx+d}$ 에 대하여 $f(x) = f^{-1}(x) \Longleftrightarrow a+d=0$

유제 10-**15** 함수 $f(x) = \dfrac{ax+b}{x+c}$ 의 역함수가 $f^{-1}(x) = \dfrac{4x-3}{-x+1}$ 일 때, $a+b+c$의 값을 구하시오.

(단, a, b, c는 상수이다.)

두 집합 $A=\left\{(x, y)\,\middle|\,y=\dfrac{2x+1}{x}\right\}$, $B=\{(x, y)\,|\,y=kx+2\}$에 대하여 $A\cap B=\varnothing$

을 만족시키는 상수 k의 값의 범위를 구하시오.

■ **길잡이**   • 유리함수의 그래프와 직선의 위치 관계를 판정하려면 판별식을 이용한다.
                    • $A\cap B=\varnothing$ ➡ 두 함수의 그래프가 만나지 않는다.

풀이 $\dfrac{2x+1}{x}=kx+2$에서 $2x+1=kx^2+2x$

$kx^2-1=0$ …… ㉠

함수 $y=\dfrac{2x+1}{x}$의 그래프가 직선 $y=kx+2$와 만나지 않으려면

이차방정식 ㉠의 실근이 존재하지 않아야 한다.

(i) $k\neq0$일 때, ㉠의 판별식을 D라 하면

    $D=4k<0$ ∴ $k<0$

(ii) $k=0$일 때, ㉠에 대입하면 $-1=0$이므로 ㉠의 실근이 존재하지 않는다.

(i), (ii)에 의하여 k의 값의 범위는 $k\leq0$

                                                      답 $k\leq0$

다른 풀이

$y=\dfrac{2x+1}{x}=\dfrac{1}{x}+2$의 그래프는 그림과 같다.

따라서 직선 $y=kx+2$는 k의 값에 관계없이 $(0, 2)$를 지나

는 직선이므로 곡선 $y=\dfrac{2x+1}{x}$과 만나지 않으려면 기울기

k는 $k\leq0$이어야 한다.

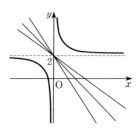

유제 **10-16** 함수 $y=\dfrac{2x-2}{x}$의 그래프와 직선 $y=2x+k$가 한 점에서 만나도록 하는 모든 상

                수 k의 값의 합을 구하시오.

Up

유제 **10-17** 정의역이 $\{x\,|\,0\leq x\leq2\}$인 함수 $y=\dfrac{2x-1}{x+1}$의 그래프와 직선 $y=m(x+2)$가 서로

                만나도록 하는 상수 m의 값의 범위가 $a\leq m\leq b$일 때, $8ab$의 값을 구하시오.

정답 및 해설 p.482

10 – 1 다음 식을 간단히 하시오.

(1) $\dfrac{3}{x+2} + \dfrac{5}{x^2-x-6}$

(2) $\dfrac{x+2}{x} - \dfrac{x+3}{x+1} - \dfrac{x+5}{x-3} + \dfrac{x+4}{x-4}$

(3) $\dfrac{x^2-1}{x^3+1} \times \dfrac{x^2-x+1}{x-1}$

(4) $\dfrac{x^2+4x+3}{x^2-x-2} \div \dfrac{x^2+5x+6}{x^2+2x} \times \dfrac{x^2+x-6}{x+3}$

10 – 2 함수 $y=\dfrac{3}{x+2}-1$의 역함수의 그래프의 두 점근선의 방정식이 각각 $x=a, y=b$일 때, $a+b$의 값을 구하시오.

10 – 3 함수 $y=\dfrac{3}{x+1}$에 대한 설명으로 옳은 것만을 **보기**에서 있는 대로 고르시오.

┤ 보기 ├

ㄱ. 정의역은 실수 전체의 집합이다.

ㄴ. 그래프의 점근선의 방정식은 $x=-1, y=0$이다.

ㄷ. 그래프는 제4사분면만 지나지 않는다.

ㄹ. 그래프는 직선 $y=x+1$에 대하여 대칭이다.

10 – 4 함수 $y=\dfrac{5x+3}{x-1}$의 그래프가 점 (a, b)에 대하여 대칭일 때, $a+b$의 값을 구하시오.

10 – 5 함수 $y=\dfrac{-2x+3}{x-1}$의 그래프가 지나지 <u>않는</u> 사분면은?

① 제2사분면   ② 제3사분면   ③ 제4사분면

④ 제2, 3사분면   ⑤ 제2, 4사분면

10-6 함수 $y=\dfrac{2x+1}{x-1}$의 그래프가 직선 $y=x+n$에 대하여 대칭일 때, 상수 n의 값을 구하시오.

10-7 유리함수 $y=\dfrac{k}{x-p}+q\,(k\neq0)$의 그래프가 그림과 같을 때, 세 상수 k, p, q의 값을 구하시오.

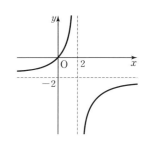

10-8 평행이동하여 함수 $y=\dfrac{2}{x}$의 그래프와 겹쳐질 수 있는 것만을 **보기**에서 있는 대로 고르시오.

| 보기 |

ㄱ. $y=\dfrac{x}{x+1}$ ㄴ. $y=\dfrac{x+1}{x-1}$ ㄷ. $y=\dfrac{2x+6}{x+2}$

10-9 함수 $y=\dfrac{k}{x}\,(k\neq0)$의 그래프를 x축의 방향으로 2만큼, y축의 방향으로 1만큼 평행이동한 그래프가 점 $(4, 10)$을 지날 때, 상수 k의 값을 구하시오.

10-10 함수 $f(x)=\dfrac{x+3}{x-2}$일 때, $(f\circ g)(x)=x$를 만족시키는 함수 g에 대하여 $g(3)$의 값을 구하시오.

10 – 11 유리함수 $y=\dfrac{a}{x-1}+3$의 그래프가 모든 사분면을 지나기 위한 실수 a의 값의 범위를 구하시오.

10 – 12 함수 $y=\dfrac{ax+b}{x+c}$의 그래프는 점 $(1,\ -2)$에 대하여 대칭이고, 점 $(2,\ -4)$를 지난다. 이때, 세 상수 $a,\ b,\ c$의 합 $a+b+c$의 값을 구하시오.

10 – 13 함수 $f(x)=\dfrac{ax+1}{x-b}$에 대하여 $y=f(x)$의 그래프의 점근선의 방정식이 $x=2,\ y=2$일 때, 옳은 것만을 **보기**에서 있는 대로 고른 것은? (단, $a,\ b$는 상수이다.)

보기
ㄱ. $f(-x)=-f(x)$ 　　　　　　　　ㄴ. $f(x)=f^{-1}(x)$ ㄷ. $y=f(x)$의 그래프는 직선 $y=-x$에 대하여 대칭이다.

① ㄱ   ② ㄴ   ③ ㄱ, ㄴ
④ ㄴ, ㄷ   ⑤ ㄱ, ㄴ, ㄷ

10 – 14 $3\le x\le 5$에서 정의된 함수 $y=\dfrac{x+1}{x-2}$의 그래프와 직선 $y=ax$의 교점이 존재할 때, 상수 a의 최댓값을 M, 최솟값을 m이라 하자. 이때, $3M+5m$의 값을 구하시오.

10 – 15 함수 $f(x)=\dfrac{x-3}{x+1}$의 그래프를 x축의 방향으로 a만큼, y축의 방향으로 b만큼 평행이동 하면 f의 역함수 f^{-1}의 그래프와 일치할 때, ab의 값을 구하시오.

10-16 두 유리함수 $y=\dfrac{ax+1}{2x-6}$, $y=\dfrac{bx+1}{2x+6}$ 의 그래프가 직선 $y=x$에 대하여 서로 대칭일 때, $b-a$의 값을 구하시오. (단, a, b는 상수이다.)

10-17 그림과 같이 함수 $y=\dfrac{1}{x}\,(x>0)$의 그래프 위의 점 A 에서 x축과 y축에 평행한 직선을 그어 함수 $y=\dfrac{k}{x}\,(k>1)$의 그래프와 만나는 점을 각각 B, C라 하자. 삼각형 ABC의 넓이가 50일 때, k의 값을 구 하시오.

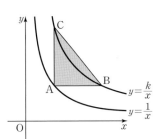

10-18 함수 $f(x)=\dfrac{1}{1-x}$에 대하여

$$f\circ f=f^2,\quad f\circ f^2=f^3,\quad \cdots,\quad f\circ f^{n-1}=f^n\ (n=2,\ 3,\ 4,\ \cdots)$$

으로 정의할 때, $f^{50}(2)$의 값을 구하시오.

10-19 두 함수 $y=\dfrac{2x-1}{x-1}$, $y=mx-m+2$의 그래프가 서로 만나지 않도록 실수 m의 값의 범위를 정하시오.

10-20 그림과 같이 유리함수 $y=\dfrac{9}{x-1}\,(x>1)$의 그래프 위의 점 P에서 x축, y축에 내린 수선의 발을 각각 Q, R라 할 때, $\overline{PQ}+\overline{PR}$의 최솟값을 구하시오.

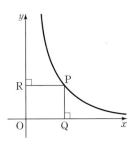

10-21 함수 $y=\dfrac{2x-1}{2x+3}$의 그래프 위의 점 중 x, y의 좌표가 모두 정수인 점의 좌표를 $(a,\ b)$, $(c,\ d)$라 할 때, $a+b+c+d$의 값을 구하시오.

10-22 함수 $y=\dfrac{|x|-1}{|x+1|}$의 그래프와 직선 $y=mx+2m-2$의 교점이 존재하지 않을 때, 상수 m의 최댓값과 최솟값의 합을 구하시오. (단, $m\neq0$)

10-23 $2\leq x\leq3$에서 부등식 $mx+1\leq\dfrac{x+1}{x-1}\leq nx+1$이 항상 성립할 때, 상수 m의 최댓값과 상수 n의 최솟값의 곱은?

① $\dfrac{1}{4}$ ② $\dfrac{1}{3}$ ③ $\dfrac{1}{2}$ ④ 1 ⑤ 2

10-24 함수 $y=\dfrac{1}{x}$ $(x>0)$의 그래프 위의 임의의 점 P와 두 점 $Q(-1,\ 0)$, $R(0,\ -4)$를 꼭짓점으로 하는 삼각형 PQR의 넓이의 최솟값을 구하시오.

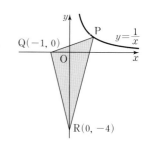

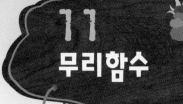

11
무리함수

핵심 Point

11. 무리함수

1. $\sqrt{A^2}$ 의 계산

다항식 A에 대하여

$$\sqrt{A^2}=|A|=\begin{cases} A & (A\geq 0\text{일 때}) \\ -A & (A<0\text{일 때}) \end{cases}$$

2. 분모의 유리화

두 다항식 A, $B\,(A\neq B)$에 대하여

$$\frac{1}{\sqrt{A}+\sqrt{B}}=\frac{\sqrt{A}-\sqrt{B}}{(\sqrt{A}+\sqrt{B})(\sqrt{A}-\sqrt{B})}=\frac{\sqrt{A}-\sqrt{B}}{A-B}$$

3. 무리함수 $y=\pm\sqrt{ax}\,(a\neq 0)$의 그래프

(1) 무리함수 $y=\sqrt{ax}$의 그래프
- $a>0$일 때, 정의역 : $\{x\,|\,x\geq 0\}$,
  치역 : $\{y\,|\,y\geq 0\}$
- $a<0$일 때, 정의역 : $\{x\,|\,x\leq 0\}$,
  치역 : $\{y\,|\,y\geq 0\}$

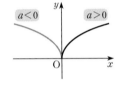

(2) 무리함수 $y=-\sqrt{ax}$의 그래프
- $a>0$일 때, 정의역 : $\{x\,|\,x\geq 0\}$,
  치역 : $\{y\,|\,y\leq 0\}$
- $a<0$일 때, 정의역 : $\{x\,|\,x\leq 0\}$,
  치역 : $\{y\,|\,y\leq 0\}$

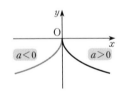

4. 무리함수 $y=\sqrt{a(x-p)}+q\,(a\neq 0)$의 그래프

(1) 무리함수 $y=\sqrt{ax}$ 의 그래프를
x축의 방향으로 p만큼,
y축의 방향으로 q만큼
평행이동한 것이다.

(2) $a>0$일 때, 정의역 : $\{x\,|\,x\geq p\}$,
  치역 : $\{y\,|\,y\geq q\}$
$a<0$일 때, 정의역 : $\{x\,|\,x\leq p\}$,
  치역 : $\{y\,|\,y\geq q\}$

1 무리식

① 무리식

근호 안에 문자를 포함하는 식 중에서

$$\sqrt{x-3}, \ \sqrt{x^2-5x}, \ \sqrt{x}, \ \sqrt{y}$$

등과 같이 유리식으로 나타낼 수 없는 식을 무리식이라고 한다.

한편, 무리식의 계산에서는

(근호 안의 식의 값)≥0, (분모)≠0

인 경우만 생각한다. 즉, 무리식에 실수를 대입하여 계산한 값이 실수가 되도록 문자의 값의 범위를 제한해야 한다.

샘정리

무리식의 값이 실수가 되기 위한 조건

무리식의 값이 실수가 되기 위한 조건은
➡ (근호 안의 식의 값)≥0, (분모)≠0

> **예** 무리식 $\sqrt{2-x}+\dfrac{1}{\sqrt{x+3}}$ 이 실수의 값을 가지려면 $2-x\geq0$, $x+3>0$이어야 한다.
>
> 따라서 x의 범위는 $-3<x\leq2$가 되어야 한다.

② 무리식의 계산

무리식의 계산은 무리식의 성질, 제곱근의 성질 등을 적용하여 계산할 수 있다.

예를 들어 $(\sqrt{x}+\sqrt{x-1})^2$에서 분배법칙을 이용하여 전개하면

$$(\sqrt{x})^2+2\sqrt{x}\sqrt{x-1}+(\sqrt{x-1})^2 \quad \cdots\cdots \boxed{㉠}$$

이다. 이때, $x\geq0$이고 $x-1\geq0$, 즉 $x\geq1$이면 ㉠은

$$x+2\sqrt{x(x-1)}+x-1=2x+2\sqrt{x^2-x}-1$$

이다.

샘정리 ━━━━━━━━━━━━━━━━━━━━━━━━━━━━━ $\sqrt{A^2}$ 의 계산

다항식 A에 대하여

1 $\sqrt{A^2}=|A|=\begin{cases} A & (A\geq0\text{일 때}) \\ -A & (A<0\text{일 때}) \end{cases}$

2 $(\sqrt{A})^2=A$ (단, $A\geq0$)

예 ① $\sqrt{(x-3)^2}=|x-3|=\begin{cases} x-3 & (x\geq3) \\ -x+3 & (x<3) \end{cases}$

② $(\sqrt{x-3})^2=x-3$ (단, $x\geq3$)

분모에 무리식이 있는 꼴의 계산은 분모를 먼저 유리화를 한 후 계산한다.

샘정리 ━━━━━━━━━━━━━━━━━━━━━━━━━━━━━━━━━ 분모의 유리화

두 다항식 A, B $(A\neq B)$에 대하여

$$\frac{1}{\sqrt{A}+\sqrt{B}}=\frac{\sqrt{A}-\sqrt{B}}{(\sqrt{A}+\sqrt{B})(\sqrt{A}-\sqrt{B})}=\frac{\sqrt{A}-\sqrt{B}}{A-B}$$

예 $\dfrac{1}{\sqrt{x}+\sqrt{x+1}}=\dfrac{(\sqrt{x}-\sqrt{x+1})}{(\sqrt{x}+\sqrt{x+1})(\sqrt{x}-\sqrt{x+1})}$

$\qquad\qquad\quad =\dfrac{\sqrt{x}-\sqrt{x+1}}{x-(x+1)}$

$\qquad\qquad\quad =\sqrt{x+1}-\sqrt{x}$

1 다음 무리식의 값이 실수가 되도록 하는 x의 값의 범위를 구하시오.

(1) $\sqrt{x-3}$

(2) $\sqrt{2-x}+\sqrt{x+2}$

(3) $\dfrac{1}{\sqrt{x+3}}$

(4) $\sqrt{x+1}+\dfrac{1}{\sqrt{x}}$

2 $x>2$일 때, 다음 식을 간단히 하시오.

(1) $\sqrt{x^2-4x+4}+|x+2|$

(2) $(\sqrt{x-2})^2$

3 다음 식의 분모를 유리화하시오.

(1) $\dfrac{1}{\sqrt{x+2}-\sqrt{x}}$

(2) $\dfrac{2x-2}{\sqrt{x-1}}$

Seminar 샘세미나

이중근호 [교육과정 外]

$\sqrt{4+2\sqrt{3}}$, $\sqrt{1+\sqrt{x+1}}$과 같이 근호 안에 또 근호가 들어 있는 것을 이중근호라고 한다.

이때, $(\sqrt{x}+\sqrt{y})^2=x+2\sqrt{xy}+y$이므로
$$\sqrt{x}+\sqrt{y}=\sqrt{x+y+2\sqrt{xy}}$$
이고 같은 방법으로 $x>y>0$일 때,
$$\sqrt{x}-\sqrt{y}=\sqrt{x+y-2\sqrt{xy}}$$
이고 이 성질은 두 다항식 A, B에 대하여도 다음과 같이 성립한다.

> 이중근호
> $\sqrt{(\text{합})\pm2\sqrt{(\text{곱})}}$

샘정리 ──────────── 이중근호의 계산

두 다항식 A, B $(A\ne B)$에 대하여

1 $A>0$, $B>0$일 때, $\sqrt{A+B+2\sqrt{AB}}=\sqrt{A}+\sqrt{B}$

2 $A>B>0$일 때, $\sqrt{A+B-2\sqrt{AB}}=\sqrt{A}-\sqrt{B}$

다음 무리식의 값이 실수가 되도록 하는 x의 값의 범위를 구하시오.

(1) $\sqrt{x+3} - \sqrt{2x-1}$ (2) $3\sqrt{x+1} + \dfrac{1}{\sqrt{2-x}}$ (3) $\dfrac{\sqrt{x+2}}{\sqrt{4-x}}$

> ┈┈ ■ **길잡이**   무리식의 값이 실수가 되기 위해서는 근호 안의 식의 값이 0 또는 양수이어야 하고,
> (분모의 값)≠0이어야 한다.

풀이 (1) 무리식 $\sqrt{x+3} - \sqrt{2x-1}$이 실수의 값을 가지려면

  $x+3 \geq 0$, $2x-1 \geq 0$이어야 한다.

  $\therefore x \geq \dfrac{1}{2}$

(2) 무리식 $3\sqrt{x+1} + \dfrac{1}{\sqrt{2-x}}$이 실수의 값을 가지려면

  $x+1 \geq 0$, $2-x > 0$이어야 한다.

  $\therefore -1 \leq x < 2$

(3) 무리식 $\dfrac{\sqrt{x+2}}{\sqrt{4-x}}$가 실수의 값을 가지려면

  $x+2 \geq 0$, $4-x > 0$이어야 한다.

  $\therefore -2 \leq x < 4$

답 (1) $x \geq \dfrac{1}{2}$ (2) $-1 \leq x < 2$ (3) $-2 \leq x < 4$

유제 11-1 다음 무리식의 값이 실수가 되도록 하는 x의 값의 범위를 구하시오.

  (1) $\sqrt{2-3x} + 2\sqrt{x+1}$ (2) $\sqrt{3x-2} - \dfrac{1}{\sqrt{1-x^2}}$

  (3) $\dfrac{\sqrt{x^2-3x+2}}{\sqrt{-x^2-x+12}}$

유제 11-2 무리식 $\sqrt{x^2-2kx-3k+4}$의 값이 모든 실수 x에 대하여 항상 실수가 되도록 하는 실수 k의 값의 범위를 구하시오.

필수 예제 2

다음 식을 간단히 하시오.

(1) $\dfrac{\sqrt{x}}{\sqrt{x+1}-\sqrt{x}} \times \dfrac{\sqrt{x}}{\sqrt{x+1}+\sqrt{x}}$

(2) $\dfrac{2}{1+\sqrt{1+x}} + \dfrac{2}{1-\sqrt{1+x}}$

.... ■ **길잡이**   (2) 분모를 유리화하여 주어진 식을 간단히 한다.

풀이   (1) (주어진 식) $= \dfrac{(\sqrt{x})^2}{(\sqrt{x+1}-\sqrt{x})(\sqrt{x+1}+\sqrt{x})} = \dfrac{x}{(\sqrt{x+1})^2-(\sqrt{x})^2}$

$\qquad\qquad\qquad = \dfrac{x}{x+1-x} = x$

(2) (주어진 식) $= \dfrac{2(1-\sqrt{1+x})}{(1+\sqrt{1+x})(1-\sqrt{1+x})} + \dfrac{2(1+\sqrt{1+x})}{(1-\sqrt{1+x})(1+\sqrt{1+x})}$

$\qquad\qquad\qquad = \dfrac{2-2\sqrt{1+x}}{1-(1+x)} + \dfrac{2+2\sqrt{1+x}}{1-(1+x)}$

$\qquad\qquad\qquad = \dfrac{4}{1-(1+x)} = -\dfrac{4}{x}$

답 (1) x (2) $-\dfrac{4}{x}$

유제 11-3   다음 식을 간단히 하시오.

(1) $\dfrac{3x\sqrt{x}}{\sqrt{x+3}-\sqrt{x}} \times \dfrac{\sqrt{x}}{\sqrt{x+3}+\sqrt{x}}$

(2) $\dfrac{\sqrt{1+x}-\sqrt{1-x}}{\sqrt{1+x}+\sqrt{1-x}} + \dfrac{\sqrt{1+x}+\sqrt{1-x}}{\sqrt{1+x}-\sqrt{1-x}}$

유제 11-4   다음 식을 간단히 하시오.

$$\dfrac{1}{\sqrt{x+1}+\sqrt{x+2}} + \dfrac{1}{\sqrt{x+2}+\sqrt{x+3}} + \dfrac{1}{\sqrt{x+3}+\sqrt{x+4}}$$

2 무리함수

1 무리함수의 뜻

함수 $y=f(x)$에서 $f(x)$가 x에 대한 무리식일 때, 이 함수를 **무리함수**라고 한다.

$y=$ (무리식)
➡ (무리함수)

예를 들어

$$y=\sqrt{x+2}\,,\ y=\sqrt{2x-1}+3,\ y=2\sqrt{x^2-1}$$

등은 무리함수이다.

이때, 무리함수 $y=f(x)$의 정의역은 $f(x)$가 실수의 값을 가져야 하므로 근호 안의 값이 항상 0 이상 되게 하는 값이어야 한다.

즉, 무리함수의 정의역이 주어져 있지 않은 경우 정의역은

(근호 안의 식의 값)≥ 0

을 만족시키는 실수 전체의 집합이다.

예   무리함수 $y=\sqrt{x-2}$의 정의역은 $\{x\,|\,x$는 $x\geq2\}$이고,
치역은 $\{y\,|\,y$는 $y\geq0\}$이다.

참고 $y=\sqrt{(x-1)^2}=|x-1|$이므로 $y=\sqrt{(x-1)^2}$은 무리함수가 아니다.

2 무리함수 $y=\sqrt{ax}\,,\ y=-\sqrt{ax}\ (a\neq0)$의 그래프

무리함수 $y=\sqrt{x}\,,\ y=-\sqrt{x}$의 그래프를 대응표를 만들어서 그려 보자.
정의역이 $\{x\,|\,x\geq0\}$이므로 대응표를 만들면 다음과 같다.

x	0	1	2	3	4	⋯	9	⋯
$y(=\sqrt{x}\,)$	0	1	$\sqrt{2}$ $=1.414\cdots$	$\sqrt{3}$ $=1.732\cdots$	2	⋯	3	⋯
$y(=-\sqrt{x}\,)$	0	-1	$-\sqrt{2}$	$-\sqrt{3}$	-2	⋯	-3	⋯

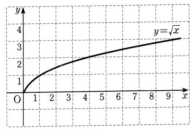

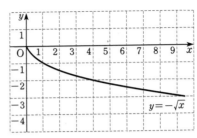

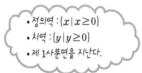

- 정의역 : $\{x \mid x \geq 0\}$
- 치역 : $\{y \mid y \geq 0\}$
- 제 1사분면을 지난다.

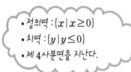

- 정의역 : $\{x \mid x \geq 0\}$
- 치역 : $\{y \mid y \leq 0\}$
- 제 4사분면을 지난다.

샘 특강

무리함수 $y=\sqrt{x}$ 와 그 역함수 $y=x^2\,(x \geq 0)$의 그래프

무리함수 $y=\sqrt{x}$의 그래프는 이차함수 $y=x^2\,(x \geq 0)$의 그래프와 직선 $y=x$에 대하여 대칭이다. 즉, 무리함수 $y=\sqrt{x}$의 역함수는 $y=x^2\,(x \geq 0)$이다.

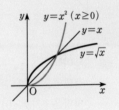

참고 　두 함수 $y=\sqrt{ax}$, $y=\dfrac{x^2}{a}\,(x \geq 0)$의 그래프는 직선 $y=x$에 대하여 대칭이다.

무리함수 $y=\sqrt{x}$의 그래프를 x축, y축 또는 원점에 대하여 대칭 이동하면 여러 가지 무리함수의 그래프를 얻을 수 있다.

즉, 무리함수 $y=\sqrt{x}$의 그래프를

① x축에 대하여 대칭이동하면 ➡ 함수 $y=-\sqrt{x}$의 그래프
② y축에 대하여 대칭이동하면 ➡ 함수 $y=\sqrt{-x}$의 그래프
③ 원점에 대하여 대칭이동하면 ➡ 함수 $y=-\sqrt{-x}$의 그래프

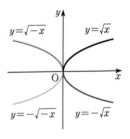

샘 보충

무리함수 $y=\sqrt{ax}$의 그래프는 $|a|$의 값이 클수록 x축에서 멀어진다.

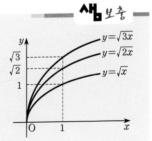

일반적으로 무리함수 $y=\sqrt{ax}$ 의 그래프는

> $a>0$일 때, 정의역 : $\{x|x\geq0\}$, 치역 : $\{y|y\geq0\}$
> $a<0$일 때, 정의역 : $\{x|x\leq0\}$, 치역 : $\{y|y\geq0\}$

또 무리함수 $y=-\sqrt{ax}$ 의 그래프는

> $a>0$일 때, 정의역 : $\{x|x\geq0\}$, 치역 : $\{y|y\leq0\}$
> $a<0$일 때, 정의역 : $\{x|x\leq0\}$, 치역 : $\{y|y\leq0\}$

새밤 정리

무리함수 $y=\pm\sqrt{ax}\ (a\neq0)$의 그래프

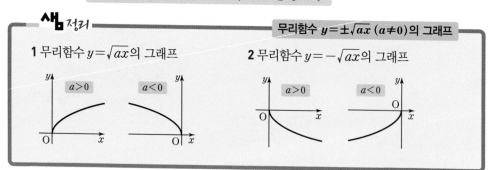

1 무리함수 $y=\sqrt{ax}$의 그래프

2 무리함수 $y=-\sqrt{ax}$의 그래프

예 무리함수 $y=\sqrt{-2x}$ 의 그래프를 그려 보자.
정의역은 $-2x\geq0$에서 $\{x|x\leq0\}$이고,
치역은 $\{y|y\geq0\}$이므로 그래프는 그림과 같다.

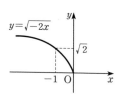

새밤 보충

무리함수의 그래프 그리는 방법 (1)

무리함수 $y=k\sqrt{ax}$의 그래프는 원점에서 시작하여

① $a>0,\ k>0$일 때, 제1사분면 방향으로
② $a<0,\ k>0$일 때, 제2사분면 방향으로
③ $a<0,\ k<0$일 때, 제3사분면 방향으로
④ $a>0,\ k<0$일 때, 제4사분면 방향으로

그리면 된다.

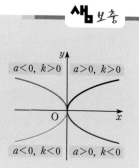

예 무리함수 $y=2\sqrt{-x}$, $y=-2\sqrt{3x}$의 그래프를 그려 보자.

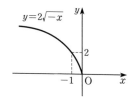

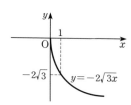

③ 무리함수 $y=\sqrt{a(x-p)}+q\ (a\neq0)$의 그래프

무리함수 $y=\sqrt{2x}$의 그래프를 x축의 방향으로 1만큼, y축의 방향으로 3만큼 평행이동하면
$$y=\sqrt{2(x-1)}+3$$
이 된다.

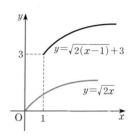

따라서 무리함수 $y=\sqrt{2(x-1)}+3$의 그래프는 무리함수 $y=\sqrt{2x}$의 그래프를

　　　　x축의 방향으로 1만큼, y축의 방향으로 3만큼

평행이동해서 그리면 된다.

일반적으로 무리함수 $y=\sqrt{a(x-p)}+q$의 정의역은 근호 안의 값이 0 또는 양수가 되게 하는 x의 값이므로

> $a>0$일 때, $\{x|x는\ x\geq p인\ 실수\}$
> $a<0$일 때, $\{x|x는\ x\leq p인\ 실수\}$

이고, 치역은 $\{y|y는 y\geq q인\ 실수\}$이다.

또 무리함수 $y=\sqrt{a(x-p)}+q$의 그래프는 무리함수 $y=\sqrt{ax}$의 그래프를 x축의 방향으로 p만큼, y축의 방향으로 q만큼 평행이동한 것이다.

이때, 그래프의 시작점을 기준으로 생각하면 그래프의 이동을 쉽게 찾을 수 있다.

$a>0$

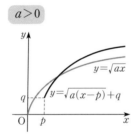

$a<0$

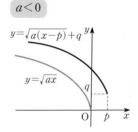

새 정리 ─────────────────── 무리함수 $y=\sqrt{a(x-p)}+q\ (a\neq0)$의 그래프

무리함수 $y=\sqrt{a(x-p)}+q\,(a\neq0)$의 그래프는
1 무리함수 $y=\sqrt{ax}$의 그래프를

　　　　x축의 방향으로 p만큼, y축의 방향으로 q만큼

평행이동한 것이다.
2 $a>0$일 때, 정의역 : $\{x|x\geq p\}$, 치역 : $\{y|y\geq q\}$
　　 $a<0$일 때, 정의역 : $\{x|x\leq p\}$, 치역 : $\{y|y\geq q\}$

무리함수의 그래프 그리는 방법 (2)

① 무리함수 $y=\sqrt{a(x-p)}+q$의 그래프
  • $a>0$일 때, 시작점이 $(p,\ q)$이고, 제1사분면 방향으로 그린다.
  • $a<0$일 때, 시작점이 $(p,\ q)$이고, 제2사분면 방향으로 그린다.
② 무리함수 $y=-\sqrt{a(x-p)}+q$의 그래프
  • $a>0$일 때, 시작점이 $(p,\ q)$이고, 제4사분면 방향으로 그린다.
  • $a<0$일 때, 시작점이 $(p,\ q)$이고, 제3사분면 방향으로 그린다.

참고 무리함수 $y=-\sqrt{a(x-p)}+q$의 그래프는 무리함수
$y=-\sqrt{ax}$ 의 그래프를 x축의 방향으로 p만큼,
y축의 방향으로 q만큼 평행이동한 것이다.

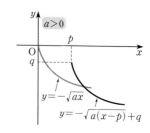

예 무리함수 $y=\sqrt{2(x+3)}-1$의 그래프는 무리함수
$y=\sqrt{2x}$의 그래프를 x축의 방향으로 -3만큼,
y축의 방향으로 -1만큼 평행이동한 것이다.

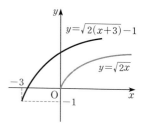

④ 무리함수 $y=\sqrt{ax+b}+c\ (a\neq0)$의 그래프

$$y=\sqrt{2x-4}-3 \Longleftrightarrow y=\sqrt{2(x-2)}-3$$

과 같이 $y=\sqrt{ax+b}+c$의 꼴의 무리함수의 그래프는 $y=\sqrt{a(x-p)}+c$의 꼴로 변형하여 그린다.

새정리

무리함수 $y=\sqrt{ax+b}+c\ (a\neq0)$의 그래프

무리함수 $y=\sqrt{ax+b}+c\,(a\neq0)$의 그래프는 $y=\sqrt{a\left(x+\dfrac{b}{a}\right)}+c$로 변형된다.

1 $a>0$일 때, 정의역 : $\left\{x\,\middle|\,x\geq-\dfrac{b}{a}\right\}$, 치역 : $\{y\,|\,y\geq c\}$

2 $a<0$일 때, 정의역 : $\left\{x\,\middle|\,x\leq-\dfrac{b}{a}\right\}$, 치역 : $\{y\,|\,y\geq c\}$

예　무리함수 $y=-\sqrt{6-2x}-1$의 그래프는
$y=-\sqrt{-2(x-3)}-1$이므로
무리함수 $y=-\sqrt{-2x}$ 의 그래프를 x축의 방향으로 3만큼,
y축의 방향으로 -1만큼 평행이동한 것이다.

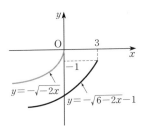

정답 및 해설 p.488

개념확인코너

4 다음 무리함수의 그래프를 그리시오.

(1) $y=\sqrt{3x}$　　　　　　　　　(2) $y=\sqrt{-3x}$

(3) $y=-\sqrt{3x}$　　　　　　　　(4) $y=-\sqrt{-3x}$

5 다음 무리함수의 정의역과 치역을 구하시오.

(1) $y=\sqrt{x-2}$　　　　　　　　(2) $y=\sqrt{-x}+3$

(3) $y=-\sqrt{x-1}+2$　　　　　　(4) $y=-\sqrt{-x}+1$

6 무리함수 $y=-\sqrt{ax}$의 그래프가 그림과 같을 때,
상수 a의 값을 구하시오.

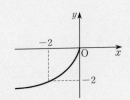

다음 함수의 그래프를 그리고, 정의역과 치역을 구하시오.

(1) $y=\sqrt{3x+6}$

(2) $y=\sqrt{-2x+1}-1$

■ **길잡이** $y=\sqrt{ax+b}+c$의 꼴의 무리함수의 그래프는 $y=\sqrt{a(x-p)}+c$의 꼴로 변형하여 그린다.

■ **생각저지**   무리함수 $y=\sqrt{a(x-p)}+q$의 그래프는

(1) $a>0$일 때, 정의역 : $\{x|x\geq p\}$, 치역 : $\{y|y\geq q\}$

(2) $a<0$일 때, 정의역 : $\{x|x\leq p\}$, 치역 : $\{y|y\geq q\}$

풀이   (1) 함수 $y=\sqrt{3x+6}=\sqrt{3(x+2)}$의 그래프는 함수 $y=\sqrt{3x}$의 그래프를 x축의 방향으로 -2만큼 평행이동한 것이므로 그림과 같다.

∴ 정의역 : $\{x|x\geq -2\}$, 치역 : $\{y|y\geq 0\}$

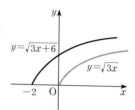

(2) 함수 $y=\sqrt{-2x+1}-1=\sqrt{-2\left(x-\dfrac{1}{2}\right)}-1$의 그래프는

함수 $y=\sqrt{-2x}$의 그래프를 x축의 방향으로 $\dfrac{1}{2}$만큼, y축의 방향으로 -1만큼 평행이동한 것이므로 그림과 같다.

∴ 정의역 : $\left\{x\,\middle|\,x\leq \dfrac{1}{2}\right\}$, 치역 : $\{y|y\geq -1\}$

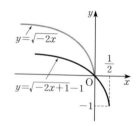

답 풀이 참조

유제 11-5   다음 함수의 그래프를 그리고, 정의역과 치역을 구하시오.

(1) $y=-\sqrt{2x+4}$

(2) $y=-\sqrt{-x+2}-2$

유제 11-6 $a\leq x\leq b$에서 함수 $y=\sqrt{-2x+1}+4$의 치역이 $\{y|5\leq y\leq 7\}$일 때, 두 상수 a, b에 대하여 $a+b$의 값을 구하시오.

필수 예제 4

정의역이 $\{x | 2 \leq x \leq k\}$일 때, 함수 $y=\sqrt{3x-2}-5$의 최솟값이 m, 최댓값이 2이다.
이때, k, m의 값을 구하시오.

■ **길잡이** x의 값의 범위가 제한되어 있을 때, 무리함수의 최대, 최소는 주어진 x의 값의 범위에서 그래프를 그려 해결한다.

풀이 $y=\sqrt{3x-2}-5=\sqrt{3\left(x-\dfrac{2}{3}\right)}-5$이므로

$2 \leq x \leq k$에서 주어진 함수의 그래프는 그림과 같다.

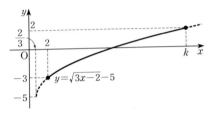

이때, $x=2$일 때, 최솟값 m을 갖는다.

$m=\sqrt{3 \times 2-2}-5=2-5=-3$

$\therefore m=-3$

또 $x=k$일 때, 최댓값 2를 갖는다.

$\sqrt{3k-2}-5=2$, $\sqrt{3k-2}=7$, $3k-2=49$

$\therefore k=17$

답 $k=17$, $m=-3$

유제 11-7 $1 \leq x \leq 4$에서 함수 $y=\sqrt{5-x}+3$의 최댓값을 M, 최솟값을 m이라 할 때, $M+m$의 값을 구하시오.

유제 11-8   함수 $f(x)=\sqrt{ax+b}+c$가 $x=-1$에서 최솟값 3을 갖고, $f(1)=5$이다. 이때, 세 상수 a, b, c에 대하여 $a+b+c$의 값을 구하시오.

함수 $y=\sqrt{3x-1}$의 그래프를 x축의 방향으로 -1만큼, y축의 방향으로 -2만큼 평행이동한 후, 원점에 대하여 대칭이동한 함수의 식이 $y=-\sqrt{ax+b}+c$일 때, 세 상수 a, b, c에 대하여 $a+b+c$의 값을 구하시오.

■ 생각 점검
(1) 무리함수 $y=\sqrt{ax}\,(a\ne0)$의 그래프를 x축의 방향으로 m만큼, y축의 방향으로 n만큼 평행이동한 함수의 식은 $y=\sqrt{a(x-m)}+n$이다.
(2) 무리함수 $y=\sqrt{ax+b}+c\,(a\ne0)$의 그래프를
① x축에 대하여 대칭이동 ➡ y 대신에 $-y$를 대입
② y축에 대하여 대칭이동 ➡ x 대신에 $-x$를 대입
③ 원점에 대하여 대칭이동 ➡ x 대신에 $-x$, y 대신에 $-y$를 대입

풀이 함수 $y=\sqrt{3x-1}$의 그래프를 x축의 방향으로 -1만큼,
y축의 방향으로 -2만큼 평행이동하면
$$y+2=\sqrt{3(x+1)-1}$$
$$\therefore y=\sqrt{3x+2}-2$$
이것을 원점에 대하여 대칭이동한 함수의 식은
x 대신에 $-x$, y 대신에 $-y$를 대입한 식이므로
$$-y=\sqrt{3\times(-x)+2}-2$$
$$\therefore y=-\sqrt{-3x+2}+2$$
따라서 $a=-3$, $b=2$, $c=2$이므로
$$a+b+c=1$$

답 1

유제 11-9 함수 $y=\sqrt{3x+6}-1$의 그래프는 함수 $y=\sqrt{ax}$의 그래프를 x축의 방향으로 b만큼, y축의 방향으로 c만큼 평행이동한 그래프이다. 이때, 세 상수 a, b, c에 대하여 $a+b+c$의 값을 구하시오.

유제 11-10 함수 $y=-\sqrt{-2x}$의 그래프를 x축의 방향으로 5만큼, y축의 방향으로 -5만큼 평행이동한 후, y축에 대하여 대칭이동하였더니 함수 $y=g(x)$의 그래프와 일치하였다. 이때, $g(3)$의 값을 구하시오.

함수 $y=a\sqrt{-x+b}+c$의 그래프가 그림과 같을 때, 세 상수 a, b, c에 대하여 $a+b+c$의 값을 구하시오.

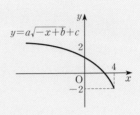

■ 길잡이   함수 $y=a\sqrt{-x+b}+c=a\sqrt{-(x-b)}+c$의 그래프는 함수 $y=a\sqrt{-x}$의 그래프를 x축의 방향으로 b만큼, y축의 방향으로 c만큼 평행이동한 것이다.

풀이   주어진 그래프는 함수 $y=a\sqrt{-x}$의 그래프를 x축의 방향으로 4만큼, y축의 방향으로 -2만큼 평행이동한 것이므로 $y=a\sqrt{-(x-4)}-2$이다.
이 그래프가 점 $(0, 2)$를 지나므로
$2=a\sqrt{-(0-4)}-2$, $2a=4$
$\therefore a=2$
따라서 주어진 함수의 그래프는
$y=2\sqrt{-(x-4)}-2=2\sqrt{-x+4}-2$이고,
이 함수의 식이 $y=a\sqrt{-x+b}+c$와 일치하므로
$a+b+c=2+4+(-2)=4$

답 4

시작점이 점 (p, q)이면 ➡ $y=k\sqrt{a(x-p)}+q$

유제 11-11 함수 $y=a\sqrt{x+b}+c$의 그래프가 그림과 같을 때, 세 상수 a, b, c에 대하여 $a+b+c$의 값을 구하시오.

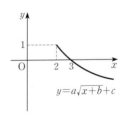

유제 11-12 함수 $y=-\sqrt{ax+b}+c$의 그래프가 그림과 같을 때, 세 상수 a, b, c에 대하여 $2a+b-c$의 값을 구하시오.

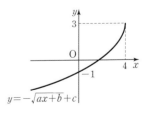

유리함수 $y=\dfrac{bx+c}{ax+1}$ 의 그래프가 그림과 같을 때, 무리함수

$y=\sqrt{ax+b}+c$의 그래프를 그리시오. (단, a, b, c는 상수이다.)

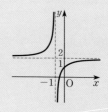

　　■ **길잡이**　　점근선의 방정식이 $x=-1$, $y=2$임을 이용하여 a, b, c의 값을 구한 후, $y=\sqrt{ax+b}+c$의 그래프를 그려 본다.

　　■ **새롭정리**　　유리함수 $y=\dfrac{ax+b}{cx+d}$의 그래프에서 점근선은

$$x=-\frac{d}{c},\ y=\frac{a}{c}$$

풀이　주어진 유리함수의 그래프에서 점근선의 방정식이 $x=-1$, $y=2$이므로

$$-\frac{1}{a}=-1,\ \frac{b}{a}=2$$

$$\therefore a=1,\ b=2$$

또 점 $(0,1)$을 지나므로 $c=1$

즉, 구하는 무리함수의 식은 $y=\sqrt{x+2}+1$이고, 이 그래프는 함수 $y=\sqrt{x}$의 그래프를 x축의 방향으로 -2만큼, y축의 방향으로 1만큼 평행이동한 그래프이므로 그림과 같다.

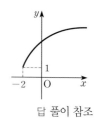

답 풀이 참조

유제 11-13 이차함수 $y=ax^2+bx+c$의 그래프가 그림과 같을 때, 무리함수 $f(x)=a\sqrt{-x+b}-c$의 그래프의 개형을 그리시오. (단, a, b, c는 상수이다.)

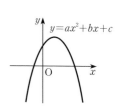

무리함수 $y=\sqrt{2x+1}$의 역함수를 구하고, 그 역함수의 정의역과 치역을 구하시오.

> ■ **길잡이**   함수의 정의역은 역함수의 치역이 되고, 함수의 치역은 역함수의 정의역이 된다.
>
> ■ **새b정리**   함수 $y=f(x)$의 역함수는 $y=f(x)$를 x에 대하여 푼 다음 x와 y를 바꾸어 구한다.

풀이 $y=\sqrt{2x+1}$ 이므로 $x\geq -\dfrac{1}{2}$, $y\geq 0$이다.

양변을 제곱하면 $y^2=2x+1$

x에 대하여 풀면 $x=\dfrac{1}{2}(y^2-1)$

x와 y를 바꾸면 역함수는 $y=\dfrac{1}{2}x^2-\dfrac{1}{2}\ (x\geq 0)$

이때, 정의역은 $\{x\,|\,x\geq 0\}$, 치역은 $\left\{y\,\middle|\,y\geq -\dfrac{1}{2}\right\}$이다.

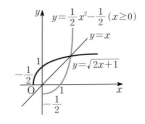

답 $y=\dfrac{1}{2}x^2-\dfrac{1}{2}\ (x\geq 0)$, 정의역 : $\{x\,|\,x\geq 0\}$, 치역 : $\left\{y\,\middle|\,y\geq -\dfrac{1}{2}\right\}$

유제 11-14 다음 함수의 역함수를 구하고, 그 역함수의 정의역과 치역을 구하시오.

$\quad$ (1) $y=-\sqrt{x+1}$ $\qquad\qquad\qquad$ (2) $y=\sqrt{-3(x+1)}-2$

Up

유제 11-15 무리함수 $f(x)=-\sqrt{2x-4}+1$의 역함수는 $g(x)=\dfrac{1}{2}x^2+ax+b$이고, 이 함수

$\quad$ 의 정의역은 $\{x\,|\,x\leq c\}$이다. 이때, 세 실수 $a,\ b,\ c$의 합 $a+b+c$의 값을 구하시오.

무리함수 $y=\sqrt{x-1}+1$과 그 역함수의 그래프는 두 점에서 만난다. 이때, 두 교점 사이의 거리를 구하시오.

■ **길잡이** 　함수 $y=f(x)$의 그래프와 그 역함수 $y=f^{-1}(x)$의 그래프가 만나는 점 $(a,\ b)$는 직선 $y=x$ 위의 점이므로 $a=b$이고 방정식 $f(x)=x$의 실근은 $x=a$이다.

■ **새점거** 　함수의 그래프와 그 함수의 역함수의 그래프는 직선 $y=x$에 대하여 대칭이다.

풀이　무리함수 $y=f(x)$의 그래프와 그 역함수 $y=f^{-1}(x)$의 그래프의
교점은 함수 $y=f(x)$의 그래프와 직선 $y=x$의 교점과 같다.

$\sqrt{x-1}+1=x$에서 $\sqrt{x-1}=x-1$

양변을 제곱하면

$x-1=x^2-2x+1$

$x^2-3x+2=0,\ (x-1)(x-2)=0$

$\therefore x=1$ 또는 $x=2$

따라서 두 교점의 좌표는 $(1,\ 1),\ (2,\ 2)$이고,

두 점 사이의 거리는

$\sqrt{(2-1)^2+(2-1)^2}=\sqrt{2}$

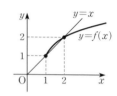

답 $\sqrt{2}$

유제 11-16 함수 $f(x)=\sqrt{2x-3}+1$의 역함수를 $y=f^{-1}(x)$라 할 때, 두 함수 $y=f(x)$, $y=f^{-1}(x)$의 그래프의 교점의 좌표를 구하시오.

Up

유제 11-17 무리함수 $y=f(x)$의 그래프가 그림과 같을 때, 두 함수 $y=f(x)$와 $y=f^{-1}(x)$의 그래프의 교점을 P라 하고, 두 그래프 $y=f(x)$와 $y=f^{-1}(x)$가 각각 x축, y축과 만나는 점을 A, B라 할 때, 삼각형 ABP의 넓이를 구하시오.

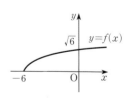

두 함수 $y=\sqrt{2x-1}$, $y=x+m$의 그래프가 서로 다른 두 점에서 만나도록 하는 실수 m의 값의 범위를 구하시오.

■ 길잡이   무리함수의 그래프와 직선의 위치 관계는 그래프를 그려서 파악한다. 특히, 직선 $y=x+m$의 y절편인 m의 값에 따라 무리함수의 그래프와 직선의 위치 관계가 정해진다.

풀이   (ⅰ) 직선 $y=x+m$이 함수 $y=\sqrt{2x-1}$의 그래프와 접할 때

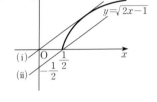

$\sqrt{2x-1}=x+m$에서 양변을 제곱하여 정리하면

$x^2+2(m-1)x+m^2+1=0$

이 이차방정식의 판별식을 D라 하면

$\dfrac{D}{4}=(m-1)^2-(m^2+1)=0,$

$m^2-2m+1-m^2-1=0$

$\therefore m=0$

(ⅱ) 직선 $y=x+m$이 점 $\left(\dfrac{1}{2},\ 0\right)$을 지날 때

$0=\dfrac{1}{2}+m \qquad \therefore m=-\dfrac{1}{2}$

(ⅰ), (ⅱ)에 의하여 두 함수의 그래프가 서로 다른 두 점에서 만나려면

$-\dfrac{1}{2}\le m<0$

답 $-\dfrac{1}{2}\le m<0$

유제 11-18 두 함수 $y=-\sqrt{4-2x}$, $y=x+k$의 그래프가 한 점에서 만날 때, 상수 k의 최솟값을 구하시오.

유제 11-19 두 집합

$$A=\{(x,\ y)\,|\,y=\sqrt{x+3}\},\ B=\{(x,\ y)\,|\,y=x+k\}$$

에 대하여 $n(A\cap B)=0$일 때, 실수 k의 값의 범위를 구하시오.

11-1 다음 무리식의 값이 실수가 되도록 하는 실수 x의 값의 범위를 구하시오.

(1) $\sqrt{2-x}+\sqrt{x+3}$

(2) $\dfrac{\sqrt{2x-3}}{\sqrt{x^2-x-6}}$

11-2 $x=\sqrt{3}$일 때, $\dfrac{\sqrt{x+1}+\sqrt{x-1}}{\sqrt{x+1}-\sqrt{x-1}}$의 값을 구하시오.

11-3 무리함수 $y=-\sqrt{ax}$ $(a\neq0)$의 그래프에 대한 설명으로 옳은 것을 **보기**에서 있는 대로 고르시오.

┤ 보기 ├

ㄱ. $a<0$일 때, 정의역은 $\{x\,|\,x\leq0\}$이다.

ㄴ. $a>0$이면 그래프는 제4사분면을 지난다.

ㄷ. $|a|$의 값이 클수록 그래프가 y축에서 멀어진다.

11-4 무리함수 $y=-\sqrt{2-x}-3$의 정의역이 $\{x\,|\,x\leq a\}$, 치역이 $\{y\,|\,y\leq b\}$일 때, ab의 값을 구하시오.

11-5 무리함수 $y=-\sqrt{2x-5}+2$의 그래프는 무리함수 $y=-\sqrt{2x}$의 그래프를 x축의 방향으로 m만큼, y축의 방향으로 n만큼 평행이동한 것이다. 이때, 두 상수 m, n의 곱 mn의 값을 구하시오.

11-6 함수 $y=\sqrt{ax+b}+c$의 그래프가 그림과 같을 때, 세 상수
a, b, c에 대하여 $a+b+c$의 값을 구하시오.

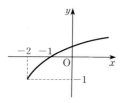

11-7 $-1 \leq x \leq 11$에서 무리함수 $y=3-\sqrt{2x+3}$의 최댓값을 M, 최솟값을 m이라 할 때,
$M+m$의 값을 구하시오.

11-8 함수 $f(x)=(x-2)^2+5$ $(x \leq 2)$의 역함수가 $f^{-1}(x)=-\sqrt{x+a}+b$일 때, 두 상수
a, b에 대하여 $a+b$의 값을 구하시오.

11-9 두 무리함수 $y=\sqrt{x}$, $y=2\sqrt{x}$의 그래프가 그림과
같을 때, $a+b+c+d+e$의 값을 구하시오.

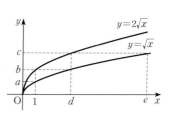

11-10 무리함수 $y=\sqrt{x}$의 그래프와 직선 $y=x+a$가 접할 때, 상수 a의 값을 구하시오.

정답 및 해설 p.493

11-11 무리함수 $y=\sqrt{-2x}$의 그래프를 x축의 방향으로 a만큼, y축의 방향으로 b만큼 평행이동한 후, y축에 대하여 대칭이동하였더니 무리함수 $y=\sqrt{cx-6}+5$의 그래프와 일치하였다. 이때, $a+b+c$의 값은? (단, a, b, c는 상수이다.)

① -7 ② -3 ③ 0 ④ 4 ⑤ 8

11-12 정의역이 $\{x \mid -6 \leq x \leq 0\}$일 때, 무리함수 $y=\sqrt{a-2x}+b$의 최댓값은 5, 최솟값은 3이다. 이때, 두 상수 a, b에 대하여 a^2+b^2의 값은?

① 15 ② 17 ③ 19 ④ 21 ⑤ 23

11-13 무리함수 $y=\sqrt{ax+b}+c$의 그래프가 그림과 같을 때, 유리함수 $y=\dfrac{ax+b}{x+c}$의 그래프의 두 점근선의 방정식을 구하시오. (단, a, b, c는 상수이다.)

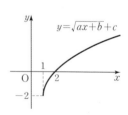

11-14 함수 $y=a(x-b)^2+c\,(x \geq b)$의 역함수의 그래프가 그림과 같을 때, 세 상수 a, b, c에 대하여 $a+b+c$의 값을 구하시오.

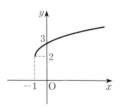

11-15 함수 $f(x)=\sqrt{2x+2}-1$에 대하여 두 함수 $y=f(x)$와 $y=f^{-1}(x)$의 교점을 각각 P, Q라 할 때, 선분 PQ의 길이를 구하시오.

11-16 함수 $y=\sqrt{ax+b}\ (a\neq0)$의 그래프와 그 역함수의 그래프가 점 $(2,\ 1)$에서 만날 때, 두 상수 $a,\ b$의 값을 구하시오.

11-17 집합 $A=\{x\,|\,x>1\}$에서 집합 A로 정의된 두 함수 $f,\ g$가 $f(x)=\dfrac{x+2}{x-1}$, $g(x)=\sqrt{2x-1}$이고, $f^{-1}(4)=a,\ (f\circ(g\circ f)^{-1})\,(2)=b$일 때, 두 상수 $a,\ b$의 곱 ab의 값은?

① 3   ② 5   ③ 7   ④ 9   ⑤ 11

11-18 그림과 같이 좌표평면 위의 두 곡선 $y=\sqrt{x+1}$과 $y=\sqrt{x-1}$이 y축에 평행한 직선 $x=k\ (k=1,\ 2,\ 3,\ \cdots)$ 와 만나는 점을 각각 $\mathrm{P}_k,\ \mathrm{Q}_k$라 하면 $\overline{\mathrm{P}_1\mathrm{Q}_1}+\overline{\mathrm{P}_2\mathrm{Q}_2}+\overline{\mathrm{P}_3\mathrm{Q}_3}+\cdots+\overline{\mathrm{P}_{99}\mathrm{Q}_{99}}=a+b\sqrt{11}$이다. 이때, 두 정수 $a,\ b$에 대하여 $a+b$의 값을 구하시오.

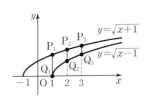

11-19 두 집합 $A=\{(x,\ y)\,|\,y=\sqrt{x-2}\},\ B=\{(x,\ y)\,|\,y=x+k\}$에 대하여 $n(A\cap B)=2$ 를 만족시키는 상수 k의 범위를 $\alpha\leq k<\beta$라 할 때, $\alpha\beta$의 값을 구하시오.

Up

11-20 두 집합 $A=\{(x,\ y)\,|\,y=mx+1\},\ B=\{(x,\ y)\,|\,y=\sqrt{2x-3}\}$에 대하여 $A\cap B\neq\varnothing$ 이기 위한 실수 m의 최댓값을 a, 최솟값을 b라 할 때, $a-b$의 값을 구하시오.

11- 21 실수 전체의 집합 R에 대하여 R에서 R로의 함수 f를 다음과 같이 정의한다.

$$f(x)=\begin{cases} \sqrt{a(1-x)}+2 & (x\geq1) \\ -2(x-1)^2+b & (x<1) \end{cases}$$

다음 중 함수 f가 일대일대응이 되기 위한 a의 부호와 b의 값은?

(단, a, b는 상수이다.)

① $a<0$, $b=-1$ ② $a<0$, $b=1$ ③ $a<0$, $b=2$
④ $a>0$, $b=1$ ⑤ $a>0$, $b=2$

11- 22 무리함수 $y=2\sqrt{|2x-1|}$의 그래프가 직선 $y=kx$와 서로 다른 세 점에서 만나도록 하는 정수 k의 개수는?

① 1   ② 2   ③ 3   ④ 4   ⑤ 5

11- 23 두 점 $(3, 2)$, $(2, 3)$을 이은 선분과 함수 $y=\sqrt{mx+1}$ $(m>0)$의 그래프가 만나도록 하는 실수 m의 값의 범위를 $\alpha\leq m\leq\beta$라 하자. 이때, $\alpha+\beta$의 값을 구하시오.

11- 24 좌표평면에서 자연수 n에 대하여 영역

$$\left\{(x, y)\,\middle|\,0\leq x\leq n,\ 0\leq y\leq\frac{\sqrt{x+3}}{2}\right\}$$

에 포함되는 정사각형 중에서 다음 조건을 만족시키는 모든 정사각형의 개수를 $f(n)$이라 하자.

> (가) 각 꼭짓점의 x좌표, y좌표가 모두 정수이다.
> (나) 한 변의 길이가 $\sqrt{5}$ 이하이다.

예를 들어, $f(10)=9$, $f(20)=39$이다. $f(n)\leq300$을 만족시키는 자연수 n의 최댓값을 구하시오.

12
경우의 수

12. 경우의 수

1. 합의 법칙

두 사건 A, B가 동시에 일어나지 않을 때, 사건 A가 일어나는 경우가 m가지이고 사건 B가 일어나는 경우가 n가지이면 사건 A 또는 사건 B가 일어나는 경우의 수는

$\qquad m+n$

이다.

2. 합의 법칙과 집합

두 사건 A, B가 동시에 일어나지 않을 때, 두 사건 A, B가 일어나는 경우의 수를 각각 $n(A)$, $n(B)$라 하면 사건 A 또는 사건 B가 일어나는 경우의 수는

$\qquad n(A \cup B) = n(A) + n(B)$

이다.

3. 곱의 법칙

사건 A가 일어나는 경우가 m가지이고 그 각각에 대하여 사건 B가 일어나는 경우가 n가지일 때, 두 사건 A, B가 동시에 일어나는 경우의 수는

$\qquad m \times n$

이다.

4. 곱집합의 원소의 개수 [교육과정 外]

두 유한집합 A, B의 원소의 개수가 각각 m, n일 때, 집합 A의 각 원소에 집합 B의 각 원소를 하나씩 대응시켜 만든 순서쌍의 집합을 A와 B의 곱집합이라 하고, 이것을 기호로 $A \times B$와 같이 나타낸다.

이때, 곱집합 $A \times B$의 원소의 개수는

$\qquad m \times n$

이다.

1 합의 법칙

그림과 같이 채소 3가지, 과일 4가지가 진열된 상점에서

채소 1개를 사는 경우의 수 ➡ 3(가지)

과일 1개를 사는 경우의 수 ➡ 4(가지)

채소 또는 과일 중 1개를 사는 경우의 수 ➡ 3+4=7(가지)

임을 쉽게 알 수 있다.

1 합의 법칙

흰색, 파란색의 주사위 2개를 동시에 던질 때, 나오는 눈의 수의 합이 4 또는 9가 되는 경우의 수를 구해 보자.

〈눈의 수의 합이 4인 경우〉　　〈눈의 수의 합이 9인 경우〉

흰색 주사위의 눈의 수 x, 파란색 주사위의 눈의 수 y가 나오는 경우를 순서쌍 (x, y)로 나타내면 위의 그림에서 알 수 있듯이

(i) 눈의 수의 합이 4인 경우는

$$(1, 3), (2, 2), (3, 1)$$

의 3가지이고

(ii) 눈의 수의 합이 9인 경우는

$$(3, 6), (4, 5), (5, 4), (6, 3)$$

의 4가지이다.

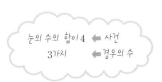

눈의 수의 합이 4 ◀ 사건
3가지 ◀ 경우의 수

여기서 이들 두 경우는 동시에 일어날 수 없으므로 두 주사위의 눈의 수의 합이 4 또는 9인 경우의 수는 모두

$$3+4=7$$

이다.

앞에서

눈의 수의 합이 4가 되는 사건을 A,

눈의 수의 합이 9가 되는 사건을 B

라 하면 이들 두 사건 A, B는 동시에 일어날 수 없으므로 사건 A 또는 사건 B가 일어나는 경우의 수는 $3+4=7$이다.

일반적으로 두 사건 A, B가 동시에 일어나지 않을 때,

사건 A가 일어나는 경우가 a_1, a_2, $\cdots$, a_m의 m가지,

사건 B가 일어나는 경우가 b_1, b_2, $\cdots$, b_n의 n가지

이면 사건 A 또는 사건 B가 일어나는 경우는

a_1, a_2, $\cdots$, a_m, b_1, b_2, $\cdots$, b_n의 $(m+n)$가지

이다.

사건 $A : a_1$, a_2, $\cdots$, a_m ➡ m가지
사건 $B : b_1$, b_2, $\cdots$, b_n ➡ n가지

이와 같이 동시에 일어나지 않는 두 사건에 대하여 다음과 같은 **합의 법칙**이 성립한다.

새 정리

합의 법칙

두 사건 A, B가 동시에 일어나지 않을 때,

사건 A가 일어나는 경우가 m가지이고,

사건 B가 일어나는 경우가 n가지이면

사건 A 또는 사건 B가 일어나는 경우의 수는

$m+n$

예 ① 수학 참고서 5종류와 영어 참고서 3종류 중에서 1종류의 책을 구입하는 방법의 수는

$5+3=8$

② 크기가 다른 두 주사위를 던질 때, 눈의 수의 합이 5의 배수가 나오는 경우의 수를 구해 보자.

(ⅰ) 눈의 수의 합이 5인 경우

$(1,\ 4)$, $(2,\ 3)$, $(3,\ 2)$, $(4,\ 1)$ ➡ 4가지

(ⅱ) 눈의 수의 합이 10인 경우

$(4,\ 6)$, $(5,\ 5)$, $(6,\ 4)$ ➡ 3가지

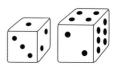

이때, 이들 두 사건은 동시에 일어날 수 없으므로 구하는 경우의 수는

$4+3=7$

한편, 합의 법칙은 셋 이상의 사건에 대해서도 성립한다.

> 세 사건 A, B, C에 대하여 어느 두 사건도 동시에 일어나지 않을 때,
>
>   사건 A가 일어나는 경우의 수가 p,
>
>   사건 B가 일어나는 경우의 수가 q,
>
>   사건 C가 일어나는 경우의 수가 r
>
> 이면 사건 A 또는 사건 B 또는 사건 C가 일어나는 경우의 수는
>
> $p+q+r$

예   그림의 달력에서 하루를 정할 때,
      일요일 또는 월요일 또는 토요일이 선택되는 경우의 수는
        $4+5+4=13$

② 경우의 수와 집합

1부터 15까지의 숫자가 하나씩 적힌 카드 15장이 있다.

1	2	3	4	5	6	7	8	9	10	11	12	13	14	15

이 중에서 한 장을 뽑을 때, 2의 배수 또는 3의 배수가 나오는 경우의 수를 구해 보자.

뽑힌 카드가 2의 배수인 사건을 A, 3의 배수인 사건을 B라 하고, 두 사건 A, B가 일어나는 경우를 각각 집합 A, B로 나타내면
      $A=\{2, 4, 6, 8, 10, 12, 14\}$,
      $B=\{3, 6, 9, 12, 15\}$
이고, 두 사건 A, B가 동시에 일어나는 경우는
      $A \cap B=\{6, 12\}$
이다.

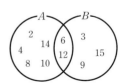

이때, 2의 배수 또는 3의 배수가 나오는 경우는 $A \cup B$이다.
  따라서 구하는 경우의 수는
      $n(A \cup B)=n(A)+n(B)-n(A \cap B)$
             $=7+5-2=10$
이다.

이와 같이 어떤 사건이 일어나는 경우의 수를 구할 때, 집합의 개념을 이용하면 편리하다. 즉,

사건 A가 일어나는 경우의 집합을 A,

사건 B가 일어나는 경우의 집합을 B

로 나타내면 두 사건 A, B가 일어나는 경우의 수는 각각 $n(A)$, $n(B)$와 같다.

또 두 사건 A, B에 대하여 사건 A 또는 사건 B가 일어나는 경우의 집합은 $A \cup B$이므로 이 경우의 수는

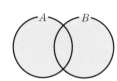

$$n(A \cup B) = n(A) + n(B) - n(A \cap B)$$

이다.

한편, 두 사건 A, B가 동시에 일어나지 않는 경우는 $A \cap B = \varnothing$이므로 경우의 수는

$$n(A \cap B) = 0$$

이다.

따라서 두 사건 A, B가 동시에 일어나지 않을 때, 사건 A 또는 사건 B가 일어나는 경우의 수는

$$n(A \cup B) = n(A) + n(B)$$

이다.

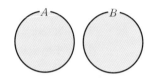

$A \cap B$는 사건 A와 사건 B가 동시에 일어나는 경우이다.

일반적으로 집합의 개념을 이용하여 다음과 같이 합의 법칙을 나타낸다.

쌤정리 ──────────────────── **합의 법칙과 집합**

두 사건 A, B가 동시에 일어나지 않을 때, 두 사건 A, B가 일어나는 경우의 수를 각 각 $n(A)$, $n(B)$라 하면 사건 A 또는 사건 B가 일어나는 경우의 수는

$$n(A \cup B) = n(A) + n(B)$$

예 1부터 20까지의 자연수 중 한 개의 수를 선택할 때, 다음 경우의 수를 구해 보자.

① 선택한 수가 3의 배수 또는 4의 배수인 경우

3의 배수인 사건을 A_3, 4의 배수인 사건을 A_4 라 하면 $A_3 \cap A_4$는 12의 배수인 사건이므로

k의 배수의 사건을 A_k로 놓자!

$$n(A_3) = 6, \ n(A_4) = 5, \ n(A_3 \cap A_4) = 1$$
$$\therefore n(A_3 \cup A_4) = 6 + 5 - 1 = 10$$

② 선택한 수가 3의 배수 또는 7의 배수인 경우

3의 배수인 사건을 A_3, 7의 배수인 사건을 A_7이라 하면 $A_3 \cap A_7$은 21의 배수인 사건이므로

$$n(A_3) = 6, \ n(A_7) = 2, \ n(A_3 \cap A_7) = 0$$
$$\therefore n(A_3 \cup A_7) = 6 + 2 = 8 \quad \leftarrow \text{합의 법칙}$$

여사건의 경우의 수

어떤 사건 A에 대하여 사건 A가 일어나지 않는 사건을 사건 A의
여사건이라 하고 A^C으로 표현한다. 이때,

(사건 A가 일어나지 않는 경우의 수)

$=$(전체 경우의 수)$-$(사건 A가 일어나는 경우의 수)

$\Rightarrow n(A^C)=n(U)-n(A)$

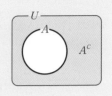

예 주사위를 던져서 3의 배수가 나오지 않는 경우의 수는

(전체 경우의 수)$-$(3의 배수가 나오는 경우의 수)$=6-2=4$

개념확인코너

정답 및 해설 p.496

1 지선이네 집에서 학교까지 가는 길은 버스 노선이 3가지이고, 걸어서 갈 수
있는 길이 2가지이다. 이때, 지선이가 버스를 타거나 걸어서 학교에 갈 수 있
는 방법의 수를 구하시오.

2 서로 다른 두 개의 주사위를 동시에 던질 때, 나오는 눈의 수의 합이 6 또는 7
이 되는 경우의 수를 구하시오.

서로 다른 두 개의 주사위를 동시에 던질 때, 나오는 눈의 수의 합이 5의 배수 또는 6의 배수가 되는 경우의 수를 구하시오.

- **길잡이**   두 눈의 수의 합이 5의 배수가 되는 사건을 A, 두 눈의 수의 합이 6의 배수가 되는 사건을 B라 하면 두 사건 A, B는 동시에 일어나지 않는다.

- **새정리**   두 사건 A, B가 동시에 일어나지 않을 때, 두 사건 A, B가 일어나는 경우의 수가 각각 m가지, n가지이면 사건 A 또는 사건 B가 일어나는 경우의 수는
  $$m+n$$

풀이   (i) 눈의 수의 합이 5의 배수인 경우는 5, 10이다.
           눈의 수의 합이 5인 경우는 $(1, 4)$, $(2, 3)$, $(3, 2)$, $(4, 1)$의 4가지
           눈의 수의 합이 10인 경우는 $(4, 6)$, $(5, 5)$, $(6, 4)$의 3가지
           이때, 두 사건은 동시에 일어날 수 없으므로 구하는 경우의 수는
           $4+3=7$
  (ii) 눈의 수의 합이 6의 배수인 경우는 6, 12이다.
           눈의 수의 합이 6인 경우는 $(1, 5)$, $(2, 4)$, $(3, 3)$, $(4, 2)$, $(5, 1)$의 5가지
           눈의 수의 합이 12인 경우는 $(6, 6)$의 1가지
           이때, 두 사건은 동시에 일어날 수 없으므로 구하는 경우의 수는
           $5+1=6$
    이때, 이들 두 사건은 동시에 일어날 수 없으므로 구하는 경우의 수는 합의 법칙에 의하여
    $7+6=13$

답 13

유제 12-1   서로 다른 두 개의 주사위를 동시에 던질 때, 다음 경우의 수를 구하시오.
           (1) 나오는 눈의 수의 곱이 6 또는 12가 되는 경우
           (2) 나오는 눈의 수의 합이 10 이상이 되는 경우

유제 12-2   1에서 4까지의 자연수가 각각 하나씩 적힌 4장의 카드에서 한 장씩 세 번 카드를 뽑을 때, 뽑힌 카드에 적힌 세 수의 곱이 3 또는 4가 되는 경우의 수를 구하시오.
                                       (단, 뽑은 카드는 다시 넣는다.)

1에서 100까지의 수가 하나씩 적혀 있는 100장의 카드에서 한 장을 뽑을 때, 다음 경우의 수를 구하시오.

(1) 2의 배수 또는 3의 배수가 나오는 경우

(2) 144와 서로소인 수가 나오는 경우

■ **길잡이**　　(2) $144=2^4 \times 3^2$이므로 2와 3을 모두 소인수로 갖지 않는 수는 144와 서로소이다.

■ **새✛정리**　　두 사건 A, B가 동시에 일어날 때, 두 사건 A, B가 일어나는 경우의 수가 각각 m가지, n가지이고 두 사건 A, B가 동시에 일어나는 경우의 수가 l이면 사건 A 또는 사건 B가 일어나는 경우의 수는

$$m+n-l$$

풀이　(1) 2의 배수가 나오는 경우의 수는 2, 4, 6, ⋯, 100의 50가지

3의 배수가 나오는 경우의 수는 3, 6, 9, ⋯, 99의 33가지

이때, 2와 3의 최소공배수가 6이므로 2의 배수이면서

3의 배수인 수가 나오는 경우의 수는 6, 12, 18, ⋯, 96의 16가지

따라서 구하는 경우의 수는 $50+33-16=67$

(2) $144=2^4 \times 3^2$이므로 144와 서로소인 수는 2의 배수도 아니고

3의 배수도 아닌 수이다.

따라서 구하는 경우의 수는

100 − (2의 배수 또는 3의 배수가 나오는 경우의 수)

$=100-67=33$

답 (1) 67　(2) 33

다른 풀이

(1) 2의 배수가 나오는 사건을 집합 A,

3의 배수가 나오는 사건을 집합 B라 하면

2의 배수 또는 3의 배수가 나오는 사건은 $A \cup B$이므로

$n(A \cup B)=n(A)+n(B)-n(A \cap B)=50+33-16=67$

유제 12-3　1에서 100까지의 자연수 중에서 4 또는 7로 나누어떨어지는 자연수의 개수를 구하시오.

유제 12-4　1에서 75까지의 자연수가 각각 하나씩 적힌 75개의 공이 들어 있는 상자에서 한 개의 공을 꺼낼 때, 75와 서로소인 수가 적힌 공을 꺼내는 경우의 수를 구하시오.

a, b, c가 각각 적힌 세 종류의 카드가 있다. a가 적힌 카드가 2장, b가 적힌 카드가 2장, c가 적힌 카드가 1장일 때, 이 중에서 세 장을 일렬로 배열하여 만들 수 있는 세 자리 문자의 개수를 구하시오.

.... ■ **길잡이** 우리가 사용하는 사전처럼
'a'로 시작되는 단어가 끝나면 'b'로 시작되는 단어가 나오고,
'b'로 시작되는 단어가 끝나면 'c'로 시작되는 단어가 나오는
방법을 이용하여 경우의 수를 구한다.

풀이 a, b, c가 각각 처음에 오도록 배열하는 경우를 수형도로 나타내면 다음과 같다.

〈a가 처음에 오는 경우〉 〈b가 처음에 오는 경우〉 〈c가 처음에 오는 경우〉

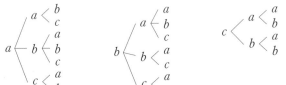

(i) a가 처음에 오는 경우
aab, aac, aba, abb, abc, aca, acb의 7가지
(ii) b가 처음에 오는 경우
baa, bab, bac, bba, bbc, bca, bcb의 7가지
(iii) c가 처음에 오는 경우
caa, cab, cba, cbb의 4가지
(i), (ii), (iii)에 의하여 구하는 세 자리 문자의 개수는
$7+7+4=18$

답 18

유제 12-**5** 4명의 학생의 명찰을 뒤집어서 보이지 않게 잘 섞은 후 학생들이 명찰을 하나씩 택할 때, 4명의 학생이 모두 다른 학생의 명찰을 택하는 경우의 수를 구하시오.

유제 12-**6** 1, 2, 3을 일렬로 배열할 때, n ($n=1$, 2, 3)번째 수 a_n에 대하여 $a_2 \neq 2$를 만족시키도록 배열되는 경우의 수를 구하시오.

방정식을 만족시키는 순서쌍의 개수

방정식 $2a+b+3c=14$를 만족시키는 세 자연수 a, b, c의 순서쌍 (a, b, c)의 개수를 구하시오.

> ■ **길잡이** $ax+by+cz=s$의 꼴
> ➡ 계수가 큰 항을 기준으로 수를 대입하여 각 경우를 생각한다.

풀이 (i) $c=1$일 때, $2a+b=11$을 만족시키는 자연수 a, b의 순서쌍 (a, b)는
　　　 $(1, 9)$, $(2, 7)$, $(3, 5)$, $(4, 3)$, $(5, 1)$의 5가지
　　 (ii) $c=2$일 때, $2a+b=8$을 만족시키는 자연수 a, b의 순서쌍 (a, b)는
　　　 $(1, 6)$, $(2, 4)$, $(3, 2)$의 3가지
　　 (iii) $c=3$일 때, $2a+b=5$를 만족시키는 자연수 a, b의 순서쌍 (a, b)는
　　　 $(1, 3)$, $(2, 1)$의 2가지
　　 (i), (ii), (iii)에 의하여 구하는 순서쌍 (a, b, c)의 개수는
　　 $5+3+2=10$

답 10

> 방정식 또는 부등식을 만족시키는 순서쌍의 개수!!
> 계수가 큰 문자를 기준으로 조건에 맞는 수를 대입
> ➡ 순서쌍의 개수를 구한다.

유제 12-7 방정식 $a+3b+5c=10$을 만족시키는 음이 아닌 세 정수 a, b, c의 순서쌍 (a, b, c)의 개수를 구하시오.

유제 12-8 100원, 200원, 500원짜리 3종류의 우표를 합해서 1500원어치 사는 방법의 수를 구하시오. (단, 각 우표를 적어도 1장씩은 산다고 한다.)

음이 아닌 두 정수 x, y에 대하여 $x+2y<7$을 만족시키는 순서쌍 (x, y)의 개수를 구하시오.

       ■ **길잡이**   주어진 조건을 이용하여 계수가 큰 것부터 차례로 숫자를 대입한다.

풀이 x, y가 음이 아닌 정수이므로

     (i) $y=0$일 때, $x<7$이므로

       $x=0, 1, 2, 3, 4, 5, 6$의 7가지

     (ii) $y=1$일 때, $x<5$이므로

       $x=0, 1, 2, 3, 4$의 5가지

     (iii) $y=2$일 때, $x<3$이므로

       $x=0, 1, 2$의 3가지

     (iv) $y=3$일 때, $x<1$이므로

       $x=0$의 1가지

     (i)~(iv)에 의하여 구하는 순서쌍 (x, y)의 개수는

     $7+5+3+1=16$

                                         답 16

유제 12-9   두 양의 정수 x, y에 대하여 $x+y\leq5$를 만족시키는 순서쌍 (x, y)의 개수를 구하시오.

⬆️Up

유제 12-10 두 주사위 A, B를 동시에 던져서 나온 눈의 수를 각각 a, b라 할 때, x에 대한 이차방정식 $x^2+2ax+3b=0$이 허근을 갖는 경우의 수를 구하시오.

2 곱의 법칙

그림과 같이 빵 2가지, 음료수 4가지가 놓여 있는 식탁에서

빵 1개를 먹는 경우의 수 ➡ 2(가지)

음료수 1개를 마시는 경우의 수 ➡ 4(가지)

빵과 음료수를 1개씩 먹는 경우의 수 ➡ 2×4=8(가지)

임을 쉽게 알 수 있다.

① 곱의 법칙

학교에서 도서관까지는 a, b, c의 3가지 버스 노선이 있고, 도서관에서 집까지는 p, q의 2가지 길이 있다.

이때, 학교에서 버스를 타고 도서관에 갔다가 집에 가는 방법의 수를 구해 보자.

그림과 같이 학교에서 도서관까지 가는 버스 노선 a, b, c의 3가지 각각의 경우에 대하여 도서관에서 집까지 가는 길은 p, q의 2가지씩 있으므로 구하는 방법의 수는

$$3 \times 2 = 6$$

이다.

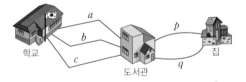

$$a \begin{cases} p \ \Rightarrow \ (a, p) \\ q \ \Rightarrow \ (a, q) \end{cases}$$

$$b \begin{cases} p \ \Rightarrow \ (b, p) \\ q \ \Rightarrow \ (b, q) \end{cases}$$

$$c \begin{cases} p \ \Rightarrow \ (c, p) \\ q \ \Rightarrow \ (c, q) \end{cases}$$

한편, 학교에서 도서관까지 가는 버스 노선의 집합을 A, 도서관에서 집까지 가는 길의 집합을 B라 하면
$$A=\{a,\,b,\,c\},\ B=\{p,\,q\}$$
이고, 구하는 방법의 수는 A의 원소 $a,\,b,\,c$ 각각에 대하여 B의 원소 $p,\,q$를 택하는 것과 같으므로
$$n(A)\times n(B)=6$$
이다.

일반적으로 경우의 수에 대하여 다음과 같은 **곱**의 법칙이 성립한다.

새 정리   **곱의 법칙**

사건 A가 일어나는 경우가 m가지이고, 그 각각에 대하여 사건 B가 일어나는 경우가 n가지일 때, 두 사건 A, B가 동시에 일어나는 경우의 수는
$$m\times n$$

> **예**   남학생 3명, 여학생 5명 중에서 남, 여 대표 1명씩을 정하는 방법의 수는
> $$3\times5=15$$

한편, 곱의 법칙은 셋 이상의 사건에 대해서도 성립한다.

새 보충

사건 A가 일어나는 경우의 수가 p이고, 그 각각에 대하여
사건 B가 일어나는 경우의 수가 q이고, 또 그 각각에 대하여
사건 C가 일어나는 경우의 수가 r일 때
세 사건 $A,\,B,\,C$가 동시에 일어나는 경우의 수는
$$p\times q\times r$$

> **예**   국어 4강좌, 수학 3강좌, 영어 2강좌가 개설된 특기적성교육에서 각 과목별로 한 과목씩 3과목을 신청하는 방법의 수는
> $$4\times3\times2=24$$

[합의 법칙]
사건 A : m가지, 사건 B : n가지
두 사건 A, B가 동시에 일어나지 않을 때
사건 A 또는 사건 B가 일어나는 경우의 수
➡ $m+n$

[곱의 법칙]
사건 A : m가지, 사건 B : n가지
두 사건 A, B가 동시에 일어나는 경우의 수
➡ $m\times n$

② 곱집합 [교육과정 外]

사건 A가 일어나는 경우가 a, b, c의 3가지이고, 사건 B가 일어나는 경우가 p, q의 2가지일 때, 집합 A의 각 원소에 대하여 집합 B의 원소를 하나씩 대응시켜 만든 순서쌍의 집합

$$\{(a, p), (a, q), (b, p), (b, q), (c, p), (c, q)\}$$

를 A와 B의 **곱집합**이라 하고, 이것을 기호로 $\boldsymbol{A \times B}$와 같이 나타낸다.

이때, $n(A) = 3$, $n(B) = 2$이므로 곱집합 $A \times B$의 원소의 개수는

$$n(A \times B) = n(A) \times n(B) = 6$$

이다.

일반적으로 곱집합의 원소의 개수는 다음과 같다.

새 정리   **곱집합의 원소의 개수**

두 유한집합 A, B의 원소의 개수가 각각 m, n일 때, A의 각 원소에 B의 각 원소를 하나씩 대응시켜 만든 순서쌍들의 집합을 A와 B의 **곱집합**이라 하고, 이것을 기호로 $\boldsymbol{A \times B}$와 같이 나타낸다.

이때, 곱집합 $A \times B$의 원소의 개수는

$$\boldsymbol{m \times n} \leftarrow n(A \times B) = n(A) \times n(B)$$

예 $(p+q)(a+b+c+d)$를 전개할 때, 항의 개수를 구해 보자.

$A = \{p, q\}$, $B = \{a, b, c, d\}$라 하면

$n(A) = 2$, $n(B) = 4$이므로

$$n(A \times B) = n(A) \times n(B) = 2 \times 4 = 8$$

즉, 위의 식을 전개하면 모두 8개의 서로 다른 항이 생긴다.

$$(p+q)(a+b+c+d) = pa + pb + pc + pd + qa + qb + qc + qd$$

참고   위의 예와 같은 문제를 다음과 같이 수형도를 이용하여 풀어도 된다.

$$\therefore 2 \times 4 = 8$$

약수의 개수와 총합

자연수 n이 $n=a^p b^q c^r$ (a, b, c는 서로 다른 소수)과 같이 소인수분해될 때

① 약수의 개수 ➡ $(p+1)(q+1)(r+1)$

② 약수의 총합 ➡ $(a^0+a^1+\cdots+a^p)(b^0+b^1+\cdots+b^q)(c^0+c^1+\cdots+c^r)$

이때, 약수의 개수는

- 사건 A : $1, a, a^2, a^3, \cdots, a^p$ 중 하나 ➡ $p+1$
- 사건 B : $1, b, b^2, b^3, \cdots, b^q$ 중 하나 ➡ $q+1$
- 사건 C : $1, c, c^2, c^3, \cdots, c^r$ 중 하나 ➡ $r+1$

이므로 곱의 법칙에 의하여 $(p+1)(q+1)(r+1)$이다.

예   180의 약수의 개수는
$$180=2^2\times3^2\times5$$
이므로 $(2+1)(2+1)(1+1)=18$

개념확인코너

정답 및 해설 p.496

3   과학 선택과목 4가지와 수학 선택과목 3가지 중에서 과목별로 한 가지씩 두 과목을 선택하는 방법의 수를 구하시오.

4 $(x+y)(a+b+c)$를 전개할 때, 항의 개수를 구하시오.

5   세 지점 A, B, C를 잇는 도로가 그림과 같이 연결되어 있을 때, A 지점에서 B 지점을 거쳐 C 지점까지 가는 모든 경우의 수를 구하시오.

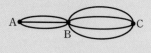

(단, 같은 지점은 두 번 지나지 않는다.)

다음 물음에 답하시오.

(1) 서로 다른 동전 두 개와 주사위 한 개를 던질 때, 나올 수 있는 모든 경우의 수를 구하 시오.

(2) 공책 3종류, 필통 2종류, 가방 5종류 중에서 공책, 필통, 가방을 각각 하나씩 구입하려 고 할 때, 구입할 수 있는 모든 방법의 수를 구하시오.

> **새 정거** 　 사건 A가 일어나는 경우의 수가 m가지이고 그 각각에 대하여 사건 B가 일어나는 경 우의 수가 n가지일 때, 두 사건 A, B가 동시에 일어나는 경우의 수는
>
> $$m \times n$$

풀이 (1) 동전 한 개를 던질 때 나올 수 있는 경우의 수는 2이므로 서로 다른 동전 두 개를 던질 때 나올 수 있는 경우의 수는 2×2이다.

또한, 주사위 한 개를 던질 때 나올 수 있는 경우의 수는 6이다.

따라서 구하는 경우의 수는 곱의 법칙에 의하여

$$2 \times 2 \times 6 = 24$$

(2) 공책, 필통, 가방을 각각 하나씩 선택하는 방법은 3가지, 2가지, 5가지이다.

따라서 구하는 방법의 수는 곱의 법칙에 의하여

$$3 \times 2 \times 5 = 30$$

답 (1) 24 (2) 30

유제 12-11 두 자리의 자연수 중에서 십의 자리의 숫자는 2의 배수이고, 일의 자리의 숫자는 홀수인 것의 개수를 구하시오.

유제 12-12 지하철역의 출입구가 4개일 때, 4개의 출입구 중 한 곳을 통해 들어갔다가 들어간 출입구와 다른 출입구를 통해 나오는 방법의 수를 구하시오.

다음 식을 전개할 때, 항의 개수를 구하시오.

(1) $(p-q+r)(a+b-c-d)$

(2) $(a+b+c)(p+q)+(x+y)(z+w)$

.... ▪ **길잡이** (1) p, q, r 각각에 대하여 a, b, c, d를 택하는 것과 같으므로 곱의 법칙을 이용하여 항의 개수를 구한다.

(2) 곱의 법칙을 이용하여 $(a+b+c)(p+q)$와 $(x+y)(z+w)$의 각각의 항의 개수를 구한 후 합의 법칙을 이용하여 구한다.

풀이 (1) $(p-q+r)(a+b-c-d)$를 전개하면 p, q, r에 대하여

a, b, c, d를 각각 곱하여 항이 만들어지므로 구하는 항의 개수는

$3 \times 4 = 12$

(2) $(a+b+c)(p+q)$를 전개하면 a, b, c에 대하여

p, q를 각각 곱하여 항이 만들어지므로 구하는 항의 개수는

$3 \times 2 = 6$

$(x+y)(z+w)$를 전개하면 x, y에 대하여

z, w를 각각 곱하여 항이 만들어지므로 구하는 항의 개수는

$2 \times 2 = 4$

이때, 곱해지는 각 항이 모두 서로 다른 문자이므로 동류항은 없다.

따라서 주어진 식을 전개할 때, 항의 개수는

$6 + 4 = 10$

답 (1) 12 (2) 10

유제 12-**13** 다음 식을 전개할 때, 항의 개수를 구하시오.

(1) $(x^2+1)(y^2+y+x)$

(2) $(a^2+a+1)(b^3+b^2+b+1)$

(3) $(a+b)^2(x+y)+(c+d+e)(z+w)$

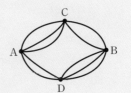

그림과 같이 A지점에서 C지점으로 가는 길은 3가지, C지점에서 B지점으로 가는 길은 2가지, A지점에서 D지점으로 가는 길은 2가지, D지점에서 B지점으로 가는 길은 3가지가 있다. 다음을 구하시오. (단, 같은 지점은 두 번 지나지 않는다.)

(1) A지점에서 C지점을 거쳐 B지점으로 가는 방법의 수

(2) A지점에서 B지점으로 가는 방법의 수

■ **길잡이** 두 가지 이상의 사건이 동시에 일어나거나 잇달아 일어날 때의 경우의 수는 곱의 법칙을 이용하여 구한다.

풀이 (1) A지점에서 C지점으로 가는 길은 3가지, C지점에서 B지점으로 가는 길은 2가지이므로 구하는 방법의 수는

$$3 \times 2 = 6$$

(2) A지점에서 B지점으로 가는 방법은 다음과 같다.

(i) A→C→B인 경우

$3 \times 2 = 6$(가지)

(ii) A→D→B인 경우

$2 \times 3 = 6$(가지)

(i), (ii)에 의하여 구하는 방법의 수는

$$6 + 6 = 12$$

답 (1) 6 (2) 12

유제 12-**14** 그림의 지도는 각 도시를 연결한 도로를 나타낸 것이다. 이 도로를 이용하여 서울에서 출발하여 부산까지 가는 방법은 모두 몇 가지인지 구하시오.

(단, 같은 지점은 두 번 지나지 않는다.)

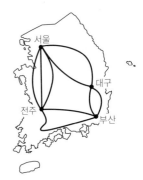

다음 물음에 답하시오.

(1) 360의 약수의 개수를 구하시오.

(2) 360의 약수 중 홀수의 개수를 구하시오.

(3) 360과 420의 공약수의 개수를 구하시오.

> ■ **길잡이**   (3) 두 수의 공약수의 개수는 두 수의 최대공약수의 약수의 개수와 같다.
>
> ■ **새롭정리**   자연수 n이 $n=a^p b^q c^r$ (a, b, c는 서로 다른 소수)과 같이 소인수분해될 때 약수의 개수는
> $$(p+1)(q+1)(r+1)$$

풀이 (1) 360을 소인수분해하면 $360=2^3 \times 3^2 \times 5$이므로
$$(3+1)(2+1)(1+1)=24$$

(2) 홀수는 2를 소인수로 갖지 않으므로 360의 약수 중 홀수의 개수는
$3^2 \times 5$의 약수의 개수와 같으므로
$$(2+1)(1+1)=6$$

(3) 360을 소인수분해하면 $360=2^3 \times 3^2 \times 5$
420을 소인수분해하면 $420=2^2 \times 3 \times 5 \times 7$
이므로 360과 420의 최대공약수는 $2^2 \times 3 \times 5$
따라서 공약수의 개수는 $2^2 \times 3 \times 5$의 약수의 개수와 같으므로
$$(2+1)(1+1)(1+1)=12$$

답 (1) 24 (2) 6 (3) 12

참고   자연수 n이 $n=a^p b^q c^r$ (a, b, c는 서로 다른 소수)과 같이 소인수분해될 때 약수의 총합은
$$(a^0 + a^1 + \cdots + a^p)(b^0 + b^1 + \cdots + b^q)(c^0 + c^1 + \cdots + c^r)$$

유제 12-15 다음 물음에 답하시오.

(1) 540의 약수의 개수를 구하시오.

(2) 540의 약수의 총합을 구하시오.

(3) 540의 약수 중 3의 배수의 개수를 구하시오.

1000원짜리 지폐 2장, 500원짜리 동전 3개, 100원짜리 동전 3개의 일부 또는 전부를 사용하여 지불하려 할 때, 다음을 구하시오. (단, 0원을 지불하는 경우는 제외한다.)

(1) 지불할 수 있는 방법의 수

(2) 지불할 수 있는 금액의 수

■ **길잡이**　(1) 지불할 수 있는 방법의 수

사용하는 화폐의 개수가 각각 p, q, r일 때

➡ $(p+1)(q+1)(r+1)-1$
　　　　　　　　　└─0원을 지불하는 경우

(2) 지불할 수 있는 금액의 수

금액이 중복되는 경우 큰 단위의 화폐를 작은 단위의 화폐로 바꾸어 계산한다.

풀이　(1) 1000원짜리 지폐 2장으로 지불할 수 있는 방법 ➡ 0장, 1장, 2장의 3가지

500원짜리 동전 3개로 지불할 수 있는 방법 ➡ 0개, 1개, 2개, 3개의 4가지

100원짜리 동전 3개로 지불할 수 있는 방법 ➡ 0개, 1개, 2개, 3개의 4가지

따라서 지불할 수 있는 방법의 수는 0원을 지불하는 경우를 제외하므로

$3 \times 4 \times 4 - 1 = 47$

(2) 1000원짜리 지폐 2장을 500원짜리 동전 4개로 바꾸어서 생각하면 구하는 금액의 수는 100원짜리 동전 3개와 500원짜리 동전 7개로 지불할 수 있는 금액의 수와 같다.

100원짜리 동전 3개로 지불할 수 있는 금액 ➡ 0원, 100원, 200원, 300원의 4가지

500원짜리 동전 7개로 지불할 수 있는 금액 ➡ 0원, 500원, 1000원, 1500원, 2000원,

2500원, 3000원, 3500원의 8가지

따라서 지불할 수 있는 금액의 수는 0원을 지불하는 경우를 제외하므로

$4 \times 8 - 1 = 31$

답 (1) 47　(2) 31

유제 12-16 10원짜리 동전 2개, 50원짜리 동전 3개, 100원짜리 동전 4개를 일부 또는 전부를 사용하여 지불하려 할 때, 다음을 구하시오. (단, 0원을 지불하는 경우는 제외한다.)

(1) 지불할 수 있는 방법의 수

(2) 지불할 수 있는 금액의 수

그림에서 A, B, C, D, E 5개의 영역에 서로 다른 5가지 색을 이용하여 칠하려고 한다. 다음을 구하시오.

(1) 모두 다른 색을 칠하는 방법의 수

(2) 같은 색을 중복하여 사용해도 좋으나 이웃한 영역은 서로 다른 색으로 칠하는 방법의 수

■ 길잡이   중앙 또는 가장 많은 영역과 인접한 부분부터 먼저 칠하고 이웃한 영역에 같은 색을 칠하지 않도록 색의 개수를 하나씩 줄여가며 곱한다.

풀이   주어진 그림에서 A, B, C, D, E의 순서로 색을 칠할 때

(1) A, B, C, D, E에 칠할 수 있는 색은 각각 5가지, 4가지, 3가지, 2가지, 1가지이므로 구하는 방법의 수는

$$5 \times 4 \times 3 \times 2 \times 1 = 120$$

(2) A에 칠할 수 있는 색은 5가지 색 중 1가지 색을 칠하면

B에는 A에 칠한 색을 제외한 4가지

C에는 A, B에 칠한 색을 제외한 3가지

D에는 A, C에 칠한 색을 제외한 3가지

E에는 A, D에 칠한 색을 제외한 3가지

따라서 구하는 방법의 수는

$$5 \times 4 \times 3 \times 3 \times 3 = 540$$

답 (1) 120   (2) 540

유제 12-17   그림과 같이 네 부분으로 나누어진 지역에 빨강, 파랑, 주황, 노랑, 초록색을 칠하려고 한다. 같은 색을 중복하여 사용해도 좋으나 경계선으로 이웃한 부분은 서로 다른 색을 칠하려고 할 때, 색을 칠하는 방법의 수를 구하시오.

Up

유제 12-18   5가지 서로 다른 색으로 그림과 같이 다섯 개의 영역 A, B, C, D, E로 나누어진 그림판을 칠하려고 한다. 같은 색을 여러 번 사용해도 좋으나 인접하는 영역은 서로 다른 색으로 칠해 구별할 때, 그림판을 색칠하는 방법의 수를 구하시오.

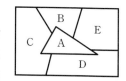

1, 2, 3, 4, 5, 6의 6개의 숫자를 한 번씩만 사용하여 세 자리의 자연수를 만들 때, 백의 자리의 숫자와 십의 자리의 숫자 중 적어도 한 개가 홀수인 자연수의 개수를 구하시오.

■ 길잡이   '적어도~'라는 표현이 있을 때
                 (전체 경우의 수)−(조건과 반대인 경우의 수)

■ 새롭정리   (사건 A가 일어나지 않는 경우의 수)=(전체 경우의 수)−(사건 A가 일어나는 경우의 수)

풀이   1, 2, 3, 4, 5, 6의 6개의 숫자를 한 번씩만 사용하여 만들 수 있는 세 자리의 자연수의 개수는

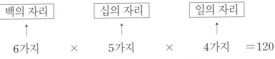

백의 자리와 십의 자리에 적어도 한 개의 홀수가 오는 경우는

인데, 이 경우의 수는 전체 경우의 수에서 백의 자리와 십의 자리에 모두 짝수가 오는 경우의 수를 빼주면 되므로

따라서 구하는 경우의 수는 120−24=96

답 96

유제 12-19   세 자리의 자연수 중에서 222, 224, 321과 같이 숫자 2가 적어도 하나 들어 있는 세 자리의 자연수의 개수를 구하시오.

유제 12-20   '3·6·9게임'은 참가자들이 돌아가며 자연수를 1부터 차례로 말하되 3, 6, 9가 들어 있는 수는 말하지 않는 게임이다. 예를 들면 3, 13, 60, 396, 462, 900 등은 말하지 않아야 한다. '3·6·9게임'을 할 때, 1부터 999까지의 자연수 중 말하지 않아야 하는 수의 개수를 구하시오.

12 - 1 그림과 같이 주머니 속에 1부터 9까지의 숫자가 적혀 있는 구슬 9개가 있다. 이 구슬 중에서 임의로 한 개를 꺼낼 때, 3의 배수 또는 4의 배수가 나오는 경우의 수는?

① 5   ② 6   ③ 7

④ 8   ⑤ 9

12 - 2 한 개의 주사위를 던져 짝수의 눈이 나오거나 소수의 눈이 나오는 경우의 수를 구하시오.

12 - 3 그림과 같이 A지점에서 B지점으로 가는 길이 있다. 수현이와 민지가 동시에 A지점에서 출발하여 B지점으로 가는 방법의 수를 구하시오. (단, 한 사람이 통과한 중간 지점을 다른 사람은 통과할 수 없다.)

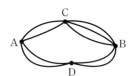

12 - 4 그림과 같이 서로 다른 색의 빛을 내는 4개의 전구를 가진 신호등이 있다. 이 신호등의 전구 몇 개를 켜서 신호를 보낼 수 있는 방법의 수를 구하시오.

(단, 전구가 하나라도 켜 있을 때를 신호라 한다.)

12 - 5 $2^k 3^2$의 약수의 개수가 21일 때, 양의 정수 k의 값을 구하시오.

12 – 6 한 개의 주사위와 각 면에 1에서 4까지의 자연수가 하나씩 적혀 있는 정사면체를 동시에 던질 때, 정사면체의 밑면에 나온 숫자와 주사위의 윗면에 나온 눈의 수의 곱이 두 자리의 정수이고 6의 배수인 경우의 수를 구하시오.

12 – 7 1에서 100까지의 정수 중 2로도 나누어떨어지지 않고, 5로도 나누어떨어지지 않는 정수의 개수를 구하시오.

12 – 8 두 부등식 $x+y \leq 6$, $1 \leq y \leq 4$를 만족하는 두 자연수 x, y의 순서쌍 (x, y)의 개수는?

① 8   ② 10   ③ 12   ④ 14   ⑤ 16

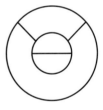

12 – 9 그림과 같은 도형의 4개의 영역에 A, B, C, D 4가지 색을 이용해서 칠하려고 한다. 같은 색을 두 번 이상 칠해도 되지만 이웃한 영역에는 서로 다른 색을 칠해야 한다고 할 때, 색을 칠하는 방법의 수는?

① 36   ② 48   ③ 60
④ 72   ⑤ 84

12 – 10 6개의 숫자와 1개의 글자로 만들어지는 승용차 번호판이 있다. 그림과 같이 승용차 번호판의 앞에는 '30나' 가 정해져 있다. 뒤에 나오는 네 개의 숫자 중, 첫 번째 숫자가 3이고 네 번째 숫자가 홀수인 승용차 번호판이 만들어질 수 있는 경우의 수를 구하시오.

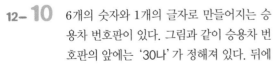

12 – 11 그림과 같이 1에서 8까지의 수가 각각 적혀 있는 공이 8개 들어 있는 주머니가 있다. 이 주머니에서 두 개의 공을 동시에 꺼낼 때, 나오는 두 공에 적혀 있는 수의 차가 3 이하가 되는 경우의 수를 구하시오.

12 – 12 A, B, C, D의 네 도시 사이에 그림과 같은 도로망이 있다. A도 시에서 두 개의 도시를 경유하여 D도시로 가는 방법의 수를 m, A도시에서 한 개의 도시를 경유하여 D도시로 가는 방법의 수를 n이라 할 때, $m+n$의 값을 구하시오.

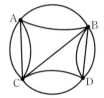

12 – 13 1, 2, 3, 4를 일렬로 배열할 때 n번째 숫자를 a_n $(n=1, 2, 3, 4)$이라 한다. 이때, $(a_1-1)(a_2-2)(a_3-3)(a_4-4)\neq0$을 만족시키는 경우의 수를 구하시오.

12 – 14 오른쪽 표는 태희가 갖고 있는 각 금액별 동전의 개수를 나타 낸 것이다. 이 동전을 이용하여 지불할 수 있는 금액의 수를 구하시오. (단, 0원을 지불하는 경우는 제외한다.)

금액(원)	수량(개)
10	4
50	3
100	2
500	3

12 – 15 두 집합 $A=\{0, 1, 2, 3\}$, $B=\{0, 1, 2\}$에 대하여 $a\in A$, $b\in B$일 때, 방정식 $x^2+2ax+3b=0$이 실근을 갖는 경우의 수를 구하시오.

12 – 16 어떤 문화관에는 그림과 같이 8개의 출입문이 있다. A, B 두 출입구는 입장만 가능하다고 할 때, 어느 한 출입문으로 들어와서 다른 출입문을 통해 나가는 방법의 수는?

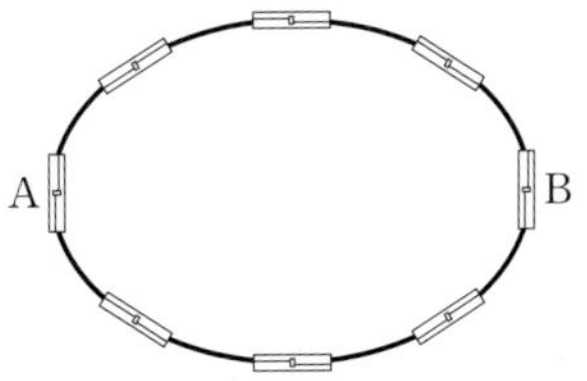

① 12   ② 40

③ 42   ④ 48

⑤ 56

12 – 17 0, 0, 1, 2, 3, 4가 각각 적혀 있는 6장의 숫자 카드 중에서 3장을 뽑아 세 자리 정수를 만들 때, 짝수의 개수를 구하시오.

12 – 18 1, 3, 3, 5, 5, 5, 7의 숫자가 하나씩 적혀 있는 7장의 카드 중에서 2장 이상의 카드를 뽑을 때, 카드에 적혀 있는 숫자를 곱하여 만들 수 있는 서로 다른 자연수의 개수를 구하시오.

12 – 19 두 집합 $X=\{1, 2, 3\}$, $Y=\{0, 1, 2, 3, 4\}$에 대하여 함수 $f : X \longrightarrow Y$ 중 $f(1)f(2)f(3)=0$을 만족하는 함수 f의 개수는?

① 52   ② 56   ③ 61   ④ 64   ⑤ 69

12 – 20 그림과 같이 6개의 정사각형으로 이루어진 빈칸에 6개의 문자 a, a, b, c, d, e를 하나씩 입력하려고 한다. 같은 문자가 서로 이웃하지 않도록 입력하는 방법의 수를 구하시오.

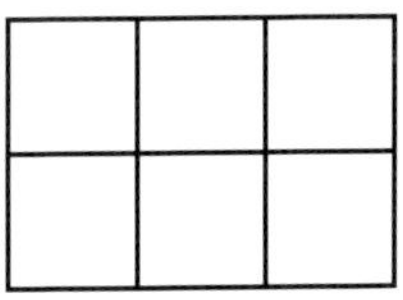

12-21 두 개의 주사위 A, B를 던져서 나오는 눈의 수를 각각 a, b라 할 때, 그림과 같이 직선 $y=\dfrac{b}{a}x$와 이차함수 $y=x^2$의 그래프의 교점을 각각 O, P라 하고 점 P에서 x축에 내린 수선의 발을 H라 한다. 삼각형 OPH의 넓이가 정수가 되도록 하는 a, b의 순서쌍 (a, b)의 개수를 구하시오. (단, O는 원점이다.)

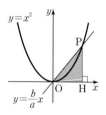

12-22 수샘이는 25개의 초콜릿을 다음과 같은 방식으로 3일 동안 모두 먹으려고 한다.

> (개) 첫째 날 먹은 개수를 2로 나눈 나머지, 둘째 날 먹은 개수를 3으로 나눈 나머지, 셋째 날 먹은 개수를 5로 나눈 나머지는 동일하다.
> (내) 하루에 적어도 2개 이상의 초콜릿을 먹는다.

이때, 초콜릿을 먹는 방법의 수를 구하시오.

12-23 집합 $A=\{x\,|\,x$는 18 이하의 자연수$\}$에 대하여 $a\in A$, $b\in A$인 두 수 a, b가 있다. $a+b$의 값이 4의 배수일 때, 순서쌍 (a, b)의 개수를 구하시오.

12-24 집합 $A=\{1, 3, 5, 7\}$의 서로 다른 세 원소 a, b, c에 대하여 다음 조건을 만족하도록 하는 순서쌍 (a, b, c)의 개수를 구하시오.

> 모든 실수 x에 대하여 부등식 $ax^2+bx+c>0$이 항상 성립한다.

핵심
Point

13. 순열

1. 순열

서로 다른 n개에서 r개$(0 < r \leq n)$를 택하여 일렬로 배열하는 것을

n개에서 r개를 택하는 순열

이라 하고, 이 순열의 수를 기호로

$$_n\mathrm{P}_r$$

와 같이 나타낸다.

2. 순열의 수

(1) $_n\mathrm{P}_r = n(n-1)(n-2) \times \cdots \times (n-r+1) = \dfrac{n!}{(n-r)!}$ (단, $0 < r \leq n$)

(2) $_n\mathrm{P}_n = n(n-1)(n-2) \times \cdots \times 3 \times 2 \times 1 = n!$

(3) $0! = 1$, $_n\mathrm{P}_0 = 1$

3. 이웃하는 조건의 순열의 수

(1) 이웃하는 것을 하나로 묶어서 배열한 경우의 수에 이웃하는 것끼리 자리를 바꾸어 배열하는 경우의 수를 곱한다.

(2) 서로 다른 n개를 일렬로 나열하는 순열에서 그중 r개를 이웃하도록 나열하는 경우의 수
   ➡ $(n-r+1)! \times r!$

4. 이웃하지 않는 조건의 순열의 수

(1) 이웃해도 되는 것을 먼저 배열한 경우의 수와 이웃해도 되는 것들 사이사이와 양 끝에 이웃하면 안 되는 것을 배열한 경우의 수를 곱한다.

(2) n개 중에서 a개는 이웃해도 되고, b개는 이웃하지 않도록 일렬로 나열하는 경우의 수
   ➡ $a! \times _{a-1+2}\mathrm{P}_b$ (단, $a+b=n$, $b \leq a+1$)

1 순열

반 대항 400m 계주 대표로 형탁, 정훈, 민석, 진표가 선발되었다. 이 네 명의 선수로 뛰는 순서를 정할 때, 몇 가지 방법이 있을까?

1번 주자 : 4명 중 1명 ➡ 4가지

2번 주자 : 나머지 3명 중 1명 ➡ 3가지

3번 주자 : 나머지 2명 중 1명 ➡ 2가지

4번 주자 : 나머지 1명 ➡ 1가지

따라서 순서를 정하는 방법은

4×3×2×1=24(가지)

이다.

이처럼 순서를 정하여 나열하는 방법인 순열에 대하여 알아보자.

① 순열의 뜻

1, 2, 3, 4의 번호가 적힌 4장의 카드가 있다. 이 중에서 2장을 선택하여 두 자리의 수를 만드는 방법에 대하여 알아보자.

| 1 | 2 | 3 | 4 | ➡ | □ | □ |

십의 자리에는 1, 2, 3, 4의 네 개의 숫자가 올 수 있고, 그 각각에 대하여 일의 자리에 올 수 있는 숫자는 십의 자리의 숫자를 뺀 나머지 세 개의 숫자 중 하나이다.

십의 자리　　　　일의 자리

↑　　　　　　　↑

4가지　　　　　3가지

따라서 두 자리 수를 만드는 방법의 수는 곱의 법칙에 의하여

4×3=12

이다.

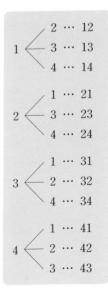

이와 같이 서로 다른 원소를 순서를 생각하여 일렬로 배열하는 것을 순열이라 하고, 이 순열의 수를 기호

$$_4P_2$$

로 나타낸다.

$_4P_2$: 4개에서 2개를 뽑아 순서대로 나열~

일반적으로 서로 다른 n개에서 r개를 택하는 순열을 다음과 같이 정의한다.

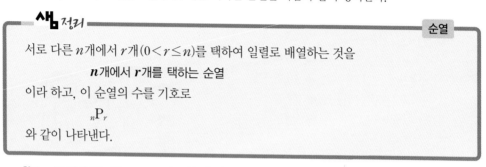

새 정리   순열

서로 다른 n개에서 r개 $(0<r\leq n)$를 택하여 일렬로 배열하는 것을

n개에서 r개를 택하는 순열

이라 하고, 이 순열의 수를 기호로

$$_nP_r$$

와 같이 나타낸다.

참고 $_nP_r$에서 P는 Permutation(순열)의 첫 글자이다.

예 30명의 학생 중에서 4명의 계주 선수를 뽑아 뛰는 순서대로 일렬로 세우는 방법의 수는

$$_{30}P_4$$

이다.

② 순열의 수

다섯 개의 숫자 1, 2, 3, 4, 5가 각각 적혀 있는 5장의 카드 중에서 3장을 택하여 만들 수 있는 세 자리 수의 개수는 $_5P_3$이다.

이제 $_5P_3$의 값을 구해 보자.

백의 자리의 숫자부터 택할 때, 백의 자리에는 5가지, 십의 자리에는 백의 자리의 숫자를 제외한 4가지, 일의 자리에는 앞의 두 숫자를 제외한 3가지가 올 수 있다.

$$\therefore _5P_3=5\times 4\times 3=60$$

백의 자리	십의 자리	일의 자리
↑	↑	↑
5가지	4가지	3가지

일반적으로 서로 다른 n개 중에서 r개를 택하여 일렬로 배열하는 순열의 수 $_n\mathrm{P}_r$의 값을 구해 보자.

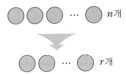

첫 번째 자리에 올 수 있는 것은 n가지이고,

두 번째 자리에 올 수 있는 것은 첫 번째 자리에 놓인 것을 제외한 $(n-1)$가지,

세 번째 자리에 올 수 있는 것은 앞의 두 자리에 놓인 것을 제외한 $(n-2)$가지이다.

이와 같이 생각하면 r번째 자리에 올 수 있는 것은 $n-(r-1)$가지이다.

이상을 정리하면 다음과 같다.

순열의 수(1)

서로 다른 n개에서 r개를 택하는 순열의 수는

$$_n\mathrm{P}_r=\underbrace{n(n-1)(n-2)\times\cdots\times(n-r+1)}_{r개} \ (단,\ 0<r\leq n)$$

예 ① $_5\mathrm{P}_4=5\times4\times3\times2$
$$=120$$
② $_{10}\mathrm{P}_3=10\times9\times8$
$$=720$$

$_n\mathrm{P}_r$: n부터 시작해서 하나씩 작아지는 수를 r개 곱한다.

③ 계승으로 표현하는 순열의 수

서로 다른 n개에서 n개를 모두 택하는 순열의 수는 $r=n$인 경우이므로
$$_n\mathrm{P}_n=n(n-1)(n-2)\times\cdots\times3\times2\times1$$
이 된다.

이때, 1부터 n까지의 자연수를 차례로 곱한 것을 n의 **계승**이라 하고, 기호로 $\boldsymbol{n!}$과 같이 나타낸다. 즉, $_n\mathrm{P}_n=n!$이다.

$n!$

1부터 n까지의 자연수를 차례로 곱한 것을 n의 **계승**이라 하고, 기호로
$$n!$$
과 같이 나타낸다. 즉,
$$n! = n(n-1)(n-2) \times \cdots \times 3 \times 2 \times 1$$

참고 $n!$을 'n factorial'이라고 읽는다.

예 ① $3! = 3 \times 2 \times 1 = 6$
② $5! = 5 \times 4 \times 3 \times 2 \times 1 = 120$

서로 다른 n개에서 n개를 택하는 순열의 수는
$$_n\mathrm{P}_n = n(n-1)(n-2) \times \cdots \times 3 \times 2 \times 1 = n!$$

예 네 개의 숫자 1, 2, 3, 4를 일렬로 늘어놓아 만들 수 있는 네 자리 정수의 개수는
$$_4\mathrm{P}_4 = 4! = 4 \times 3 \times 2 \times 1 = 24$$
이다.

한편, 순열의 수 $_n\mathrm{P}_r$를 $n!$을 써서 나타낼 수 있다.

예를 들어, $_6\mathrm{P}_4$는 $_6\mathrm{P}_4 = 6 \times 5 \times 4 \times 3 = \dfrac{6 \times 5 \times 4 \times 3 \times 2 \times 1}{2 \times 1}$로 생각할 수 있다. 즉,

$$_6\mathrm{P}_4 = \frac{6!}{2!} = \frac{6!}{(6-4)!}$$

일반적으로 $r < n$일 때, $_n\mathrm{P}_r$는 다음과 같이 나타낼 수 있다.
$$\begin{aligned} _n\mathrm{P}_r &= n(n-1)(n-2) \times \cdots \times (n-r+1) \\ &= \frac{n(n-1)(n-2) \times \cdots \times (n-r+1)(n-r) \times \cdots \times 3 \times 2 \times 1}{(n-r) \times \cdots \times 3 \times 2 \times 1} \\ &= \frac{n!}{(n-r)!} \end{aligned}$$

이때, 이 등식이 $r = n$과 $r = 0$일 때에도 성립하도록
$$0! = 1, \quad _n\mathrm{P}_0 = 1$$
로 정의한다.

이상을 정리하면 다음과 같다.

$$_n\mathrm{P}_n = \frac{n!}{(n-n)!} = n!$$
$$_n\mathrm{P}_0 = \frac{n!}{(n-0)!} = 1$$

새#정리

1 $_nP_r = \dfrac{n!}{(n-r)!}$ (단, $0 \le r \le n$)

2 $_nP_n = n!$, $0! = 1$, $_nP_0 = 1$

예
① $_7P_3 = \dfrac{7!}{(7-3)!} = \dfrac{7!}{4!} = \dfrac{7 \times 6 \times 5 \times 4 \times 3 \times 2 \times 1}{4 \times 3 \times 2 \times 1} = 7 \times 6 \times 5 = 210$

② $_6P_6 = 6! = 6 \times 5 \times 4 \times 3 \times 2 \times 1 = 720$

③ $_4P_0 = 1$

개념확인코너

정답 및 해설 p.503

1 다음 값을 구하시오.

(1) $_6P_2$　　　　　(2) $_3P_3$　　　　　(3) $_5P_0$

2 다음 값을 구하시오.

(1) $4!$　　　　　(2) $\dfrac{6!}{3!}$

3 다음 □ 안에 알맞은 수를 써넣으시오.

(1) $_7P_4 = \dfrac{7!}{\square!}$　　　　　(2) $_9P_\square = \dfrac{9!}{5!}$

4 다음 등식을 만족시키는 n 또는 r의 값을 구하시오.

(1) $_nP_2 = 30$　　　　　(2) $_5P_r = 60$

다음 등식을 만족시키는 n 또는 r의 값을 구하시오.

(1) $_n\mathrm{P}_2=7n$ (2) $_7\mathrm{P}_r\times3!=1260$ (3) $6\times{_n\mathrm{P}_2}={_n\mathrm{P}_4}$

> ■ **길잡이**   (1) $_n\mathrm{P}_2=n(n-1)$ $(n\geq2)$
>
>   (2) $1260=(7\times6\times5)\times3!$
>
> ■ **새 정리**   서로 다른 n개에서 r개를 택하여 나열하는 순열의 수
>
>   ⇒ $_n\mathrm{P}_r=\underbrace{n(n-1)(n-2)\times\cdots\times(n-r+1)}_{r\text{개}}$ (단, $0<r\leq n$)

풀이   (1) $_n\mathrm{P}_2=7n$에서 $n(n-1)=7n$

       $n\geq2$이므로 양변을 n으로 나누면

       $n-1=7$

       $\therefore n=8$

   (2) $1260=(7\times6\times5)\times3!$이므로

       $_7\mathrm{P}_r\times3!=1260$의 양변을 $3!$로 나누면

       $_7\mathrm{P}_r=7\times6\times5$

       $\therefore r=3$

   (3) $6\times{_n\mathrm{P}_2}={_n\mathrm{P}_4}$에서 $6n(n-1)=n(n-1)(n-2)(n-3)$

       $n\geq4$이므로 양변을 $n(n-1)$로 나누면

       $6=(n-2)(n-3)$

       $n^2-5n=0$, $n(n-5)=0$

       $\therefore n=5$ $(\because n\geq4)$

                                답 (1) $n=8$ (2) $r=3$ (3) $n=5$

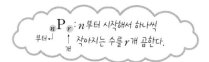

$_n\mathrm{P}_r$: n부터 시작해서 하나씩 작아지는 수를 r개 곱한다.

유제 13-1   다음 등식을 만족시키는 n 또는 r의 값을 구하시오.

       (1) $_{n+2}\mathrm{P}_2=56$

       (2) $_5\mathrm{P}_r\times4!=1440$

       (3) $_n\mathrm{P}_2+{_{n+1}\mathrm{P}_2}=98$

       (4) $_n\mathrm{P}_3 : {_{n-1}\mathrm{P}_3}=5:4$

$1 < r \leq n$일 때, 다음 등식이 성립함을 증명하시오.

(1) $_n\mathrm{P}_r = n \times {}_{n-1}\mathrm{P}_{r-1}$

(2) $_n\mathrm{P}_r = (n-r+1) \times {}_n\mathrm{P}_{r-1}$

■ **새**정리　(1) $_n\mathrm{P}_r = \dfrac{n!}{(n-r)!}$ (단, $0 \leq r \leq n$)

(2) $_n\mathrm{P}_n = n(n-1)(n-2) \times \cdots \times 3 \times 2 \times 1 = n!$

(3) $_n\mathrm{P}_0 = 1,\ 0! = 1$

풀이　(1) $n \times {}_{n-1}\mathrm{P}_{r-1} = n \times \dfrac{(n-1)!}{\{(n-1)-(r-1)\}!}$

$= \dfrac{n!}{(n-r)!} = {}_n\mathrm{P}_r$

$\therefore {}_n\mathrm{P}_r = n \times {}_{n-1}\mathrm{P}_{r-1}$

(2) $(n-r+1) \times {}_n\mathrm{P}_{r-1} = (n-r+1) \times \dfrac{n!}{\{n-(r-1)\}!}$

$= (n-r+1) \times \dfrac{n!}{(n-r+1)!}$

$= (n-r+1) \times \dfrac{n!}{(n-r+1) \times (n-r)!}$

$= \dfrac{n!}{(n-r)!} = {}_n\mathrm{P}_r$

$\therefore {}_n\mathrm{P}_r = (n-r+1) \times {}_n\mathrm{P}_{r-1}$

답 (1) 풀이 참조　(2) 풀이 참조

유제 13-2　$1 < l \leq r \leq n$일 때, 다음 등식이 성립함을 증명하시오.

(1) $_n\mathrm{P}_r = {}_{n-1}\mathrm{P}_r + r \times {}_{n-1}\mathrm{P}_{r-1}$

(2) $_n\mathrm{P}_l \times {}_{n-l}\mathrm{P}_{r-l} = {}_n\mathrm{P}_r$

다음을 구하시오.

(1) 축구 선수 2명, 야구 선수 3명을 일렬로 세우는 방법의 수

(2) 10명의 학생 중에서 3명을 뽑아 일렬로 세우는 방법의 수

(3) 20명의 회원 중에서 회장과 부회장을 각각 한 명씩 뽑는 방법의 수

⋯⋯ ▪ **생각** (1) 서로 다른 n개에서 r개를 택하는 순열의 수 ➡ $_nP_r$

(2) 서로 다른 n개를 모두 나열하는 순열의 수 ➡ $n!$

풀이 (1) 서로 다른 5명의 선수를 일렬로 세우는 방법의 수이므로

$$5! = 5 \times 4 \times 3 \times 2 \times 1 = 120$$

(2) 10명 중 3명을 뽑아 일렬로 세우는 방법의 수이므로

$$_{10}P_3 = 10 \times 9 \times 8 = 720$$

(3) 20명 중 2명을 뽑아 일렬로 세우는 방법의 수와 같으므로

$$_{20}P_2 = 20 \times 19 = 380$$

답 (1) 120 (2) 720 (3) 380

유제 13-3 음식점에서 서로 다른 5가지의 메뉴 중에서 3가지를 골라 차례로 먹는 방법의 수를 구하시오.

유제 13-4 n명의 사람 중에서 3명을 뽑아 일렬로 세우는 방법의 수가 120일 때, n의 값을 구하시오.

유제 13-5 강릉을 포함한 7곳의 여행지가 있을 때, 서로 다른 3곳을 택하여 여행할 순서를 정하려고 한다. 이때, 강릉을 첫 번째 여행지로 정하는 방법의 수를 구하시오.

집합 $X=\{1, 2, 3, 4\}$에 대하여 다음을 구하시오.

(1) X에서 X로의 함수 중 일대일함수의 개수

(2) 함수 $f : X \longrightarrow X$ 중에서 $f(1) \neq 1$이고, 일대일대응인 함수의 개수

■ **생각** (1) 두 집합 X, Y에 대하여 $n(X)=x$, $n(Y)=y$일 때,

X에서 Y로의 함수 중 일대일함수의 개수 ➡ $_y\mathrm{P}_x$

(2) 두 집합 X, Y에 대하여 $n(X)=x$, $n(Y)=x$일 때,

X에서 Y로의 함수 중 일대일대응의 개수 ➡ $_x\mathrm{P}_x=x!$

풀이 (1) 집합 X의 원소 1, 2, 3, 4의 4개에서 서로 다른 4개를 뽑아 일렬로 나열하는 경우의

수와 같으므로 구하는 일대일함수의 개수는

$_4\mathrm{P}_4=4!=4\times3\times2\times1=24$

(2) X에서 X로의 일대일대응인 함수 f의 개수는

$4!=4\times3\times2\times1=24$

$f(1)=1$이고, 일대일대응인 함수의 개수는

$3!=3\times2\times1=6$

따라서 구하는 함수의 개수는

$24-6=18$

답 (1) 24 (2) 18

유제 13-6 두 집합 $X=\{1, 2, 3, 4, 5\}$, $Y=\{1, 2, 3, 4, 5, 6, 7\}$에 대하여 X에서 Y로의 함수 f가 $f(1)=2$, $f(3)=6$을 만족시킨다고 한다. 이때, $f(x_1)=f(x_2)$이면 $x_1=x_2$인 함수 f의 개수를 구하시오.

유제 13-7 집합 $A=\{1, 2, 3, 4, 5, 6, 7\}$에 대하여 다음 두 조건을 모두 만족시키는 함수 $f : A \longrightarrow A$의 개수를 구하시오.

(가) 함수 f는 일대일대응이다.

(나) 집합 A의 원소 p가 소수이면 $f(p)$도 소수이다.

2 조건을 만족하는 순열

짱샘 : 철수, 준수, 하현, 은주 모두 이리 와봐!

　　　너희들 4명이 여기 네 자리에 앉는 방법의 수를 알아보자.

철수 : 샘 공부 했잖아요.... 당연히 4!이잖아요.

준수 : 그러니까 4×3×2×1 ... 음 24가지나 있네요.

짱샘 : 역시! 나의 제자들이군!!!

하현 : 그런데 저는 꼭 은주 옆자리에 앉을 거예요.

짱샘 : 좋아. 그럼 하현이하고 은주가 옆자리에 앉게

　　　되는 경우의 수를 구해 보자.

은주 : ??????

짱샘 : 이렇게 해 보자!

　　　① 일단 하현이와 은주는 손을 꼭 잡아! 그러니까 한 명이라고 생각하자.

　　　② 그리고 철수, 준수, (하현, 은주) 이렇게 세 명을 일렬로 나열하는 방법을 생각하자.

　　　③ 그런 다음 하현이와 은주가 자리를 바꾸는 경우를 따로 생각하자고.

은주 : 그럼 세 명을 나열하는 경우의 수가 3!이고, 또 우리 두 명이 자리를 정하는 방법의 수가 각각에

　　　대하여 2!이니까......

하현 : 답은 3!×2!=6×2=12네!!

짱샘 : 아주 잘했어요. ^^

① 이웃하는 조건의 순열

위에서 살펴본 것과 마찬가지로

　　　　　남학생 4명, 여학생 2명

을 일렬로 세울 때, 여학생끼리 이웃하게 세우는 경우의

수는 다음과 같은 순서로 구하면 된다.

5!　　　2!

① 여학생을 한 묶음으로 생각한다.
② 남학생 4명과 여학생 한 묶음을 나열하는 경우의 수를 구한다. ➡ $(4+1)!$
③ 나열된 각각의 상황에서 여학생 2명이 자리를 서로 바꾸는 경우의 수를 구한다. ➡ $2!$

따라서 구하는 경우의 수는

$$5! \times 2! = 120 \times 2 = 240$$

남, 남, 남, 여, 여, 남

이다.

이와 같이 이웃하는 조건이 있는 순열의 수는 이웃하는 것을 하나로 묶어서 배열한 경우의 수에 이웃하는 것끼리 자리를 바꾸어 배열하는 경우의 수를 곱한다.

샘 정리 ──────────────────────── **이웃하는 조건의 순열의 수**

1 이웃하는 것을 하나로 묶어 나열하는 경우의 수 : m
2 이웃하는 것끼리 자리를 바꾸어 배열하는 경우의 수 : n
➡ (이웃하는 경우의 순열의 수)$=m \times n$

예 숫자 카드 1, 2, 3, 4, 5 를 일렬로 배열할 때, 1, 2 가 항상 이웃하도록
하는 경우의 수는
(ⅰ) 1, 2를 하나로 묶어 나열하는 경우의 수 : $4!$
(ⅱ) 1, 2를 나열하는 경우의 수 : $2!$
(ⅰ), (ⅱ)에 의하여 $4! \times 2! = 24 \times 2 = 48$

샘 보충

① n명의 사람을 일렬로 세우는데 그 중 2명이 이웃하도록 하는 경우의 수
➡ $(n-2+1)! \times 2!$
② n명의 사람을 일렬로 세우는데 그 중 3명이 이웃하도록 하는 경우의 수
➡ $(n-3+1)! \times 3!$

예 숫자가 적혀 있는 구슬

①, ②, ③, ④, ⑤

를 일렬로 나열할 때, ①, ②, ③이 항상 이웃하도록 하는
경우의 수는

$$(5-3+1)! \times 3! = 3! \times 3!$$
$$= 6 \times 6 = 36$$

↳ 3!

일반적으로 서로 다른 n개를 일렬로 나열하는 순열에서 그 중 r개를 이웃하도록 나열하는 방법의 수는 다음과 같다.

이웃하는 조건의 순열의 수

서로 다른 n개를 일렬로 나열하는 순열에서 그 중 r개를 이웃하도록 나열하는 경우의 수

➡ $(n-r+1)! \times r!$

예   10명의 사람을 일렬로 세울 때, 특정한 사람 4명을 이웃하게 세우는 방법의 수는

$$(10-4+1)! \times 4! = 7! \times 4!$$

② 이웃하지 않는 조건의 순열

앞에서 공부한 것과 반대로 남학생 4명, 여학생 2명을 일렬로 세울 때, 여학생끼리 이웃하지 않게 세우는 경우의 수를 구하는 방법을 살펴보자.

(i) 남학생 4명을 일렬로 세우는 경우의 수를 구한다. ➡ $4!$

(ii) 남학생 4명의 사이사이와 양 끝 중 두 곳에 여학생 2명을 세우는 경우의 수를 구한다.

➡ $_5P_2$

따라서 구하는 경우의 수는

$$4! \times _5P_2 = 24 \times 20 = 480$$

이다.

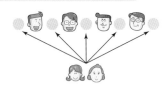

이와 같이 이웃하지 않는 조건이 있는 순열의 수는 이웃해도 되는 것을 먼저 배열하는 경우의 수와 이웃해도 되는 것들 사이사이와 양 끝에 이웃하면 안 되는 것을 배열하는 경우의 수를 곱한다.

                                            이웃하지 않는 조건의 순열의 수

1 이웃해도 되는 것을 나열하는 경우의 수 : m

2 이웃해도 되는 것을 나열한 사이사이와 양 끝에 이웃하면 안 되는 것의 수만큼 택하는 순열의 수 : n

➡ (이웃하지 않는 경우의 순열의 수)$= m \times n$

참고 n개 중에서 a개는 이웃해도 되고, b개는 이웃하지 않도록 일렬로 나열하는 경우의 수는 다음과 같다. (단, $a+b=n$, $b \leq a+1$)

(i) $a!$ (ii) $_{a-1+2}P_b$

(i), (ii)에 의하여 구하는 경우의 수는

$$a! \times {}_{a-1+2}P_b$$

예 어른 4명과 어린이 3명을 일렬로 세울 때, 어린이 3명이 이웃하지 않도록 세우는 경우의 수는

$$4! \times {}_{4-1+2}P_3 = 4! \times {}_5P_3 = 24 \times 60 = 1440$$

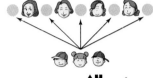

샘 보충

2명(또는 2개)이 이웃하지 않는 경우의 수

2명(또는 2개)이 이웃하지 않는 경우의 수를 구할 때

(전체 경우의 수) − (2명(또는 2개)이 이웃하는 경우의 수)

를 이용하여 구할 수 있다.

주의 위의 방법은 '2명이 이웃하지 않는 경우'에만 해당된다.

예를 들어, '3명이 이웃하지 않는 경우'에는

'2명은 이웃하고 나머지 1명은 떨어져 있는 경우'

가 문제가 된다.

예 남자 4명, 여자 2명을 일렬로 세울 때, 여자끼리 이웃하지 않게 세우는 경우의 수는

(i) 6명을 일렬로 세우는 경우의 수 ➡ $6!$

(ii) 여자 2명이 이웃하는 경우의 수 ➡ $5! \times 2!$

(i), (ii)에 의하여 구하는 경우의 수는

$$6! - 5! \times 2! = 720 - 240 = 480$$

개념확인코너

정답 및 해설 p.503

5 4가지 과일 사과, 포도, 수박, 참외를 일렬로 진열할 때, 다음을 구하시오.

(1) 수박과 참외가 이웃하도록 진열하는 방법의 수

(2) 수박과 참외가 이웃하지 않도록 진열하는 방법의 수

필수 예제 5

이웃하는 순열의 수

study의 5개의 문자를 일렬로 배열할 때, 다음을 구하시오.

(1) s, t가 이웃하는 경우의 수

(2) s, t, u가 이웃하는 경우의 수

> ■ **새**$_{접근}$ 이웃하는 순열의 수
> ① 이웃하는 것을 하나로 묶어서 한 묶음으로 생각한다.
> ② (한 묶음으로 생각하고 구한 순열의 수)×(한 묶음 속 자체의 순열의 수)

풀이 (1) s와 t를 하나로 묶어서 한 문자로 생각하면 4개의 문자를 배열하는   (s t) u d y
경우의 수는 4!=24
s와 t의 자리를 서로 바꾸는 경우의 수는 2!=2
따라서 구하는 경우의 수는
24×2=48

(2) s, t, u를 하나로 묶어서 한 문자로 생각하면 3개의 문자를 배열하는   (s t u) d y
경우의 수는 3!=6
s, t, u의 자리를 서로 바꾸는 경우의 수는 3!=6
따라서 구하는 경우의 수는
6×6=36

답 (1) 48 (2) 36

유제 13-8 준수는 태권도 승급 심사를 받으러 도장에 갔는데, 7명이 한 조가 되어 일렬로 서서 함께 심사를 받는다고 한다. 준수가 속한 조는 남자가 3명, 여자가 4명일 때, 다음을 구하시오.

(1) 남자끼리 서로 이웃하게 서는 경우의 수

(2) 여자끼리 서로 이웃하게 서는 경우의 수

유제 13-9 여학생 3명과 남학생 n명을 일렬로 세울 때, 남학생끼리 이웃하여 서는 경우의 수가 17280이다. 이때, n의 값을 구하시오.

서로 다른 6권의 책 중에 국어책은 3권, 영어책은 1권, 수학책은 2권이 있다. 이 책들을 책꽂이에 일렬로 꽂을 때, 다음을 구하시오.

(1) 수학책끼리 나란히 꽂히지 않도록 꽂는 방법의 수

(2) 국어책끼리 어느 두 권도 나란히 꽂히지 않도록 꽂는 방법의 수

■ 생각길잡이　이웃하지 않는 순열의 수
① 이웃해도 되는 것을 먼저 배열한다.
② 그 양 끝과 사이사이에 이웃하지 않아야 할 것을 배열한다.

풀이　(1) 국어책 3권과 영어책 1권을 일렬로 배열하는 방법의 수는
$$4!=24$$
이때, 국어책과 영어책의 양 끝과 사이사이의 5개의 자리 중 2개의 자리에 수학책을 한 권씩 꽂는 방법의 수는
$$_5P_2=20$$
따라서 구하는 방법의 수는
$$24\times20=480$$

(2) 수학책 2권과 영어책 1권을 일렬로 배열하는 방법의 수는
$$3!=6$$
이때, 수학책과 영어책의 양 끝과 사이사이의 4개의 자리 중 3개의 자리에 국어책을 한 권씩 꽂는 방법의 수는
$$_4P_3=24$$
따라서 구하는 방법의 수는
$$6\times24=144$$

답　(1) 480　(2) 144

유제 13-10　남학생 5명, 여학생 3명을 일렬로 세울 때, 여학생끼리 이웃하지 않도록 세우는 방법의 수를 구하시오.

유제 13-11　A, B, C, D, E, F를 일렬로 배열할 때, A와 B는 이웃하고, D와 E는 이웃하지 않게 배열하는 경우의 수를 구하시오.

다음 물음에 답하시오.

(1) 남자, 여자 각각 3명씩 6명이 있다. 남녀가 교대로 일렬로 앉는 방법의 수를 구하시오.

(2) 선생님 5명과 학생 4명을 일렬로 세울 때, 선생님과 학생이 교대로 서는 방법의 수를 구하시오.

■ **길잡이**   (1) 남자가 맨 앞에 오는 경우와 여자가 맨 앞에 오는 경우로 나누어 생각한다.
                      (□○□○□○) 또는 (○□○□○□)

■ **새정리**   교대로 서는 순열의 수
                (1) 두 집단의 크기가 각각 n일 때 ➡ $2 \times n! \times n!$
                (2) 두 집단의 크기가 각각 n, $n-1$일 때 ➡ $n! \times (n-1)!$

풀이   (1) 6명의 남녀가 교대로 앉는 방법은

     (남 여 남 여 남 여) 또는 (여 남 여 남 여 남)

     어느 경우나 남자는 남자끼리, 여자는 여자끼리 자리를 바꾸는 방법의 수는

     각각 3!이므로 구하는 방법의 수는

     $2 \times 3! \times 3! = 72$

  (2) 5명의 선생님과 4명의 학생이 교대로 서는 방법은

     선 학 선 학 선 학 선 학 선

     선생님은 선생님끼리, 학생은 학생끼리 자리를 바꾸는 방법의 수는

     각각 5!, 4!이므로 구하는 방법의 수는

     $5! \times 4! = 2880$ 답 (1) 72 (2) 2880

유제 13-12 남학생 3명, 여학생 4명이 한 줄로 서서 등산을 할 때, 남녀 학생이 교대로 서는 방법의 수를 구하시오.

⬆️Up

유제 13-13 한국팀과 중국팀의 탁구 선수 각각 3명씩 경기를 하기 위해 서로 교대로 줄을 선다고 한다. 한국팀 주장과 중국팀 주장은 꼭 이웃하게 서야 된다고 할 때, 줄을 서는 방법의 수를 구하시오.

필수 예제 8   제한 조건이 있는 순열의 수

problem의 7개의 문자를 모두 한 번씩 사용하여 만든 순열에 대하여 다음을 구하시오.

(1) r가 맨 처음에, b가 맨 나중에 오는 경우의 수

(2) p와 l 사이에 3개의 문자가 들어 있는 경우의 수

(3) 적어도 한 쪽 끝에 모음이 오는 경우의 수

> ■ 길잡이   (2) p□□□l ➡ 하나의 문자로 생각한다.
>   (3) (적어도 한 쪽 끝에 모음이 오는 경우의 수)
>   =(전체 경우의 수)−(양 끝에 모두 자음이 오는 경우의 수)

풀이 (1) r를 맨 처음에, b를 맨 나중에 고정하고 나머지 문자를 일렬로 배열하는 경우의 수는
       $5! = 120$

   (2) p와 l 사이에 3개의 문자를 나열하는 순열의 수는 $_5P_3$ ⟨ p□□□l□□ ⟩
       p□□□l을 하나의 문자로 보면 모두 3개의 문자이므로 이 3개의
       문자를 배열하는 경우의 수는 3!
       이때, p와 l을 서로 바꾸는 경우의 수는 2!
       따라서 구하는 경우의 수는
       $_5P_3 \times 3! \times 2! = 60 \times 6 \times 2 = 720$

   (3) 전체 순열의 수는 7!
       자음은 p, r, b, l, m의 5개이므로 양 끝에 모두 자음이 오는 경우의 순열의 수는
       $_5P_2 \times 5!$
       따라서 구하는 경우의 수는
       $7! - {_5P_2} \times 5! = 5040 - (20 \times 120) = 2640$ 답 (1) 120 (2) 720 (3) 2640

유제 13- **14** worldcup의 8개의 문자 중에서 4개를 뽑아 일렬로 나열할 때, d로 시작해서
             u로 끝나는 경우의 수를 구하시오.

유제 13- **15** oriental의 8개의 문자를 모두 한 번씩 사용하여 만든 순열에 대하여 다음을
             구하시오.

             (1) o와 l이 양 끝에 오는 경우의 수

             (2) i와 t 사이에 두 개의 문자가 들어 있는 경우의 수

             (3) 적어도 한 쪽 끝에 자음이 오는 경우의 수

필수 예제 9   순열을 이용한 정수의 개수

0, 1, 2, 3의 4개의 숫자를 각각 한 번 이내로 사용하여 세 자리 정수를 만들 때, 다음을
구하시오.

(1) 세 자리 정수의 개수

(2) 300보다 작은 세 자리 정수의 개수

(3) 세 자리 정수 중 홀수의 개수

■ **길잡이**   (1) 백의 자리에 0이 올 수 없음에 주의한다.

(2) 300보다 작으려면 백의 자리 숫자가 1 또는 2여야 한다.

(3) 홀수이려면 일의 자리의 숫자가 1 또는 3이어야 한다.

풀이 (1) 세 자리 정수에서 백의 자리에는 0이 올 수 없으므로 백의 자리에 올 수 있는 숫자는 1, 2, 3
의 3가지이다. 십의 자리와 일의 자리에는 백의 자리에 온 숫자를 제외한 3개의 숫자에서 2
개가 올 수 있으므로

$1\square\square \Rightarrow {}_3P_2, 2\square\square \Rightarrow {}_3P_2, 3\square\square \Rightarrow {}_3P_2$

$\therefore 3 \times {}_3P_2 = 3 \times 6 = 18$

(2) 백의 자리에 올 수 있는 숫자는 1, 2이므로

$1\square\square \Rightarrow {}_3P_2, 2\square\square \Rightarrow {}_3P_2$

$\therefore 2 \times {}_3P_2 = 2 \times 6 = 12$

(3) (i) 일의 자리에 1이 오는 경우의 수

$\square\square 1 \Rightarrow {}_2P_1 \times {}_2P_1 = 2 \times 2 = 4$ ← 백의 자리에는 0이 올 수 없다.

(ii) 일의 자리에 3이 오는 경우의 수

$\square\square 3 \Rightarrow {}_2P_1 \times {}_2P_1 = 2 \times 2 = 4$ ← 백의 자리에는 0이 올 수 없다.

(i), (ii)에 의하여 구하는 홀수의 개수는 $4 + 4 = 8$

답 (1) 18 (2) 12 (3) 8

유제 13-16 0, 1, 2, 3, 4의 5개의 숫자가 있다. 각 숫자를 한 번 이내로 사용하여 네 자리 정수
를 만들 때, 다음을 구하시오.

(1) 네 자리 정수의 개수

(2) 2100보다 큰 네 자리 정수의 개수

(3) 네 자리 정수 중 짝수의 개수

5개의 문자 a, b, c, d, e를 모두 한 번씩 사용하여 만들어지는 120개의 문자열을 사전식으로 abcde에서 edcba까지 나열하였다. 다음 물음에 답하시오.

(1) bdcea는 몇 번째에 있는지 구하시오.

(2) 56번째에 있는 문자열을 구하시오.

┄┄┄┄┄ ■ **길잡이**   영문자를 알파벳 순으로 나열한다.

풀이   (1) bdcea보다 앞에 오는 문자열의 개수는 다음과 같다.

         a□□□□ 꼴의 개수 : 4!=24

         ba□□□ 꼴의 개수 : 3!=6

         bc□□□ 꼴의 개수 : 3!=6

         bda□□ 꼴의 개수 : 2!=2

         bdcae의 1개

         ∴ 24+6+6+2+1=39

         따라서 bdcea는 40번째에 있는 문자열이다.

   (2) 56번째의 문자열은 어떤 문자로 시작하는가를 알아보면

         a□□□□ 꼴의 개수 : 4!=24

         b□□□□ 꼴의 개수 : 4!=24

         ca□□□ 꼴의 개수 : 3!=6

         이때, 24+24+6=54이므로 55번째에 있는 문자열은 cbade

         따라서 56번째에 있는 문자열은 cbaed이다.

                                              답 (1) 40번째   (2) cbaed

유제 13-17 1, 2, 3, 4, 5의 5개의 숫자를 모두 배열하여 만들어지는 다섯 자리의 자연수 중에서 42000보다 작은 수의 개수를 구하시오.

Up

유제 13-18 a, b, c, d, e, f의 6개의 문자를 모두 한 번씩 사용하여 사전식으로 배열할 때, 300번째에 배열되는 문자를 구하시오.

13-1 다음 등식을 만족시키는 n의 값을 구하시오.

(1) $_n\mathrm{P}_2 = 110$ (2) $_{2n}\mathrm{P}_3 = 100 \times {}_n\mathrm{P}_2$

13-2 축구 경기에서 승부차기에 출전하는 5명의 선수가 공을 차는 순서를 정하는 방법의 수를 구하시오.

13-3 A, B, C, D, E의 다섯 사람 중에서 회장, 부회장, 총무를 각각 한 명씩 뽑으려고 한다. 뽑는 방법의 수를 a라 하고, 그 중 A가 회장으로 뽑히는 경우의 수를 b라 할 때, $a+b$의 값을 구하시오.

중요

13-4 두 집합 $A=\{1, 2, 3\}$, $B=\{a, b, c, d\}$에 대하여 A에서 B로의 함수 f 중에서 A의 임의의 두 원소 x_1, x_2에 대하여 '$x_1 \neq x_2$이면 $f(x_1) \neq f(x_2)$'를 만족시키는 것의 개수를 구하시오.

13-5 '우리는 수학의 샘'에 사용된 7개의 문자 중에서 4개를 뽑아 일렬로 나열할 때, '우리'로 시작하는 경우의 수는?

① 4   ② 8   ③ 12   ④ 16   ⑤ 20

13- 6 축구 선수 3명, 농구 선수 2명, 배구 선수 2명을 일렬로 세울 때, 같은 종목 선수끼리 이웃하여 세우는 방법의 수는?

① 12   ② 24   ③ 36   ④ 72   ⑤ 144

13- 7 남학생 4명과 여학생 3명이 그림과 같은 7개의 의자에 앉는다. 이때, 여학생끼리 이웃하지 않도록 앉는 방법의 수는?

① 180   ② 360   ③ 720   ④ 1080   ⑤ 1440

13- 8 rainbow의 7개의 문자를 일렬로 배열할 때, a와 o 사이에 2개의 문자가 들어 있는 경우의 수는?

① 550   ② 630   ③ 720   ④ 840   ⑤ 960

13- 9 남학생 5명과 여학생 2명을 일렬로 세울 때, 적어도 한쪽 끝에 남학생을 세우는 방법의 수를 구하시오.

13- 10 7개의 숫자 1, 2, 3, 4, 5, 6, 7 중 서로 다른 네 개의 숫자를 택하여 네 자리의 정수를 만들 때, 천의 자리와 일의 자리의 수가 모두 짝수인 것의 개수를 구하시오.

13- 11 다음을 만족시키는 n 또는 r의 값을 구하시오.

(1) $_6P_r : _4P_r = 5 : 2$

(2) $5(_nP_3 + _{n+1}P_4) = 12 \times _{n+1}P_3$

13- 12 서로 다른 크기의 동전 4개를 모두 이용하여 4층짜리 탑을 쌓으려 한다. 맨 위에 놓이는 동전은 수평 또는 수직으로 놓을 수 있고 나머지 동전은 수평으로만 놓을 수 있다고 할 때, 만들 수 있는 4층짜리 탑의 개수는? (단, 동전의 앞면과 뒷면은 구별하지 않는다.)

① 30   ② 36   ③ 42

④ 48   ⑤ 56

13- 13 그림과 같이 좌석 A, B, C, D, E, F, G가 있다. 갑과 을을 포함한 7명의 학생이 좌석에 앉을 때, 갑과 을이 이웃한 좌석에 앉게 되는 방법의 수를 구하시오.

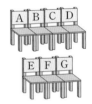

13- 14 여섯 장의 카드 $\boxed{1}$, $\boxed{2}$, $\boxed{3}$, $\boxed{4}$, $\boxed{5}$, $\boxed{6}$ 을 일렬로 배열할 때, 두 카드 $\boxed{2}$, $\boxed{4}$ 는 이웃하고, 카드 $\boxed{5}$ 는 두 카드 $\boxed{2}$, $\boxed{4}$ 와 이웃하지 않도록 배열하는 방법의 수는?

① 60   ② 72   ③ 120   ④ 144   ⑤ 180

13- 15 a, b, c, d, e의 5개의 문자를 일렬로 배열할 때, 양 끝에 모두 자음이 놓이는 경우의 수를 m, 자음과 모음이 교대로 놓이는 경우의 수를 n이라 할 때, $m+n$의 값을 구하시오.

13-16 3명의 남자와 3명의 여자를 일렬로 세울 때, 앞에서부터 두 번째와 네 번째는 반드시 여자가 오도록 세우는 방법의 수를 구하시오.

13-17 1, 2, 3, 4, 5, 6의 6개의 숫자에서 서로 다른 3개의 숫자를 택하여 일렬로 나열할 때, 적어도 한 쪽 끝이 짝수인 것의 개수는?

① 88 　　② 92 　　③ 96 　　④ 100 　　⑤ 104

13-18 뉴스 아나운서가 6개의 기사 A, B, C, D, E, F를 방송하려고 한다. 기사 A를 맨 앞에 방송하지 않고, 기사 B를 맨 끝에 방송하지 않도록 방송 순서를 정하는 방법의 수는?

① 264 　　② 490 　　③ 504 　　④ 600 　　⑤ 624

13-19 숫자 1, 2, 3, 4, 5, 6, 7이 각각 적혀 있는 7개의 카드 중에서 5개의 카드를 택하여 나열한다. 이때, 그림의 예와 같이 첫 번째 카드와 마지막 다섯 번째 카드에 적힌 숫자의 합이 8이면서 마지막 다섯 번째 카드에 적힌 숫자가 3 이상이 되도록 나열하는 방법의 수를 구하시오.

$$\boxed{2}\ \boxed{5}\ \boxed{7}\ \boxed{3}\ \boxed{6}$$

13-20 korea의 5개의 문자를 사전식으로 배열할 때, keoar는 몇 번째에 있는가?

① 55번째 　　② 56번째 　　③ 57번째 　　④ 58번째 　　⑤ 59번째

13-21 1, 1, 1, 2, 2, 2, 3, 3, 3의 9개의 숫자를 오른쪽 표의 각 칸에 한 개씩 써넣을 때, 각 행과 각 열은 각각 서로 다른 숫자로 써넣는 경우의 수를 구하시오. (단, 행은 가로줄이고, 열은 세로줄을 의미한다.)

13-22 0, 1, 2, 3, 4가 각각 적혀 있는 다섯 장의 숫자 카드 중 일부 또는 전체를 사용하여 만들수 있는 자연수를 크기 순으로 배열하면 다음과 같다.

> 1, 2, 3, 4, 10, 12, ⋯, 43120, 43201, 43210

이때, 3421보다 작은 자연수의 개수를 구하시오.

13-23 4개의 주제 A, B, C, D를 4명이 각각 하나씩 선택하여 보고서를 작성하기로 하였다. 작성한 보고서를 다시 하나씩 선택하여 검토하는데 자신의 보고서는 선택하지 않도록 작성자와 검토자를 정하는 모든 경우의 수를 구하시오.

13-24 갑은 컴퓨터를 이용하여 2000부터 2999까지의 네 자리 자연수를 을에게 전송하려고 한다. 전송 과정에서 일어날지도 모르는 오류를 을이 확인할 수 있도록 하기 위하여 갑은 다음 규칙에 따라 전송하는 수의 끝에 숫자 하나를 덧붙여서 다섯 자리 수를 전송한다.

> 네 자리 수의 각 자리의 수의 합이 짝수이면 0, 홀수이면 1을 전송하는 수의 끝에 덧붙인다.

예를 들면, 2026은 20260으로, 2102는 21021로 전송한다. 갑이 전송하기 위하여 끝에 0을 덧붙인 다섯 자리 수 중에서 가운데 세 자리의 각각의 숫자가 모두 다른 경우의 수를 구하시오.

14
조합

14. 조합

1. 조합

서로 다른 n개에서 순서를 생각하지 않고 r개를 택하는 것을

n개에서 r개를 택하는 조합

이라 하고, 그 조합의 수를 기호

$_n\mathrm{C}_r$

와 같이 나타낸다.

2. 조합의 수

서로 다른 n개에서 r개를 택하는 조합의 수는

$$_n\mathrm{C}_r = \frac{_n\mathrm{P}_r}{r!} = \frac{n!}{r!\,(n-r)!} \ (\text{단},\ 0 \le r \le n)$$

3. 조합의 수의 성질

(1) $_n\mathrm{C}_r = {_n\mathrm{C}_{n-r}}$ (단, $0 \le r \le n$)

(2) $_n\mathrm{C}_r = {_{n-1}\mathrm{C}_{r-1}} + {_{n-1}\mathrm{C}_r}$ (단, $1 \le r \le n-1$)

1 조합

조샘 : 얘들아~ 우리 반 학생 30명 중에서 회장, 부회장, 총무를 뽑아보자.

하은 : '회장 – 순일', '부회장 – 민석', '총무 – 길동'을 추천합니다.

선이 : '회장 – 민석', '부회장 – 길동', '총무 – 순일'을 추천합니다.

조샘 : 좋아, 그럼 이번에는 반 대항 3 : 3 농구대회에 나갈 선수 3명을 추천해 보자.

춘영 : '선우, 정수, 찬호'를 추천합니다.

세호 : 저는 '찬호, 정수, 선우'를 추천합니다.

하은 : 아이구!! '춘영'이랑 '세호'는 같은 말을 한거잖아~~

세호 : 그럼 '하은'이랑 '선이'가 말한거는?

조샘 : 그래. 두 가지 경우는 다르단다.
학급 임원을 뽑는 경우는 순서를 생각해야 하지만
농구 선수를 뽑는 경우는 순서를 생각하지 않아도 된단다.

세호 : 아하~~ 순서가 중요하구나!

조샘 : 그래서 이제 순서를 따지지 않는 조합에 대해서 공부하려고~~

① 조합의 뜻

순열에서는 원소를 택하는 방법과 배열하는 순서를 함께 생각하였으나 위의 농구대회에 나갈 선수를 뽑는 것처럼 배열의 순서에는 관계없이 택하는 방법의 수만을 생각할 경우가 있다.

또 네 종류의 비빔밥 재료 시금치, 콩나물, 도라지, 고사리 중에서 세 가지를 택하여 비빔밥을 만들 때, 택한 세 재료를 배열하는 순서는 생각할 필요가 없다.

이때, 네 가지 재료 중에서 세 가지 재료를 택하는 방법은 아래와 같이 네 가지가 있다.

이와 같이 서로 다른 4개에서 배열의 순서를 생각하지 않고 3개를 택하는 것을 4개에서 3개를 택하는 **조합**이라 하고, 이 조합의 수를 기호

$$_4C_3$$

으로 나타낸다.

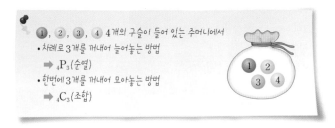

일반적으로 서로 다른 n개에서 r개를 택하는 조합을 다음과 같이 정의한다.

새🔔정리
                                                                                          조합

서로 다른 n개에서 순서를 생각하지 않고 r개를 택하는 것을

$$n개에서 \ r개를 \ 택하는 \ 조합$$

이라 하고, 그 조합의 수를 기호

$$_nC_r$$

와 같이 나타낸다.

참고 $_nC_r$에서 C는 Combination(조합)의 첫 글자이다.

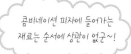

콤비네이션 피자에 들어가는
재료는 순서에 상관이 없군~!

예 6명의 학생 중에서 4명의 학생을 택하여 스터디그룹을 구성하는 방법의 수는 6명에서 4명을 뽑는 조합의 수이므로

$$_6C_4$$

이다.

② 조합의 수

민호, 수영, 우빈, 유리 네 사람 중에서 세 사람을 택하여 일렬로 세우는 순열의 수는

$$_4\mathrm{P}_3$$

이다.

이때, $_4\mathrm{P}_3$은

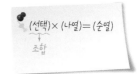

> ① 네 사람 중에서 세 사람을 택하고,
> ② 택한 세 사람을 일렬로 세우는 경우의 수

이다.

즉, 네 사람 중에서 세 사람을 택하는 조합의 수는 $_4\mathrm{C}_3$이고, 각 조합에 대하여 택한 세 사람을 일렬로 세우는 순열의 수는 $3!$이므로

$$_4\mathrm{P}_3 = {_4\mathrm{C}_3} \times 3! \text{에서 } {_4\mathrm{C}_3} = \frac{_4\mathrm{P}_3}{3!}$$

임을 알 수 있다.

일반적으로 서로 다른 n개에서 r개를 택하는 조합의 수 $_n\mathrm{C}_r$와 순열의 수 $_n\mathrm{P}_r$ 사이에는 다음 관계가 성립한다.

$$_n\mathrm{C}_r \times r! = {_n\mathrm{P}_r}, \text{ 즉 } {_n\mathrm{C}_r} = \frac{_n\mathrm{P}_r}{r!}$$

한편, $_n\mathrm{P}_r = \dfrac{n!}{(n-r)!}$이므로

$$_n\mathrm{C}_r = \frac{_n\mathrm{P}_r}{r!} = \frac{n!}{r!(n-r)!}$$

이고, $_n\mathrm{C}_0 = \dfrac{n!}{0!n!} = 1$이므로 $_n\mathrm{C}_0 = 1$로 정의하면 위의 식은

$$0! = 1$$

$r=0$일 때도 성립한다.

샘정리

조합의 수

서로 다른 n개에서 r개를 택하는 조합의 수는

$$\Rightarrow {_n\mathrm{C}_r} = \frac{_n\mathrm{P}_r}{r!} = \frac{n!}{r!(n-r)!} \text{ (단, } 0 \le r \le n)$$

참고 $_n\mathrm{C}_0 = 1,\ _n\mathrm{C}_n = 1$

예　① $_5C_3=\dfrac{_5P_3}{3!}=\dfrac{5\times4\times3}{3\times2\times1}=10$　　② $_8C_2=\dfrac{_8P_2}{2!}=\dfrac{8\times7}{2\times1}=28$

다른 풀이

① $_5C_3=\dfrac{5!}{3!2!}=\dfrac{5\times4}{2\times1}=10$

② $_8C_2=\dfrac{8!}{2!6!}=\dfrac{8\times7}{2\times1}=28$

$$\dfrac{5!}{3!2!}=\dfrac{5\times4\times3\times2\times1}{3\times2\times1\times2\times1}=\dfrac{5\times4}{2\times1}$$

참고　일반적으로 다른 풀이의 방법을 이용한 계산이 편리하다.

예　빨강, 주황, 노랑, 초록, 파랑, 남색, 보라의 7가지 색 물감 중에서 2가지 색을 일정량씩 섞어서 만들 수 있는 색의 종류의 수는 서로 다른 7개에서 2개를 택하는 조합의 수와 같으므로

$$_7C_2=\dfrac{7!}{2!5!}=\dfrac{7\times6}{2\times1}=21$$

③ 조합의 수의 성질

1, 2, 3, 4, 5가 하나씩 적힌 구슬 5개가 들어 있는 주머니에서 다음과 같이 구슬을 꺼내는 경우의 수를 살펴 보자.
　　　① 3개의 구슬을 꺼내는 방법
　　　② 2개의 구슬을 남기는 방법
　　　③ 2개의 구슬을 꺼내는 방법
　　　④ 3개의 구슬을 남기는 방법

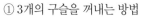

① $_5C_3=\dfrac{5!}{3!2!}$　　② $_5C_2=\dfrac{5!}{2!3!}$　　③ $_5C_2=\dfrac{5!}{2!3!}$　　④ $_5C_3=\dfrac{5!}{3!2!}$

이와 같이 ①~④ 모두 같은 경우의 수가 나옴을 알 수 있다. 즉, 서로 다른 5개의 구슬이 들어 있는 주머니에서
　　　'3개를 택하는 (꺼내는) 것' 은
　　　'2개를 택하는 (남기는) 것'
과 같은 경우임을 알 수 있다.

일반적으로 서로 다른 n개에서 'r개를 택하는 경우의 수' 는 '$(n-r)$개를 택하는 경우의 수'
와 같다. 즉,

$$_nC_r=\dfrac{n!}{r!(n-r)!}=\dfrac{n!}{(n-r)!r!}=_nC_{n-r}$$

가 성립한다.

샘정리

서로 다른 n개에서

$$(r개를\ 택하는\ 경우의\ 수)=((n-r)개를\ 택하는\ 경우의\ 수)$$

$\Rightarrow {}_nC_r={}_nC_{n-r}$ (단, $0 \leq r \leq n$)

예) ${}_7C_5=\dfrac{7!}{5!2!}=\dfrac{7!}{2!5!}={}_7C_2$

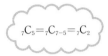

${}_7C_5={}_7C_{7-5}={}_7C_2$

그림과 같이 서로 다른 5개의 구슬이 들어 있는 주머니에서 3개의 구슬을 꺼내는 방법의 수를 다음과 같이 생각해 볼 수 있다.

5개의 구슬 중 3개의 구슬을 꺼내는 경우의 수

$=$ ① 과 다른 2개의 구슬을 꺼내는 경우의 수 $+$ ① 을 제외한 3개의 구슬을 꺼내는 경우의 수

$=$ 4개의 구슬 중 2개를 꺼내는 경우의 수 $+$ 4개의 구슬 중 3개를 꺼내는 경우의 수

$\therefore {}_5C_3={}_4C_2+{}_4C_3$

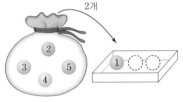

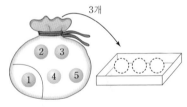

일반적으로 서로 다른 n개에서 r개를 택하는 조합의 수를 다음과 같이 생각할 수 있다.

샘특강

서로 다른 n개에서 r개를 택하는 조합의 수는

(특정한 1개를 포함하는 경우의 수)$+$(특정한 1개를 제외하는 경우의 수)

$=((n-1)개에서\ (r-1)개를\ 택하는\ 경우의\ 수)+((n-1)개에서\ r개를\ 택하는\ 경우의\ 수)$

$\Rightarrow {}_nC_r={}_{n-1}C_{r-1}+{}_{n-1}C_r$ (단, $1 \leq r \leq n-1$)

예) ${}_6C_3={}_5C_2+{}_5C_3$

1부터 n까지 적힌 n개의 구슬이 들어 있는 주머니에서 r개의 구슬을 꺼낼 때, 특정한 구슬을 포함하거나 포함하지 않는 경우의 수

r개

(i) ②가 포함되는 경우 : $_{n-1}C_{r-1}$

(ii) ②가 포함되지 않는 경우 : $_{n-1}C_r$

$$\therefore \ _nC_r = {}_{n-1}C_{r-1} + {}_{n-1}C_r$$

개념확인코너

정답 및 해설 p.509

1 다음 값을 구하시오.

(1) $_4C_1$ (2) $_5C_2$ (3) $_{11}C_9$

2 다음 □ 안에 알맞은 수를 써넣으시오.

(1) $_6C_2 = \dfrac{6 \times 5}{\square!}$ (2) $_{10}P_4 = \square! \times {}_{10}C_4$

3 다음 등식을 만족시키는 n 또는 r의 값을 구하시오.

(1) $_nC_2 = 21$ (2) $_{10}C_4 = {}_{10}C_r \ (r \neq 4)$

(3) $_nC_3 = {}_7C_4$ (4) $_6C_r = {}_6C_{r+2}$

(5) $_8C_5 = {}_7C_4 + {}_nC_r$ (6) $_9C_3 + {}_9C_4 = {}_nC_r$

다음 등식을 만족시키는 n 또는 r의 값을 구하시오.

(1) $_n\mathrm{C}_5 = {}_n\mathrm{C}_3$

(2) $_9\mathrm{C}_r = {}_9\mathrm{C}_{r-3}$

(3) $_{n+2}\mathrm{C}_2 = {}_{n-1}\mathrm{C}_2 + {}_n\mathrm{C}_2$

(4) $_n\mathrm{P}_3 = 30 \times {}_{n-1}\mathrm{C}_2$

■ **새b저거** (1) $_n\mathrm{C}_r = \dfrac{{}_n\mathrm{P}_r}{r!} = \dfrac{n!}{r!(n-r)!}$ (단, $0 \le r \le n$)

(2) $_n\mathrm{C}_0 = 1$, $_n\mathrm{C}_n = 1$

(3) $_n\mathrm{C}_r = {}_n\mathrm{C}_{n-r}$ (단, $0 \le r \le n$)

풀이 (1) $_n\mathrm{C}_5 = {}_n\mathrm{C}_{n-5} = {}_n\mathrm{C}_3$에서 $n - 5 = 3$ $\quad \therefore n = 8$

(2) $_9\mathrm{C}_r = {}_9\mathrm{C}_{9-r} = {}_9\mathrm{C}_{r-3}$에서 $9 - r = r - 3$

$2r = 12 \quad \therefore r = 6$

(3) $_{n+2}\mathrm{C}_2 = {}_{n-1}\mathrm{C}_2 + {}_n\mathrm{C}_2$에서

$$\frac{(n+2)(n+1)}{2!} = \frac{(n-1)(n-2)}{2!} + \frac{n(n-1)}{2!}$$

$(n+2)(n+1) = (n-1)(n-2) + n(n-1)$

$n^2 - 7n = 0$, $n(n-7) = 0$

그런데 $n \ge 3$이므로 $n = 7$

(4) $_n\mathrm{P}_3 = 30 \times {}_{n-1}\mathrm{C}_2$에서

$$n(n-1)(n-2) = 30 \times \frac{(n-1)(n-2)}{2!}$$

$n \ge 3$이므로 양변을 $(n-1)(n-2)$로 나누면

$n = 15$

> $_n\mathrm{P}_r = n(n-1)\cdots(n-r+1)$
> (단, $0 < r \le n$)

답 (1) $n = 8$ (2) $r = 6$ (3) $n = 7$ (4) $n = 15$

유제 14-1 다음 등식을 만족시키는 n 또는 r의 값을 구하시오.

(1) $_n\mathrm{C}_3 = {}_{n-1}\mathrm{C}_2$

(2) $_8\mathrm{C}_{r-2} = {}_8\mathrm{C}_{2r-2}$

(3) $_n\mathrm{C}_2 + {}_n\mathrm{C}_3 = 2 \times {}_{2n}\mathrm{C}_1$

(4) $_n\mathrm{P}_3 + 6 \times {}_n\mathrm{C}_3 = 2 \times {}_n\mathrm{P}_2$

다음을 구하시오.

(1) 10명의 동아리 회원 중에서 청소 당번 2명을 뽑는 방법의 수

(2) 집합 $A=\{1, 2, 3, 4, 5, 6, 7\}$의 부분집합 중에서 원소의 개수가 3인 부분집합의 개수

(3) n 이하의 자연수의 집합 A에 대하여 집합 B를 $B=\{(a, b)\,|\,a\in A, b\in A, a>b\}$로 정의하면 집합 B의 원소의 개수가 120이다. 이때, n의 값

┄┄┄┄■ **길잡이**　　서로 다른 n개 중에서 순서를 생각하지 않고 r개를 택하는 방법의 수는 $_n\mathrm{C}_r$이다.

풀이　(1) 10명의 동아리 회원 중에서 청소 당번 2명을 택하는 조합의 수이므로

$$_{10}\mathrm{C}_2 = \frac{_{10}\mathrm{P}_2}{2!} = \frac{10\times 9}{2\times 1} = 45$$

(2) 집합 A의 원소 7개에서 3개를 택하는 조합의 수이므로

$$_7\mathrm{C}_3 = \frac{_7\mathrm{P}_3}{3!} = \frac{7\times 6\times 5}{3\times 2\times 1} = 35$$

(3) $A=\{1, 2, 3, 4, \cdots, n\}$이므로

$$B=\{(2, 1), (3, 1), (3, 2), (4, 1), \cdots, (n, 1), (n, 2), \cdots, (n, n-1)\}$$

즉, n 이하의 자연수 중에서 서로 다른 2개를 택하여 큰 수, 작은 수의 순서대로 순서쌍을 만들면 집합 B의 원소가 됨을 알 수 있다.

따라서 $_n\mathrm{C}_2 = 120$이므로 $\dfrac{n(n-1)}{2!} = 120$

$$n(n-1) = 240 = 16\times 15 \qquad \therefore n=16$$

답 (1) 45　(2) 35　(3) 16

유제 14-2　다음을 구하시오.

(1) 6종류의 아이스크림 중에서 4가지를 고르는 방법의 수

(2) 1부터 10까지의 자연수가 각각 하나씩 적힌 10장의 카드 중에서 임의로 3장의 카드를 뽑을 때, 3장 모두 홀수인 경우의 수

(3) $10<a<b<c<20$을 만족시키는 세 자연수 a, b, c에 대하여 집합 S를 $S=\{a, b, c\}$로 나타낼 때, 집합 S의 개수

(4) 어떤 모임에 참석한 회원들이 한 사람도 빠지지 않고 서로 악수를 하였더니 악수한 횟수가 총 780이었다고 한다. 이 모임에 참석한 회원의 수

다음을 구하시오.

(1) 9명의 학생회 학생 중에서 회장 1명, 부회장 2명을 뽑는 방법의 수

(2) 1학년 학생 5명, 2학년 학생 7명 중에서 2명을 뽑을 때, 2명이 모두 같은 학년일 경우의 수

■ 길잡이 (1) 회장을 뽑고 그리고 부회장을 뽑으므로 ➡ 곱의 법칙을 이용!

(2) 뽑은 2명이 모두 1학년 또는 모두 2학년이어야 하므로 ➡ 합의 법칙을 이용!

■ 새로정리 서로 다른 n개에서 a개를 택한 후, 나머지에서 b개를 택하는 방법의 수

➡ $_nC_a \times _{n-a}C_b$

풀이 (1) 9명 중에서 회장 1명을 뽑는 방법의 수는 $_9C_1 = 9$

나머지 8명 중에서 부회장 2명을 뽑는 방법의 수는 $_8C_2 = \dfrac{8 \times 7}{2 \times 1} = 28$

따라서 구하는 방법의 수는

$_9C_1 \times _8C_2 = 9 \times 28 = 252$

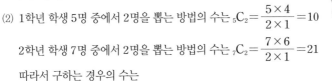

'그리고'일 때 곱하고, '또는'일 때 더한다.

(2) 1학년 학생 5명 중에서 2명을 뽑는 방법의 수는 $_5C_2 = \dfrac{5 \times 4}{2 \times 1} = 10$

2학년 학생 7명 중에서 2명을 뽑는 방법의 수는 $_7C_2 = \dfrac{7 \times 6}{2 \times 1} = 21$

따라서 구하는 경우의 수는

$_5C_2 + _7C_2 = 10 + 21 = 31$

답 (1) 252 (2) 31

유제 14-3 다음을 구하시오.

(1) 남학생 5명, 여학생 6명으로 구성된 댄스 동아리 회원 중에서 남학생 3명, 여학생 2명을 뽑는 방법의 수

(2) 의사 5명과 간호사 n명 중에서 3명을 뽑을 때, 3명의 직업이 모두 같은 경우의 수가 66이다. 이때, n의 값

Up

유제 14-4 1부터 10까지의 자연수 중에서 서로 다른 세 수를 뽑을 때, 뽑힌 세 수의 합이 홀수가 되는 경우의 수를 구하시오.

필수 예제 4　　　　　　　　　　　　　　　　특정한 것을 포함하거나 포함하지 않는 조합의 수

A, B를 포함한 7명의 학생 중에서 3명을 뽑을 때, 다음을 구하시오.

(1) A, B가 모두 포함되는 경우의 수
(2) A, B가 모두 포함되지 않는 경우의 수
(3) A, B 중 1명만 포함되는 경우의 수

■ **새**저거　　n명의 학생 중에서 r명을 뽑을 때

(1) 특정한 학생 k명을 포함하여 r명을 뽑는 방법의 수는 ➡ $_{n-k}C_{r-k}$
(2) 특정한 학생 k명을 제외하고 r명을 뽑는 방법의 수는 ➡ $_{n-k}C_r$

풀이　(1) A, B가 모두 포함되는 경우의 수는 A, B를 미리 뽑았다고 생각하고,
　　　　　A, B를 제외한 나머지 5명 중에서 1명만 뽑으면 되므로
　　　　　　$_5C_1=5$

　　　(2) A, B가 모두 포함되지 않는 경우의 수는 A, B를 제외한 5명 중에서 3명을 뽑으면 되므로
　　　　　　$_5C_3=10$

　　　(3) A가 포함되는 경우와 B가 포함되는 경우로 나누어 생각한다.
　　　　(ⅰ) A를 뽑고 B를 제외한 5명 중에서 2명을 뽑는 방법의 수는
　　　　　　$_5C_2=10$
　　　　(ⅱ) B를 뽑고 A를 제외한 5명 중에서 2명을 뽑는 방법의 수는
　　　　　　$_5C_2=10$
　　　　(ⅰ), (ⅱ)에 의하여 구하는 경우의 수는
　　　　　　$_5C_2+_5C_2=10+10=20$

답 (1) 5　(2) 10　(3) 20

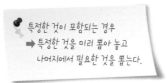

특정한 것이 포함되는 경우
➡ 특정한 것을 미리 뽑아 놓고
　나머지에서 필요한 것을 뽑는다.

유제 14-5　남학생 5명, 여학생 7명으로 구성된 중창단에서 남학생 4명, 여학생 5명을 뽑을 때,
　　　　　특정한 남학생 1명과 여학생 2명을 반드시 포함하여 뽑는 방법의 수를 구하시오.

유제 14-6　A, B, C를 포함한 10명의 학생 중에서 4명의 위원을 선출할 때, A는 선출되고
　　　　　B, C는 선출되지 않는 방법의 수를 구하시오.

남자 7명, 여자 5명 중에서 3명의 위원을 선출할 때, 다음을 구하시오.

(1) 여자가 적어도 1명이 포함되는 경우의 수

(2) 남자와 여자가 적어도 각각 1명씩 포함되는 경우의 수

■ **길잡이**   (1) 전체 경우의 수에서 '모두 남자'인 경우의 수를 뺀다.

                     (2) 전체 경우의 수에서 '모두 남자' 또는 '모두 여자'인 경우의 수를 뺀다.

풀이 (1) 전체 12명 중에서 3명을 뽑는 방법의 수는 $_{12}C_3 = 220$

               남자 7명 중에서 3명을 뽑는 방법의 수는 $_7C_3 = 35$

               따라서 구하는 경우의 수는

               $_{12}C_3 - {_7}C_3 = 220 - 35 = 185$

    (2) 전체 12명 중에서 3명을 뽑는 방법의 수는 $_{12}C_3 = 220$

               남자 7명 중에서 3명을 뽑는 방법의 수는 $_7C_3 = 35$

               여자 5명 중에서 3명을 뽑는 방법의 수는 $_5C_3 = 10$

               따라서 구하는 경우의 수는

               $_{12}C_3 - ({_7}C_3 + {_5}C_3) = 220 - (35 + 10) = 175$

답 (1) 185 (2) 175

> ('적어도~'인 경우의 수)
> = (모든 경우의 수) − ('적어도~'의 반대인 경우의 수)

유제 14-7 1, 2, 3, 4, 5, 6의 숫자가 각각 한 개씩 적힌 6장의 카드가 있다. 2장의 카드를 뽑을 때, 적어도 홀수가 적힌 카드 1장이 포함되는 경우의 수를 구하시오.

Up

유제 14-8 어느 상점에서 A, B, C 세 회사 제품을 팔고 있는데 각각 3종류, 2종류, 5종류가 있다. 이 제품 중에서 4가지 제품을 택할 때, C회사의 제품이 적어도 2가지가 포함되는 경우의 수를 구하시오.

다음 물음에 답하시오.

(1) 남자 6명과 여자 5명이 있을 때, 남자 2명, 여자 2명을 뽑아서 일렬로 세우는 방법의 수를 구하시오.

(2) 투수와 포수가 각각 1명씩 포함된 야구선수 9명 중에서 4명을 뽑아 일렬로 세울 때, 투수와 포수가 모두 포함되고 서로 이웃하는 경우의 수를 구하시오.

> ■ **길잡이**　뽑아서 나열하는 경우 (뽑는 단계)와 (나열 단계)를 구분하여 생각한 후, 곱의 법칙을 이용하여 (뽑는 단계)×(나열 단계)로 구한다.

풀이　(1) 남자 6명 중에서 2명, 여자 5명 중에서 2명을 뽑는 방법의 수는

$$_6C_2 \times {}_5C_2 = 15 \times 10 = 150$$

위의 각 경우에 대하여 4명을 일렬로 세우는 방법의 수는 $4! = 24$

따라서 구하는 방법의 수는

$$_6C_2 \times {}_5C_2 \times 4! = 150 \times 24 = 3600$$

(2) 투수와 포수를 제외한 7명 중에서 2명을 뽑는 방법의 수는 $_7C_2 = 21$

투수와 포수를 포함한 4명 중에서 투수와 포수를 묶어 한 사람으로 생각하고

3명을 일렬로 세운 후, 투수와 포수가 서로 자리를 바꾸는 방법의 수는

$$3! \times 2! = 6 \times 2 = 12$$

따라서 구하는 경우의 수는

$$_7C_2 \times 3! \times 2! = 21 \times 12 = 252$$

답 (1) 3600　(2) 252

유제 14-9　한국인과 일본인이 각각 5명씩 10명이 있을 때, 한국인 3명, 일본인 2명을 뽑아 한국인 3명이 이웃하도록 일렬로 세우는 방법의 수를 구하시오.

유제 14-10 1부터 9까지의 자연수 중 서로 다른 4개의 수를 뽑아 네 자리의 자연수를 만들 때, 3은 반드시 포함하고 5는 포함되지 않는 자연수의 개수를 구하시오.

두 집합 $X=\{1, 2, 3\}$, $Y=\{2, 4, 6, 8, 10\}$에 대하여 함수 $f : X \longrightarrow Y$라 할 때, 다음을 구하시오.

(1) 함수 f가 $a<b$ $(a, b \in X)$이면 $f(a)<f(b)$를 만족시킬 때, 함수 f의 개수
(2) 함수 f가 $a<b$ $(a, b \in X)$이면 $f(a)>f(b)$를 만족시킬 때, 함수 f의 개수

⬛ **생각짓기** 함수 $f : X \longrightarrow Y$에 대하여 $n(X)=p$, $n(Y)=q$ $(p \leq q)$일 때,
$a \in X$, $b \in X$에 대하여
$a<b$이면 $f(a)<f(b)$ (또는 $f(a)>f(b)$)인 함수의 개수 ➡ $_qC_p$

풀이 (1) $a<b$이면 $f(a)<f(b)$이므로
$f(1)<f(2)<f(3)$
따라서 Y의 원소 2, 4, 6, 8, 10 중 3개를 뽑아 크기가 작은 것부터 차례로
$f(1)$, $f(2)$, $f(3)$에 대응시키면 되므로 구하는 함수의 개수는
$_5C_3=10$

(2) $a<b$이면 $f(a)>f(b)$이므로
$f(1)>f(2)>f(3)$
따라서 Y의 원소 2, 4, 6, 8, 10 중 3개를 뽑아 크기가 큰 것부터 차례로
$f(1)$, $f(2)$, $f(3)$에 대응시키면 되므로 구하는 함수의 개수는
$_5C_3=10$

답 (1) 10 (2) 10

Up
유제 14-11 두 집합 $X=\{1, 2, 3, 4, 5\}$, $Y=\{1, 2, 3, 4, 5, 6, 7, 8\}$에 대하여 다음 두 조건을 만족시키는 함수 $f : X \longrightarrow Y$의 개수를 구하시오.

> (가) 집합 X의 임의의 두 원소 x_1, x_2에 대하여 $x_1<x_2$이면 $f(x_1)>f(x_2)$
> (나) $f(2)=6$

필수 예제 8 직선 또는 삼각형의 개수

그림과 같이 좌표평면 위에 9개의 점이 놓여 있을 때,
다음을 구하시오.

(1) 두 점을 연결하여 만들 수 있는 직선의 개수

(2) 세 점을 연결하여 만들 수 있는 삼각형의 개수

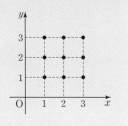

⋯⋯■ **길잡이** (1) 일직선 위의 세 점 중에서 어느 두 점을 연결해도 같은 직선이 된다.

(2) 일직선 위의 세 점을 연결하면 삼각형이 되지 않는다.

풀이 (1) 9개의 점 중에서 두 점을 연결하여 만들 수 있는 직선의 개수는 $_9C_2$

이 중 그림과 같이 일직선 위에 세 점이 있는 8가지의 경우는 직
선이 중복되어 한 개이다.

중복되는 직선의 개수는 $8 \times (_3C_2 - 1) = 8 \times 2 = 16$

따라서 구하는 직선의 개수는

$_9C_2 - 16 = 36 - 16 = 20$

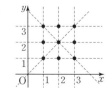

(2) 9개의 점 중에서 세 점을 연결하여 만들 수 있는 삼각형의 개수는 $_9C_3$

이때, 일직선 위에 있는 세 점을 택하면 삼각형을 만들 수 없으므로 일직선 위에 세 점이
있는 경우는 모두 8가지이다.

따라서 구하는 삼각형의 개수는

$_9C_3 - 8 = 84 - 8 = 76$

답 (1) 20 (2) 76

유제 14-12 어느 세 점도 일직선 위에 있지 않은 5개의 점이 있다. 이 점 중에서 2개의 점을 연
결하여 만들 수 있는 서로 다른 직선의 개수를 a, 3개의 점을 연결하여 만들 수 있
는 서로 다른 삼각형의 개수를 b라 할 때, $a+b$의 값을 구하시오.

유제 14-13 그림과 같이 반원 위에 10개의 점이 있을 때, 다음을
구하시오.

(1) 두 점을 연결하여 만들 수 있는 직선의 개수

(2) 세 점을 연결하여 만들 수 있는 삼각형의 개수

그림과 같이 가로의 길이가 4, 세로의 길이가 3인 직사각형을 한 변의 길이가 1인 12개의 정사각형으로 나누었다. 이 도형의 선들로 이루어진 사각형에 대하여 다음을 구하시오.

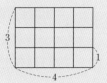

(1) 직사각형의 개수

(2) 정사각형의 개수

> ■ **길잡이**   두 쌍의 평행선이 만나면 사각형이 생긴다.

풀이 (1) 직사각형의 개수는 가로줄 4개에서 2개를 뽑고,
세로줄 5개에서 2개를 뽑는 경우의 수이므로
$_4C_2 \times {}_5C_2 = 6 \times 10 = 60$

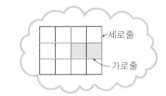

(2) 한 변의 길이가 1인 정사각형의 개수는 $4 \times 3 = 12$
한 변의 길이가 2인 정사각형의 개수는 $3 \times 2 = 6$
한 변의 길이가 3인 정사각형의 개수는 $2 \times 1 = 2$
이므로 구하는 정사각형의 개수는
$12 + 6 + 2 = 20$

답 (1) 60 (2) 20

유제 14-14 그림과 같이 5개의 평행선과 4개의 평행선이 서로 만나고 있다. 이 평행선으로 만들어지는 평행사변형의 개수를 구하시오.

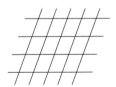

유제 14-15 그림과 같이 원 위에 8개의 점이 같은 간격으로 놓여 있을 때, 다음을 구하시오.

(1) 네 점을 꼭짓점으로 하는 사각형의 개수

(2) 네 점을 꼭짓점으로 하는 직사각형의 개수

다음을 구하시오.

(1) 그림과 같은 팔각형에서 대각선의 개수

(2) 대각선의 개수가 54인 볼록 n각형의 꼭짓점의 개수

길잡이 　 다각형에서 대각선은 이웃하지 않은 두 꼭짓점을 이은 선분이므로 볼록 n각형의 대각선의 개수 ➡ (n개의 점에서 2개를 택하는 경우의 수) − (변의 개수 n)

샘저거 　 (1) n각형에서 대각선의 개수 ➡ $_nC_2 - n$ (단, $n \geq 4$)
　　　(2) n각형에서 대각선의 교점의 최대 개수 ➡ $_nC_4$ (단, $n \geq 4$)

풀이 　(1) 구하는 대각선의 개수는 8개의 꼭짓점 중에서 2개를 택하는 경우의 수에서 변의 개수인 8을 뺀 값과 같으므로

$$_8C_2 - 8 = 28 - 8 = 20$$

(2) 구하는 꼭짓점의 개수는 n이고, 볼록 n각형의 대각선의 개수는 n개의 꼭짓점에서 2개를 택하는 경우의 수에서 변의 개수인 n을 뺀 값과 같으므로

$$_nC_2 - n = 54, \ \frac{n(n-1)}{2} - n = 54$$
$$n^2 - 3n - 108 = 0, \ (n+9)(n-12) = 0$$
$$\therefore n = 12 \ (\because n \geq 4)$$

답 (1) 20　(2) 12

유제 14-16 볼록 m각형의 대각선의 개수는 27이고, 볼록 n각형의 대각선의 개수는 44일 때, $m+n$의 값을 구하시오.

유제 14-17 십이각형의 서로 다른 대각선의 교점은 최대 몇 개인지 구하시오.

(단, 꼭짓점은 제외한다.)

14-1 다음 등식을 만족시키는 n의 값을 구하시오.

(1) $_nC_5 = {}_nC_4$ (2) $_{20}P_6 = n!\,{}_{20}C_6$ (3) $_nP_2 = {}_nC_2 + 36$

14-2 10명의 선수가 각각 다른 선수와 한 번씩 경기를 하는 리그전을 벌일 때, 경기의 수를 구하시오.

14-3 회원이 10명인 동아리에서 회장, 부회장, 총무를 뽑는 방법의 수를 a, 대의원 3명을 뽑는 방법의 수를 b라 할 때, $a+b$의 값을 구하시오.

14-4 수연이네 꽃집에는 여러 종류의 꽃이 있다. 이 중에서 세 종류의 꽃을 사는 방법의 수가 20일 때, 수연이네 꽃집에는 몇 종류의 꽃이 있는지를 구하시오.

14-5 남자 7명과 여자 5명으로 이루어진 어떤 스포츠클럽에서 남자 3명과 여자 2명으로 구성된 위원회를 구성하려고 한다. 이 위원회를 구성하는 방법의 수는?

① 320   ② 333   ③ 350   ④ 360   ⑤ 375

14-6 어느 놀이 공원에는 A, B, C 3개의 구역에 각각 3가지, 4가지, 5가지의 놀이기구가 있다. 이 중에서 2가지를 택하여 타려고 할 때, 같은 구역에서 2가지를 모두 타는 경우의 수는? (단, 놀이기구를 타는 순서는 생각하지 않는다.)

① 18　　　　② 19　　　　③ 20　　　　④ 21　　　　⑤ 22

14-7 서로 다른 10개의 제품 중 불량품이 2개 들어 있다. 이 중 4개의 제품을 선택할 때, 다음을 구하시오.

(1) 불량품 2개가 모두 선택되는 경우의 수
(2) 불량품이 1개만 선택되는 경우의 수
(3) 불량품 2개가 모두 선택되지 않는 경우의 수

14-8 2개의 당첨제비가 포함되어 있는 10가지 색의 제비 중에서 임의로 3개의 제비를 동시에 뽑을 때, 적어도 한 개의 당첨제비가 포함되는 경우의 수는?

① 48　　　　② 52　　　　③ 56　　　　④ 60　　　　⑤ 64

14-9 1에서 10까지의 자연수 중에서 서로 다른 두 수를 임의로 선택할 때, 선택된 두 수의 곱이 짝수가 되는 경우의 수를 구하시오.

14-10 그림과 같이 원 위에 있는 8개의 점 중 두 점을 이어서 만들 수 있는 직선의 개수는?

① 22　　　　② 24　　　　③ 26
④ 28　　　　⑤ 30

14- 11 다음 등식을 만족시키는 n 또는 r의 값을 구하시오.

    (1) $_{n+2}C_n = 15$ (2) $_nC_3 - _nC_2 = 4(n-1)$ (3) $_{15}C_{r+2} = _{15}C_{2r-2}$

14- 12 그림과 같은 바둑판 위의 9개의 점에 흰 돌, 검은 돌 각각 4개씩
총 8개의 바둑돌을 놓는 방법의 수를 구하시오.

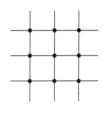

14- 13 여덟 개의 a와 네 개의 b를 모두 사용하여 만든 12자리 문자열 중에서 다음 조건을 모두
만족시키는 문자열의 개수는?

> (가) b는 연속해서 나올 수 없다.
> (나) 첫째 자리 문자가 b이면 마지막 자리 문자는 a이다.

  ① 70   ② 105   ③ 140   ④ 175   ⑤ 210

14- 14 어느 학교의 기악 합주반에는 바이올린 연주자 5명, 첼로 연주자 3명이 있다. 이때, 첼로
연주자를 2명 이상 포함하여 4명을 뽑아 일렬로 세울 때, 첼로 연주자끼리 모두 이웃하
는 경우의 수를 구하시오.

14- 15 어른 2명과 어린이 3명이 함께 놀이공원에 가서 어느 놀
이 기구를 타려고 한다. 이 놀이 기구는 그림과 같이 앞줄
에 2개, 뒷줄에 3개의 의자가 있다. 어린이가 어른과 반
드시 같은 줄에 앉을 때, 5명이 모두 놀이 기구의 의자에
앉는 방법의 수를 구하시오.

14- 16 남녀 학생 15명으로 구성된 단체에서 3명의 대표를 뽑으려고 할 때, 적어도 한 명의 남학생을 뽑는 방법의 수는 420이다. 이 단체의 여학생의 수를 구하시오.

14- 17 집합 $X=\{1, 2, 3, 4, 5\}$에 대하여 함수 $f : X \longrightarrow X$ 중에서
$$f(1) \leq f(2) < f(3) < f(4) \leq f(5)$$
를 만족시키는 함수 f의 개수를 구하시오.

14- 18 그림과 같이 x축, y축 위에 각각 5개, 3개의 점이 일정한 간격으로 놓여 있다. 이때, x축과 y축에 있는 점을 이어서 만든 두 직선의 교점이 제1사분면에서 생기도록 하는 방법의 수를 구하시오.

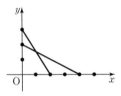

14- 19 그림과 같이 원에 내접하는 정팔각형이 있다. 이 정팔각형의 꼭짓점 8개에서 3개를 연결하여 만들 수 있는 삼각형은 a개이고, 이 중에서 직각삼각형은 b개이다. 이때, $a-b$의 값은?

① 26 ② 28 ③ 30
④ 32 ⑤ 34

14- 20 그림과 같이 같은 간격으로 놓인 12개의 점이 있다. 이 중 4개의 점을 연결하여 만들 수 있는 사각형의 개수를 구하시오.

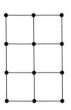

14-21 2000보다 작은 네 자리의 자연수 중에서 각 자리의 숫자 중 두 개만 같은 자연수의 개수를 구하시오.

14-22 전체집합 $U=\{1, 2, 3, 4, 5, 6\}$의 두 부분집합 A, B에 대하여 다음 세 조건을 모두 만족시키는 순서쌍 (A, B)의 개수를 구하시오.

(단, $n(X)$는 집합 X의 원소의 개수이다.)

> (개) $n(A)=3$, $n(B)=3$
> (내) $n(A \cup B)=5$
> (대) 집합 A의 원소 중 가장 작은 수가 집합 B의 원소 중 가장 작은 수보다 작다.

14-23 좌표평면에서 원 $x^2+y^2=9$ 또는 그 내부에 있으면서 꺾인 직선 $y=|x|$ 또는 그 위쪽에 있는 점 (x, y) 중에서 세 점을 택하여 만들 수 있는 삼각형의 개수를 구하시오.

(단, x, y는 정수이다.)

14-24 1부터 100까지의 자연수 중에서 서로 다른 4개의 수를 선택할 때, 4개의 수 중에서 두 번째로 작은 수가 k인 경우의 수를 a_k라 하자. 예를 들어, a_{98}은 선택된 4개의 수 중에서 98보다 작은 수가 한 개이고 98보다 큰 수가 2개인 경우의 수이므로 $a_{98}=97$이다. **보기**에서 옳은 것만을 있는 대로 고른 것은?

├ 보기 ┤

ㄱ. $a_3={}_2C_1 \times {}_{97}C_2$ ㄴ. $a_{10}=a_{90}$ ㄷ. $a_2+a_3+a_4+\cdots+a_{98}={}_{100}C_4$

① ㄱ   ② ㄴ   ③ ㄱ, ㄷ   ④ ㄴ, ㄷ   ⑤ ㄱ, ㄴ, ㄷ

나의 수학여행은 어디까지 왔나?

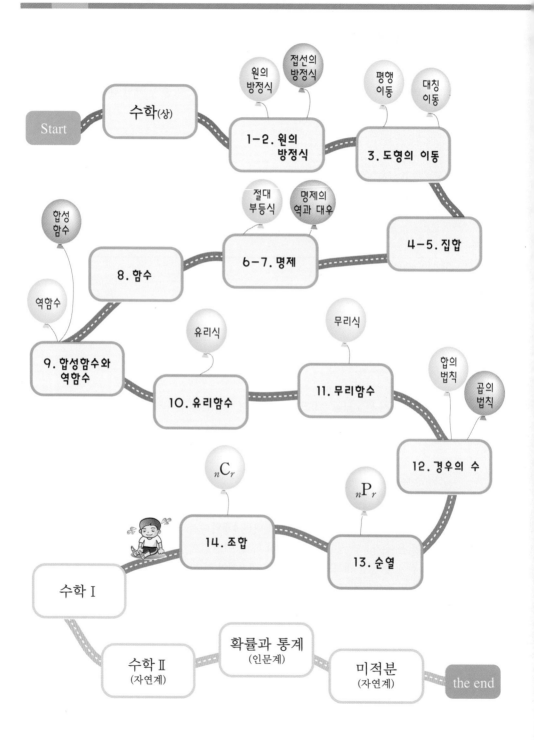

정답 및 해설

수학(하)

01 원의 방정식

Spring of mathematics

개념확인코너

본문 p.015

1

(1) $(x-2)^2+(y+1)^2=25$

(2) $(x+3)^2+(y-4)^2=3$

2

(1) 중심의 좌표 : $(0, 0)$

반지름의 길이 : $\sqrt{8}=2\sqrt{2}$

(2) 중심의 좌표 : $(-1, 5)$

반지름의 길이 : 4

3

(1) $x^2-2x+y^2-5=0$에서

$(x-1)^2+y^2=6$

∴ 중심의 좌표 : $(1, 0)$, 반지름의 길이 : $\sqrt{6}$

(2) $x^2+y^2+2x-8y-8=0$에서

$(x+1)^2+(y-4)^2=25$

∴ 중심의 좌표 : $(-1, 4)$, 반지름의 길이 : 5

🔳 (1) $(1, 0)$, $\sqrt{6}$

(2) $(-1, 4)$, 5

4

두 원 O, O'의 중심의 좌표가 각각

$(2, 1)$, $(-1, -3)$이므로 중심거리는

$\sqrt{(2+1)^2+(1+3)^2}=5$

(1) $r=2$, $r'=2$일 때, $r+r'=4<5$이므로 두 원 O, O'은 한 원이 다른 원의 외부에 있다.

따라서 두 원의 교점의 개수는 0이다.

(2) $r=2$, $r'=3$일 때, $r+r'=5$이므로 두 원 O, O'은 외접한다.

따라서 두 원의 교점의 개수는 1이다.

(3) $r=5$, $r'=3$일 때, $r-r'=2<5<r+r'=8$이므로 두 원 O, O'은 서로 다른 두 점에서 만난다.

따라서 두 원의 교점의 개수는 2이다.

(4) $r=6$, $r'=1$일 때, $r-r'=5$이므로 두 원 O, O'은 내접한다.

따라서 두 원의 교점의 개수는 1이다.

(5) $r=7$, $r'=1$일 때, $r-r'=6>5$이므로 두 원 O, O'은 한 원이 다른 원의 내부에 있다.

따라서 두 원의 교점의 개수는 0이다.

🔳 (1) 0 (2) 1 (3) 2 (4) 1 (5) 0

5

두 원 $x^2+y^2-4x+2y-4=0$,

$x^2+y^2-10x-4y+20=0$의 서로 다른 두 교점을 지나는 직선의 방정식은

$(x^2+y^2-4x+2y-4)-(x^2+y^2-10x-4y+20)=0$

$6x+6y-24=0$

∴ $y=-x+4$

🔳 $y=-x+4$

유제

본문 p.016

유제 1-1

원 $(x-3)^2+y^2=9$의 중심의 좌표는 $(3, 0)$이다.

이때, 두 점 $(3, 0)$, $(1, 2)$ 사이의 거리가 반지름의 길이이므로

$\sqrt{(1-3)^2+(2-0)^2}=2\sqrt{2}$

따라서 중심의 좌표가 $(3, 0)$이고, 반지름의 길이가 $2\sqrt{2}$인 원의 방정식은

$(x-3)^2+y^2=8$

유제 1-2

점 $(1, a)$를 중심으로 하고 반지름의 길이가 5인 원의 방정식은

$(x-1)^2+(y-a)^2=5^2$

이 원이 점 $(-3, 0)$을 지나므로

$(-3-1)^2+(0-a)^2=25$, $a^2=9$

∴ $a=3$ (∵ $a>0$)

유제 1-3

원의 중심은 선분 AB의 중점이므로

$\left(\dfrac{4+(-2)}{2}, \dfrac{1+5}{2}\right)$ ∴ $(1, 3)$

이때, 원의 중심과 점 A 사이의 거리가 반지름의 길이이므로

$\sqrt{(4-1)^2+(1-3)^2}=\sqrt{13}$

따라서 중심의 좌표가 $(1, 3)$이고, 반지름의 길이가 $\sqrt{13}$인 원의 방정식은

$(x-1)^2+(y-3)^2=13$

유제 1-4

원의 중심 A는 두 점 $(1, 4)$, $(5, 2)$의 중점이므로

$A\left(\dfrac{1+5}{2}, \dfrac{4+2}{2}\right)$ $\therefore A(3, 3)$

이때, 점 A와 점 $(1, 4)$ 사이의 거리가 반지름의 길이이므로

$\sqrt{(1-3)^2+(4-3)^2}=\sqrt{5}$

$\therefore (x-3)^2+(y-3)^2=5$

이 원의 방정식에 $x=2$를 대입하면 $y=1$ 또는 $y=5$이므로

$B(2, 1)$, $C(2, 5)$

(또는 $B(2, 5)$, $C(2, 1)$)

따라서 삼각형 ABC의 넓이는

$\triangle ABC=\dfrac{1}{2}\times 4\times 1=2$

유제 1-5

원의 중심이 y축 위에 있으므로 중심의 좌표를 $(0, b)$, 반지름의 길이를 r라 하면 원의 방정식은

$x^2+(y-b)^2=r^2$

이 원이 두 점 $(3, 0)$, $(2, -1)$을 지나므로

$3^2+(0-b)^2=r^2$ $\therefore b^2+9=r^2$ ……㉠

$2^2+(-1-b)^2=r^2$ $\therefore b^2+2b+5=r^2$ ……㉡

㉠, ㉡을 연립하여 풀면

$b=2$, $r^2=13$

따라서 구하는 원의 방정식은

$x^2+(y-2)^2=13$

유제 1-6

원의 중심이 직선 $y=x+3$ 위에 있으므로 중심의 좌표를 $(a, a+3)$, 반지름의 길이를 r라 하면 원의 방정식은

$(x-a)^2+(y-a-3)^2=r^2$

이 원이 두 점 $(-1, 2)$, $(1, 4)$를 지나므로

$(-1-a)^2+(2-a-3)^2=r^2$

$\therefore 2a^2+4a+2=r^2$ ……㉠

$(1-a)^2+(4-a-3)^2=r^2$

$\therefore 2a^2-4a+2=r^2$ ……㉡

㉠, ㉡을 연립하여 풀면

$a=0$, $r^2=2$

따라서 구하는 원의 방정식은

$x^2+(y-3)^2=2$

유제 1-7

반지름의 길이가 2이고, 점 $(3, 0)$에서 x축과 접하는 원의 중심의 좌표는 $(3, 2)$ 또는 $(3, -2)$이다.

따라서 중심의 좌표가 $(3, 2)$ 또는 $(3, -2)$이고, 반지름의 길이가 2인 원의 방정식은

$(x-3)^2+(y+2)^2=4$ 또는

$(x-3)^2+(y-2)^2=4$

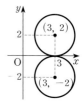

유제 1-8

중심의 좌표가 $(a, 1)$이고, y축에 접하는 원의 방정식은

$(x-a)^2+(y-1)^2=a^2$

이 원이 점 $(2, 3)$을 지나므로

$(2-a)^2+(3-1)^2=a^2$

$4-4a+a^2+4=a^2$, $4a=8$

$\therefore a=2$

유제 1-9

원은 제4사분면 위에 있으므로 원의 반지름의 길이를 $r(r>0)$라 하면 중심의 좌표는 $(r, -r)$이다.

즉, 구하는 원의 방정식은

$(x-r)^2+(y+r)^2=r^2$

이때, 점 $(r, -r)$가 직선 $x-y-2=0$ 위에 있으므로

$r-(-r)-2=0$ $\therefore r=1$

따라서 구하는 원의 방정식은

$(x-1)^2+(y+1)^2=1$

유제 1-10

주어진 조건을 만족시키는 두 원은 제2사분면 위에 있으므로 원의 반지름의 길이를 $r(r>0)$라 하면 중심의 좌표는 $(-r, r)$이다.

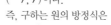

즉, 구하는 원의 방정식은

$(x+r)^2+(y-r)^2=r^2$

이 원이 점 $(-1, 2)$를 지나므로

$(-1+r)^2+(2-r)^2=r^2$

$r^2-6r+5=0$, $(r-1)(r-5)=0$

$\therefore r=1$ 또는 $r=5$

따라서 두 원의 반지름의 길이는 1, 5이므로 두 원의 넓이의 합은

$\pi\times 1^2+\pi\times 5^2=26\pi$

유제 1-11

$x^2+y^2+4x-2ky=4$에서

$x^2+4x+4+y^2-2ky+k^2=4+4+k^2$

$\therefore (x+2)^2+(y-k)^2=k^2+8$

즉, 이 원은 중심의 좌표가 $(-2, k)$이고, 반지름의 길이가 $\sqrt{k^2+8}$이다.
이때, 원점과 원의 중심 $(-2, k)$ 사이의 거리는 $\sqrt{5}$이므로

$\sqrt{(-2)^2+k^2}=\sqrt{5}$, $4+k^2=5$

$\therefore k^2=1$

따라서 구하는 반지름의 길이는

$\sqrt{k^2+8}=\sqrt{1+8}=\mathbf{3}$

유제 1-12

$x^2+y^2+2ax-4ay+10a-8=0$에서

$(x+a)^2+(y-2a)^2=5a^2-10a+8$

이 원의 넓이가 최소가 되려면 반지름의 길이의 제곱의 값이 최소가 되어야 하므로

$5a^2-10a+8=5(a-1)^2+3$

따라서 반지름의 길이의 제곱의 최솟값이 $a=1$일 때, 3이므로 구하는 원의 넓이의 최솟값은 $\mathbf{3\pi}$이다.

유제 1-13

(1) 구하는 원의 방정식을 $x^2+y^2+Ax+By+C=0$이라 하고 주어진 세 점 $(0, 2)$, $(0, 6)$, $(4, 2)$가 이 원 위의 점이므로 차례대로 대입하여 정리하면

$$\begin{cases} 2B+C=-4 & \cdots\cdots\bigcirc \\ 6B+C=-36 & \cdots\cdots\bigcirc\!\!\!\bigcirc \\ 4A+2B+C=-20 & \cdots\cdots\bigcirc\!\!\!\bigcirc\!\!\!\bigcirc \end{cases}$$

$\bigcirc\!\!\!\bigcirc-\bigcirc$을 하면 $4B=-32$ $\therefore B=-8$

$B=-8$을 $\bigcirc$에 대입하면 $C=12$

$B=-8$, $C=12$를 $\bigcirc\!\!\!\bigcirc\!\!\!\bigcirc$에 대입하면 $A=-4$

$\therefore x^2+y^2-4x-8y+12=0$

즉, $(x-2)^2+(y-4)^2=8$이므로 중심의 좌표는 $\mathbf{(2, 4)}$이고, 반지름의 길이는 $\mathbf{2\sqrt{2}}$이다.

(2) 구하는 원의 방정식을 $x^2+y^2+Ax+By+C=0$이라 하고 주어진 세 점 $(0, 0)$, $(1, -1)$, $(1, 2)$가 이 원 위의 점이므로 차례대로 대입하여 정리하면

$$\begin{cases} C=0 & \cdots\cdots\bigcirc \\ A-B+C=-2 & \cdots\cdots\bigcirc\!\!\!\bigcirc \\ A+2B+C=-5 & \cdots\cdots\bigcirc\!\!\!\bigcirc\!\!\!\bigcirc \end{cases}$$

$\bigcirc$을 $\bigcirc\!\!\!\bigcirc$, $\bigcirc\!\!\!\bigcirc\!\!\!\bigcirc$에 대입하면

$A-B=-2$, $A+2B=-5$

이 두 식을 연립하여 풀면

$A=-3$, $B=-1$

$\therefore x^2+y^2-3x-y=0$

즉, $\left(x-\dfrac{3}{2}\right)^2+\left(y-\dfrac{1}{2}\right)^2=\dfrac{5}{2}$이므로 중심의 좌표는

$\left(\dfrac{3}{2}, \dfrac{1}{2}\right)$이고, 반지름의 길이는 $\dfrac{\sqrt{10}}{2}$이다.

유제 1-14

$x^2+y^2+4x-2y+k=0$에서

$(x+2)^2+(y-1)^2=5-k$

이 방정식이 원이 되려면 $5-k>0$

$\therefore k<5$

따라서 자연수 k는 1, 2, 3, 4이므로 **4개**이다.

유제 1-15

$x^2+y^2+6x+2ky+8k=0$에서

$(x+3)^2+(y+k)^2=k^2-8k+9$

이때, 이 원의 넓이가 18π이므로

$(k^2-8k+9)\pi=18\pi$

$k^2-8k+9=18$

$k^2-8k-9=0$

$(k+1)(k-9)=0$

$\therefore k=\mathbf{9}\,(\because k>0)$

유제 1-16

원 $x^2+y^2=r^2$의 중심 $(0, 0)$과 점 $A(2, 4)$ 사이의 거리는

$\sqrt{2^2+4^2}=2\sqrt{5}$

이때, 점 A와 원 위의 점 사이의 거리의 최댓값은 반지름의 길이가 r이므로 $2\sqrt{5}+r$이다.

즉, $2\sqrt{5}+r=2\sqrt{5}+1$이므로

$r=\mathbf{1}$

유제 1-17

$\sqrt{(a+6)^2+(b+1)^2}=\sqrt{\{a-(-6)\}^2+\{b-(-1)\}^2}$

이므로 이 식은 점 $(-6, -1)$과 점 $P(a, b)$ 사이의 거리를 나타낸다.

원의 중심 $(2, 5)$와 점 $(-6, -1)$ 사이의 거리는

$\sqrt{(2+6)^2+(5+1)^2}=\sqrt{100}=10$

이때, 원의 반지름의 길이가 3이므로 점 $(-6, -1)$과 점 P 사이의 거리의 최댓값은

$10+3=\mathbf{13}$

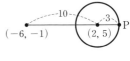

유제 1-18

점 P의 좌표를 (x, y)라 하면

$\overline{PA}=\sqrt{(x+3)^2+y^2}$, $\overline{PB}=\sqrt{(x-2)^2+y^2}$

이때, $\overline{PA} : \overline{PB}=3 : 2$에서 $2\overline{PA}=3\overline{PB}$이므로

$4\overline{PA}^2=9\overline{PB}^2$

$4\{(x+3)^2+y^2\}=9\{(x-2)^2+y^2\}$

$4x^2+24x+36+4y^2=9x^2-36x+36+9y^2$

$x^2+y^2-12x=0$

$\therefore (x-6)^2+y^2=36$

따라서 중심의 좌표가 $(6, 0)$이고 반지름의 길이가 6인 원이므로 점 P가 나타내는 도형의 길이는

$2\pi \times 6=\mathbf{12\pi}$

유제 1-19

점 P의 좌표를 (x, y)라 하면

$\overline{AP}=\sqrt{(x+1)^2+y^2}$, $\overline{BP}=\sqrt{(x-1)^2+y^2}$

이때, $\overline{AP} : \overline{BP}=2 : 1$에서 $\overline{AP}=2\overline{BP}$이므로

$\overline{AP}^2=4\overline{BP}^2$

$(x+1)^2+y^2=4\{(x-1)^2+y^2\}$

$x^2+2x+1+y^2=4x^2-8x+4+4y^2$

$x^2+y^2-\dfrac{10}{3}x+1=0$

$\therefore \left(x-\dfrac{5}{3}\right)^2+y^2=\dfrac{16}{9}$

이때, 삼각형 PAB의 넓이가 최대가 되려면 높이가 최대가 되어야 한다.

즉, 그림과 같이 점 P가 위치할 때 넓이가 최대가 된다.

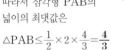

따라서 삼각형 PAB의 넓이의 최댓값은

$\triangle PAB \le \dfrac{1}{2} \times 2 \times \dfrac{4}{3}=\mathbf{\dfrac{4}{3}}$

유제 1-20

$x^2+y^2-6x+8y+21=0$에서

$(x-3)^2+(y+4)^2=4$

주어진 두 원의 중심의 좌표는 각각 $(0, 0)$, $(3, -4)$이므로 중심거리는 5이고, 반지름의 길이는 각각 a, 2이다.

(1) 두 원이 외접하려면 $a+2=5$이어야 하므로

$a=3$

(2) 두 원이 내접하려면 $|a-2|=5$이어야 하므로

$a-2=\pm 5$

이때, a는 양수이므로 $a=7$

(3) 두 원이 서로 다른 두 점에서 만나려면

$|a-2|<5<a+2$이어야 하므로

(i) $|a-2|<5$에서 $-5<a-2<5$

이때, a는 양수이므로 $0<a<7$

(ii) $5<a+2$에서 $a>3$

(i), (ii)에 의하여 $\mathbf{3<a<7}$

유제 1-21

두 원의 서로 다른 두 교점을 지나는 직선의 방정식은

$(x^2+y^2-4)-(x^2+y^2-4x+ky)=0$

$4x-ky-4=0$

$\therefore y=\dfrac{4}{k}x-\dfrac{4}{k}$

이때, 이 직선이 직선 $y=x+3$과 수직이므로

$\dfrac{4}{k} \times 1=-1$ $\therefore k=\mathbf{-4}$

유제 1-22

두 원의 서로 다른 두 교점을 지나는 직선의 방정식은

$(x^2+y^2+3x+ay-6)-(x^2+y^2-2x+2y-2)=0$

$\therefore 5x+(a-2)y-4=0$ ······· ㉠

또 $x^2+y^2-2x+2y-2=0$에서

$O' : (x-1)^2+(y+1)^2=4$

이때, 원 O가 원 O'의 둘레를 이등분하기 위해서는 직선 ㉠이 원 O'의 중심 $(1, -1)$을 지나야 하므로

$5-(a-2)-4=0$

$\therefore a=\mathbf{3}$

유제 1-23

두 원 $x^2+y^2=4$와 $x^2+y^2-4x+3y-9=0$의 중심을 각각 O, O'이라 하고 두 원의 두 교점을 A, B, 직선 OO'과 선분 AB의 교점을 C라 하자.

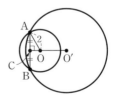

두 원의 공통현의 방정식은

$(x^2+y^2-4)-(x^2+y^2-4x+3y-9)=0$

$\therefore 4x-3y+5=0$

원 $x^2+y^2=4$의 중심 O$(0, 0)$에서 공통현까지의 거리는

$$\overline{OC}=\frac{|5|}{\sqrt{4^2+(-3)^2}}=\frac{5}{5}=1$$
직각삼각형 OCA에서 $\overline{OA}=2$, $\overline{OC}=1$이므로
$$\overline{AC}=\sqrt{\overline{OA}^2-\overline{OC}^2}=\sqrt{4-1}=\sqrt{3}$$
$$\therefore \overline{AB}=2\overline{AC}=2\sqrt{3}$$

유제 1-24

두 원 $x^2+y^2=9$와 $x^2+y^2+3x-4y+k=0$의 중심을 각각 O, O′이라 하고 두 원의 두 교점을 A, B, 두 선분 OO′과 AB의 교점을 C라 하자.

이때, $\overline{AB}=2\sqrt{5}$이므로 $\overline{AC}=\frac{1}{2}\overline{AB}=\sqrt{5}$이고,

$\overline{OA}=3$이므로 직각삼각형 OCA에서

$$\overline{OC}=\sqrt{\overline{OA}^2-\overline{AC}^2}=\sqrt{3^2-(\sqrt{5})^2}=2$$

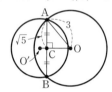

한편, 두 원의 공통현의 방정식은
$$(x^2+y^2-9)-(x^2+y^2+3x-4y+k)=0$$
$$\therefore -3x+4y-9-k=0$$
원 $x^2+y^2=9$의 중심 O(0, 0)에서 공통현까지의 거리는 $\overline{OC}=2$이므로
$$\overline{OC}=\frac{|-9-k|}{\sqrt{(-3)^2+4^2}}=2,\ |-9-k|=10$$
$$-9-k=\pm10$$
$$\therefore k=1(\because k>0)$$

유제 1-25

$(x-1)^2+(y-4)^2=13$에서
$x^2+y^2-2x-8y+4=0$이므로 주어진 두 원의 교점을 지나는 원의 방정식은
$$(x^2+y^2-6x+2)+k(x^2+y^2-2x-8y+4)=0$$
$$\cdots\cdots\ \bigcirc$$

이때, $\bigcirc$이 점 (1, 0)을 지나므로
$$-3+3k=0\qquad\therefore k=1$$
$k=1$을 $\bigcirc$에 대입하면
$$(x^2+y^2-6x+2)+(x^2+y^2-2x-8y+4)=0$$
$$2x^2+2y^2-8x-8y+6=0$$
$$\therefore x^2+y^2-4x-4y+3=0$$

유제 1-26

주어진 두 원의 교점을 지나는 원의 방정식은

$$(x^2+y^2+2x-4y-2)+k(x^2+y^2-2x-1)=0$$
$$\cdots\cdots\ \bigcirc$$

이때, $\bigcirc$이 원점을 지나므로
$$-2-k=0\qquad\therefore k=-2$$
$k=-2$를 $\bigcirc$에 대입하면
$$(x^2+y^2+2x-4y-2)-2(x^2+y^2-2x-1)=0$$
$$-x^2-y^2+6x-4y=0$$
$$x^2+y^2-6x+4y=0$$
$$\therefore (x-3)^2+(y+2)^2=13$$
따라서 반지름의 길이가 $\sqrt{13}$이므로 구하는 원의 넓이는
$$\pi\times(\sqrt{13})^2=13\pi$$

연습문제 본문 p.034

1-1

(1) $(x-1)^2+(y+3)^2=4$

(2) 원의 중심 (3, 2)와 점 (2, 2) 사이의 거리가 반지름의 길이이므로
$$\sqrt{(2-3)^2+(2-2)^2}=1$$
$$\therefore (x-3)^2+(y-2)^2=1$$

(3) 구하는 원의 중심은 두 점 $(-2, 0)$, $(2, 0)$을 이은 선분의 중점이므로
$$\left(\frac{-2+2}{2},\ \frac{0+0}{2}\right)\qquad\therefore (0, 0)$$
이때, 두 점 (2, 0), (0, 0) 사이의 거리가 반지름의 길이이므로 반지름의 길이는 2이다.
$$\therefore x^2+y^2=4$$

1-2

원 $(x+1)^2+(y-3)^2=9$와 중심이 같으므로 구하는 원의 중심은 $(-1, 3)$이다.
이때, 원의 중심 $(-1, 3)$과 점 (2, 1) 사이의 거리가 반지름의 길이와 같으므로
$$\sqrt{(2+1)^2+(1-3)^2}=\sqrt{13}$$
$$\therefore (x+1)^2+(y-3)^2=13$$

1-3

주어진 두 원의 중심의 좌표가 각각 (2, 3), $(-6, -3)$이므로 중심거리가 10이고, 반지름의 길이는 각각 3, r이다.
이때, 두 원이 외접하려면 $3+r=10$이어야 하므로
$$r=7$$

1-4

직선 $y=mx$가 주어진 원의 중심 $(-2, 3)$을 지날 때

원의 넓이를 이등분하므로
$3 = m \times (-2)$

$$\therefore m = -\frac{3}{2}$$

1-5

원의 중심이 직선 $y = x$ 위에 있으므로 중심의 좌표를 (a, a)라 하고, 반지름의 길이가 $\sqrt{2}$인 원의 방정식은
$(x-a)^2 + (y-a)^2 = (\sqrt{2})^2$
이 원이 점 $(1, 3)$을 지나므로
$(1-a)^2 + (3-a)^2 = 2,\ a^2 - 4a + 4 = 0$
$(a-2)^2 = 0 \quad \therefore a = 2$
따라서 구하는 원의 방정식은
$$(x-2)^2 + (y-2)^2 = 2$$

1-6

$x^2 + y^2 - 2x - 4y + 1 = 0$에서
$(x-1)^2 + (y-2)^2 = 4$
이 원은 중심의 좌표가 $(1, 2)$이고, 반지름의 길이는 2이다.
$\therefore a + b + r = 1 + 2 + 2 = \mathbf{5}$

1-7

$x^2 + y^2 + 2ax + 2y - 4 = 0$에서
$(x+a)^2 + (y+1)^2 = a^2 + 5$
이 원의 중심의 좌표가 $(2, b)$이므로
$a = -2,\ b = -1$
또 반지름의 길이는 r이므로
$r^2 = a^2 + 5 = (-2)^2 + 5 = 9$
$\therefore a^2 + b^2 + r^2 = 4 + 1 + 9 = \mathbf{14}$

1-8

$x^2 + y^2 - 2x + 4y + k = 0$에서
$(x-1)^2 + (y+2)^2 = 5 - k$
이 원이 y축에 접하므로 원의 반지름의 길이는
$\sqrt{5-k} = 1 \quad \therefore k = \mathbf{4}$

1-9

구하는 원의 방정식을 $x^2 + y^2 + Ax + By + C = 0$이라 하고 주어진 세 점 $(0, 0)$, $(1, 3)$, $(4, 2)$가 이 원 위의 점이므로 차례대로 대입하여 정리하면
$$\begin{cases} C = 0 & \cdots\cdots \text{㉠} \\ A + 3B + C = -10 & \cdots\cdots \text{㉡} \\ 4A + 2B + C = -20 & \cdots\cdots \text{㉢} \end{cases}$$
㉠을 ㉡, ㉢에 대입하면

$A + 3B = -10,\ 4A + 2B = -20$
이 두 식을 연립하여 풀면
$A = -4,\ B = -2$
$$\therefore x^2 + y^2 - 4x - 2y = 0$$

1-10

$x^2 + y^2 - 8x + 2y - 3k + 2 = 0$에서
$(x-4)^2 + (y+1)^2 = 3k + 15$
이 방정식이 원을 나타내려면
$3k + 15 > 0$
$$\therefore k > -5$$

1-11

$x^2 + y^2 + 2x - 8y - 10 = 0$에서
$(x+1)^2 + (y-4)^2 = 27$이므로 점 A$(-1, 4)$이다.
또 $x^2 + y^2 - 6x - 1 = 0$에서
$(x-3)^2 + y^2 = 10$이므로 점 B$(3, 0)$이다.
이때, 두 점 A, B를 지름의 양 끝점으로 하는 원의 중심은 선분 AB의 중점이므로
$$\left(\frac{-1+3}{2}, \frac{4+0}{2} \right) \quad \therefore (1, 2)$$
이때, 두 점 $(1, 2)$, $(-1, 4)$ 사이의 거리가 반지름의 길이이므로
$$\sqrt{(-1-1)^2 + (4-2)^2} = 2\sqrt{2}$$
즉, 중심의 좌표가 $(1, 2)$이고, 반지름의 길이가 $2\sqrt{2}$인 원의 방정식은
$(x-1)^2 + (y-2)^2 = 8$
$\therefore x^2 + y^2 - 2x - 4y - 3 = 0$
따라서 $a = -2,\ b = -4,\ c = -3$이므로
$a + b + c = \mathbf{-9}$

1-12

원의 중심이 직선 $y = x + 3$ 위에 있으므로 원의 중심의 좌표를 $(a, a+3)$이라 하자. 이때, 이 원이 x축에 접하므로 반지름의 길이는 $|a+3|$이다.
$\therefore (x-a)^2 + (y-a-3)^2 = (a+3)^2$
이 원이 점 $(1, 2)$를 지나므로
$(1-a)^2 + (-a-1)^2 = (a+3)^2$
$a^2 - 6a - 7 = 0$
$(a+1)(a-7) = 0$
$\therefore a = -1$ 또는 $a = 7$
이때, 반지름의 길이가 5 이하이므로
$a = -1$
$$\therefore (x+1)^2 + (y-2)^2 = 4$$

1-13

두 원 O, O'의 중심의 좌표는 각각 $(-2, -1)$, $(1, 3)$ 이므로 중심거리는 5이고, 반지름의 길이는 각각 1, 2 이다.

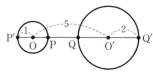

그림에서 선분 PQ의 길이의 최댓값은
$5+1+2=8$,
선분 PQ의 길이의 최솟값은
$5-1-2=2$이다.
따라서 선분 PQ의 길이의 최댓값과 최솟값의 합은
$8+2=\textbf{10}$

1-14

원 $(x-7)^2+(y-5)^2=4$의 반지름의 길이는 2이고, 중심 $(7, 5)$와 점 $A(-5, 0)$ 사이의 거리는 13이다.

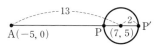

그림에서 d의 최댓값과 최솟값은
$13+2=15$, $13-2=11$
$\therefore 11 \le d \le 15$
이때, d의 값이 정수가 되는 점을 찾아보면
(i) $d=12$, 13, 14를 만족시키는 점 P는 각각 2개
(ii) $d=11$, 15를 만족시키는 점 P는 각각 1개
따라서 d의 값이 정수가 되는 점 P의 개수는
$3 \times 2 + 2 \times 1 = \textbf{8}$

1-15

주어진 조건을 만족시키는 두 원의 중심은 제2사분면 위에 있으므로 원의 반지름의 길이를 $r(r>0)$라 하면 중심의 좌표는 $(-r, r)$이다.

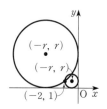

즉, 구하는 원의 방정식은

$(x+r)^2+(y-r)^2=r^2$
이 원이 점 $(-2, 1)$을 지나므로
$(-2+r)^2+(1-r)^2=r^2$
$r^2-6r+5=0$
$(r-1)(r-5)=0$
$\therefore r=1$ 또는 $r=5$
따라서 두 원의 중심은 $(-1, 1)$, $(-5, 5)$이므로 두 원의 중심거리는
$\sqrt{(-5+1)^2+(5-1)^2}=\textbf{4}\sqrt{\textbf{2}}$

1-16

$x^2+y^2-8x-6y-2k+30=0$에서
$(x-4)^2+(y-3)^2=2k-5$
이 방정식이 원을 나타내려면

$2k-5>0$ $\therefore k>\dfrac{5}{2}$ ......㉠

또 이 원이 제1사분면 위에 있으려면 원의 반지름의 길이가 3보다 작아야 하므로
$2k-5<3^2$, $2k<14$
$\therefore k<7$ ......㉡

㉠, ㉡에서 $\dfrac{5}{2}<k<7$

따라서 모든 정수 k의 값의 합은
$3+4+5+6=\textbf{18}$

1-17

$x^2+y^2-8kx+4ky+20k-9=0$에서
$(x-4k)^2+(y+2k)^2=20k^2-20k+9$
이 원의 넓이가 최소가 되려면 반지름의 길이의 제곱의 값이 최소이어야 한다.
즉, $20k^2-20k+9$의 최소가 되는 k의 값을 구하면
$20k^2-20k+9=20(k^2-k)+9$
$=20\left(k-\dfrac{1}{2}\right)^2+4$

$k=\dfrac{1}{2}$일 때, 반지름의 길이가 최소이므로
$(x-2)^2+(y+1)^2=4$
따라서 원의 넓이가 최소가 될 때, 중심의 좌표는 $(2, -1)$이고 반지름의 길이가 2이므로
$a+b+r=2+(-1)+2=\textbf{3}$

1-18

$\overline{AP} : \overline{BP}=3 : 1$에서 $\overline{AP}=3\overline{BP}$
$\therefore \overline{AP}^2=9\overline{BP}^2$
이때, 점 P의 좌표를 (x, y)라 하면
$(x-2)^2+y^2=9\{(x+2)^2+y^2\}$

$x^2+y^2+5x+4=0$

$\therefore \left(x+\dfrac{5}{2}\right)^2+y^2=\dfrac{9}{4}$

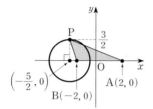

따라서 삼각형 APB의 넓이는 높이가 최대일 때, 최대이므로

$\triangle APB \leq \dfrac{1}{2} \times 4 \times \dfrac{3}{2} = 3$

1-19

$(x-1)^2+(y-1)^2=1$에서

$x^2+y^2-2x-2y+1=0$

이므로 주어진 두 원의 교점을 지나는 원의 방정식은

$(x^2+y^2-1)+k(x^2+y^2-2x-2y+1)=0$ ……㉠

이 원이 점 $(0, 0)$을 지나므로

$-1+k=0 \qquad \therefore k=1$

$k=1$을 ㉠에 대입하면

$(x^2+y^2-1)+(x^2+y^2-2x-2y+1)=0$

$\therefore x^2+y^2-x-y=0$

따라서 $a=-1$, $b=-1$, $c=0$이므로

$a+b+c=-2$

1-20

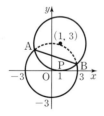

세 점 A, B, P를 지나는 원은 점 $(1, 0)$에서 x축에 접하고 반지름의 길이가 3이다.

즉, 이 원의 방정식은

$(x-1)^2+(y-3)^2=9$

$\therefore x^2+y^2-2x-6y+1=0$

따라서 직선 AB는 두 원 $x^2+y^2=9$,

$x^2+y^2-2x-6y+1=0$의 두 교점을 지나는 직선이므로

$(x^2+y^2-9)-(x^2+y^2-2x-6y+1)=0$

$\therefore x+3y-5=0$

1-21

x축과 y축에 동시에 접하는 원의 중심은 직선 $y=x$ 또는 직선 $y=-x$ 위에 있다.

즉, 구하는 원의 중심은 곡선 $y=x^2-6$과 직선 $y=x$ 또는 직선 $y=-x$의 교점이다.

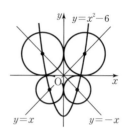

(i) $x^2-6=x$에서 $x^2-x-6=0$

  $(x+2)(x-3)=0 \qquad \therefore x=-2$ 또는 $x=3$

(ii) $x^2-6=-x$에서 $x^2+x-6=0$

  $(x+3)(x-2)=0 \qquad \therefore x=-3$ 또는 $x=2$

(i), (ii)에 의하여 $m=4$이고, 네 원의 중심의 좌표는 각각 $(-2, -2)$, $(3, 3)$, $(-3, 3)$, $(2, -2)$이므로 반지름의 길이는 각각 2, 3, 3, 2이다.

따라서 네 원의 넓이의 합은

$2 \times \pi \times 3^2+2 \times \pi \times 2^2=26\pi$

이므로 $n=26$이다.

$\therefore m+n=4+26=30$

1-22

선분 AB의 중점을 M이라 하면

$M\left(\dfrac{4+2}{2}, \dfrac{3+5}{2}\right)$, 즉 $M(3, 4)$이고,

$\overline{BM}=\sqrt{(3-2)^2+(4-5)^2}=\sqrt{2}$

이때, 삼각형 PAB에서 중선정리에 의하여

$\overline{PA}^2+\overline{PB}^2=2(\overline{PM}^2+\overline{BM}^2)=2(\overline{PM}^2+2)$

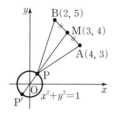

즉, $\overline{PA}^2+\overline{PB}^2$의 값은 선분 $\overline{PM}$의 길이가 최대일 때 최대이고, 그림에서 점 P가 P′에 위치할 때 선분 PM

의 길이가 최대이다.

$\therefore \overline{PM} \leq \overline{P'M} = \overline{P'O} + \overline{OM} = 1 + \sqrt{3^2 + 4^2} = 6$

따라서 $\overline{PA}^2 + \overline{PB}^2$의 최댓값은

$\overline{PA}^2 + \overline{PB}^2 = 2(\overline{PM}^2 + 2) \leq 2(6^2 + 2) = \mathbf{76}$

1-**23**

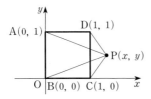

위의 그림과 같이 점 B를 원점으로 하는 좌표평면 위에 사각형 ABCD를 나타내고 점 P의 좌표를 (x, y)라 하면

$\overline{CP}^2 + \overline{DP}^2 = \overline{AP}^2$에서

$(x-1)^2 + y^2 + (x-1)^2 + (y-1)^2 = x^2 + (y-1)^2$

$x^2 + y^2 - 4x + 2 = 0$

$\therefore (x-2)^2 + y^2 = 2$

즉, 점 P가 나타내는 도형은 중심의 좌표가 $(2, 0)$, 반지름의 길이가 $\sqrt{2}$인 원이다.

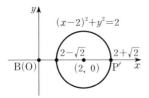

따라서 점 $B(0, 0)$과 점 P 사이의 거리가 최대일 때는 점 P가 $P'(2+\sqrt{2}, 0)$에 위치할 때이므로 구하는 거리의 최댓값은 $\mathbf{2+\sqrt{2}}$

1-**24**

그림과 같이 두 원의 중심을 각각 P, Q라 하고, 반지름의 길이를 각각 a, b라 하면

$\overline{PR} = 8 - a - b$,

$\overline{QR} = 9 - a - b$이다.

삼각형 PRQ에서 피타고라스 정리에 의하여

$(8 - a - b)^2 + (9 - a - b)^2 = (a+b)^2$

이때, $a+b = t \ (0 < t \leq 8)$로 치환하여 정리하면

$(8-t)^2 + (9-t)^2 = t^2$

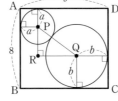

$t^2 - 34t + 145 = 0$, $(t-5)(t-29) = 0$

$\therefore t = a + b = 5 \ (\because 0 < t \leq 8)$

한편, $\overline{CD} = 8$이므로 $2a \leq 8$, $2b \leq 8$에서

$a \leq 4$, $b \leq 4$ ······ ㉠

또 $a + b = 5$이고 $a \leq 4$, $b \leq 4$이므로

$5 - b \leq 4$, $5 - a \leq 4$

$\therefore a \geq 1$, $b \geq 1$ ······ ㉡

㉠, ㉡에서 $1 \leq a \leq 4$, $1 \leq b \leq 4$

이므로 두 원의 넓이의 합 S는

$S = \pi a^2 + \pi b^2$

$= \pi\{a^2 + (5-a)^2\}$

$\qquad (\because a+b=5)$

$= \pi\left\{2\left(a - \dfrac{5}{2}\right)^2 + \dfrac{25}{2}\right\}$

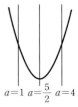

따라서 $1 \leq a \leq 4$이므로 $a=1$ 또는 $a=4$일 때, S는 최댓값을 가지고 그 최댓값은

$\pi\left\{2\left(1 - \dfrac{5}{2}\right)^2 + \dfrac{25}{2}\right\} = \mathbf{17\pi}$

1-**25**

주어진 두 원의 중심을 각각 O, O′이라 하고 두 원의 두 교점을 A, B, 두 선분 OO′과 AB의 교점을 C라 하자.

이때, $\overline{AB} = 2\sqrt{6}$이므로 $\overline{AC} = \dfrac{1}{2}\overline{AB} = \sqrt{6}$이고,

$\overline{O'A} = 2\sqrt{2}$이므로 직각삼각형 O′CA에서

$\overline{O'C} = \sqrt{\overline{O'A}^2 - \overline{AC}^2} = \sqrt{(2\sqrt{2})^2 - (\sqrt{6})^2} = \sqrt{2}$

한편, 두 원의 공통현의 방정식은

$(x^2 + y^2 + 2x + 2y - k) - (x^2 + y^2 - 2x - 2y - 6) = 0$

$\therefore 4x + 4y + 6 - k = 0$

원 O′의 중심 $(1, 1)$에서 공통현까지의 거리는

$\overline{O'C} = \sqrt{2}$이므로

$\overline{O'C} = \dfrac{|4 + 4 + 6 - k|}{\sqrt{4^2 + 4^2}} = \sqrt{2}$, $|14 - k| = 8$

$14 - k = \pm 8$ $\therefore k = 6$ 또는 $k = 22$

따라서 모든 k의 값의 합은 $\mathbf{28}$이다.

02 원과 직선

Spring of mathematics

개념확인코너
본문 p.043

1

(1) $y=2x+2$를 원의 방정식 $x^2+y^2=2$에 대입하면
$$x^2+(2x+2)^2=2$$
$$5x^2+8x+2=0$$
이 이차방정식의 판별식을 D라 하면
$$\frac{D}{4}=4^2-5\times2=6>0$$
따라서 서로 다른 두 점에서 만난다.

(2) $y=x-2$를 원의 방정식 $x^2+y^2=2$에 대입하면
$$x^2+(x-2)^2=2$$
$$x^2-2x+1=0$$
이 이차방정식의 판별식을 D라 하면
$$\frac{D}{4}=(-1)^2-1\times1=0$$
따라서 한 점에서 만난다. (접한다.)

(3) $y=-\frac{1}{2}x+3$을 원의 방정식 $x^2+y^2=2$에 대입하면
$$x^2+\left(-\frac{1}{2}x+3\right)^2=2$$
$$5x^2-12x+28=0$$
이 이차방정식의 판별식을 D라 하면
$$\frac{D}{4}=(-6)^2-5\times28=-104<0$$
따라서 만나지 않는다.

답 (1) 서로 다른 두 점에서 만난다.
(2) 한 점에서 만난다. (접한다.)
(3) 만나지 않는다.

2

직선 $ax-y+2=0$이 원 $x^2+y^2=1$에 접하려면 원의 중심 $(0, 0)$과 직선 $ax-y+2=0$ 사이의 거리가 반지름의 길이 1과 같아야 한다. 즉,
$$\frac{|0+0+2|}{\sqrt{a^2+(-1)^2}}=1$$
$$\sqrt{a^2+1}=2$$
$$a^2+1=4,\ a^2=3$$
$$\therefore a=\sqrt{3}\ 또는\ a=-\sqrt{3}$$

답 $\sqrt{3}$ 또는 $-\sqrt{3}$

3

원 $x^2+y^2=9$에 접하고 기울기가 2인 직선의 방정식은 $y=mx\pm r\sqrt{m^2+1}$에서 $m=2$, $r=3$이므로
$$y=2x\pm3\sqrt{2^2+1}=2x\pm3\sqrt{5}$$

답 $y=2x\pm3\sqrt{5}$

4

원 $x^2+y^2=1$에 접하고 기울기가 -1인 직선의 방정식은 $y=mx\pm r\sqrt{m^2+1}$에서 $m=-1$, $r=1$이므로
$$y=-x\pm\sqrt{(-1)^2+1}=-x\pm\sqrt{2}$$

답 $y=-x\pm\sqrt{2}$

5

원 $x^2+y^2=5$ 위의 점 $(1, 2)$에서의 접선의 방정식은 $x_1x+y_1y=r^2$에서 $x_1=1$, $y_1=2$, $r^2=5$이므로
$$x+2y=5$$

답 $x+2y=5$

6

원 $x^2+y^2=4$ 위의 점 $(\sqrt{3}, -1)$에서의 접선의 방정식은 $x_1x+y_1y=r^2$에서
$x_1=\sqrt{3}$, $y_1=-1$, $r^2=4$이므로
$$\sqrt{3}x-y=4$$

답 $\sqrt{3}x-y=4$

유제
본문 p.044

유제 2-1

$y=\sqrt{3}x+k$를 $x^2+y^2=4$에 대입하여 정리하면
$$4x^2+2\sqrt{3}kx+k^2-4=0$$
이 방정식의 판별식을 D라 하면
$$\frac{D}{4}=(\sqrt{3}k)^2-4(k^2-4)=-k^2+16$$

(1) 서로 다른 두 점에서 만나려면 $D>0$이어야 하므로
$$\frac{D}{4}=-k^2+16>0$$
$$(k+4)(k-4)<0$$
$$\therefore -4<k<4$$

(2) 접하려면 $D=0$이어야 하므로
$$\frac{D}{4}=-k^2+16=0$$
$$(k+4)(k-4)=0$$
$$\therefore k=-4\ 또는\ k=4$$

만나지 않으려면 $D<0$이어야 하므로

$$\frac{D}{4}=-k^2+16<0$$

$$(k+4)(k-4)>0$$

$$\therefore k<-4 \ \text{또는} \ k>4$$

유제 2-2

$x^2+y^2-2x-4y+1=0$에서

$(x-1)^2+(y-2)^2=4$

원의 중심 $(1, 2)$와 직선 $x+2y+k=0$ 사이의 거리를 d라 하면

$$d=\frac{|1\times1+2\times2+k|}{\sqrt{1^2+2^2}}$$

$$=\frac{|k+5|}{\sqrt{5}}$$

원의 반지름의 길이가 2이므로 원과 직선이 만나지 않으려면 $d>2$이어야 한다. 즉,

$$\frac{|k+5|}{\sqrt{5}}>2$$에서

$$|k+5|>2\sqrt{5}$$

$$\therefore k<-5-2\sqrt{5} \ \text{또는} \ k>-5+2\sqrt{5}$$

유제 2-3

원의 중심 $(1, -1)$과 직선 $ax+y+a=0$ 사이의 거리를 d라 하면

$$d=\frac{|a\times1+1\times(-1)+a|}{\sqrt{a^2+1^2}}=\frac{|2a-1|}{\sqrt{a^2+1}}$$

원의 반지름의 길이가 $\sqrt{2}$이므로 원과 직선이 접하려면 $d=\sqrt{2}$이어야 한다. 즉,

$$\frac{|2a-1|}{\sqrt{a^2+1}}=\sqrt{2}$$에서

$$|2a-1|=\sqrt{2}\sqrt{a^2+1}$$

양변을 제곱하여 정리하면

$$2a^2-4a-1=0$$

따라서 이차방정식의 근과 계수의 관계에 의하여 구하는 모든 실수 a의 값의 곱은 $-\dfrac{1}{2}$이다.

유제 2-4

원의 중심 $(2, 3)$과 직선 $2x-3y+k=0$ 사이의 거리를 d라 하면

$$d=\frac{|4-9+k|}{\sqrt{2^2+(-3)^2}}=\frac{|k-5|}{\sqrt{13}}$$

원의 넓이가 13π이므로 반지름의 길이는 $\sqrt{13}$이고

원과 직선이 접하려면 $d=\sqrt{13}$이어야 하므로

$$\frac{|k-5|}{\sqrt{13}}=\sqrt{13}$$에서

$$|k-5|=13$$

$$\therefore k=-8 \ \text{또는} \ k=18$$

따라서 모든 상수 k의 값의 합은

$$-8+18=\textbf{10}$$

유제 2-5

점 $(0, -4)$에서 y축에 접하고 중심이 제3사분면에 있는 원의 반지름의 길이를 $r(r>0)$라 하면 원의 중심의 좌표는

$$(-r, -4)$$

이때, 원과 직선이 접하므로 원의 중심 $(-r, -4)$와 직선 $3x-4y+8=0$ 사이의 거리는 원의 반지름의 길이 r와 같다.

즉, $\dfrac{|-3r+16+8|}{\sqrt{3^2+(-4)^2}}=r$에서

$$|-3r+24|=5r$$

$$-3r+24=\pm5r$$

$$\therefore r=3(\because r>0)$$

따라서 구하는 원의 방정식은

$$(x+3)^2+(y+4)^2=\textbf{9}$$

유제 2-6

$x^2+y^2-4x-2y+4=0$에서

$(x-2)^2+(y-1)^2=1$

원의 중심 $(2, 1)$과 직선 $x+y-5=0$ 사이의 거리를 d라 하면

$$d=\frac{|2+1-5|}{\sqrt{1^2+1^2}}=\sqrt{2}$$

이므로 **최댓값**은 $\sqrt{2}+1$, **최솟값**은 $\sqrt{2}-1$이다.

유제 2-7

삼각형 ABP의 넓이가 최소인 경우는 점 P에서 선분 AB에 이르는 거리가 최소일 때이다.

직선 AB의 방정식은 $x+y=4$, 즉 $x+y-4=0$이므로 원의 중심 $(0, 0)$에서 직선 AB에 이르는 거리는

$$\frac{|-4|}{\sqrt{1^2+1^2}}=2\sqrt{2}$$

원 $x^2+y^2=4$의 반지름의 길이가 2이므로

원 위의 점 P에서 직선 AB에 이르는 거리의 최솟값은

$$2\sqrt{2}-2$$

따라서 $\overline{AB}=\sqrt{(-4)^2+4^2}=4\sqrt{2}$이므로

삼각형 ABP의 넓이의 최솟값은

$$\frac{1}{2}\times4\sqrt{2}\times(2\sqrt{2}-2)=\textbf{8}-\textbf{4}\sqrt{\textbf{2}}$$

유제 2-8

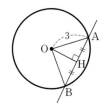

그림과 같이 주어진 원과 직선의 교점을 각각 A, B라 하고 원의 중심 $O(0, 0)$에서 직선 $2x-y-5=0$에 내린 수선의 발을 H라 하면

$$\overline{OH}=\frac{|-5|}{\sqrt{2^2+(-1)^2}}=\sqrt{5}$$

직각삼각형 OHA에서

$$\overline{AH}=\sqrt{3^2-(\sqrt{5})^2}=2$$

따라서 구하는 현의 길이는

$$\overline{AB}=2\overline{AH}=\mathbf{4}$$

유제 2-9

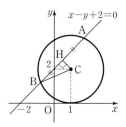

그림과 같이 주어진 원과 직선의 교점을 각각 A, B라 하고 원의 중심 $C(1, 2)$에서 직선 $x-y+2=0$에 내린 수선의 발을 H라 하면

$$\overline{CH}=\frac{|1-2+2|}{\sqrt{1^2+(-1)^2}}=\frac{\sqrt{2}}{2}$$

직각삼각형 HBC에서 $\overline{BH}=\frac{1}{2}\overline{AB}=\frac{\sqrt{14}}{2}$ 이므로

$$r=\overline{CB}=\sqrt{\left(\frac{\sqrt{14}}{2}\right)^2+\left(\frac{\sqrt{2}}{2}\right)^2}=\mathbf{2}$$

유제 2-10

구하는 접선이 직선 $x-3y+6=0$, 즉 $y=\frac{1}{3}x+2$에 수직이므로 구하는 접선의 기울기를 m이라 하면

$$\frac{1}{3}\times m=-1 \qquad \therefore m=-3$$

원 $x^2+y^2=4$의 반지름의 길이가 2이므로 접선의 방정식은

$$y=-3x\pm2\sqrt{(-3)^2+1}=\mathbf{-3x\pm2\sqrt{10}}$$

다른 풀이

구하는 접선의 방정식을 $y=-3x+n$, 즉 $3x+y-n=0$으로 놓으면 원의 중심 $(0, 0)$과 접선 사이의 거리가 2이므로

$$\frac{|-n|}{\sqrt{3^2+1^2}}=2 \qquad \therefore n=\pm2\sqrt{10}$$

$$\therefore y=-3x\pm2\sqrt{10}$$

유제 2-11

점 $(2, -1)$에서의 접선의 방정식은

$$2x-y=5 \qquad \cdots\cdots \text{㉠}$$

점 (a, b)에서의 접선의 방정식은

$$ax+by=5 \qquad \cdots\cdots \text{㉡}$$

㉠, ㉡이 서로 수직이므로

$$2a-b=0 \qquad \therefore b=2a$$

$$\therefore \frac{b}{a}=\frac{2a}{a}=\mathbf{2} \ (\because a\neq0)$$

유제 2-12

원 $x^2+y^2=25$ 위의 점 $(-3, 4)$에서의 접선의 방정식은

$$-3x+4y=25$$

$$\therefore 3x-4y+25=0$$

이 직선이 원 O와 접하므로 원 O의 반지름의 길이는 원 O의 중심 $(5, 5)$와 직선 $3x-4y+25=0$ 사이의 거리와 같다.

따라서 원 O의 반지름의 길이는

$$\frac{|15-20+25|}{\sqrt{3^2+(-4)^2}}=4$$

이므로 원의 넓이는

$$\pi\times4^2=\mathbf{16\pi}$$

유제 2-13

$x^2+y^2-2x-4y=0$에서

$$(x-1)^2+(y-2)^2=5$$

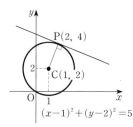

이므로 중심을 $C(1, 2)$라 하면 직선 CP의 기울기는

$$\frac{4-2}{2-1}=2$$

이때, 접선의 기울기를 m이라 하면

$2 \times m = -1$ $\therefore m = -\dfrac{1}{2}$

구하는 접선의 방정식은

$y - 4 = -\dfrac{1}{2}(x - 2)$

$\therefore y = -\dfrac{1}{2}x + 5$

따라서 $y = -\dfrac{1}{2}x + 5$의 x절편은 10, y절편은 5이므로

$a = 10$, $b = 5$

$\therefore a + b = \mathbf{15}$

다른 풀이

$(x-1)^2 + (y-2)^2 = 5$ 위의 점 $(2, 4)$에서의 접선의 방정식은

$(2-1)(x-1) + (4-2)(y-2) = 5$

$\therefore y = -\dfrac{1}{2}x + 5$

따라서 $y = -\dfrac{1}{2}x + 5$의 x절편은 10, y절편은 5이므로

$a = 10$, $b = 5$

$\therefore a + b = 15$

유제 2-14

원 $(x-4)^2 + y^2 = 1$의 넓이를 이등분하므로 두 직선은 원의 중심 $(4, 0)$을 지난다.

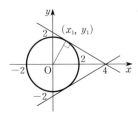

원 $x^2 + y^2 = 4$와 접선의 접점을 (x_1, y_1)이라 하면 접선의 방정식은

$x_1 x + y_1 y = 4$ $\cdots\cdots$ ㉠

직선 ㉠이 점 $(4, 0)$을 지나므로

$4x_1 = 4$ $\therefore x_1 = 1$

또 점 (x_1, y_1)은 원 $x^2 + y^2 = 4$ 위의 점이므로

$x_1^2 + y_1^2 = 4$

$x_1 = 1$을 대입하면 $y_1 = \pm\sqrt{3}$

따라서 두 접점은 $(1, \sqrt{3})$, $(1, -\sqrt{3})$이므로 구하는 두 접선의 방정식은

$y = -\dfrac{1}{\sqrt{3}}x + \dfrac{4}{\sqrt{3}}$, $y = \dfrac{1}{\sqrt{3}}x - \dfrac{4}{\sqrt{3}}$

$\therefore m_1 m_2 = \left(-\dfrac{1}{\sqrt{3}}\right) \times \left(\dfrac{1}{\sqrt{3}}\right) = -\dfrac{1}{3}$

다른 풀이

원 $(x-4)^2 + y^2 = 1$의 넓이를 이등분하므로 두 직선은 원의 중심 $(4, 0)$을 지난다.

원 $x^2 + y^2 = 4$의 접선의 기울기를 m이라 하면 접선의 방정식은

$y = m(x-4)$ $\therefore mx - y - 4m = 0$

원의 중심 $(0, 0)$과 직선 $mx - y - 4m = 0$ 사이의 거리는 원의 반지름의 길이 2와 같으므로

$\dfrac{|-4m|}{\sqrt{m^2 + (-1)^2}} = 2$

$|-4m| = 2\sqrt{m^2 + 1}$, $16m^2 = 4m^2 + 4$

$\therefore m = \pm\dfrac{1}{\sqrt{3}}$

$\therefore m_1 m_2 = -\dfrac{1}{3}$

유제 2-15

점 P에서 원에 그은 접선의 한 접점을 T라 하면

$\overline{PT} = \sqrt{11}$

그림에서 $\overline{CT} \perp \overline{PT}$이므로 삼각형 CTP는 $\angle CTP = 90°$인 직각삼각형이다.

이때, 구하는 원의 반지름의 길이를 r $(r > 0)$이라 하면

$\overline{CT} = r$,

$\overline{CP} = \sqrt{\{-4-(-2)\}^2 + (5-1)^2} = \sqrt{20}$

이므로 피타고라스 정리에 의하여

$r = \sqrt{(\sqrt{20})^2 - (\sqrt{11})^2} = \mathbf{3}$

유제 2-16

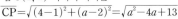

그림과 같이 원의 중심의 좌표를 C라 하고 접점을 T라 하면 $\overline{CT} \perp \overline{PT}$이므로 삼각형 CTP는 $\angle CTP = 90°$인 직각삼각형이다.

이때, 점 $P(4, a)$와 원의 중심 $C(1, 2)$ 사이의 거리는

$\overline{CP} = \sqrt{(4-1)^2 + (a-2)^2} = \sqrt{a^2 - 4a + 13}$

이고 $\overline{PT} = 4$, $\overline{CT} = \sqrt{2}$이므로 피타고라스 정리에 의하여

$\overline{CP}^2 = \overline{PT}^2 + \overline{CT}^2$

$a^2 - 4a + 13 = 16 + 2$, $a^2 - 4a - 5 = 0$

$(a+1)(a-5) = 0$

$\therefore a = \mathbf{5}$ $(\because a > 0)$

2-1

원의 중심 $(0, 0)$과 주어진 직선 사이의 거리를 d라 하면

(1) $y=x+2$에서 $x-y+2=0$

$$d=\frac{|2|}{\sqrt{1^2+(-1)^2}}=\sqrt{2}<\sqrt{5}$$

이므로 교점의 개수는 **2**이다.

(2) $d=\frac{|-5|}{\sqrt{2^2+1^2}}=\sqrt{5}$

이므로 교점의 개수는 **1**이다.

(3) $d=\frac{|-4|}{\sqrt{1^2+(-1)^2}}=2\sqrt{2}>\sqrt{5}$

이므로 교점의 개수는 **0**이다.

2-2

원 $x^2+y^2=r^2$과 직선 $x-2y+2\sqrt{5}=0$이 한 점에서 만나므로 원의 중심 $(0, 0)$과 직선 사이의 거리는 반지름의 길이 r와 같다. 즉,

$$r=\frac{|2\sqrt{5}|}{\sqrt{1^2+(-2)^2}}=\mathbf{2}$$

2-3

$y=2x+a$를 $x^2+y^2=5$에 대입하면

$x^2+(2x+a)^2=5,\ 5x^2+4ax+(a^2-5)=0$

원과 직선이 서로 다른 두 점에서 만나기 위해서는 이 식의 판별식을 D라 할 때, $D>0$이어야 하므로

$$\frac{D}{4}=(2a)^2-5(a^2-5)=25-a^2>0$$

$$\therefore\ \mathbf{-5<a<5}$$

다른 풀이

원과 직선이 서로 다른 두 점에서 만나려면
원 $x^2+y^2=5$의 중심 $(0, 0)$과 직선 $2x-y+a=0$ 사이의 거리가 반지름의 길이 $\sqrt{5}$보다 작아야 한다. 즉,

$$\frac{|a|}{\sqrt{2^2+(-1)^2}}<\sqrt{5}$$

$|a|<5 \quad \therefore\ -5<a<5$

2-4

원 $x^2+y^2=r^2$과 직선 $3x+4y-15=0$이 만나지 않으려면 원의 중심 $(0, 0)$과 직선 $3x+4y-15=0$ 사이의 거리가 r보다 커야 한다. 즉,

$$\frac{|-15|}{\sqrt{3^2+4^2}}=3>r$$

이때, $r>0$이므로

$0<r<3$

따라서 $a=0$, $b=3$이므로

$a^2+b^2=\mathbf{9}$

2-5

원의 반지름의 길이를 $r(r>0)$라 하면
원 $x^2+y^2+ax+by+c=0$과 직선 $3x+4y-1=0$이 접하려면 원의 중심 $(1, 2)$와 직선 사이의 거리가 원의 반지름의 길이 r와 같아야 한다. 즉,

$$r=\frac{|3+8-1|}{\sqrt{3^2+4^2}}=2$$

따라서 구하는 원의 방정식은

$(x-1)^2+(y-2)^2=2^2$

$x^2+y^2-2x-4y+1=0$

이므로 $a=-2$, $b=-4$, $c=1$

$\therefore\ a+b+c=\mathbf{-5}$

2-6

원의 중심 $(1, -1)$과 직선 $x+y+8=0$ 사이의 거리는

$$\frac{|1-1+8|}{\sqrt{1^2+1^2}}=4\sqrt{2}$$

따라서 점 P에서 직선 $x+y+8=0$에 이르는 거리의 최댓값은 $4\sqrt{2}+3$, 최솟값은 $4\sqrt{2}-3$이므로 두 값의 곱은

$(4\sqrt{2}+3)(4\sqrt{2}-3)=\mathbf{23}$

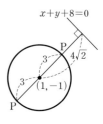

2-7

(1) 원 $x^2+y^2=4$에 접하고 기울기가 2인 접선의 방정식은

$$y=2x\pm2\sqrt{2^2+1}=\mathbf{2x\pm2\sqrt{5}}$$

(2) 원 $x^2+y^2=13$ 위의 점 $(-2, 3)$에서의 접선의 방정식은

$-2x+3y=13$

$\therefore\ \mathbf{2x-3y+13=0}$

2-8

원 $x^2+y^2=5$에 접하는 직선 $y=mx+n$이 직선 $y=2x-3$과 서로 평행하므로 $m=2$

따라서 원 $x^2+y^2=5$에 접하고 기울기가 2인 접선의 방정식은

$$y=2x\pm\sqrt{5}\sqrt{2^2+1}=2x\pm5$$

이므로 $n=\pm5$

$\therefore\ m^2+n^2=4+25=\mathbf{29}$

2-9

원 $x^2+y^2=80$ 위의 점 $(8, -4)$에서의 접선의 방정식은

$8x-4y=80$

$\therefore 2x-y=20$

$x=0$일 때, $y=-20$

$y=0$일 때, $x=10$

따라서 구하는 삼각형의 넓이는

$\dfrac{1}{2}\times 10\times 20=\mathbf{100}$

2-10

원의 중심 $(-1, 3)$과 점 $(2, 4)$를 지나는 직선의 기울기는

$$\dfrac{4-3}{2-(-1)}=\dfrac{1}{3}$$

여기에서 구하는 접선의 방정식의 기울기는 -3이므로

$y-4=-3(x-2)$

$\therefore 3x+y-10=0$

따라서 $a=3, b=-10$이므로

$a+b=\mathbf{-7}$

다른 풀이

원 $(x+1)^2+(y-3)^2=10$ 위의 점 $(2, 4)$에서의 접선의 방정식은

$(2+1)(x+1)+(4-3)(y-3)=10$

$\therefore 3x+y-10=0$

따라서 $a=3, b=-10$이므로

$a+b=-7$

2-11

중심이 원점이고 반지름의 길이가 2인 원의 방정식은

$x^2+y^2=4$

이 식에 $y=mx-4$를 대입하여 정리하면

$(m^2+1)x^2-8mx+12=0$

이 식의 판별식을 D라 하면 원과 직선이 만나기 위해서는 $D\geq 0$이어야 하므로

$$\dfrac{D}{4}=(-4m)^2-12(m^2+1)=4(m^2-3)\geq 0$$

$\therefore \boldsymbol{m\geq\sqrt{3}}\,(\because m>0)$

다른 풀이

원과 직선이 만나려면 원의 중심 $(0, 0)$과 직선 $mx-y-4=0$ 사이의 거리가 반지름의 길이 2보다 작거나 같아야 한다. 즉,

$$\dfrac{|-4|}{\sqrt{m^2+(-1)^2}}\leq 2$$

$\sqrt{m^2+1}\geq 2$

$m^2+1\geq 4$ $\therefore m\geq\sqrt{3}\,(\because m>0)$

2-12

구하는 원이 점 $(2, 0)$에 접하므로 원의 중심의 좌표를 $(2, b)$라 하면 반지름의 길이는 $|b|$이다.

구하는 원의 방정식을

$(x-a)^2+(y-b)^2=b^2$

으로 놓으면 이 원이 직선 $4x-3y+16=0$과 접하므로 원의 중심 $(2, b)$와 직선 $4x-3y+16=0$ 사이의 거리는 반지름의 길이 $|b|$와 같다. 즉,

$$\dfrac{|8-3b+16|}{\sqrt{4^2+(-3)^2}}=\dfrac{|24-3b|}{5}=|b|$$

$|24-3b|=5|b|$

양변을 제곱하여 정리하면

$b^2+9b-36=0$

$(b+12)(b-3)=0$

$\therefore b=-12$ 또는 $b=3$

따라서 두 원의 반지름의 길이는 각각 12, 3이므로 넓이의 차는

$\pi\times 12^2-\pi\times 3^2=\mathbf{135\pi}$

2-13

그림과 같이 주어진 원과 직선이 만나는 두 점을 각각 A, B라 하고, 원의 중심에서 직선 $y=x+k$에 내린 수선의 발을 H라 하면

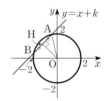

$$\overline{AH}=\dfrac{1}{2}\overline{AB}=\dfrac{1}{2}\times 2=1$$

직각삼각형 OAH에서

$\overline{OH}=\sqrt{2^2-1^2}=\sqrt{3}$ ······ ㉠

또 원 $x^2+y^2=4$의 중심 $(0, 0)$과 직선 $y=x+k$, 즉 $x-y+k=0$ 사이의 거리가 $\overline{OH}$이므로

$$\overline{OH}=\dfrac{|k|}{\sqrt{1^2+(-1)^2}}=\dfrac{|k|}{\sqrt{2}}$$ ······ ㉡

㉠=㉡에서 $\sqrt{3}=\dfrac{|k|}{\sqrt{2}}$, $|k|=\sqrt{6}$

$\therefore \boldsymbol{k=\pm\sqrt{6}}$

2-14

$x^2+y^2=5$ ······ ㉠

$y=x-3$ ······ ㉡

㉡을 ㉠에 대입하여 정리하면

$x^2-3x+2=0$, $(x-1)(x-2)=0$

$\therefore x=1$ 또는 $x=2$

이것을 ⓛ에 대입하면

$x=1$일 때, $y=-2$

$x=2$일 때, $y=-1$

즉, 원 ㉠과 직선 ⓛ의 두 교점의 좌표는 각각

$(1, -2)$, $(2, -1)$

(i) $(1, -2)$에서의 접선의 방정식은 $x-2y=5$

(ii) $(2, -1)$에서의 접선의 방정식은 $2x-y=5$

$\therefore a+b+c+d=1+(-2)+2+(-1)=\mathbf{0}$

2-15

기울기가 3이고 원 $(x-1)^2+(y+1)^2=25$에 접하는 직선의 방정식을 $y=3x+k$ (k는 상수)로 놓으면 원의 중심 $(1, -1)$과 직선 $3x-y+k=0$ 사이의 거리는 반지름의 길이 5와 같으므로

$$\frac{|3+1+k|}{\sqrt{3^2+(-1)^2}}=\frac{|k+4|}{\sqrt{10}}=5$$

$|k+4|=5\sqrt{10}$

$\therefore k=-4-5\sqrt{10}$ 또는 $k=-4+5\sqrt{10}$

따라서 y절편의 합은

$(-4-5\sqrt{10})+(-4+5\sqrt{10})=\mathbf{-8}$

다른 풀이

기울기가 3이고 원 $(x-1)^2+(y+1)^2=25$에 접하는 직선의 방정식은

$y-(-1)=3(x-1)\pm5\sqrt{3^2+1}$

$\therefore y=3x-4\pm5\sqrt{10}$

따라서 y절편의 합은

$(-4-5\sqrt{10})+(-4+5\sqrt{10})=-8$

2-16

원 $x^2+y^2=4$ 위의 점 $(\sqrt{3}, -1)$에서의 접선의 방정식은

$\sqrt{3}x-y=4$

이 직선이 원 $(x-a)^2+y^2=1$에 접하므로 원의 중심 $(a, 0)$과 직선 $\sqrt{3}x-y-4=0$ 사이의 거리는 원의 반지름의 길이 1과 같다. 즉,

$$\frac{|\sqrt{3}a-4|}{\sqrt{(\sqrt{3})^2+(-1)^2}}=\frac{|\sqrt{3}a-4|}{2}=1$$

$|\sqrt{3}a-4|=2$

$\therefore a=\dfrac{2\sqrt{3}}{3}$ 또는 $a=2\sqrt{3}$

따라서 모든 상수 a의 값의 곱은

$$\frac{2\sqrt{3}}{3}\times2\sqrt{3}=\mathbf{4}$$

2-17

두 점 $A(0, -6)$, $B(8, 0)$을 지나는 직선의 방정식은

$$\frac{x}{8}+\frac{y}{-6}=1$$

$\therefore 3x-4y-24=0$

$x^2+y^2-4x-6y+9=0$에서

$(x-2)^2+(y-3)^2=4$

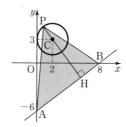

원의 중심을 $C(2, 3)$이라 하고 점 C에서 직선 AB에 내린 수선의 발을 H라 하면

$$\overline{CH}=\frac{|6-12-24|}{\sqrt{3^2+(-4)^2}}=6$$

삼각형 PAB의 밑변 AB의 길이는

$$\overline{AB}=\sqrt{6^2+8^2}=10$$

이고 $\overline{PH}$의 길이가 최대일 때 삼각형 PAB의 넓이가 최대가 되므로 삼각형 PAB의 넓이의 최댓값은

$$\frac{1}{2}\times10\times(6+2)=\mathbf{40}$$

2-18

원 $x^2+y^2=9$ 위의 접점의 좌표를 (x_1, y_1)이라 하면 접선의 방정식은

$x_1x+y_1y=9$ ······㉠

직선 ㉠이 점 $(6, 0)$을 지나므로

$6x_1=9$ $\therefore x_1=\dfrac{3}{2}$

또 (x_1, y_1)은 원 $x^2+y^2=9$ 위의 점이므로

$x_1^2+y_1^2=9$ ······ⓛ

ⓛ에 $x_1=\dfrac{3}{2}$을 대입하면

$\dfrac{9}{4}+y_1^2=9$ $\therefore y_1=\pm\dfrac{3\sqrt{3}}{2}$

즉, 접선의 방정식은

$\dfrac{3}{2}x+\dfrac{3\sqrt{3}}{2}y=9$에서

$x+\sqrt{3}y-6=0$

$\dfrac{3}{2}x-\dfrac{3\sqrt{3}}{2}y=9$에서

$x-\sqrt{3}y-6=0$

따라서 두 접선의 y절편이 각각 $2\sqrt{3}$, $-2\sqrt{3}$이므로 구하는 도형의 넓이는

$$\frac{1}{2}\times 4\sqrt{3}\times 6=\mathbf{12\sqrt{3}}$$

다른 풀이

구하는 접선의 방정식의 기울기를 m이라 하면
점 $(6, 0)$을 지나므로 $y=m(x-6)$에서
$mx-y-6m=0$
이때, 원의 중심 $(0, 0)$과 직선 $mx-y-6m=0$ 사이의 거리는 원 $x^2+y^2=9$의 반지름의 길이 3과 같으므로

$$\frac{|-6m|}{\sqrt{m^2+(-1)^2}}=3$$

$$|-6m|=3\sqrt{m^2+1}$$

양변을 제곱하여 정리하면

$$3m^2=1 \qquad \therefore m=\pm\frac{\sqrt{3}}{3}$$

즉, 구하는 직선의 방정식은
$x+\sqrt{3}y-6=0$
$x-\sqrt{3}y-6=0$
따라서 두 접선의 y절편이 각각 $2\sqrt{3}$, $-2\sqrt{3}$이므로 구하는 도형의 넓이는

$$\frac{1}{2}\times 4\sqrt{3}\times 6=12\sqrt{3}$$

2-19

그림과 같이 원의 중심을 C, 두 접점을 각각 B, D라 하면
$$\overline{AC}$$
$$=\sqrt{(-2-2)^2+(3-1)^2}$$
$$=2\sqrt{5} \qquad \cdots\cdots \text{㉠}$$
또 사각형 ABCD는 정사각형이므로 선분 AC의 길이는
$$\overline{AC}=\sqrt{2}r \qquad \cdots\cdots \text{㉡}$$
㉠=㉡에서 $\sqrt{2}r=2\sqrt{5}$
$$\therefore r=\sqrt{10}$$

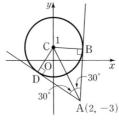

2-20

그림과 같이 원의 중심을 C, 점 A에서 원 C에 그은 두 접선의 접점을 각각 B, D라 하면 두 접선이 이루는 각의 크기가 $60°$이므로
$$\angle BAC=\angle DAC$$
$$=30°$$

따라서 직각삼각형 ABC에서
$$\overline{AC}=\sqrt{(0-2)^2+\{1-(-3)\}^2}=2\sqrt{5}$$이므로
$$\overline{AB}=\frac{\sqrt{3}}{2}\overline{AC}=\frac{\sqrt{3}}{2}\times 2\sqrt{5}=\sqrt{15}$$

2-21

직선 $y=m(x+1)$은 m의 값에 관계없이 점 $(-1, 0)$을 지나는 직선이므로 직선이 태극 문양과 서로 다른 다섯 개의 점에서 만나기 위해서는 그림에서 색칠한 부분을 지나면 된다.

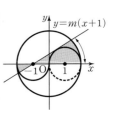

(i) 직선과 반원이 접할 때
원 $(x-1)^2+y^2=1$의 중심 $(1, 0)$과 직선 $mx-y+m=0$ 사이의 거리는 원의 반지름의 길이 1과 같으므로

$$\frac{|m+m|}{\sqrt{m^2+(-1)^2}}=\frac{|2m|}{\sqrt{m^2+1}}=1$$

$$|2m|=\sqrt{m^2+1}$$

양변을 제곱하여 정리하면

$$3m^2=1 \qquad \therefore m=\frac{\sqrt{3}}{3}(\because m>0)$$

(ii) 직선이 x축일 때, $m=0$
(i), (ii)에 의하여 구하는 m의 값의 범위는

$$0<m<\frac{\sqrt{3}}{3}$$

따라서 $a=0$, $b=\frac{\sqrt{3}}{3}$이므로

$$a^2+b^2=\frac{1}{3}$$

2-22

$x^2+y^2-2x+2y=0$에서
$$(x-1)^2+(y+1)^2=2 \qquad \cdots\cdots \text{㉠}$$
$$\frac{y+3}{x+1}=k\,(k\text{는 상수})\text{로 놓으면}$$
$$y+3=k(x+1) \qquad \cdots\cdots \text{㉡}$$
직선 ㉡은 k의 값에 관계없이 점 $(-1, -3)$을 지나고 원 위의 한 점을 지나는 직선이다.
이때, k의 값은 직선 ㉡의 기울기이므로 그림에서 직선 ㉡이 원 ㉠에 접할 때 최댓값 또는 최솟값을 갖게 된다.

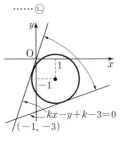

즉, 원 ㉠의 중심 $(1, -1)$과 직선 ㉡ 사이의 거리가 원의 반지름의 길이 $\sqrt{2}$와 같을 때는

$$\frac{|k+1+k-3|}{\sqrt{k^2+(-1)^2}}=\frac{|2k-2|}{\sqrt{k^2+1}}=\sqrt{2}$$

$$|2k-2|=\sqrt{2}\sqrt{k^2+1}$$

양변을 제곱하여 정리하면

$$k^2-4k+1=0 \qquad \cdots\cdots ㉢$$

따라서 k의 최댓값 M과 최솟값 m은 이차방정식 ㉢의 두 근이므로 근과 계수의 관계에 의하여

$$Mm=1$$

2-23

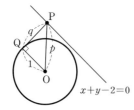

직각삼각형 OPQ에서

$\overline{OP}=p$, $\overline{PQ}=q\,(p>0,\ q>0)$

라 하면 피타고라스 정리에 의하여

$$q^2=p^2-1$$

이때, p^2의 값이 최소이면 q^2의 값도 최소이다.

p의 최솟값은 원 $x^2+y^2=1$의 중심 $O(0,\ 0)$과 직선 $x+y-2=0$ 사이의 거리와 같으므로

$$\frac{|-2|}{\sqrt{1^2+1^2}}=\sqrt{2}$$

즉, q^2의 최솟값은 $(\sqrt{2})^2-1=1$이므로

q의 최솟값은 $1\ (\because q>0)$

따라서 선분 PQ의 길이의 최솟값은 **1**이다.

참고

원 밖의 한 점에서 원에 그은 접선의 길이

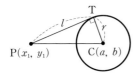

원 $(x-a)^2+(y-b)^2=r^2$ 밖의 한 점 $P(x_1,\ y_1)$에서 이 원에 그은 접선의 접점을 T라 하면

$\overline{CP}^2=\overline{PT}^2+\overline{CT}^2$에서

$\overline{PT}=\sqrt{\overline{CP}^2-\overline{CT}^2}$

$\therefore\ l=\sqrt{(x_1-a)^2+(y_1-b)^2-r^2}$

2-24

점 $P(a, 5)$에서 원에 그은 두 접선의 접점의 좌표를 각각 $A(x_1, y_1)$, $B(x_2, y_2)$라 하면 접선의 방정식은 각각 $x_1x+y_1y=1$, $x_2x+y_2y=1$

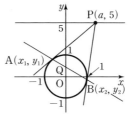

두 접선 모두 점 $(a, 5)$를 지나므로

$ax_1+5y_1=1$, $ax_2+5y_2=1$

이때, 직선 $ax+5y=1$은 두 점 A, B를 지나고 두 점을 지나는 직선은 유일하므로 직선 AB의 방정식은

$ax+5y=1$

따라서 이 직선은 a의 값에 관계없이 항상 한 점 $Q\left(0, \dfrac{1}{5}\right)$을 지나므로 원의 중심에서 점 Q까지의 거리는 $\dfrac{1}{5}$이다.

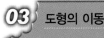

03 도형의 이동

Spring of mathematics

개념확인코너

본문 p.070

1

(1) $(0, 0)$ $\xrightarrow[\text{평행이동}]{x\text{축 방향}:2,\ y\text{축 방향}:-1}$ $(0+2,\ 0-1)$

$\therefore (2, -1)$

(2) $(1, 3)$ $\xrightarrow[\text{평행이동}]{x\text{축 방향}:2,\ y\text{축 방향}:-1}$ $(1+2,\ 3-1)$

$\therefore (3, 2)$

(3) $(-2, 1)$ $\xrightarrow[\text{평행이동}]{x\text{축 방향}:2,\ y\text{축 방향}:-1}$ $(-2+2,\ 1-1)$

$\therefore (0, 0)$

답 (1) $(2, -1)$ (2) $(3, 2)$ (3) $(0, 0)$

2

(1) $(4, -3)$ $\xrightarrow[\text{평행이동}]{x\text{축 방향}:-2,\ y\text{축 방향}:3}$ $(4-2,\ -3+3)$

$\therefore (2, 0)$

(2) $(4, -3)$ $\xrightarrow[\text{평행이동}]{x\text{축 방향}:1}$ $(4+1,\ -3+0)$

$\therefore (5, -3)$

(3) $(4, -3)$ $\xrightarrow[\text{평행이동}]{y\text{축 방향}:-5}$ $(4+0,\ -3-5)$

$\therefore (4, -8)$

답 (1) $(2, 0)$ (2) $(5, -3)$ (3) $(4, -8)$

3

도형의 방정식에 x 대신 $x+2$, y 대신 $y-1$을 대입한다.

(1) $y=2x$에서 $y-1=2(x+2)$

$\therefore y=2x+5$

(2) $x-2y+3=0$에서

$(x+2)-2(y-1)+3=0$

$\therefore x-2y+7=0$

(3) $x^2+y^2=4$에서

$(x+2)^2+(y-1)^2=4$

(4) $(x+1)^2+(y-2)^2=1$에서

$\{(x+2)+1\}^2+\{(y-1)-2\}^2=1$

$\therefore (x+3)^2+(y-3)^2=1$

답 (1) $y=2x+5$

(2) $x-2y+7=0$

(3) $(x+2)^2+(y-1)^2=4$

(4) $(x+3)^2+(y-3)^2=1$

4

(1) $(-4, 3)$ $\xrightarrow{x\text{축 대칭}}$ $(-4, -3)$ ← y 대신 $-y$

(2) $(-4, 3)$ $\xrightarrow{y\text{축 대칭}}$ $(4, 3)$ ← x 대신 $-x$

(3) $(-4, 3)$ $\xrightarrow{\text{원점 대칭}}$ $(4, -3)$

← x 대신 $-x$, y 대신 $-y$

(4) $(-4, 3)$ $\xrightarrow[\text{대칭}]{\text{직선 } y=x}$ $(3, -4)$ ← x 대신 y, y 대신 x

답 (1) $(-4, -3)$ (2) $(4, 3)$

(3) $(4, -3)$ (4) $(3, -4)$

5

(1) $y=2x-1$ $\xrightarrow{x\text{축 대칭}}$ $-y=2x-1$ ← y 대신 $-y$

$\therefore y=-2x+1$

(2) $y=2x-1$ $\xrightarrow{y\text{축 대칭}}$ $y=2(-x)-1$ ← x 대신 $-x$

$\therefore y=-2x-1$

(3) $y=2x-1$ $\xrightarrow{\text{원점 대칭}}$ $-y=2(-x)-1$

← x 대신 $-x$, y 대신 $-y$

$\therefore y=2x+1$

(4) $y=2x-1$ $\xrightarrow[\text{대칭}]{\text{직선 } y=x}$ $x=2y-1$

← x 대신 y, y 대신 x

$\therefore y=\dfrac{1}{2}x+\dfrac{1}{2}$

답 (1) $y=-2x+1$ (2) $y=-2x-1$

(3) $y=2x+1$ (4) $y=\dfrac{1}{2}x+\dfrac{1}{2}$

6

(1) $(x-2)^2+(y+1)^2=1$

$\xrightarrow{x\text{축 대칭}}$ $(x-2)^2+(-y+1)^2=1$ ← y 대신 $-y$

$\therefore (x-2)^2+(y-1)^2=1$

(2) $(x-2)^2+(y+1)^2=1$

$\xrightarrow{y\text{축 대칭}}$ $(-x-2)^2+(y+1)^2=1$ ← x 대신 $-x$

$\therefore (x+2)^2+(y+1)^2=1$

(3) $(x-2)^2+(y+1)^2=1$

$\xrightarrow{\text{원점 대칭}}$ $(-x-2)^2+(-y+1)^2=1$

← x 대신 $-x$, y 대신 $-y$

$\therefore (x+2)^2+(y-1)^2=1$

(4) $(x-2)^2+(y+1)^2=1$

$\xrightarrow[\text{대칭}]{\text{직선 } y=x}$ $(y-2)^2+(x+1)^2=1$

← x 대신 y, y 대신 x

$\therefore (x+1)^2+(y-2)^2=1$

답 (1) $(x-2)^2+(y-1)^2=1$

(2) $(x+2)^2+(y+1)^2=1$

(3) $(x+2)^2+(y-1)^2=1$

(4) $(x+1)^2+(y-2)^2=1$

유제 3-1

(1) 점 $(2,\ 3)$을 x축의 방향으로 2만큼, y축의 방향으로 a만큼 평행이동한 점의 좌표가 $(b,\ 1)$이므로
$2+2=b,\ 3+a=1$
$\therefore a=-2,\ b=4$

(2) 점 $(1,\ 6)$을 x축의 방향으로 2만큼, y축의 방향으로 -2만큼 평행이동한 점의 좌표는
$(1+2,\ 6-2)$ $\therefore (3,\ 4)$

(3) 평행이동하기 전의 점의 좌표를 $(p,\ q)$라 하면 점 $(p,\ q)$를 x축의 방향으로 2만큼, y축의 방향으로 -2만큼 평행이동한 점의 좌표가 $(-2,\ 1)$이므로
$p+2=-2,\ q-2=1$
$\therefore p=-4,\ q=3$
따라서 이 평행이동에 의하여 점 $(-2,\ 1)$로 옮겨지는 점의 좌표는 $(-4,\ 3)$이다.

유제 3-2

직선 $2x+y-3=0$을 x축의 방향으로 -2만큼, y축의 방향으로 k만큼 평행이동한 직선의 방정식은 x 대신 $x+2$, y 대신 $y-k$를 대입하면
$2(x+2)+(y-k)-3=0$
$\therefore 2x+y+1-k=0$
이 직선의 방정식이 $2x+y+5=0$과 일치하므로
$1-k=5$ $\therefore k=-4$

유제 3-3

직선 $y=ax+b$를 x축의 방향으로 -3만큼, y축의 방향으로 1만큼 평행이동한 직선의 방정식은 x 대신 $x+3$, y 대신 $y-1$을 대입하면
$y-1=a(x+3)+b$
$\therefore y=ax+3a+b+1$
이 직선이 직선 $y=\dfrac{1}{3}x-2$와 y축 위에서 서로 수직으로 만나므로 두 직선의 기울기의 곱은 -1이고, y절편은 같다.
즉, $a\times\dfrac{1}{3}=-1$, $3a+b+1=-2$이므로
$a=-3,\ b=6$
$\therefore a+b=3$

유제 3-4

점 $(-3,\ 2)$를 점 $(-2,\ 4)$로 옮기는 평행이동은 x축의 방향으로 1만큼, y축의 방향으로 2만큼 평행이동한 것이다.

$y=x^2+4x-1$
$\quad =(x+2)^2-5$
이므로 x 대신 $x-1$, y 대신 $y-2$를 대입하면
$y-2=(x-1+2)^2-5$
$\therefore y=(x+1)^2-3$
따라서 평행이동한 포물선의 꼭짓점의 좌표는
$(-1,\ -3)$이므로
$a=-1,\ b=-3$
$a+b=-4$

유제 3-5

$y=x^2-2kx+k+2$
$\quad =(x-k)^2-k^2+k+2$
이고, 이 포물선을 x축의 방향으로 2만큼, y축의 방향으로 -1만큼 평행이동하였으므로 x 대신 $x-2$, y 대신 $y+1$을 대입하면
$y+1=(x-2-k)^2-k^2+k+2$
$\therefore y=(x-2-k)^2-k^2+k+1$
평행이동한 포물선의 꼭짓점의 좌표는
$(k+2,\ -k^2+k+1)$이고, 직선 $y=2x-9$ 위에 있으므로
$-k^2+k+1=2(k+2)-9$
$k^2+k-6=0$
$(k+3)(k-2)=0$
$\therefore k=-3$ 또는 $k=2$
따라서 양수 k의 값은 2이다.

유제 3-6

원 $(x+1)^2+(y-2)^2=4$를 x축의 방향으로 m만큼, y축의 방향으로 n만큼 평행이동하였으므로 x 대신 $x-m$, y 대신 $y-n$을 대입하면
$(x-m+1)^2+(y-n-2)^2=4$
이 원의 방정식이 $x^2+y^2=4$와 일치하므로
$-m+1=0,\ -n-2=0$
$\therefore m=1,\ n=-2$
$\therefore m+n=-1$

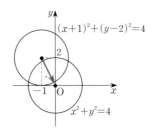

유제 3-7

점 $(-2, 1)$을 점 $(1, 2)$로 옮기는 평행이동은 x축의 방향으로 3만큼, y축의 방향으로 1만큼 평행이동한 것이다.

$(x-a)^2+(y-a+1)^2=4$에 x 대신 $x-3$, y 대신 $y-1$을 대입하면

$(x-3-a)^2+(y-1-a+1)^2=4$

$\therefore (x-3-a)^2+(y-a)^2=4$

직선 $y=2x-3$이 이 원의 넓이를 이등분하려면 원의 중심 $(3+a, a)$를 지나야 하므로

$a=2(3+a)-3$ $\quad \therefore a=-3$

유제 3-8

점 $(-2, 1)$을 y축에 대하여 대칭이동하면 $(2, 1)$

이 점을 원점에 대하여 대칭이동하면

$(-2, -1)$

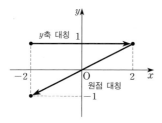

유제 3-9

점 $A(2, 1)$을 직선 $y=x$에 대하여 대칭이동한 점은 $B(1, 2)$

점 $A(2, 1)$을 직선 $y=-x$에 대하여 대칭이동한 점은 $C(-1, -2)$

따라서 선분 BC의 길이는

$\overline{BC}=\sqrt{(-1-1)^2+(-2-2)^2}$
$=\sqrt{20}=2\sqrt{5}$

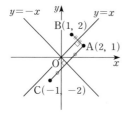

유제 3-10

원 $x^2+(y-3)^2=1$을 x축에 대하여 대칭이동하므로

y 대신 $-y$를 대입하면

$x^2+(-y-3)^2=1$

$\therefore x^2+(y+3)^2=1$

이 원을 직선 $y=x$에 대하여 대칭이동하므로 x 대신 y, y 대신 x를 대입하면

$y^2+(x+3)^2=1$

$\therefore (x+3)^2+y^2=1$

다른 풀이

$(0, 3) \xrightarrow{\text{x축 대칭}} (0, -3) \xrightarrow[\text{대칭}]{\text{직선 }y=x} (-3, 0)$

$\therefore (x+3)^2+y^2=1$

유제 3-11

포물선 $y=2x^2-4x+1$을 원점에 대하여 대칭이동하므로 x 대신 $-x$, y 대신 $-y$를 대입하면

$-y=2(-x)^2-4(-x)+1$

$\therefore y=-2x^2-4x-1$

이 포물선을 x축에 대하여 대칭이동하므로 y 대신 $-y$를 대입하면

$-y=-2x^2-4x-1$, $y=2x^2+4x+1$

$\therefore y=2(x+1)^2-1$

따라서 $a=-1$, $b=-1$이므로

$a+b=-2$

유제 3-12

포물선 $y=x^2-4x+k$를 y축의 방향으로 3만큼 평행이동하므로 y 대신 $y-3$을 대입하면

$y-3=x^2-4x+k$ $\quad \therefore y=x^2-4x+k+3$

이 포물선을 x축에 대하여 대칭이동하므로 y 대신 $-y$를 대입하면

$-y=x^2-4x+k+3$

$\therefore y=-(x-2)^2-k+1$ $\quad$ ......㉠

㉠의 최댓값은 $-k+1$이므로

$-k+1=5$ $\quad \therefore k=-4$

유제 3-13

원 $x^2+(y-2)^2=4$를 x축의 방향으로 2만큼, y축의 방향으로 -3만큼 평행이동하므로 x 대신 $x-2$, y 대신 $y+3$을 대입하면

$(x-2)^2+(y+3-2)^2=4$

$\therefore (x-2)^2+(y+1)^2=4$

이 원을 직선 $y=x$에 대하여 대칭이동하므로 x 대신 y, y 대신 x를 대입하면

$(y-2)^2+(x+1)^2=4$

$\therefore (x+1)^2+(y-2)^2=4$

이 원이 점 $(1, k)$를 지나므로
$(1+1)^2+(k-2)^2=4$ ∴ $k=2$

유제 3-14
점 $P(-1, 3)$을 점 $(2, a)$에 대하여 대칭이동한 점이
$Q(b+1, 5)$이므로 점 $(2, a)$는 선분 PQ의 중점이다.
$\dfrac{(-1)+(b+1)}{2}=2$ ∴ $b=4$

$\dfrac{3+5}{2}=a$ ∴ $a=4$

∴ $a+b=8$

유제 3-15
두 이차함수의 꼭짓점의 좌표를 구하면
$y=x^2-2x+5$
$\quad=(x-1)^2+4$
이므로 꼭짓점의 좌표는 $(1, 4)$이고,
$y=-x^2+6x-7$
$\quad=-(x-3)^2+2$
이므로 꼭짓점의 좌표는 $(3, 2)$이다.
이차함수의 두 꼭짓점 $(1, 4)$, $(3, 2)$를 이은 선분의
중점의 좌표가 (a, b)이므로
$\dfrac{1+3}{2}=a$ ∴ $a=2$

$\dfrac{4+2}{2}=b$ ∴ $b=3$

∴ $a+b=5$

유제 3-16
점 $(3, 1)$을 직선 $y=2x$에 대하여 대칭이동한 점의 좌
표를 (a, b)라 하면 두 점을 이은 선분의 중점
$\left(\dfrac{3+a}{2}, \dfrac{1+b}{2}\right)$
가 직선 $y=2x$ 위에 있으므로
$\dfrac{1+b}{2}=2\times\dfrac{3+a}{2}$
∴ $2a-b+5=0$ ……㉠
두 점 $(3, 1)$, (a, b)를 지나는 직선이 직선 $y=2x$와
수직이므로
$\dfrac{b-1}{a-3}\times2=-1$
∴ $a+2b-5=0$ ……㉡
㉠, ㉡을 연립하여 풀면
$a=-1$, $b=3$
따라서 점 $(3, 1)$을 직선 $y=2x$에 대하여 대칭이동한
점의 좌표는 $(-1, 3)$이다.

유제 3-17
$x^2+y^2-6x+2y+6=0$을 변형하면
$(x-3)^2+(y+1)^2=4$
두 원 $(x-3)^2+(y+1)^2=4$, $(x+1)^2+(y+5)^2=4$
가 직선 $y=ax+b$에 대하여 서로 대칭이므로 두 원의
중심을 각각 $A(3, -1)$, $B(-1, -5)$라 하면 직선
$y=ax+b$는 선분 AB를 수직이등분한다.

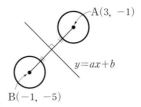

직선 AB의 기울기는
$\dfrac{-5-(-1)}{-1-3}=1$
이므로 $a\times1=-1$
∴ $a=-1$ ……㉠
또 직선 $y=ax+b$는 선분 AB의 중점
$\left(\dfrac{3-1}{2}, \dfrac{-1-5}{2}\right)$, 즉 $(1, -3)$을 지나므로
$-3=a+b$
∴ $b=-2$ $(∵ ㉠)$
∴ $ab=(-1)\times(-2)$
$\qquad=2$

유제 3-18
점 $A(1, -1)$을 y축에 대하여 대칭이동한 점을 A'이
라 하면 $A'(-1, -1)$이다.
이때, $\overline{AP}=\overline{A'P}$이므로
$\overline{AP}+\overline{BP}=\overline{A'P}+\overline{PB}\geq\overline{A'B}$
따라서 $\overline{AP}+\overline{BP}$의 최솟값은
$\overline{A'B}=\sqrt{(1+1)^2+(5+1)^2}$
$\qquad=\sqrt{40}$
$\qquad=2\sqrt{10}$

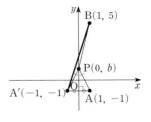

유제 3-19

점 $A(7,\ 2)$를 직선 $y=2x-2$에 대하여 대칭이동한 점을 $A'(a,\ b)$라 하면 직선 $y=2x-2$는 선분 AA'을 수직이등분한다.

선분 AA'의 중점 $\left(\dfrac{7+a}{2},\ \dfrac{2+b}{2}\right)$가 직선

$y=2x-2$ 위의 점이므로

$$\dfrac{2+b}{2}=2\left(\dfrac{7+a}{2}\right)-2$$

$\therefore 2a-b=-8 \quad \cdots\cdots \bigcirc$

직선 AA'과 직선 $y=2x-2$는 수직이므로

$$\dfrac{b-2}{a-7}\times 2=-1$$

$\therefore a+2b=11 \quad \cdots\cdots \bigcirc$

$\bigcirc$, $\bigcirc$을 연립하여 풀면 $a=-1$, $b=6$
따라서 점 A'의 좌표는 $A'(-1,\ 6)$이다.

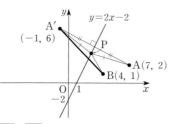

이때, $\overline{AP}=\overline{A'P}$이므로

$$\overline{AP}+\overline{BP}=\overline{A'P}+\overline{PB}\geq \overline{A'B}$$

따라서 $\overline{AP}+\overline{BP}$의 최솟값은

$$\begin{aligned}
\overline{A'B}&=\sqrt{(4+1)^2+(1-6)^2}\\
&=\sqrt{50}\\
&=\mathbf{5\sqrt{2}}
\end{aligned}$$

연습문제

본문 p.088

3-1

(1) $(0,\ 0) \longrightarrow (0+1,\ 0-3)$ $\therefore \mathbf{(1,\ -3)}$

(2) $(-1,\ 3) \longrightarrow (-1+1,\ 3-3)$ $\therefore \mathbf{(0,\ 0)}$

(3) $(2,\ 4) \longrightarrow (2+1,\ 4-3)$ $\therefore \mathbf{(3,\ 1)}$

3-2

점 $(2,\ b)$를 x축의 방향으로 a만큼, y축의 방향으로 -2만큼 평행이동한 점의 좌표 $(2+a,\ b-2)$가 $(-3,\ -5)$이므로

$a=-5$, $b=-3$

$\therefore a+b=\mathbf{-8}$

3-3

직선 $y=3x$를 x축의 방향으로 1만큼 평행이동한 직선의 방정식은 $y=3(x-1)$

$\therefore y=3x-3 \quad \cdots\cdots \bigcirc$

또 직선 $y=3x$를 y축의 방향으로 k만큼 평행이동한 직선의 방정식은 $y-k=3x$

$\therefore y=3x+k \quad \cdots\cdots \bigcirc$

두 직선 $\bigcirc$과 $\bigcirc$이 일치하므로

$k=\mathbf{-3}$

3-4

$x^2+y^2-6x+4y+12=0$을 변형하면

$(x-3)^2+(y+2)^2=1$

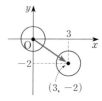

그림에서 원의 중심이 $(0,\ 0)$에서 $(3,\ -2)$로 옮겨졌으므로 원 $x^2+y^2=1$을 x축의 방향으로 3만큼, y축의 방향으로 -2만큼 평행이동한 것이다.

$\therefore m=3$, $n=-2$

$\therefore m-n=\mathbf{5}$

3-5

점 P의 좌표를 $(m,\ n)$이라 하면 점 P를 x축에 대하여 대칭이동한 점의 좌표 $(m,\ -n)$이 $(a,\ 3)$이므로

$m=a$, $n=-3 \quad \cdots\cdots \bigcirc$

점 P를 y축에 대하여 대칭이동한 점의 좌표 $(-m,\ n)$이 $(4,\ b)$이므로

$m=-4$, $n=b \quad \cdots\cdots \bigcirc$

$\bigcirc$, $\bigcirc$에서

$m=-4$, $n=-3$

$\therefore m+n=\mathbf{-7}$

3-6

직선 $y=3x+k$를 x축에 대하여 대칭이동한 직선의 방정식은 $-y=3x+k$이므로

$y=-3x-k$

이 직선이 점 $(1,\ 3)$을 지나므로

$3=-3-k$

$\therefore k=\mathbf{-6}$

3-7

포물선 $y=x^2+1$을 x축의 방향으로 3만큼 평행이동하면

$y=(x-3)^2+1$

이 포물선을 y축에 대하여 대칭이동하면

$y=(-x-3)^2+1$

$\therefore\ y=x^2+6x+10$

이 포물선의 식이 $y=ax^2+bx+c$와 일치하므로

$a=1,\ b=6,\ c=10$

$\therefore\ a+b+c=\mathbf{17}$

3-8

점 $(a, 3)$을 점 $(2, 1)$에 대하여 대칭이동한 점의 좌표가 $(1, b)$이므로 두 점 $(a, 3)$, $(1, b)$를 이은 선분의 중점이 $(2, 1)$이다.

따라서 $\dfrac{a+1}{2}=2$, $\dfrac{3+b}{2}=1$이므로

$a=3,\ b=-1$

$\therefore\ a+b=\mathbf{2}$

3-9

점 $B(1,\ 3)$을 x축에 대하여 대칭이동한 점을 B'이라 하면 $B'(1,\ -3)$이다.

이때, $\overline{BP}=\overline{B'P}$이므로

$\overline{AP}+\overline{BP}=\overline{AP}+\overline{B'P}\geq\overline{AB'}$

따라서 $\overline{AP}+\overline{BP}$의 최솟값은

$\overline{AB'}=\sqrt{(1+2)^2+(-3-2)^2}$

$\qquad=\sqrt{34}$

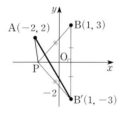

3-10

점 A를 원점에 대하여 대칭이동한 점은 D이고, 점 D를 x축의 방향으로 -2만큼 평행이동한 점은 E이다.

3-11

원 $x^2+y^2=2$의 중심 $(0,\ 0)$을 x축의 방향으로 a만큼, y축의 방향으로 $1-a$만큼 평행이동한 점의 좌표는 $(a,\ 1-a)$이다.

이 점이 직선 $y=x+2$ 위에 있으므로

$1-a=a+2$

$\therefore\ a=-\dfrac{1}{2}$

3-12

$A(6, 5) \xrightarrow{5<2\times6} (5, 5) \xrightarrow{5<2\times5} (4, 5)$

$\xrightarrow{5<2\times4} (3, 5) \xrightarrow{5<2\times3} (2, 5) \xrightarrow{5>2\times2} (2, 4)$

이때, $4=2\times2$이므로 점 $B(2, 4)$에서 더 이상 이동하지 않는다.

따라서 점 P가 이동한 횟수는 **5**이다.

3-13

삼각형 ABC의 넓이를 S라 하면

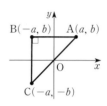

$S=\dfrac{1}{2}\times\overline{AB}\times\overline{BC}$

$\quad=\dfrac{1}{2}\times2a\times2b$

$\quad=2ab=2$

$\therefore\ ab=\mathbf{1}$

3-14

원 $x^2+y^2=4$를 x축의 방향으로 a만큼 평행이동한 원의 방정식은

$(x-a)^2+y^2=4$ $\quad\cdots\cdots$ ㉠

원 ㉠을 직선 $y=-x$에 대하여 대칭이동한 원의 방정식은

$(-y-a)^2+(-x)^2=4$

$x^2+(y+a)^2=4$ $\quad\cdots\cdots$ ㉡

원 ㉡이 직선 $3x-4y+2=0$에 접하므로

원 $x^2+(y+a)^2=4$의 중심 $(0,\ -a)$와

직선 $3x-4y+2=0$ 사이의 거리가 2이어야 한다.

$\dfrac{|4a+2|}{\sqrt{3^2+(-4)^2}}=2$에서

$|4a+2|=10$

(i) $4a+2=10$ $\qquad\therefore\ a=2$

(ii) $4a+2=-10$ $\qquad\therefore\ a=-3$

(i), (ii)에서 a의 값을 모두 곱하면 $-\mathbf{6}$이다.

3-15

직선 $x+y+1=0$을 $h(x, y)=0$이라 하면

$h(x, y)=0 \xrightarrow{f} h(-y, -x)=0 \xrightarrow{g} h(y, x)=0$

$\xrightarrow{f} h(-x, -y)=0 \xrightarrow{g} h(x, y)=0$

이므로 4번 이동하면 처음 직선으로 돌아온다.

$99=4\times24+3$

이므로 $h(x, y)=0$을 99번 이동시키면

$h(-x,\ -y)=0$으로 이동한다. 즉, 원점에 대한 대칭

이동과 같으므로 직선 $x+y+1=0$은 $-x-y+1=0$으로 옮겨진다.
따라서 이 직선의 y절편은 **1**이다.

3-16

직선 $y=\dfrac{1}{2}x-4$를 y축에 대하여 대칭이동한 직선의

방정식은 $y=-\dfrac{1}{2}x-4$

따라서 이 직선에 수직인 직선의 기울기는 2이므로 기울기가 2이고 점 $(2,\ -1)$을 지나는 직선의 방정식은
$y+1=2(x-2)$
$\therefore \boldsymbol{y=2x-5}$

3-17

포물선 $y=a(x-2)^2-3$이 점 $(1,\ 2)$를 지나므로
$a(1-2)^2-3=2$에서 $a=5$
$\therefore y=5(x-2)^2-3$
$y=-f(-x)$의 식은 x 대신 $-x$, y 대신 $-y$를 대입한 것이므로
$y=-5(-x-2)^2+3$
이 포물선이 점 $(-1,\ k)$를 지나므로
$k=-5(1-2)^2+3=\boldsymbol{-2}$

3-18

$x^2+y^2+4x-2y+k=0$을 변형하면
$(x+2)^2+(y-1)^2=5-k$
$x^2+y^2+6x-4y+9=0$을 변형하면
$(x+3)^2+(y-2)^2=4$
두 원이 점 $P(a,\ b)$에 대하여 서로 대칭이므로 점 P는 두 원의 중심 $(-2,\ 1)$, $(-3,\ 2)$의 중점이다. 즉,
$a=\dfrac{-2-3}{2}=-\dfrac{5}{2}$, $b=\dfrac{1+2}{2}=\dfrac{3}{2}$
또 두 원이 점 $P(a,\ b)$에 대하여 서로 대칭이므로 두 원의 반지름의 길이는 같다. 즉,
$5-k=4$　$\therefore k=1$
$\therefore a+b+k=\left(-\dfrac{5}{2}\right)+\dfrac{3}{2}+1=\boldsymbol{0}$

3-19

점 $A(4,\ 3)$을 직선 $y=2x$에 대하여 대칭이동한 점을 $A'(a,\ b)$라 하면 직선 $y=2x$는 선분 AA'을 수직이등분한다.
선분 AA'의 중점 $\left(\dfrac{a+4}{2},\ \dfrac{b+3}{2}\right)$이 직선 $y=2x$ 위의 점이므로

$\dfrac{b+3}{2}=2\left(\dfrac{a+4}{2}\right)$
$\therefore 2a-b=-5$　　$\cdots\cdots$ ㉠
직선 AA'과 직선 $y=2x$는 수직이므로
$\dfrac{b-3}{a-4}\times 2=-1$
$\therefore a+2b=10$　　$\cdots\cdots$ ㉡
㉠, ㉡을 연립하여 풀면
$a=0$, $b=5$
따라서 점 A'의 좌표는 $(0,\ 5)$이다.
또 점 B를 x축에 대하여 대칭이동한 점을 B'이라 하면 $B'(6,\ -1)$이다.
$\overline{AP}=\overline{A'P}$, $\overline{QB}=\overline{QB'}$이므로
$\overline{AP}+\overline{PQ}+\overline{QB}=\overline{A'P}+\overline{PQ}+\overline{QB'}\geq\overline{A'B'}$
따라서 $\overline{AP}+\overline{PQ}+\overline{QB}$의 최솟값은
$\overline{A'B'}=\sqrt{(6-0)^2+(-1-5)^2}$
$=\boldsymbol{6\sqrt{2}}$

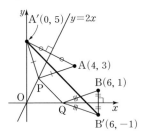

3-20

좌표평면 위에 학교 A와 도서관 B의 좌표를 각각 $(0,\ 0)$, $(800,\ -620)$이라 하고, 횡단보도의 양 끝점을 각각 C, C'이라 하자.

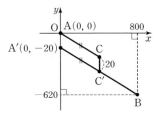

점 A를 y축의 방향으로 -20만큼 평행이동한 점을 $A'(0,\ -20)$이라 하면
$\overline{AA'}=\overline{CC'}$, $\overline{AA'}\,/\!/\,\overline{CC'}$
사각형 $AA'C'C$는 평행사변형이므로
$\overline{AC}=\overline{A'C'}$
따라서 학교에서 출발하여 길이가 $20\,\mathrm{m}$인 횡단보도를 건너 도서관까지 가는 최단 거리는

$$\overline{AC}+\overline{CC'}+\overline{C'B}=\overline{A'C'}+\overline{C'B}+\overline{CC'}$$
$$=\overline{A'B}+20$$
$$=\sqrt{800^2+600^2}+20$$
$$=\mathbf{1020\,(m)}$$

3-21

반지름의 길이가 2이고, y축에 접하므로 원 C의 중심의 좌표를 $(2, p)$라 하면 원 C가 직선 $l : x+y-8=0$에 접하므로 $C(2, p)$와 직선 l 사이의 거리는
$$\frac{|2+p-8|}{\sqrt{2}}=2$$
$$|p-6|=2\sqrt{2}$$
$$\therefore p=6-2\sqrt{2} \text{ 또는 } p=6+2\sqrt{2}$$
원 C가 A 부분에 있으므로 $p>8$
$$\therefore p=6+2\sqrt{2}$$
반지름의 길이가 2이고, x축에 접하므로 원 C′의 중심의 좌표를 $(q, 2)$라 하면 원 C′이 직선 l에 접하므로 $C'(q, 2)$와 직선 l 사이의 거리는
$$\frac{|q+2-8|}{\sqrt{2}}=2$$
$$|q-6|=2\sqrt{2}$$
$$\therefore q=6-2\sqrt{2} \text{ 또는 } q=6+2\sqrt{2}$$
원 C′이 B 부분에 있으므로 $q<8$
$$\therefore q=6-2\sqrt{2}$$
원 C의 중심의 좌표 $(2, 6+2\sqrt{2})$가 원 C′의 중심의 좌표 $(6-2\sqrt{2}, 2)$로 이동하였으므로
$$a=6-2\sqrt{2}-2=4-2\sqrt{2}$$
$$b=2-6-2\sqrt{2}=-4-2\sqrt{2}$$
$$\therefore ab=(4-2\sqrt{2})\times(-4-2\sqrt{2})$$
$$=(-16)+8=\mathbf{-8}$$

3-22

두 점 A, B를 이은 선분과 직선 $x-y+1=0$이 만나는 점을 H라 하면 점 $A(-1, 3)$과 직선 $x-y+1=0$ 사이의 거리는
$$\overline{AH}=\frac{|-1-3+1|}{\sqrt{1^2+(-1)^2}}=\frac{3\sqrt{2}}{2}$$
$$\therefore \overline{AB}=2\overline{AH}=2\times\frac{3\sqrt{2}}{2}=3\sqrt{2}$$
직선 AB는 직선 $x-y+1=0$과 수직이므로 기울기가 -1이고, 점 $(-1, 3)$을 지나므로 직선의 방정식은
$$y-3=-1\times\{x-(-1)\}$$에서 $x+y-2=0$
점 $C(a, b)$와 직선 $x+y-2=0$ 사이의 거리 d는
$$d=\frac{|a+b-2|}{\sqrt{1^2+1^2}}=\frac{|a+b-2|}{\sqrt{2}}$$
따라서 삼각형 ABC의 넓이는

$$\triangle ABC=\frac{1}{2}\times\overline{AB}\times d$$
$$=\frac{1}{2}\times3\sqrt{2}\times\frac{|a+b-2|}{\sqrt{2}}=3$$
$$\therefore |a+b-2|=2 \quad \cdots\cdots \text{㉠}$$
이때, 점 $C(a, b)$는 직선 $x-y+1=0$ 위의 점이므로
$$a-b+1=0 \quad \cdots\cdots \text{㉡}$$
㉠, ㉡을 연립하여 풀면
$$a=\frac{3}{2}, b=\frac{5}{2} \quad (\because a>0)$$
$$\therefore a+b=\mathbf{4}$$

3-23

이차함수 $y=-x^2+4x+3$의 그래프를 원점에 대하여 대칭이동한 그래프의 식은
$$-y=-(-x)^2+4(-x)+3$$
$$\therefore y=x^2+4x-3 \quad \cdots\cdots \text{㉠}$$
㉠의 그래프를 y축의 방향으로 a만큼 평행이동한 그래프의 식은
$$y-a=x^2+4x-3$$
$$\therefore y=(x+2)^2-7+a \quad \cdots\cdots \text{㉡}$$
㉡이 모든 실수 x에 대하여 $y>0$이 되려면 최솟값 $-7+a>0$이어야 한다.
$$\therefore a>7$$
따라서 정수 a의 최솟값은 $\mathbf{8}$이다.

3-24

직선 $y=2x-1$ 위에 있는 두 점의 좌표를 잡으면
$$x=0일 때, y=-1 \quad \therefore (0, -1)$$
$$x=1일 때, y=1 \quad \therefore (1, 1)$$
(i) 점 $(0, -1)$을 직선 $y=-x+3$에 대하여 대칭이동한 점의 좌표를 (a, b)라 하면
두 점을 이은 선분의 중점 $\left(\dfrac{a+0}{2}, \dfrac{b-1}{2}\right)$이 직선 $y=-x+3$ 위에 있으므로
$$\frac{b-1}{2}=-\frac{a}{2}+3, b-1=-a+6$$
$$\therefore a+b=7 \quad \cdots\cdots \text{㉠}$$
직선 $y=-x+3$과 두 점 $(0, -1)$, (a, b)를 지나는 직선이 수직이므로
$$\frac{b-(-1)}{a-0}\times(-1)=-1, b+1=a$$
$$\therefore a-b=1 \quad \cdots\cdots \text{㉡}$$
㉠, ㉡을 연립하여 풀면
$$a=4, b=3$$
따라서 점 $(0, -1)$을 직선 $y=-x+3$에 대하여 대칭이동한 점의 좌표는 $(4, 3)$이다.

(ii) 점 $(1, 1)$을 직선 $y=-x+3$에 대하여 대칭이동한
점의 좌표를 (c, d)라 하면

두 점을 이은 선분의 중점 $\left(\dfrac{1+c}{2}, \dfrac{1+d}{2}\right)$가 직선

$y=-x+3$ 위에 있으므로

$\dfrac{1+d}{2}=-\dfrac{1+c}{2}+3, 1+d=-(1+c)+6$

$\therefore c+d=4$ ······ ㉢

직선 $y=-x+3$과 두 점 $(1, 1)$, (c, d)를 지나는
직선이 수직이므로

$\dfrac{d-1}{c-1}\times(-1)=-1, d-1=c-1$

$\therefore c-d=0$ ······ ㉣

㉢, ㉣을 연립하여 풀면

$c=2, d=2$

따라서 점 $(1, 1)$을 직선 $y=-x+3$에 대하여
대칭이동한 점의 좌표는 $(2, 2)$이다.

(i), (ii)에서 두 점 $(4, 3)$, $(2, 2)$를 지나는 직선의 방정
식은

$y-2=\dfrac{3-2}{4-2}(x-2)$

$\therefore x-2y+2=0$

이 직선의 방정식이 $mx-2y+n=0$과 일치하므로

$m=1, n=2$

$\therefore m+n=3$

3-25
$\overline{\mathrm{OP}}$, $\overline{\mathrm{OQ}}$에 대한 점 C의 대칭점을 각각 C$'$, C$''$이라
하면

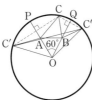

$\overline{\mathrm{AC}}=\overline{\mathrm{AC}'}$, $\overline{\mathrm{BC}}=\overline{\mathrm{BC}''}$
삼각형 ABC에서
$\overline{\mathrm{AB}}+\overline{\mathrm{BC}}+\overline{\mathrm{CA}}=\overline{\mathrm{AB}}+\overline{\mathrm{BC}''}+\overline{\mathrm{AC}'}\geq\overline{\mathrm{C}'\mathrm{C}''}$
따라서 $\overline{\mathrm{AB}}+\overline{\mathrm{BC}}+\overline{\mathrm{CA}}$의 최솟값은 $\overline{\mathrm{C}'\mathrm{C}''}$이고,
삼각형 C$'$OC$''$은
그림과 같이
$\angle\mathrm{C}'\mathrm{OC}''=120°$인
이등변삼각형이므로
$\overline{\mathrm{C}'\mathrm{C}''}=2\times10\sqrt{3}$
$=20\sqrt{3}$ (m)

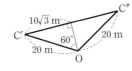

개념확인코너
본문 p.099

1

주어진 문제에서 착하다, 축구를 잘한다, 맛있다 등의
표현은 그 기준이 명확하지가 않으므로 ㄱ, ㄷ, ㄹ은 집
합이 될 수 없다.
ㄴ은 $\{1, 2, 3, \cdots\}$, ㅁ은 $\{5, 10, 15, \cdots\}$으로 그 원
소가 명확하므로 집합이다.

탑 ㄴ, ㅁ

2

(1) 원소나열법 : $A=\{2, 3, 5, 7\}$
조건제시법 : $A=\{x\,|\,x$는 10보다 작은 소수$\}$
(2) 원소나열법 : $B=\{1, 2, 3, \cdots\}$
조건제시법 : $B=\{x\,|\,x$는 자연수$\}$

3

(1) $A=\{1, 2, 3, 4, \cdots, 10\}$, 즉 집합 A는 원소의 개
수가 10개로 유한하므로 유한집합이다.
(2) $B=\{2, 3, 4, \cdots\}$, 즉 집합 B는 원소의 개수가 무
한히 많으므로 무한집합이다.
(3) $x<1$인 자연수는 존재하지 않으므로 $C=\varnothing$
즉, 집합 C는 공집합이다.

탑 (1) 유한집합 (2) 무한집합
(3) 유한집합, 공집합

4

$A=\{1, 3, 5, 7\}$,
$B=\{1, 2, 3, 4, 5\}$
이므로
$n(A)+n(B)=4+5=9$

탑 9

5

$A=\{2, 4\}$, $B=\{1, 2, 4, 8\}$, $C=\{2, 4, 6, 8, \cdots\}$이므로
(1) $\varnothing\subset A$
(2) $A\subset B$
(3) $C\supset A$
(4) $B\not\subset C$

탑 (1) $\subset$ (2) $\subset$ (3) $\supset$ (4) $\not\subset$

6

(1) $\varnothing$, $\{1\}$, $\{2\}$, $\{1, 2\}$

(2) $\{x \mid x$는 9의 약수$\} = \{1, 3, 9\}$이므로 부분집합은

$\varnothing$, $\{1\}$, $\{3\}$, $\{9\}$, $\{1, 3\}$, $\{1, 9\}$, $\{3, 9\}$, $\{1, 3, 9\}$

답 (1) $\varnothing$, $\{1\}$, $\{2\}$, $\{1, 2\}$

(2) $\varnothing$, $\{1\}$, $\{3\}$, $\{9\}$, $\{1, 3\}$,

$\{1, 9\}$, $\{3, 9\}$, $\{1, 3, 9\}$

7

$A = \{2, 3, 5, 7\}$이므로 원소가 2개인 부분집합은

$\{2, 3\}$, $\{2, 5\}$, $\{2, 7\}$, $\{3, 5\}$, $\{3, 7\}$, $\{5, 7\}$

답 $\{2, 3\}$, $\{2, 5\}$, $\{2, 7\}$,

$\{3, 5\}$, $\{3, 7\}$, $\{5, 7\}$

8

$\{2, 3, a\} = \{3, 7, b\}$이므로 $a = 7$, $b = 2$

$\therefore a + b = 9$

답 9

9

$\{x \mid x$는 25의 약수$\} = \{1, 5, 25\}$이므로 진부분집합은

$\varnothing$, $\{1\}$, $\{5\}$, $\{25\}$, $\{1, 5\}$, $\{1, 25\}$, $\{5, 25\}$

답 $\varnothing$, $\{1\}$, $\{5\}$, $\{25\}$, $\{1, 5\}$, $\{1, 25\}$, $\{5, 25\}$

유제
본문 p.100

유제 4-1

'아름답다'의 기준이 명확하지 않으므로 집합이 아닌 것은 ③이다.

유제 4-2

3의 배수 중 10보다 작은 수는 3, 6, 9이다.

(1) $A = \{3, 6, 9\}$

(2) $A = \{x \mid x$는 10보다 작은 3의 배수$\}$

(3)

유제 4-3

1, 3, 5, 15는 15의 약수이므로

원소나열법 : $A = \{1, 3, 5, 15\}$

조건제시법 : $A = \{x \mid x$는 15의 약수$\}$

유제 4-4

집합 S의 원소를 x라 하면

$x = a + ab = a(1+b)$이고

$a \in A = \{-1, 0, 2\}$,

$b \in B = \{1, 3, 5\}$

이므로 a의 값인 -1, 0, 2와 $1+b$의 값인 2, 4, 6을 표로 나타내어 $a(1+b)$의 값을 계산하면 다음과 같다.

$1+b$ \ a	-1	0	2
2	-2	0	4
4	-4	0	8
6	-6	0	12

$\therefore S = \{-6, -4, -2, 0, 4, 8, 12\}$

따라서 집합 S의 모든 원소의 합은

$(-6) + (-4) + (-2) + 0 + 4 + 8 + 12 = \mathbf{12}$

유제 4-5

ㄱ. 집합 A의 원소는 0이므로 $n(A) = 1$ (거짓)

ㄴ. $n(\varnothing) = 0$이므로

$n(A) = 0$

즉, 집합 A의 원소가 하나도 없으므로

$A = \varnothing$ (참)

ㄷ. $n(A) = 1$, $n(B) = 1$이므로

$n(A) = n(B)$ (거짓)

따라서 옳은 것은 ㄴ뿐이다.

유제 4-6

$x^3 - 3x^2 + 2x = 0$

$x(x^2 - 3x + 2) = 0$

$x(x-1)(x-2) = 0$

$\therefore x = 0$ 또는 $x = 1$ 또는 $x = 2$

즉, $A = \{0, 1, 2\}$이다.

한편, 집합 B는

$B = \{x \mid x = 2n-1, n$은 6 이하의 자연수$\}$

$= \{1, 3, 5, 7, 9, 11\}$

$\therefore n(A) + n(B) = 3 + 6 = \mathbf{9}$

유제 4-7

a와 $7-a$가 모두 자연수이므로

$a \geq 1$, $7-a \geq 1$

$\therefore 1 \leq a \leq 6$

즉, 집합 A의 원소가 될 수 있는 것은 1, 2, 3, 4, 5, 6이다.

이때, $a \in A$이면 $7-a \in A$이므로

$1{\in}A$이면 $7-1=6{\in}A$, $2{\in}A$이면 $7-2=5{\in}A$
$3{\in}A$이면 $7-3=4{\in}A$, $4{\in}A$이면 $7-4=3{\in}A$
$5{\in}A$이면 $7-5=2{\in}A$, $6{\in}A$이면 $7-6=1{\in}A$
따라서 원소가 4개인 집합은
$\{1, 2, 5, 6\}$, $\{1, 3, 4, 6\}$, $\{2, 3, 4, 5\}$

유제 4-8

a와 $\dfrac{16}{a}$이 모두 자연수이므로 a가 가질 수 있는 값은
16의 약수 1, 2, 4, 8, 16이다.
$1{\in}X$이면 $\dfrac{16}{1}=16{\in}X$, $2{\in}X$이면 $\dfrac{16}{2}=8{\in}X$
$4{\in}X$이면 $\dfrac{16}{4}=4{\in}X$, $8{\in}X$이면 $\dfrac{16}{8}=2{\in}X$
$16{\in}X$이면 $\dfrac{16}{16}=1{\in}X$
원소의 개수에 따라 집합 X를 구해 보면
(i) 원소가 1개일 때, $\{4\}$
(ii) 원소가 2개일 때, $\{1, 16\}$, $\{2, 8\}$
(iii) 원소가 3개일 때, $\{1, 4, 16\}$, $\{2, 4, 8\}$
(iv) 원소가 4개일 때, $\{1, 2, 8, 16\}$
(v) 원소가 5개일 때, $\{1, 2, 4, 8, 16\}$
(i)~(v)에 의하여 집합 X의 개수는 **7**이다.

유제 4-9

(1) 원소의 개수가 2인 부분집합 : $\{2, 5\}$, $\{2, 7\}$,
　　$\{2, 10\}$, $\{5, 7\}$, $\{5, 10\}$, $\{7, 10\}$
(2) 원소의 개수가 3인 부분집합 : $\{2, 5, 7\}$,
　　$\{2, 5, 10\}$, $\{2, 7, 10\}$, $\{5, 7, 10\}$
(3) 홀수만으로 이루어진 부분집합 : $\{5\}$, $\{7\}$, $\{5, 7\}$

유제 4-10

집합 $A=\{1, 3, 5, 7\}$의 진부분집합 중에서 두 원소
1, 3을 포함하는 집합이다.
1, 3을 제외한 $\{5, 7\}$의 진부분집합 $\varnothing$, $\{5\}$, $\{7\}$에 두 원소 1, 3을 각각 넣으면 된다.
$\therefore \{1, 3\}$, $\{1, 3, 5\}$, $\{1, 3, 7\}$

유제 4-11

집합 A는 $\varnothing$, 1, $\{2, 3\}$을 원소로 가지므로
$\varnothing{\in}A$, $1{\in}A$, $\{2, 3\}{\in}A$
또 집합 A의 부분집합은
$\varnothing{\subset}A$, $\{\varnothing\}{\subset}A$, $\{1\}{\subset}A$, $\{\{2, 3\}\}{\subset}A$,
$\{\varnothing, 1\}{\subset}A$, $\{\varnothing, \{2, 3\}\}{\subset}A$, $\{1, \{2, 3\}\}{\subset}A$,
$\{\varnothing, 1, \{2, 3\}\}{\subset}A$이므로
옳지 않은 것은 ④이다.

유제 4-12

ㄱ. 공집합은 모든 집합의 부분집합이므로
　　$\varnothing{\subset}\varnothing$ (참)
ㄴ. 공집합은 원소를 하나도 가지지 않는 집합이므로
　　$0{\notin}\varnothing$ (거짓)
ㄷ. $\cdots$, $-\dfrac{7}{2}$, -2, $-\dfrac{4}{3}$, $\cdots$ 등 음의 유리수는
　　무수히 많이 존재한다.
　　$\therefore \{x \mid x<0$인 유리수$\}{\neq}\varnothing$ (거짓)
ㄹ. $\{x \mid x$는 2의 배수$\}=\{2, 4, 6, 8, 10, 12, \cdots\}$
　　$\{x \mid x$는 4의 배수$\}=\{4, 8, 12, 16, \cdots\}$
　　$\therefore \{x \mid x$는 2의 배수$\}{\supset}\{x \mid x$는 4의 배수$\}$ (참)
따라서 옳은 것은 ㄱ, ㄹ이다.

유제 4-13

$A{\subset}B$이려면 집합 A에 속하는 모든 원소가 집합 B에 속해야하므로
$a{\in}B$, $a+2{\in}B$
(i) $a=-1$이면 $a+2=1{\in}B$이므로
　　$A{\subset}B$
(ii) $a=0$이면 $a+2=2{\notin}B$이므로
　　$A{\not\subset}B$
(iii) $a=1$이면 $a+2=3{\in}B$이므로
　　$A{\subset}B$
(iv) $a=3$이면 $a+2=5{\notin}B$이므로
　　$A{\not\subset}B$
(i)~(iv)에 의하여 구하는 a의 값은 **-1 또는 1**이다.

유제 4-14

$B{\subset}A$가 성립하도록 두 집합 A, B를 수직선 위에 나타내면 다음과 같다.

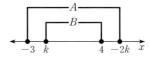

따라서 $-3{\leq}k{\leq}4$이고 $4{\leq}-2k$이어야 하므로
$$-3{\leq}k{\leq}-2$$

유제 4-15

$A{\subset}B$이고 $B{\subset}A$이므로
$A=B$
즉, 두 집합 A, B의 원소가 모두 같으므로
$x-2=4$　$\therefore x=6$
$\therefore y=9$
$2x+y=12+9=$**21**

유제 4-16

(1) $A=B$에서

$\{1, 3, a^2+1\}=\{2, a, b-1\}$이므로

$a^2+1=2,\ a^2=1$

$\therefore a=-1$ 또는 $a=1$

(i) $a=-1$일 때,

$A=\{1, 3, 2\},\ B=\{2, -1, b-1\}$

즉, $-1\notin A$이므로 $A\neq B$

(ii) $a=1$일 때,

$A=\{1, 3, 2\},\ B=\{2, 1, b-1\}$

즉, $A=B$이려면

$b-1=3$

$\therefore b=4$

(i), (ii)에 의하여

$\boldsymbol{a=1,\ b=4}$

(2) $a\leq 3x-1\leq 5$에서

$a+1\leq 3x\leq 6$

$\therefore \dfrac{a+1}{3}\leq x\leq 2$

이때, $A=B$이므로

$\dfrac{a+1}{3}=-1,\ 2=b$

$\therefore \boldsymbol{a=-4,\ b=2}$

유제 4-17

집합 A의 부분집합 중에서 집합 B의 원소를 적어도 한 개 갖는 부분집합의 개수는 집합 A의 부분집합의 개수에서 집합 B의 원소를 하나도 갖지 않는 부분집합의 개수를 뺀 것과 같다.

$A=\{1, 2, 3, 4, 6, 12\},\ B=\{1, 2, 4\}$에서 집합 B의 원소를 하나도 갖지 않는 부분집합의 개수는

$2^{6-3}=8$이므로 구하는 부분집합의 개수는

$2^6-8=\boldsymbol{56}$

유제 4-18

세 조건을 만족하는 집합 B는 집합 $\{3, 4, 5, 6, 7\}$의 부분집합 중에서 공집합을 제외한 것이다.

따라서 집합 B의 개수는

$2^5-1=\boldsymbol{31}$

유제 4-19

집합 X는 집합 B의 원소 1, 4, 6은 반드시 포함하고 집합 A의 원소 2는 포함하지 않는다.

따라서 집합 X의 개수는

$2^{6-3-1}=2^2=\boldsymbol{4}$

유제 4-20

집합 X는 집합 B의 부분집합 중에서 집합 A의 원소 5, 7을 반드시 포함하는 집합이다.

즉, 집합 X의 개수는

2^{n-2}

이때, $2^{n-2}=32=2^5$이므로 $n=\boldsymbol{7}$

연습문제 본문 p.118

4-1

ㄴ. '사납다'의 기준이 명확하지 않으므로 집합이 될 수 없다.

ㄷ. '좋아하다'의 기준이 명확하지 않으므로 집합이 될 수 없다.

따라서 집합인 것은 ㄱ, ㄹ이다.

4-2

각 집합의 원소가 속하는지 아닌지 확인한다.

$1\in A,\ 2\notin B,\ a\in \boldsymbol{B}$

4-3

$A=\{1, 2, 5, 10\},\ B=\{2, 4, 6, 8\},\ C=\varnothing$이므로

$n(A)=4,\ n(B)=4,\ n(C)=0$

$\therefore n(A)+n(B)+n(C)=8$

4-4

1, 2, 4, 8, 16은 16의 약수이므로

$A=\{x\,|\,x$는 16의 약수$\}$

따라서 집합 A를 조건제시법으로 바르게 나타낸 것은 ③이다.

4-5

$A\subset B$이려면 $-a<-4$이고 $a>5$이어야 하므로

$a>5$

따라서 자연수 a의 최솟값은 $\boldsymbol{6}$이다.

4-6

ㄱ. [반례] $X=\{1\},\ Y=\{2, 3\}$이면 $n(X)<n(Y)$이지만 $X\not\subset Y$이다. (거짓)

ㄴ. $X=Y$이면 두 집합의 원소의 개수도 서로 같으므로 $n(X)=n(Y)$이다. (참)

ㄷ. [반례] $X=\{1, 2\},\ Y=\{2, 3\}$이면 $n(X)=n(Y)$이지만 $X\neq Y$이다. (거짓)

따라서 옳은 것은 ㄴ뿐이다.

4-7

$A \subset B$이고 $B \subset A$이므로 $A=B$

즉, $\{4, a-2, 9\}=\{b+2, 5, 9\}$에서

$a-2=5, b+2=4$

$\therefore a=7, b=2$

$\therefore a-b=\mathbf{5}$

4-8

$n(A)=a$라 하면 집합 A의 부분집합의 개수는

2^a

즉, $2^a=128=2^7$이므로

$a=7$

$n(B)=b$라 하면 집합 B의 진부분집합의 개수는

2^b-1

즉, $2^b-1=31$이므로

$2^b=32=2^5$ $\therefore b=5$

$\therefore n(A)+n(B)=7+5=\mathbf{12}$

4-9

집합 A의 부분집합 중 원소 2 또는 원소 3을 포함하는
부분집합의 개수는 A의 부분집합의 개수에서 두 원소
2, 3을 모두 포함하지 않는 부분집합의 개수를 뺀 것과
같다.

$\therefore 2^7-2^{7-2}=128-32=\mathbf{96}$

4-10

집합 X는 $\{3, 4, 5, 6\}$의 부분집합 중에서 두 원소 5, 6
을 반드시 포함하는 집합이므로

$\{5, 6\}, \{3, 5, 6\}, \{4, 5, 6\}, \{3, 4, 5, 6\}$

따라서 집합 X가 될 수 없는 것은 ②이다.

4-11

① 공집합은 모든 집합의 부분집합이므로

　$\varnothing \subset A$ (참)

② $\{5\} \in A$이므로 $\{\{5\}\} \subset A$ (참)

③ $2 \in A$이고 $3 \in A$이므로

　$\{2, 3\} \subset A$ (참)

④ 5는 집합 A의 원소가 아니므로

　$5 \notin A$ (거짓)

⑤ $2 \in A$이고 $3 \in A$이지만 $5 \notin A$이므로

　$\{2, 3, 5\} \not\subset A$ (참)

따라서 옳지 않은 것은 ④이다.

4-12

① $n(\{1, 2, 3\})-n(\{1, 2\})=3-2=1 \neq 3$ (거짓)

② $A \subset B$이면 집합 A의 모든 원소가 집합 B에 속하므
　로 $n(A) \leq n(B)$이다. (참)

③ [반례] $A=\varnothing$이면 $n(\varnothing)=n(A)$이다. (거짓)

④ [반례] $A=B=C$이면 $A \subset B \subset C$이지만

　$n(A)=n(C)$이다. (거짓)

⑤ [반례] $A=\{1\}$, $B=\{2, 3\}$, $C=\{4, 5, 6\}$이면

　$n(A) \leq n(B)$이고 $n(B) < n(C)$이지만

　$A \not\subset C$이다. (거짓)

따라서 옳은 것은 ②이다.

4-13

집합 A의 원소 x와 집합 B의 원소 y에 대하여 xy의
값을 표로 나타내어 계산하면 다음과 같다.

y ＼ x	2	2^2	2^3	2^4	2^5
2	2^2	2^3	2^4	2^5	2^6
2^2	2^3	2^4	2^5	2^6	2^7
2^3	2^4	2^5	2^6	2^7	2^8

따라서 집합 $C=\{2^2, 2^3, 2^4, \cdots, 2^8\}$이므로 원소의 개수
는 **7**이다.

4-14

$B \subset A$이고 $a \neq 4$이므로 $3-a=5$ 또는 $b+5=5$이어
야 한다.

(i) $3-a=5$일 때, $a=-2$

　즉, $A=\{1, 5, b+5\}$, $B=\{5, -1\}$이므로

　$b+5=-1$

　$\therefore b=-6$

　$\therefore a+b=-8$

(ii) $b+5=5$일 때, $b=0$

　즉, $A=\{1, 3-a, 5\}$, $B=\{5, a+1\}$이므로

　$a+1=1$ 또는 $a+1=3-a$이어야 한다.

　$\therefore a=0$ 또는 $a=1$

　$\therefore a+b=0$ 또는 $a+b=1$

(i), (ii)에 의하여 $a+b$의 최댓값 M과 최솟값 m은

$M=1, m=-8$

$\therefore M-m=\mathbf{9}$

4-15

$A \subset B \subset C$가 되도록 세 집합 A, B, C를 수직선 위에
나타내면 다음과 같다.

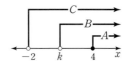

즉, $-2 \le k < 4$이므로 정수 k의 값은
$-2, -1, 0, 1, 2, 3$
따라서 정수 k의 모든 값의 합은
$(-2)+(-1)+0+1+2+3=\mathbf{3}$

4-16

$A \subset B$이고 $B \subset A$이므로 $A=B$
즉, $\{-2, 3\}=\{a+1, a^2-3a\}$에서
$a+1=-2$ 또는 $a+1=3$이다.
(i) $a+1=-2$일 때, $a=-3$
　　$a^2-3a=(-3)^2-3\times(-3)=18$
　　즉, $B=\{-2, 18\}$이므로
　　$A \ne B$
(ii) $a+1=3$일 때, $a=2$
　　$a^2-3a=2^2-3\times2=-2$
　　즉, $B=\{-2, 3\}$이므로
　　$A=B$
(i), (ii)에 의하여 구하는 a의 값은 $\mathbf{2}$이다.

4-17

집합 A의 원소는 자연수이고 $a \in A$일 때, $\dfrac{81}{a} \in A$이
므로 A의 원소는 81의 약수인 1, 3, 9, 27, 81이다.
이때, 1과 81, 3과 27은 둘 다 원소이거나 둘 다 원소가
아니어야 하므로 $(1, 81)$, $(3, 27)$, (9)로 만들어지
는 집합 중 공집합이 아닌 것이다.
따라서 조건을 만족하는 집합 A는
$\{9\}$, $\{1, 81\}$, $\{3, 27\}$, $\{1, 9, 81\}$, $\{3, 9, 27\}$,
$\{1, 3, 27, 81\}$, $\{1, 3, 9, 27, 81\}$의 $\mathbf{7}$개이다.

4-18

집합 A의 원소의 개수가 a이므로 A의 부분집합의 개
수는 2^a이고, 집합 B의 원소의 개수가 b이므로 B의 부
분집합의 개수는 2^b이다.
즉, $2^a-2^b=4$이므로
$2^b(2^{a-b}-1)=4$
이때, 2^b은 짝수이고 $2^{a-b}-1$은 홀수이므로
$2^b=4$, $2^{a-b}-1=1$
$2^b=2^2$, $2^{a-b}=2$
$\therefore b=2$, $a=3$
$\therefore a+b=\mathbf{5}$

4-19

$A=\{2, 4, 6, \cdots, 18\}$, $B=\{4, 8, 12, 16\}$이므로
$B \subset X \subset A$를 만족시키는 집합 X의 개수는 집합 A의

부분집합 중에서 집합 B의 원소를 갖는 부분집합의 개
수이므로
$2^{9-4}=2^5=\mathbf{32}$

4-20

(i) $n(B)=0$일 때,
　　$B=\varnothing$이므로 $A=\varnothing$
　　즉, 순서쌍 (A, B)의 개수는 1이다.
(ii) $n(B)=1$일 때,
　　$n(B)=1$인 집합 B는 3개이고 집합 A는 원소의
　　개수가 1인 집합의 부분집합이므로 $2^1=2$개이다.
　　즉, 순서쌍 (A, B)의 개수는
　　$2\times3=6$
(iii) $n(B)=2$일 때,
　　$n(B)=2$인 집합 B는 3개이고 집합 A는 원소의
　　개수가 2인 집합의 부분집합이므로 $2^2=4$개이다.
　　즉, 순서쌍 (A, B)의 개수는
　　$4\times3=12$
(iv) $n(B)=3$일 때,
　　$n(B)=3$인 집합 B는 1개이고 집합 A는 원소의
　　개수가 3인 집합의 부분집합이므로 $2^3=8$개이다.
　　즉, 순서쌍 (A, B)의 개수는 8이다.
(i)~(iv)에 의하여 순서쌍 (A, B)의 개수는
$1+6+12+8=\mathbf{27}$

4-21

$2 \in S$이면 $\dfrac{1}{1-2}=-1 \in S$

$-1 \in S$이면 $\dfrac{1}{1-(-1)}=\dfrac{1}{2} \in S$

$\dfrac{1}{2} \in S$이면 $\dfrac{1}{1-\frac{1}{2}}=2 \in S$

$2 \in S$이면 $\dfrac{1}{1-2}=-1 \in S$

　　　$\vdots$

즉, $-1, \dfrac{1}{2}, 2$가 반복해서 나오고 $n(S)=3$이므로

$S=\left\{-1, \dfrac{1}{2}, 2\right\}$

따라서 집합 S의 원소 중 최댓값과 최솟값의 합은
$2+(-1)=\mathbf{1}$

4-22

ㄱ. $1 \in A$이면 $1-1=0 \in A$, $0-1=-1 \in A$
　　이므로 $1-(-1)=2 \in A$이다. (참)

ㄴ. $\frac{1}{2} \in A$이면

$$\frac{1}{2} - \frac{1}{2} = 0 \in A,$$

$$0 - \frac{1}{2} = -\frac{1}{2} \in A,$$

$$\frac{1}{2} - \left(-\frac{1}{2}\right) = 1 \in A$$

이때, ㄱ에 의하여 $-1 \in A$, $2 \in A$이므로

$$2 - (-1) = 3 \in A$$

$$3 - (-1) = 4 \in A$$

$$4 - (-1) = 5 \in A$$

$$\vdots$$

즉, 자연수 전체의 집합은 집합 A의 부분집합이다.

(참)

ㄷ. $\frac{1}{3} \in A$이면

$$\frac{1}{3} - \frac{1}{3} = 0 \in A,$$

$$0 - \frac{1}{3} = -\frac{1}{3} \in A,$$

$$\frac{1}{3} - \left(-\frac{1}{3}\right) = \frac{2}{3} \in A,$$

$$\frac{2}{3} - \left(-\frac{1}{3}\right) = 1 \in A$$

이므로 ㄴ에 의하여 자연수 전체의 집합은 집합 A 의 부분집합이다.

또 임의의 자연수 a에 대하여 $a \in A$이면

$0 - a = -a \in A$이다.

즉, 정수 전체의 집합은 집합 A의 부분집합이다.(참)

따라서 ㄱ, ㄴ, ㄷ 모두 옳다.

4-23

(i) 최소인 원소가 5인 집합인 경우

5만 속하는 집합이므로 부분집합의 개수는 1이다.

(ii) 최소인 원소가 4인 집합인 경우

4는 속하고 1, 2, 3은 속하지 않는 집합이므로 부분 집합의 개수는

$$2^{5-1-3} = 2^1 = 2$$

(iii) 최소인 원소가 3인 집합인 경우

3은 속하고 1, 2는 속하지 않는 집합이므로 부분집 합의 개수는

$$2^{5-1-2} = 2^2 = 4$$

(iv) 최소인 원소가 2인 집합인 경우

2는 속하고 1은 속하지 않는 집합이므로 부분집합의 개수는

$$2^{5-1-1} = 2^3 = 8$$

(v) 최소인 원소가 1인 집합인 경우

1이 속하는 집합이므로 부분집합의 개수는

$$2^{5-1} = 2^4 = 16$$

(i)~(v)에 의하여 구하는 합은

$$5 \times 1 + 4 \times 2 + 3 \times 4 + 2 \times 8 + 1 \times 16 = 57$$

4-24

(i) 홀수 1, 3이 포함되고 5가 포함되지 않는 부분집합 의 개수는

$$2^{6-2-1} = 2^3 = 8$$

이때, 1, 3은 각각 8번 들어 있고 2, 4, 6으로 이루 어진 부분집합에서 2, 4, 6은 각각 4번 들어 있다.

(ii) 홀수 1, 5가 포함되고 3이 포함되지 않는 부분집합 의 개수는

$$2^{6-3} = 2^3 = 8$$

이때, 1, 5는 각각 8번 들어 있고 2, 4, 6은 각각 4번 들어 있다.

(iii) 홀수 3, 5가 포함되고 1이 포함되지 않는 부분집합 의 개수는

$$2^{6-3} = 2^3 = 8$$

이때, 3, 5는 각각 8번 들어 있고 2, 4, 6은 각각 4번 들어 있다.

(i), (ii), (iii)에 의하여

$$S(X_1) + S(X_2) + S(X_3) + \cdots + S(X_n)$$

$$= 16 \times (1+3+5) + 12 \times (2+4+6)$$

$$= 144 + 144 = 288$$

개념확인코너

본문 p.130

1

$A=\{a, b, c, d\}$, $B=\{a, c, e\}$이므로

(1) $A \cap B=\{a, c\}$

(2) $A \cup B=\{a, b, c, d, e\}$

(3) $A-B=\{b, d\}$

(4) $B-A=\{e\}$

답 (1) $\{a, c\}$
(2) $\{a, b, c, d, e\}$
(3) $\{b, d\}$
(4) $\{e\}$

2

$U=\{1, 2, 3, 4, 5, 6, 7, 8, 9, 10, 11, 12\}$,
$A=\{1, 2, 4, 8\}$, $B=\{1, 2, 3, 4, 6, 12\}$이므로

(1) $A \cap B=\{1, 2, 4\}$

(2) $A \cup B=\{1, 2, 3, 4, 6, 8, 12\}$

(3) $A^C=\{3, 5, 6, 7, 9, 10, 11, 12\}$

(4) $A-B=\{8\}$

답 (1) $\{1, 2, 4\}$
(2) $\{1, 2, 3, 4, 6, 8, 12\}$
(3) $\{3, 5, 6, 7, 9, 10, 11, 12\}$
(4) $\{8\}$

3

ㄱ. $A \cup A=A$

ㄴ. $A \cap A=A$이므로 옳지 않다.

ㄷ. $A \cap A^C=\varnothing$

ㄹ. $A \cap U=A$

ㅁ. 두 집합 A, B의 포함 관계를 알 수 없으므로
$A-B=\varnothing$인지 아닌지 알 수 없다.

ㅂ. $B \cap A^C=B-A$

따라서 옳은 것은 ㄱ, ㄷ, ㄹ, ㅂ이다.

답 ㄱ, ㄷ, ㄹ, ㅂ

4

(1) $A \cup (A^C \cup B)$
$=(A \cup A^C) \cup B$ ◀ 결합법칙
$=U \cup B=U$ ◀ 여집합의 성질

(2) $(A^C-B)^C \cap A$
$=(A^C \cap B^C)^C \cap A$ ◀ 차집합의 성질
$=(A \cup B) \cap A$ ◀ 드 모르간의 법칙
$=A$

답 (1) U (2) A

5

$(A \cup B^C) \cap B=(A \cap B) \cup (B^C \cap B)$
$=(A \cap B) \cup \varnothing$
$=A \cap B$
$=A (\because A \subset B)$

답 A

6

(1) $n(A \cup B)=n(A)+n(B)-n(A \cap B)$이므로
$n(A \cup B)=14+10-6=18$

(2) $n(A-B)=n(A)-n(A \cap B)$이므로
$n(A-B)=14-6=8$

답 (1) 18 (2) 8

7

$n(A \cup B)=n(A)+n(B)-n(A \cap B)$이므로
$12=7+n(B)-4$
$\therefore n(B)=12-3=9$

답 9

유제

본문 p.131

유제 5-1

주어진 조건을 벤 다이어그램으로
나타내면 그림과 같다.
$\therefore B=\{2, 5, 6, 7, 8\}$

유제 5-2

$A=\{2, 3\}$, $B=\{x+y \mid x \in A, y \in A\}$,
$C=\{xy \mid x \in A, y \in A\}$이므로
$B=\{4, 5, 6\}$, $C=\{4, 6, 9\}$에서
$B \cap C=\{4, 6\}$
$\therefore A \cup (B \cap C)=\{2, 3\} \cup \{4, 6\}$
$=\{2, 3, 4, 6\}$

유제 5-3

$A^C \cap B^C=\{3, 7\}$이고,
두 집합 A와 B가 서로소이므로

$A \cap B^C = A - B = A = \{1, 2, 4\}$
따라서 세 집합 U, A, B를
벤 다이어그램으로 나타내면
그림과 같다.
$\therefore B = \{5, 6\}$

유제 5-4

두 집합 A와 B가 서로소가 아니어야 하므로 A의 원소 x^2-3이 B의 원소 5, $2x$, 6 중 하나와 같거나, B의 원소 $2x$가 A의 원소 2, 3, x^2-3 중 하나와 같아야 한다.

(i) $x^2-3=5$일 때, $x=\pm2\sqrt{2}$

(ii) $x^2-3=2x$일 때, $x=-1$ 또는 $x=3$

(iii) $x^2-3=6$일 때, $x=\pm3$

(iv) $2x=2$일 때, $x=1$

(v) $2x=3$일 때, $x=\dfrac{3}{2}$

(i)~(v)에 의하여 모든 정수 x의 값의 합은
$(-3)+(-1)+1+3=\mathbf{0}$

유제 5-5

$U=\{1, 2, 3, 4, 5, 6, 7, 8, 9, 10, 11, 12\}$,
$A=\{1, 2, 3, 4, 6, 12\}$, $B=\{3, 6, 9, 12\}$를 벤 다이어
그램으로 나타내면 그림과 같다.

(1) $B^C=\{\mathbf{1, 2, 4, 5, 7, 8, 10, 11}\}$

(2) $A-B=\{\mathbf{1, 2, 4}\}$

(3) $A \cup B^C=\{\mathbf{1, 2, 3, 4, 5, 6, 7, 8, 10, 11, 12}\}$

(4) $A^C-B=\{\mathbf{5, 7, 8, 10, 11}\}$

유제 5-6

전체집합 $U=\{1, 2, 3, 4, 5, 6, 7, 8, 9\}$와 주어진 조건을 만족시키는 두 부분집합 A, B를 벤 다이어그램으로 나타내면 그림과 같다.
따라서 $A \cap B=\{2, 4\}$이므로
$A \cap B$의 모든 원소의 합은
$2+4=\mathbf{6}$

유제 5-7

$A \cap B=\{5, b\}$에서 $5 \in B$이므로 $a=5$
$\therefore A \cap B=\{1, 3, 5, 7\} \cap \{2, 5, 7\}$
$\qquad = \{5, 7\}$

$\therefore b=7$
$\therefore a+b=5+7=\mathbf{12}$

유제 5-8

$A \cap B=\{1\}$에서 $1 \in A$이므로 $a=1$
또 $A \cap B=\{1\}$에서 $1 \in B$이므로
$b=1$ 또는 $b+1=1$

(i) $b=1$일 때,
$A=\{1, 2, 3\}$, $B=\{1, 2, 5\}$이므로
$A \cap B=\{1, 2\}$
따라서 주어진 조건을 만족시키지 않는다.

(ii) $b+1=1$, 즉 $b=0$일 때,
$A=\{1, 2, 3\}$, $B=\{0, 1, 5\}$이므로
$A \cap B=\{1\}$

(i), (ii)에 의하여 $a=1$, $b=0$이므로
$A=\{1, 2, 3\}$, $B=\{0, 1, 5\}$
$\therefore B-A=\{\mathbf{0, 5}\}$

유제 5-9

$A \cap B=B \iff B \subset A$이므로
두 집합 A, B 사이의 관계를
벤 다이어그램으로 나타내면
그림과 같다.

① $A \cup B=A \iff B \subset A$

② $A^C \subset B^C \iff B \subset A$

③ $B^C-A^C=\varnothing \iff B^C \subset A^C \iff A \subset B$

④ $A \cup B^C=U \iff B \subset A$

⑤ $(B-A)^C=U \iff B-A=\varnothing \iff B \subset A$

따라서 옳지 않은 것은 ③이다.

유제 5-10

$A-B=A \iff A \cap B=\varnothing$이므로 두 집합 A, B는 서로소이다.
따라서 옳은 것은 ②이다.

유제 5-11

$A \cap X=A$이므로 $A \subset X$
$(A \cup B) \cup X=A \cup B$이므로 $X \subset (A \cup B)$
$\therefore A \subset X \subset (A \cup B)$
$\therefore \{a, b, f\} \subset X \subset \{a, b, c, d, e, f\}$
즉, 집합 X는 $\{a, b, c, d, e, f\}$의 부분집합 중 원소 a, b, f를 반드시 포함하는 집합이다.
따라서 집합 X의 개수는
$2^{6-3}=2^3=\mathbf{8}$

유제 5-12

$(A-B)-X=\varnothing$ 이므로 $(A-B) \subset X$

$(A \cup B) \cap X = X$ 이므로 $X \subset (A \cup B)$

$\therefore (A-B) \subset X \subset (A \cup B)$

$\therefore \{1, 2\} \subset X \subset \{1, 2, 3, 4, 5, 6\}$

즉, 집합 X는 $\{1, 2, 3, 4, 5, 6\}$의 부분집합 중 원소 1, 2를 반드시 포함하는 집합이다.

따라서 집합 X의 개수는

$2^{6-2}=2^4=\mathbf{16}$

유제 5-13

$\{(A \cup B) \cap (A \cup B^C)\} \cup \{(A^C \cap B^C) \cup (B-A)\}$

$=\{A \cup (B \cap B^C)\} \cup \{(A^C \cap B^C) \cup (B \cap A^C)\}$

$=(A \cup \varnothing) \cup \{A^C \cap (B^C \cup B)\}$

$=A \cup (A^C \cap U) = A \cup A^C = \mathbf{U}$

유제 5-14

(1) $B \cap (A \cap B)^C$

　$=B \cap (A^C \cup B^C)$　　　◀ 드 모르간의 법칙

　$=(B \cap A^C) \cup (B \cap B^C)$　　◀ 분배법칙

　$=(B-A) \cup \varnothing$　　　◀ 차집합의 성질

　$=B-A$

(2) $(A-B)-C$

　$=(A \cap B^C) \cap C^C$　　　◀ 차집합의 성질

　$=A \cap (B^C \cap C^C)$　　　◀ 결합법칙

　$=A \cap (B \cup C)^C$　　　◀ 드 모르간의 법칙

　$=A-(B \cup C)$　　　◀ 차집합의 성질

유제 5-15

$(A-B)^C=(A \cap B^C)^C=A^C \cup B$ 이므로

$(A \cup B) \cap (A-B)^C=(A \cup B) \cap (A^C \cup B)$

　　　　　　　　　　$=(A \cap A^C) \cup B$

　　　　　　　　　　$=\varnothing \cup B = B$

$\therefore \{(A \cup B) \cap (A-B)^C\} \cap A = B \cap A$

따라서 $B \cap A = B$ 이므로 ② $\mathbf{B \subset A}$ 이다.

유제 5-16

$n(B^C)=n(U)-n(B)$ 에서

$26=50-n(B)$

$\therefore n(B)=24$

$\therefore n(A^C \cap B)=n(B-A)$

　　　　　　　$=n(B)-n(A \cap B)$

　　　　　　　$=24-10$

　　　　　　　$=\mathbf{14}$

유제 5-17

$n(A \cap B)=n(A)+n(B)-n(A \cup B)$

　　　　　$=13+12-18=7$

$n(B \cap C)=n(B)+n(C)-n(B \cup C)$

　　　　　$=12+8-20=0$

$n(C \cap A)=n(C)+n(A)-n(C \cup A)$

　　　　　$=8+13-17=4$

이때, $n(B \cap C)=0$ 이므로 $B \cap C=\varnothing$

따라서 $A \cap B \cap C=\varnothing$ 이므로 $n(A \cap B \cap C)=0$

$\therefore n(A \cup B \cup C)$

　$=n(A)+n(B)+n(C)-n(A \cap B)$

　　$-n(B \cap C)-n(C \cap A)+n(A \cap B \cap C)$

$=13+12+8-7-0-4+0$

$=\mathbf{22}$

유제 5-18

$A \cap B=\varnothing$, $A \cap C=\varnothing$ 이므로

$n(A \cap B)=n(A \cap C)=0$ 이고, 벤 다이어그램으로 나타내면 그림과 같다.

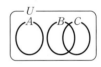

$n(A^C \cap B^C \cap C^C)=n((A \cup B \cup C)^C)=8$ 이므로

$n(A \cup B \cup C)=n(U)-n((A \cup B \cup C)^C)$

　　　　　　　$=40-8=32$

$\therefore n(A)=n(A \cup B \cup C)-n(B \cup C)$

　　　　$=32-27=\mathbf{5}$

유제 5-19

컴퓨터와 중국어 회화를 신청한 학생의 집합을 각각 A, B라 하면

$n(A)=35$, $n(B)=30$

또한, 50명 모두 적어도 하나는 신청했으므로

$n(A \cup B)=50$

따라서 두 가지 모두를 신청한 학생의 집합은 $A \cap B$ 이므로 구하는 학생 수는

$n(A \cap B)=n(A)+n(B)-n(A \cup B)$

　　　　　$=35+30-50$

　　　　　$=\mathbf{15}$

유제 5-20

100 이하의 자연수의 집합을 전체집합 U라 하고, 4의 배수의 집합을 A, 5의 배수의 집합을 B라 하면 $A \cap B$

는 20의 배수의 집합이므로

$n(U)=100$, $n(A)=25$, $n(B)=20$,

$n(A \cap B)=5$

$\therefore n(A \cup B)=n(A)+n(B)-n(A \cap B)$

$\qquad =25+20-5$

$\qquad =40$

따라서 4로도 나누어떨어지지 않고, 5로도 나누어떨어지지 않는 자연수의 집합은 $A^C \cap B^C$이므로 구하는 자연수의 개수는

$n(A^C \cap B^C)=n((A \cup B)^C)$

$\qquad =n(U)-n(A \cup B)$

$\qquad =100-40$

$\qquad =\mathbf{60}$

유제 5-21

국어 영역, 수학 영역, 영어 영역을 선택한 학생들의 집합을 각각 A, B, C라 하면 모든 학생들이 세 개의 영역 중 적어도 하나의 영역을 선택하였으므로

$n(A \cup B \cup C)=100$

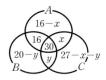

그림의 벤 다이어그램과 같이 각 영역에 해당하는 집합의 원소의 개수를 x, y를 이용하여 나타내면 영어 영역만 선택한 학생 수는 $27-x-y$이므로

$(16-x)+16+30+x+(20-y)$

$\qquad\qquad\qquad +y+(27-x-y)=100$

$\therefore 27-x-y=18$

따라서 영어 영역만 선택한 학생 수는 **18**이다.

다른 풀이

국어 영역, 수학 영역, 영어 영역을 선택한 학생들의 집합을 각각 A, B, C라 하면

$n(A)=62$, $n(B)=66$, $n(C)=57$, $n(A \cap B)=46$

또한, 모든 학생들이 세 영역 중 적어도 하나의 영역을 선택하였으므로 $n(A \cup B \cup C)=100$

따라서 영어 영역만 선택한 학생의 집합은

$(A \cup B \cup C)-(A \cup B)$이므로

$n(A \cup B \cup C)-n(A \cup B)$

$=n(A \cup B \cup C)-\{n(A)+n(B)-n(A \cap B)\}$

$=100-(62+66-46)$

$=18$

본문 p.148

연습문제

5-1

$A=\{2, 4, 5, 8\}$, $B=\{1, 3, 5, 7, 9\}$,

$C=\{1, 2, 3, 4, 6, 12\}$에서

$B \cup C=\{1, 2, 3, 4, 5, 6, 7, 9, 12\}$

$\therefore A \cap (B \cup C)=\mathbf{\{2, 4, 5\}}$

다른 풀이

$A \cap (B \cup C)=(A \cap B) \cup (A \cap C)$

$\qquad\qquad\quad =\{5\} \cup \{2, 4\}$

$\qquad\qquad\quad =\{2, 4, 5\}$

5-2

① $A \cap B=\{1, 3\} \cap \varnothing=\varnothing$

② $A \cap C=\{1, 3\} \cap \{-4, -3\}=\varnothing$

③ $A \cap D=\{1, 3\} \cap \{0, 2, 5\}=\varnothing$

④ $A \cap E=\{1, 3\} \cap \{1, 2, 5, 10\}=\{1\} \neq \varnothing$

⑤ $A \cap F=\{1, 3\} \cap \{2, 4, 6, \cdots\}=\varnothing$

따라서 집합 A와 서로소가 아닌 집합은 ④이다.

5-3

$U=\{1, 2, 3, 4, 5, 6, 7, 8, 9\}$에서

$A^C \cap B^C=(A \cup B)^C=\{5, 7\}$이므로

$A \cup B=\{1, 2, 3, 4, 6, 8, 9\}$

이때, $B-A=\{2, 4, 6\}$

이므로 벤 다이어그램으로

나타내면 그림과 같다.

$\therefore A=(A \cup B)-(B-A)$

$\quad =\{1, 2, 3, 4, 6, 8, 9\}-\{2, 4, 6\}$

$\quad =\mathbf{\{1, 3, 8, 9\}}$

5-4

$A=\{1, a^2-3a+1\}$, $B=\{a-2, a+1\}$에서

$A \cap B=\{5\}$이므로 $a^2-3a+1=5$

$a^2-3a-4=0$, $(a+1)(a-4)=0$

$\therefore a=-1$ 또는 $a=4$

(i) $a=-1$일 때,

$B=\{a-2, a+1\}$에서

$a-2=-1-2=-3$,

$a+1=-1+1=0$이므로

$B=\{-3, 0\}$

$\therefore A \cap B=\varnothing$

(ii) $a=4$일 때,

$B=\{a-2, a+1\}$에서

$a-2=4-2=2,$
$a+1=4+1=5$이므로
$B=\{2,\ 5\}$
$\therefore A\cap B=\{5\}$
(i), (ii)에 의해서 $a=4$

5-5

$A\cap B=\{2,\ 3\},$
$A\cup B=\{1,\ 2,\ 3,\ 4,\ 5\}$
이므로 $\{2,\ 3\}\subset X\subset\{1,\ 2,\ 3,\ 4,\ 5\}$
즉, 집합 X는 $\{1,\ 2,\ 3,\ 4,\ 5\}$의 부분집합 중 원소 2, 3
을 반드시 포함하는 집합이다.
따라서 집합 X의 개수는
$2^{5-2}=2^3=\mathbf{8}$

5-6

벤 다이어그램에서 어두운
부분을 나타내는 집합은
$A-(B\cup C)$
$=\boldsymbol{A\cap(B\cup C)^C}$

5-7

$X\cap(X-Y)^C$
$=X\cap(X\cap Y^C)^C$
$=X\cap(X^C\cup Y)$　　　　◀ 드 모르간의 법칙
$=(X\cap X^C)\cup(X\cap Y)$　◀ 분배법칙
$=\varnothing\cup(X\cap Y)$
$=\boldsymbol{X\cap Y}$

5-8

$(A-B)\cup(B-A)=(A\cup B)-(A\cap B)$
　　　　　　　　　　$=\{1,\ 3,\ 5\}$
이때, $A=\{1,\ 2,\ 3\}$이므로 1, 3은 집합 $A-B$의 원소
이고, 2는 집합 $A\cap B$의 원소이다.
또한, 5는 집합 $B-A$의 원소
이므로 이것을 벤 다이어그램으
로 나타내면 그림과 같다.
따라서 집합 $B=\{2,\ 5\}$이므로
집합 B의 모든 원소의 합은 $2+5=\mathbf{7}$이다.

5-9

$n(A)=11,\ n(B)=8,\ n(A\cup B)=17$이므로
$n(A\cap B)=n(A)+n(B)-n(A\cup B)$

$=11+8-17=2$
$\therefore n(A-B)=n(A)-n(A\cap B)$
　　　　　　　$=11-2=\mathbf{9}$

5-10

학생 전체의 집합을 U, 참치김밥을 좋아하는 학생의 집
합을 A, 모듬김밥을 좋아하는 학생의 집합을 B라 하면
$n(U)=40,\ n(A)=18,\ n(A\cap B)=8,$
$n((A\cup B)^C)=2$이므로 $n(A\cup B)=38$이다.
$n(A\cup B)=n(A)+n(B)-n(A\cap B)$에서
$38=18+n(B)-8$이므로 $n(B)=28$
따라서 모듬김밥만을 좋아하는 학생 수는
$n(B-A)=n(B)-n(A\cap B)=28-8=\mathbf{20}$

5-11

$x^2+4x+3>0$에서 $(x+3)(x+1)>0$
$\therefore x<-3$ 또는 $x>-1$
$\therefore A=\{x\,|\,x<-3$ 또는 $x>-1\}$
$A\cup B=R$이고, $A\cap B=\{x\,|\,-1<x\leq4\}$이므로
두 집합을 수직선 위에 나타내면 그림과 같다.

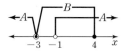

$B=\{x\,|\,-3\leq x\leq4\}$
　$=\{x\,|\,(x+3)(x-4)\leq0\}$
　$=\{x\,|\,x^2-x-12\leq0\}$
$\therefore k=\mathbf{-12}$

5-12

k의 값을 구하기 위해 표를 만들면 다음과 같다.

y＼x	-2	-1	0	1
-2	4	2	0	-2
-1	2	1	0	-1
0	0	0	0	0
1	-2	-1	0	1

위의 표로부터
$B=\{-2,\ -1,\ 0,\ 1,\ 2,\ 4\}$이므로
$B-A=\{2,\ 4\}$
따라서 집합 $B-A$의 모든 원소의 합은
$2+4=\mathbf{6}$

5-13

$(A-B)\cup(B\cap A^C)=\varnothing$에서

$(A-B) \cup (B-A) = \varnothing$이므로
$A-B = \varnothing$이고 $B-A = \varnothing$
즉, $A \subset B$이고 $B \subset A$이므로 $A=B$
$A = \{4, 6, a+1\}$, $B = \{6, 7, b\}$이므로
$a+1=7$에서 $a=6$, $b=4$
$\therefore a+b = 6+4 = \mathbf{10}$

5-14

$A \cap X = X$에서 $X \subset A$이고, $(A-B) \cup X = X$에서
$(A-B) \subset X$이므로 $(A-B) \subset X \subset A$
즉, $\{2, 4, 5\} \subset X \subset \{1, 2, 3, 4, 5\}$이므로
집합 X는 원소 2, 4, 5를 반드시 포함하는 집합 A의
부분집합이다.
따라서 집합 X의 개수는 $2^{5-3} = 2^2 = \mathbf{4}$이다.

5-15

$(A-B^C) \cup (B^C - A^C)$
$= \{A \cap (B^C)^C\} \cup \{B^C \cap (A^C)^C\}$
$= (A \cap B) \cup (B^C \cap A)$
$= (A \cap B) \cup (A \cap B^C)$
$= A \cap (B \cup B^C)$
$= A \cap U = A = A \cup B$
$\therefore B \subset A$
① $A \cup B = A$
② $A \cap B = B$
③ $B - A = \varnothing$
④ 집합 $A^C \cup B$는 그림과 같다.

　　$\therefore A^C \cup B \neq U$
⑤ $A - (A \cup B) = A - A = \varnothing$
따라서 항상 옳은 것은 ⑤이다.

5-16

ㄱ. 두 집합 A_2와 B_2를 각각 구하면
　　$A_2 = \{x \mid x$는 2와 서로소인 자연수$\} = \{x \mid x$는 홀수$\}$
　　$B_2 = \{x \mid x$는 2의 배수인 자연수$\} = \{x \mid x$는 짝수$\}$
　　$\therefore A_2 \cup B_2 = \{x \mid x$는 자연수$\}$ (참)
ㄴ. [반례] 6은 5와 서로소이므로 $6 \in A_5$이지만
　　$6 \notin A_2$, $6 \notin A_3$이므로 $6 \notin (A_2 \cup A_3)$ (거짓)
ㄷ. $B_2 = \{x \mid x$는 2의 배수$\}$, $B_3 = \{x \mid x$는 3의 배수$\}$
　　$\therefore B_2 \cap B_3 = B_6$ (거짓)
따라서 옳은 것은 ㄱ뿐이다.

5-17

① $A * U = (A \cap U) \cup (A \cup U)^C$
　　$= A \cup U^C$
　　$= A \cup \varnothing$
　　$= A$
② $A * B = (A \cap B) \cup (A \cup B)^C$
　　$= (B \cap A) \cup (B \cup A)^C$
　　$= B * A$
③ $A * \varnothing = (A \cap \varnothing) \cup (A \cup \varnothing)^C$
　　$= \varnothing \cup A^C$
　　$= A^C$
④ $A^C * B^C = (A^C \cap B^C) \cup (A^C \cup B^C)^C$
　　$= (A \cup B)^C \cup (A \cap B)$
　　$= (A \cap B) \cup (A \cup B)^C$
　　$= A * B$
⑤ $A * A^C = (A \cap A^C) \cup (A \cup A^C)^C$
　　$= \varnothing \cup U^C$
　　$= \varnothing \cup \varnothing$
　　$= \varnothing$
따라서 항상 성립한다고 할 수 없는 것은 ①이다.

5-18

$A \cup X = B \cup X$에서
$3 \in A$이지만 $3 \notin B$이므로 $3 \in X$　　$\cdots\cdots$ ㉠
또한, $2 \in B$, $4 \in B$이지만 $2 \notin A$, $4 \notin A$이므로
$2 \in X$이고 $4 \in X$　　$\cdots\cdots$ ㉡
㉠, ㉡에서 $\{2, 3, 4\} \subset X$
$\therefore \{2, 3, 4\} \subset X \subset U$ (∵ 조건 ㈎)
따라서 집합 X는 원소 2, 3, 4를 반드시 포함하는 전체
집합 U의 부분집합이므로 구하는 집합 X의 개수는
$2^{10-3} = 2^7 = \mathbf{128}$

5-19

$n(A^C \cap B^C) = n((A \cup B)^C) = 20$이므로
$n(A \cup B) = n(U) - n((A \cup B)^C)$
　　　　　　$= 32 - 20$
　　　　　　$= 12$
$n(A \cup B) = n(A) + n(B) - n(A \cap B)$에서
$12 = n(A) + n(B) - 8$
$\therefore n(A) + n(B) = \mathbf{20}$

5-20

학생 전체의 집합을 U, 수학 과목을 신청한 학생의 집
합을 A, 영어 과목을 신청한 학생의 집합을 B라 하면

$n(U)=40$, $n(A)=28$, $n(B)=16$
$n(A \cap B) \le n(A)$, $n(A \cap B) \le n(B)$
이므로
$n(A \cap B) \le 16$ ...... ㉠
$n(A \cup B) = n(A) + n(B) - n(A \cap B)$
$\le n(U)$
에서 $28 + 16 - n(A \cap B) \le 40$
$\therefore n(A \cap B) \ge 4$ ...... ㉡
㉠, ㉡에서 $4 \le n(A \cap B) \le 16$
$\therefore M = 16$, $m = 4$
$\therefore M + m = 16 + 4 = \mathbf{20}$

5-21

집합 S의 부분집합은
$\varnothing$, $\{a\}$, $\{b\}$, $\{c\}$, $\{a, b\}$, $\{b, c\}$, $\{a, c\}$, S
이때, $\varnothing \in X$이면 조건 ㈎에서 $S \in X$
즉, $\varnothing$, S는 동시에 집합 X의 원소이어야 한다.
마찬가지로 $\{a\}$와 $\{b, c\}$, $\{b\}$와 $\{a, c\}$, $\{c\}$와 $\{a, b\}$도
동시에 집합 X의 원소이어야 한다.
이를 이용하여 조건 ㈏를 만족시키는 집합을 구하면
다음과 같다.
$\{S, \varnothing\}$
$\{\{a\}, \{b, c\}, S, \varnothing\}$
$\{\{b\}, \{a, c\}, S, \varnothing\}$
$\{\{c\}, \{a, b\}, S, \varnothing\}$
$\{\{a\}, \{b\}, \{c\}, \{a, b\}, \{b, c\}, \{a, c\}, S, \varnothing\}$
따라서 집합 X의 개수는 **5**이다.

5-22

ㄱ. $A_4 = A_3 \cup \{A_3\}$이므로
$A_4 = \{\varnothing, \{\varnothing\}, \{\varnothing, \{\varnothing\}\}\}$ (참)
ㄴ. $A_n \in A_{n+1}$ (참)
ㄷ. $A_2 = \{\varnothing\} = \{A_1\}$
$A_3 = \{\varnothing, \{\varnothing\}\} = \{A_1, A_2\}$
$A_4 = \{\varnothing, \{\varnothing\}, \{\varnothing, \{\varnothing\}\}\} = \{A_1, A_2, A_3\}$
$\vdots$
$\therefore A_{n+1} = \{A_1, A_2, A_3, \cdots, A_n\}$ (참)
따라서 ㄱ, ㄴ, ㄷ 모두 옳다.

5-23

$(B - A) \subset X \subset U$를 만족시키는 집합 X는
집합 $B - A$의 원소를 모두 원소로 갖는 전체집합 U의
부분집합이므로 $n(B - A) = a$라 하면
집합 X의 개수는 $2^{9-a} = 32$에서
$9 - a = 5$ $\therefore a = 4$

즉, $n(A) = 3$, $n(B - A) = 4$이고
$A \cap (B - A) = \varnothing$, $A \cup (B - A) = A \cup B$이므로
$n(A \cup B) = 3 + 4 = 7$
그러므로 $A \subset B$이면 $n(B) = 7$
$A \cap B = \varnothing$이면 $n(B) = 4$
$\therefore 4 \le n(B) \le 7$
집합 B의 모든 원소의 합이 최대일 때에는
$B = \{3, 4, 5, 6, 7, 8, 9\}$이므로 $S(B)$의 최댓값은
$3 + 4 + 5 + 6 + 7 + 8 + 9 = 42$
또 집합 B의 모든 원소의 합이 최소일 때에는
$B = \{1, 2, 3, 4\}$이므로 $S(B)$의 최솟값은
$1 + 2 + 3 + 4 = 10$
따라서 $S(B)$의 최댓값과 최솟값의 합은
$42 + 10 = \mathbf{52}$

5-24

좋아하는 운동이 축구, 농구, 야구인 학생의 집합을
각각 A, B, C라 하고,
$n(A \cap B \cap C) = x$라 하면
$n(A \cap B \cap C) \le n(B \cap C)$
$\therefore 0 \le x \le 3$ ...... ㉠
$n(A \cup B \cup C)$
$= n(A) + n(B) + n(C) - n(A \cap B)$
$\quad - n(B \cap C) - n(C \cap A) + n(A \cap B \cap C)$
$= 22 + 18 + 11 - 10 - 3 - 8 + x$
$= 30 + x$

또한, 좋아하는 스포츠가 없는 학생 수를 k라 하면
$n(A^C \cap B^C \cap C^C) = k$
$\therefore k = n((A \cup B \cup C)^C)$
$= n(U) - n(A \cup B \cup C)$
$= 50 - (30 + x) = 20 - x$
$\therefore 17 \le k \le 20$ ($\because$ ㉠)
따라서 축구, 농구, 야구 중 어느 것도 좋아하지 않는 학
생의 최소 인원은 **17명**이다.

06 명제

Spring of mathematics

본문 p.162

개념확인코너

1
ㄱ. 9는 소수가 아니므로 거짓인 명제이다.

ㄴ. $x>0$이거나 $x<0$일 때는 참이지만 $x=0$일 때는 거짓이므로 명제가 아니다.

ㄷ. '크다.'라는 기준이 명확하지 않으므로 명제가 아니다.

ㄹ. 2는 6의 약수이므로 참인 명제이다.

따라서 명제인 것은 ㄱ, ㄹ이다.

답 ㄱ, ㄹ

2
(1) 6은 3의 배수가 아니다.

(2) 축구는 올림픽 종목이 아니다.

(3) $4+5\neq10$

(4) $\sqrt{3}$은 무리수가 아니다.

3
(1) $P=\{-2,\ 2\}$

(2) $Q=\{1,\ 2,\ 4,\ 5,\ 10,\ 20\}$

4
(1) a는 자연수가 아니다.

(2) $x+2\neq0$

(3) $x\neq3$이고 $x\neq4$

(4) $x\leq3$ 또는 $x>4$

5
(1) $x=1$일 때 $x^2=|x|=1$이므로 거짓인 명제이다.

(2) 직사각형 중에서 네 변의 길이가 같으면 정사각형이므로 참인 명제이다.

답 (1) 거짓 (2) 참

6
(1) 명제 '모든 정삼각형은 이등변삼각형이다.'의 부정은 '어떤 정삼각형은 이등변삼각형이 아니다.'
∴ 거짓

(2) 명제 '어떤 정수 x에 대하여 $x-3=0$이다.'의 부정은 '모든 정수 x에 대하여 $x-3\neq0$이다.' ∴ 거짓

(3) 명제 '모든 실수 x에 대하여 $|x|\geq x$이다.'의 부정은 '어떤 실수 x에 대하여 $|x|<x$이다.' ∴ 거짓

(4) 명제 '어떤 실수 x에 대하여 $x^2<0$이다.'의 부정은 '모든 실수 x에 대하여 $x^2\geq0$이다.' ∴ 참

7
(1) $p \longrightarrow q$: 거짓

[반례] $a=1$, $b=3$

$q \longrightarrow p$: 참

(2) $p \longrightarrow q$: 참

$q \longrightarrow p$: 거짓

(정사각형은 네 변의 길이가 모두 같고, 네 각의 크기가 모두 같은 사각형이지만 마름모는 네 변의 길이가 같은 사각형이다.)

답 (1) 거짓, 참 (2) 참, 거짓

8
(1) 역 : $xy=1$이면 $x=1$이고 $y=1$이다. (거짓)

[반례] $x=2$, $y=\dfrac{1}{2}$

대우 : $xy\neq1$이면 $x\neq1$ 또는 $y\neq1$이다. (참)

(2) 역 : 두 집합 A, B에 대하여 $A\subset B$이면 $A\cap B=A$이다. (참)

대우 : 두 집합 A, B에 대하여 $A\not\subset B$이면 $A\cap B\neq A$이다. (참)

9
(1) $p:x=2$, $q:x^2=4$로 놓으면 $p\Longrightarrow q$이고, $x=-2$일 때, $q\not\Longrightarrow p$이므로 p는 q이기 위한 충분조건이다.

(2) $p:x<2$, $q:x<1$로 놓으면 $q\Longrightarrow p$이고, $x=\dfrac{3}{2}$일 때, $p\not\Longrightarrow q$이므로 p는 q이기 위한 필요조건이다.

(3) $A\subset B$이고 $B\subset A$는 $A=B$이기 위한 필요충분조건이다.

답 (1) 충분 (2) 필요 (3) 필요충분

유제

본문 p.163

유제 6-1
(1) 2는 소수이지만 짝수이므로 **거짓**인 명제이다.

(2) '크다'라는 기준이 명확하지 않으므로 참, 거짓을 판별할 수 없다. 즉, 명제가 아니다.

(3) 크기가 다른 원은 합동이 아니므로 **거짓**인 명제이다.

(4) $\pi=3.14\cdots$이므로 **참**인 명제이다.

(5) '재미있다' 라는 기준이 명확하지 않으므로 참, 거짓을 판별할 수 없다. 즉, 명제가 아니다.

따라서 명제인 것은 (1), (3), (4)이다.

유제 6-2

(1) '$1<x<2$'는 '$x>1$이고 $x<2$'이므로 이것의 부정은 '$x\leq1$ 또는 $x\geq2$'이고 참, 거짓을 판별할 수 없는 조건이다.

(2) 6은 2의 배수도 아니고 3의 배수도 아니다. (**거짓**)

(3) 정사각형은 마름모이다. (**참**)

(4) '$x\leq1$ 또는 $y\leq1$'이고 참, 거짓을 판별할 수 없는 조건이다.

유제 6-3

조건 p의 진리집합을 P라 하면

$U=\{1,\ 2,\ 3,\ 4,\ 5\}$의 원소 중 소수는 2, 3, 5이므로

$P=\{2,\ 3,\ 5\}$

유제 6-4

두 조건 p, q의 진리집합을 각각 P, Q라 하면

$p:-2<x<3$에서

$P=\{-1,\ 0,\ 1,\ 2\}$

$q:x^2-3x=0$에서 $x(x-3)=0$이므로

$Q=\{0,\ 3\}$

따라서 조건 'p이고 $\sim q$'의 진리집합은

$P\cap Q^C=\{-1,\ 0,\ 1,\ 2\}\cap\{-2,\ -1,\ 1,\ 2\}$

$\qquad\quad=\{-1,\ 1,\ 2\}$

유제 6-5

ㄱ. $p:x^2-2x+1\geq0$으로 놓고 조건 p의 진리집합을 P라 하면

$p:x^2-2x+1\geq0$에서 $(x-1)^2\geq0$이므로

$P=\{-1,0,1,2\}$

즉, $P=U$이므로 주어진 명제는 참이다.

ㄴ. $x=0$, $y=0$이면 $x^2+y^2=0$이므로 주어진 명제는 거짓이다.

ㄷ. $x=0$이면 $x^2=0$이므로 주어진 명제는 참이다.

ㄹ. $q:x+3>6$으로 놓고 조건 q의 진리집합을 Q라 하면

$q:x+3>6$에서 $x>3$이므로

$P=\varnothing$

즉, 주어진 명제는 거짓이다.

따라서 참인 명제는 ㄱ, ㄷ이다.

유제 6-6

주어진 명제가 참이려면 모든 실수 x에 대하여 이차부등식 $x^2-12x+k\geq0$이 성립해야 하므로 이차방정식 $x^2-12x+k=0$의 판별식을 D라 하면

$$\frac{D}{4}=(-6)^2-k\leq0 \qquad \therefore k\geq36$$

따라서 실수 k의 최솟값은 **36**이다.

유제 6-7

ㄱ. $x^2-3x+2=0$에서 $(x-1)(x-2)=0$

$\quad \therefore x=1$ 또는 $x=2$

두 조건 p, q의 진리집합을 각각 P, Q라 하면

$P=\{1,\ 2\}$, $Q=\{x\,|\,0<x<3\}$

즉, $P\subset Q$이므로 명제 $p\longrightarrow q$는 참이다.

ㄴ. [반례] $x=3$, $y=0$일 때, $x^2+y^2=9\neq0$이므로 명제 $p\longrightarrow q$는 거짓이다.

ㄷ. [반례] $x=-3$, $y=-2$일 때, $xy=6>0$이므로 명제 $p\longrightarrow q$는 거짓이다.

ㄹ. 두 조건 p, q의 진리집합을 각각 P, Q라 하면

$P=\{1,\ 2,\ 4,\ 8\}$, $Q=\{1,\ 2\}$

즉, $P\not\subset Q$이므로 명제 $p\longrightarrow q$는 거짓이다.

따라서 참인 것은 ㄱ뿐이다.

유제 6-8

명제 $p\longrightarrow\sim q$가 참이면 $P\subset Q^C$이므로 세 집합 U, P, Q의 포함 관계를 벤 다이어그램으로 나타내면

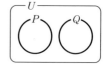

① $P\cup Q\neq U$ (거짓)

② $P-Q=P$ (참)

③ $Q-P=Q$ (거짓)

④ $P\cap Q=\varnothing$ (거짓)

⑤ $P^C\cup Q^C=(P\cap Q)^C=U$ (거짓)

따라서 옳은 것은 ②이다.

유제 6-9

$p:1<x\leq3$, $q:a<x<a+3$으로 놓고 두 조건 p, q의 진리집합을 각각 P, Q라 하면

$P=\{x\,|\,1<x\leq3\}$, $Q=\{x\,|\,a<x<a+3\}$

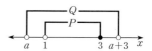

주어진 명제가 참이면 $P\subset Q$이어야 하므로 수직선에서

$a\leq1$이고 $a+3>3$ $\quad \therefore \boldsymbol{0<a\leq1}$

유제 6-10

두 조건 p, q의 진리집합을 각각 P, Q라 하면

$p : |x-1| \leq a$에서 $-a \leq x-1 \leq a$이므로

$-a+1 \leq x \leq a+1$

$\therefore P = \{x \mid -a+1 \leq x \leq a+1\}$

$q : x < -5$에서 $Q = \{x \mid x < -5\}$

$\therefore Q^C = \{x \mid x \geq -5\}$

명제 $p \longrightarrow \sim q$가 참이 되려면 $P \subset Q^C$이어야 하므로

수직선에서 $-a+1 \geq -5$ $\therefore a \leq 6$

이때, $a > 0$이므로 $0 < a \leq 6$

따라서 a의 최댓값은 **6**이다.

유제 6-11

(1) 명제 : $x^2 = x$이면 $x = 0$ 또는 $x = 1$이다. (참)

　　역 : $x = 0$ 또는 $x = 1$이면 $x^2 = x$이다. (참)

　　대우 : $x \neq 0$이고 $x \neq 1$이면 $x^2 \neq x$이다. (참)

(2) 명제 : $xy > 1$이면 $x > 1$이고 $y > 1$이다. (거짓)

　　[반례] $x = 3$, $y = \dfrac{1}{2}$이면 $xy = \dfrac{3}{2} > 1$이지만

　　　　　$y < 1$이다.

　　역 : $x > 1$이고 $y > 1$이면 $xy > 1$이다. (참)

　　대우 : $x \leq 1$ 또는 $y \leq 1$이면 $xy \leq 1$이다. (거짓)

　　[반례] $x = -2$, $y = -1$이면 $x \leq 1$ 또는

　　　　　$y \leq 1$이지만 $xy = 2 > 1$이다.

유제 6-12

명제 '카드의 한쪽 면에 한글 자음이 쓰여 있으면 다른 쪽 면에는 영어 모음이 쓰여 있다.'의 대우 명제는 '카드의 한쪽 면에 영어 자음이 쓰여 있으면 다른 쪽 면에는 한글 모음이 쓰여 있다.'이므로 A 공장에서 만든 카드인지 알기 위해서는 한글 자음이 쓰여 있는 카드 ㅈ , ㅇ 과 영어 자음이 쓰여 있는 카드 J , N 을 확인해야 한다.

유제 6-13

ㄱ. $p \Longrightarrow q$, $q \Longrightarrow \sim r$이므로 $p \Longrightarrow \sim r$

ㄴ. $p \Longrightarrow \sim r$의 대우는 $r \Longrightarrow \sim p$

ㄷ. $\sim s \Longrightarrow \sim q$의 대우는 $q \Longrightarrow s$,

　$p \Longrightarrow q$, $q \Longrightarrow s$이므로 $p \Longrightarrow s$

따라서 ㄱ, ㄴ, ㄷ 모두 참인 명제이다.

유제 6-14

p : '건강하다.', q : '체력이 약하다.',

r : '식사를 잘 한다.'

로 놓으면 문제에서 주어진 두 명제는

$\sim p \Longrightarrow q$, $\sim r \Longrightarrow \sim p$

여기에서 $\sim r \Longrightarrow \sim p$, $\sim p \Longrightarrow q$이므로

$\sim r \Longrightarrow q$ (ㄱ)

두 명제가 참일 때 그 대우도 참이므로

$\sim q \Longrightarrow p$, $p \Longrightarrow r$ (ㄴ), $\sim q \Longrightarrow r$

따라서 반드시 참인 것은 ㄱ, ㄴ이다.

유제 6-15

$P \cap Q = \varnothing$이므로 $Q \subset P^C$

$\therefore q \Longrightarrow \sim p$

따라서 옳은 것은 ③이다.

유제 6-16

$p \longrightarrow q$가 참이므로 $P \subset Q$

$r \longrightarrow \sim q$가 참이므로 대우인 $q \longrightarrow \sim r$도 참이다.

$\therefore Q \subset R^C$

네 집합 U, P, Q, R의 포함 관계를 벤 다이어그램으로 나타내면 그림과 같다.

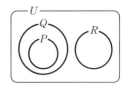

ㄱ. $P - Q = \varnothing$ (참)

ㄴ. $P \subset R^C$이므로 $P \cap R^C = P$ (참)

ㄷ. $P \cap R = \varnothing$이므로

　$(P \cap R)^C = \varnothing^C = U$ (거짓)

따라서 옳은 것은 ㄱ, ㄴ이다.

유제 6-17

(1) $a = -b$일 때도 $a^2 = b^2$이므로 $p \not\Longrightarrow q$

　$a = b$이면 $a^2 = b^2$이므로 $q \Longrightarrow p$

　따라서 p는 q이기 위한 **필요조건**이다.

(2) $m + n$이 홀수이려면 $m = $ (홀수), $n = $ (짝수) 또는 $m = $ (짝수), $n = $ (홀수)인 경우이므로 mn은 짝수이다.

　$\therefore p \Longrightarrow q$

　$m = 2$, $n = 4$일 때, mn은 짝수이지만 $m + n$은 홀수가 아니다.

　$\therefore q \not\Longrightarrow p$

　따라서 p는 q이기 위한 **충분조건**이다.

(3) 임의의 실수 a에 대하여 $a^2 \geq 0$이므로

$a^2 \leq 0$이면 $a=0$이고, $a=0$이면 $a^2 \leq 0$이다.

따라서 $p \Longleftrightarrow q$이므로 p는 q이기 위한 **필요충분조건**이다.

유제 6-18

$(P-Q) \cup (Q-R^C) = \varnothing$에서

$P-Q = \varnothing,\ Q-R^C = \varnothing$

$\therefore P \subset Q,\ Q \subset R^C$

즉, $p \Longrightarrow q,\ q \Longrightarrow \sim r$이므로 $p \Longrightarrow \sim r$

(1) p는 $\sim r$이기 위한 $\boxed{\text{충분}}$ 조건이다.

(2) $\sim r$은 q이기 위한 $\boxed{\text{필요}}$ 조건이다.

유제 6-19

$$P \cup (Q-P) = P \cup (Q \cap P^C)$$
$$= (P \cup Q) \cap (P \cup P^C)$$
$$= (P \cup Q) \cap U$$
$$= P \cup Q = Q$$

$\therefore P \subset Q$

즉, p는 q이기 위한 충분조건이고, q는 p이기 위한 필요조건이다.

따라서 옳은 것은 ④이다.

유제 6-20

두 조건 p, q를 만족시키는 집합을 각각 P, Q라 하면

$P = \{x \,|\, x \leq a\}$, $Q = \{-1,\ 2\}$

p가 q이기 위한 필요조건이므로 $p \Longleftarrow q$

즉, $P \supset Q$이므로 $a \geq 2$

따라서 실수 a의 최솟값은 **2**이다.

유제 6-21

세 조건 p, q, r를 만족시키는 집합을 각각 P, Q, R라 하면 q는 p이기 위한 필요조건이고, r는 p이기 위한 충분조건이므로

$Q \supset P$, $R \subset P$

$\therefore R \subset P \subset Q$

세 집합 P, Q, R를 수직선 위에 나타내면 다음과 같다.

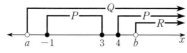

$\therefore a < -1,\ b \geq 4$

따라서 정수 a의 최댓값 $M = -2$

정수 b의 최솟값 $m = 4$

$\therefore M+m = -2+4 = 2$

유제 6-22

p는 q이기 위한 충분조건이므로

$p \Longrightarrow q$ ...... ㉠

$\sim q$는 $\sim r$이기 위한 필요조건이므로

$\sim r \Longrightarrow \sim q$

$\therefore q \Longrightarrow r$ (ㄷ) ...... ㉡

㉠, ㉡에서 $p \Longrightarrow r$ (ㄱ)

따라서 항상 옳은 것은 ㄱ, ㄷ이다.

연습문제 본문 p.183

6-1

ㄱ. 거짓인 등식이므로 거짓인 명제이다.

ㄴ. x의 값에 따라 참이 되기도 하고 거짓이 되기도 하므로 명제가 아니다.

ㄷ. $x=0$이면 $x+2 = 2 \neq 3$이므로 거짓인 명제이다.

ㄹ. 명제가 아닌 $x+2 = 3$을 명제라 했으므로 거짓이다. 즉, 거짓인 명제이다.

따라서 명제인 것은 ㄱ, ㄷ, ㄹ이다.

6-2

'$x < -2$'의 부정은 '$x \geq -2$',

'$x \geq 3$'의 부정은 '$x < 3$',

'또는'의 부정은 '그리고'

이므로 '$x < -2$ 또는 $x \geq 3$'의 부정은

'$x \geq -2$ 그리고 $x < 3$',

$\therefore -2 \leq x < 3$

6-3

소수이면서 홀수가 아닌 수는 2뿐이므로 $P = \{2\}$

10 이하인 자연수 중에서 15의 약수는 1, 3, 5이므로

$Q = \{1,\ 3,\ 5\}$

$\therefore P \cup Q = \{1,\ 2,\ 3,\ 5\}$

따라서 $P \cup Q$의 원소의 개수는 **4**이다.

6-4

명제 '$x^2 - ax + 6 \neq 0$이면 $x \neq 1$이다.'의 대우는

'$x=1$이면 $x^2 - ax + 6 = 0$이다.'

따라서 명제가 참이면 그 대우도 참이므로 $x=1$을 $x^2 - ax + 6 = 0$에 대입하면

$1^2 - a \times 1 + 6 = 0$

$\therefore a = \mathbf{7}$

6-5

ㄱ. '모든 x에 대하여 $p(x)$'가 참이므로 전체집합 U의
   모든 x에 대하여 조건 $p(x)$가 참이다.
   즉, $P=U$이다. (참)

ㄴ. '어떤 x에 대하여 $p(x)$'가 참이므로 P에는 적어도
   하나의 원소가 존재한다. 따라서 $P \neq \varnothing$이다. (참)

ㄷ. '어떤 x에 대하여 $p(x)$가 거짓이므로 이 명제의
   부정은 참이다. 즉, '모든 x에 대하여 $\sim p(x)$'가
   참이므로 $P^C = U$이다. 따라서 $P = \varnothing$이다. (참)

그러므로 ㄱ, ㄴ, ㄷ 모두 참이다.

6-6

$P \cap Q = R$이므로 $R \subset P$, $R \subset Q$이다.
즉, 두 명제 $r \longrightarrow p$, $r \longrightarrow q$는 모두 참이다.
이때, 대우 $\sim p \longrightarrow \sim r$, $\sim q \longrightarrow \sim r$도 참이다.
따라서 참인 것은 ③번이다.

6-7

ㄱ. 명제 : 12의 약수이면 6의 약수이다. (거짓)
   [반례] 4, 12는 12의 약수이지만 6의 약수는
             아니다.
   역 : 6의 약수이면 12의 약수이다. (참)
   대우 : 6의 약수가 아니면 12의 약수가 아니다.(거짓)

ㄴ. 명제 : a, b가 유리수이면 ab도 유리수이다. (참)
   역 : ab가 유리수이면 a, b는 유리수이다. (거짓)
      [반례] $a = \sqrt{2}$, $b = \sqrt{2}$, $ab = 2$
   대우 : ab가 유리수가 아니면 a 또는 b가 유리수가
           아니다. (참)

ㄷ. 명제 : 삼각형 ABC가 정삼각형이면 세 각의 크기
         가 같다. (참)
   역 : 삼각형 ABC에서 세 각의 크기가 같으면 정삼
      각형이다. (참)
   대우 : 삼각형 ABC에서 세 각의 크기가 같지 않으
        면 정삼각형이 아니다. (참)

따라서 역, 대우가 모두 참인 것은 ㄷ뿐이다.

6-8

(1) $p : x^2 - x - 2 = 0$, $q : x = 2$로 놓으면
   $q \Longrightarrow p$이고 $x = -1$일 때, $p \not\Longrightarrow q$이다.
   따라서 $x^2 - x - 2 = 0$은 $x = 2$이기 위한
     &boxed{필요} 조건이다.

(2) 정삼각형은 두 변의 길이가 같으므로 이등변삼각형
   이고, 이등변삼각형 중 정삼각형이 아닌 것이 있다.
   따라서 정삼각형은 이등변삼각형이기 위한
     &boxed{충분} 조건이다.

(3)

$$A \cup B = A \iff B \subset A$$
$$\iff A \cap B = B$$

따라서 $A \cup B = A$는 $A \cap B = B$이기 위한
&boxed{필요충분} 조건이다.

6-9

$|x| = 2 \iff x = \pm 2$

ㄱ. $x = 2 \Longrightarrow |x| = 2$ $\therefore$ 충분조건
ㄴ. $x \leq 2 \Longleftarrow |x| = 2$ $\therefore$ 필요조건
ㄷ. $x^2 = 4 \iff |x| = 2$ $\therefore$ 필요충분조건

따라서 충분조건이지만 필요조건은 아닌 것은 ㄱ뿐이다.

6-10

명제 '$x^3 + ax^2 + bx \neq 0$이면 $x \neq 1$이고 $x \neq 3$이다.'가
참이므로 이 명제의 대우인
'$x = 1$ 또는 $x = 3$이면 $x^3 + ax^2 + bx = 0$이다.'
도 참이다.

$x = 1$일 때, $1 + a + b = 0$ $\cdots\cdots$ ㉠
$x = 3$일 때, $27 + 9a + 3b = 0$ $\cdots\cdots$ ㉡

㉠, ㉡을 연립하여 풀면
$a = -4$, $b = 3$
$\therefore a - b = -7$

6-11

(1) 어떤 실수 x에 대하여 $-1 \leq x < 1$이다. $\therefore$ 참

(2) $U = \{1, 2, 3, 4\}$를 전체집합이라 할 때, 모든 x에
   대하여 $3x - 10 < 0$이다.
   [반례] $x = 4$이면 $3x - 10 = 2 > 0$ $\therefore$ 거짓

6-12

두 조건 $p : |x + 2| \leq 3$, $q : x \leq -2$의 진리집합을 각
각 P, Q라 하면
$$P = \{x \mid -5 \leq x \leq 1\}, \; Q = \{x \mid x \leq -2\}$$

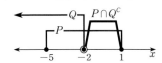

수직선에서 $\{x \mid -2 < x \leq 1\} = P \cap Q^C$이고,
$P \cap Q^C$은 명제 'p 그리고 $\sim q$'의 진리집합이다.

6-13

$p : 0 < x < 4$, $q : k - 1 < x < k + 5$로 놓고 두 조건 p,
q의 진리집합을 각각 P, Q라 하면
$$P = \{x \mid 0 < x < 4\},$$
$$Q = \{x \mid k - 1 < x < k + 5\}$$

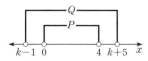

주어진 명제가 참이려면 $P \subset Q$이어야 하므로
수직선에서 $k-1 \leq 0$, $k+5 \geq 4$
$\therefore -1 \leq k \leq 1$

6-14

$p : |x-a| \leq 2$, $q : 1 \leq x \leq 3$으로 놓고 두 조건 p, q
의 진리집합을 각각 P, Q라 하면
$P = \{x \mid a-2 \leq x \leq a+2\}$, $Q = \{x \mid 1 \leq x \leq 3\}$
주어진 명제가 참이 되려면 $P \cap Q \neq \varnothing$이어야 하므로
(i)

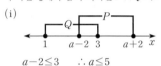

$a-2 \leq 3$ $\therefore a \leq 5$

(ii)

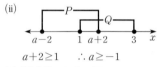

$a+2 \geq 1$ $\therefore a \geq -1$
(i), (ii)에서 $-1 \leq a \leq 5$

6-15

세 조건 p, q, r의 진리집합
P, Q, R의 포함 관계를 벤
다이어그램으로 나타내면 그
림과 같다.
ㄴ. $P-R = R^C$ $\therefore$ 거짓
따라서 옳은 것은 ㄱ, ㄷ이다.

6-16

주어진 벤 다이어그램에서 $Q \subset P$, $Q \subset R$이므로
$q \longrightarrow p$, $q \longrightarrow r$가 모두 참이다.
또한, $P^C \subset Q^C$, $R^C \subset Q^C$이므로
$\sim p \longrightarrow \sim q$, $\sim r \longrightarrow \sim q$도 모두 참이다.
그러나 $P^C \not\subset R^C$이므로 ③ $\sim p \longrightarrow \sim r$는 거짓이다.

6-17

$(P \cap Q^C) \cup Q = (P \cup Q) \cap (Q^C \cup Q)$
$\qquad\qquad\qquad = (P \cup Q) \cap U$
$\qquad\qquad\qquad = P \cup Q = P$
$\therefore Q \subset P$
즉, $q \Longrightarrow p$이므로 $\sim p \Longrightarrow \sim q$
따라서 참인 명제는 ④이다.

6-18

① $p \longrightarrow q$: [반례] $x=-1$일 때,
$\qquad\qquad x^2=1$이지만 $x \neq 1$ $\therefore$ 거짓
$q \longrightarrow p$: $x=1$이면 $x^2=1$ $\therefore$ 참
즉, p는 q이기 위한 필요조건이다.
② $p \longrightarrow q$: [반례] $x=1$, $y=-1$일 때,
$\qquad\qquad x+y=0$이지만 $x^2+y^2 \neq 0$ $\therefore$ 거짓
$q \longrightarrow p$: $x^2+y^2=0$이면 $x=0$, $y=0$이므로
$\qquad\qquad x+y=0$ $\therefore$ 참
즉, p는 q이기 위한 필요조건이다.
③ $p \longrightarrow q$: [반례] $x=-4$이면
$\qquad\qquad x<3$이지만 $|x|>3$ $\therefore$ 거짓
$q \longrightarrow p$: $|x|<3$이면
$\qquad\qquad -3<x<3$이므로 $x<3$ $\therefore$ 참
즉, p는 q이기 위한 필요조건이다.
④ $p \longrightarrow q$: $A-B=A$이면 $A \cap B = \varnothing$ $\therefore$ 참
$q \longrightarrow p$: $A \cap B = \varnothing$이면 $A-B=A$ $\therefore$ 참
즉, p는 q이기 위한 필요충분조건이다.
⑤ $p \longrightarrow q$: $x>0$, $y>0$이면 $xy>0$이다. $\therefore$ 참
$q \longrightarrow p$: [반례] $x=-2$, $y=-2$이면 $xy>0$이지
$\qquad\qquad$ 만 $x<0$, $y<0$이다. $\therefore$ 거짓
즉, p는 q이기 위한 충분조건이다.
따라서 충분조건이지만 필요조건인 것은 ⑤이다.

6-19

그림에서 $P \cap Q = \varnothing$, $Q \subset R$, $P \cap R \neq \varnothing$
① $P \cap Q = \varnothing$에서 $P^C \supset Q$ $\therefore$ 필요조건
② $Q \subset R$이므로 $R^C \subset Q^C$ $\therefore$ 충분조건
③ $P \cap Q = \varnothing$에서 $P \subset Q^C$ $\therefore$ 충분조건
④ $P \not\subset R^C$이므로 거짓이다.
⑤ $R^C \not\subset P$이므로 거짓이다.
따라서 옳은 것은 ⑤이다.

6-20

'$a \leq x \leq 5$' $\Longleftarrow$ '$2 \leq x \leq 3$'이고
'$b \leq x \leq 2$' $\Longrightarrow$ '$-2 \leq x \leq 2$'이므로
문제의 주어진 조건에 맞게 수직선 위에 나타내면 다음
과 같다.

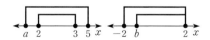

$\therefore a \leq 2$, $-2 \leq b \leq 2$
따라서 a의 최댓값은 2, b의 최솟값은 -2이므로 구하
는 합은 $2+(-2) = 0$

6-21

	1등	2등	3등	4등
A	아름 ×	수샘 ○		
B		다운 ×		새미 ○
C			아름 ○	다운 ×

따라서 1등 **다운**, 2등 **수샘**, 3등 **아름**, 4등 **새미**이다.

6-22

(i) 부등식 $x^2+8 \geq p$, 즉 $x^2 \geq p-8$이 모든 실수 x에
대하여 성립하려면 $p-8 \leq 0$이어야 하므로
$p \leq 8$

(ii) 명제 '어떤 실수 x에 대하여 $2-x^2 \geq p$이다'가 거짓
이므로 이 명제의 부정 '모든 실수 x에 대하여
$2-x^2 < p$이다.'는 참이다.
부등식 $2-x^2 < p$, 즉 $x^2 > 2-p$가 모든 실수 x에
대하여 성립하려면 $2-p < 0$이어야 하므로
$p > 2$

(i), (ii)에서 $2 < p \leq 8$이므로 정수 p의 개수는
3, 4, 5, 6, 7, 8의 **6**이다.

6-23

p : 창의력이 뛰어난 학생이다.
q : 수학을 좋아한다.
r : 수학 성적이 우수하다.
s : 전교과 성적이 우수하다.
로 놓으면 $p \Longrightarrow q$, $r \Longrightarrow s$을 이용하여
$\sim q \Longrightarrow \sim r$라는 결론을 이끌어 내야 한다.
그런데 $\sim q \Longrightarrow \sim r$의 대우는 $r \Longrightarrow q$이므로
$r \Longrightarrow s$, $p \Longrightarrow q$에서 $s \Longrightarrow p$ 또는 $\sim p \Longrightarrow \sim s$가 필
요하다.
따라서 필요한 참인 명제는 ⑤이다.

6-24

(i) $A \diamondsuit B = (A-B) \cup (B-A) = \varnothing$이면
$A-B = \varnothing$이고 $B-A = \varnothing$
즉, $A \subset B$이고 $B \subset A$이므로 $A=B$
$\therefore A \diamondsuit B = \varnothing \Longrightarrow A=B$
또한, $A=B$이면
$A \diamondsuit B = (A-B) \cup (B-A) = \varnothing \cup \varnothing = \varnothing$
$\therefore A=B \Longrightarrow A \diamondsuit B = \varnothing$
따라서 $A \diamondsuit B = \varnothing$은 $A=B$이기 위한
필요충분 조건이다.

(ii) $A \diamondsuit B = (A-B) \cup (B-A)$
$\qquad = (A \cup B) - (A \cap B)$

그런데 $(A \cap B) \subset A \subset (A \cup B)$이므로
$A \diamondsuit B = (A \cup B) - (A \cap B) = A$이려면
$A \cup B = A$이고 $A \cap B = \varnothing$이어야 한다.
$A \cup B = A$에서 $B \subset A$이므로 $A \cap B = B = \varnothing$
$\therefore A \diamondsuit B = A \Longrightarrow B = \varnothing$
또한, $B = \varnothing$이면
$A \diamondsuit B = (A-B) \cup (B-A) = A \cup \varnothing = A$
$\therefore B = \varnothing \Longrightarrow A \diamondsuit B = A$
따라서 $A \diamondsuit B = A$는 $B = \varnothing$이기 위한
필요충분 조건이다.

07 명제의 증명
Spring of mathematics

개념확인코너
본문 p.195

1

(1) 어떤 명제가 참이면 그 대우도 참이다. 따라서 대우를 이용하여 명제 $p \longrightarrow q$가 참임을 증명할 때, 그 명제의 $\boxed{\text{대우}}$인 명제 $\boxed{\sim q \longrightarrow \sim p}$가 참임을 증명하면 된다.

(2) 귀류법으로 명제 p가 참임을 증명할 때, 그 명제의 $\boxed{\text{부정}}$ $\sim p$가 $\boxed{\text{거짓}}$임을 보이면 된다.

답 (1) 대우, $\sim q \longrightarrow \sim p$ (2) 부정, 거짓

2

(1) $x^2+5-4x=x^2-4x+4+1$
$$=(x-2)^2+1>0$$
$$\therefore x^2+5>4x$$

(2) $|x+2| \geq 0$, $|x|+2 \geq 2>0$이므로
$$|x+2|^2-(|x|+2)^2$$
$$=x^2+4x+4-(x^2+4|x|+4)$$
$$=4(x-|x|) \leq 0$$
$$\therefore |x+2| \leq |x|+2$$

답 (1) $x^2+5>4x$ (2) $|x+2| \leq |x|+2$

참고 (1) 실수 a에 대해 $a^2 \geq 0$이므로
$$(x-2)^2 \geq 0$$
$$\therefore (x-2)^2+1 \geq 1>0$$

3

(1) $a>0$이므로 $\dfrac{1}{a}>0$
산술평균과 기하평균의 관계에 의하여
$$a+\frac{1}{a} \geq 2\sqrt{a \times \frac{1}{a}}=2$$
즉, $a=1$일 때, 최솟값 2를 갖는다.

(2) a, b가 양수이므로 $\dfrac{b}{a}>0$, $\dfrac{a}{b}>0$
산술평균과 기하평균의 관계에 의하여
$$\frac{b}{a}+\frac{a}{b} \geq 2\sqrt{\frac{b}{a} \times \frac{a}{b}}=2$$
즉, $a=b$일 때, 최솟값 2를 갖는다.

답 (1) 2 (2) 2

유제
본문 p.196

유제 7-1

두 홀수 a, b를 각각
$$a=2m-1, \ b=2n-1 \ (m, \ n\text{은 자연수})$$
로 놓으면

(1) $a+b=(2m-1)+(2n-1)$
$$=2m+2n-2$$
$$=2(m+n-1)$$
이때, $m+n-1$은 자연수이므로 두 홀수 a, b의 합 $a+b$는 짝수이다.

(2) $ab=(2m-1)(2n-1)$
$$=4mn-2m-2n+1$$
$$=2(2mn-m-n+1)-1$$
이때, $2mn-m-n+1$은 자연수이므로 두 홀수 a, b의 곱 ab는 홀수이다.

유제 7-2

(1) 주어진 명제의 대우 '자연수 n에 대하여 n이 짝수이면 n^2도 짝수이다.'가 참임을 증명하면 된다.
n이 짝수이므로 $n=2k$ (k는 자연수)로 놓으면
$$n^2=(2k)^2=4k^2=2(2k^2)$$
이때, $2k^2$은 자연수이므로 n^2도 짝수이다.
따라서 주어진 명제의 대우가 참이므로 명제 '자연수 n에 대하여 n^2이 홀수이면 n도 홀수이다.'도 참이다.

(2) 주어진 명제의 대우 '자연수 n에 대하여 n이 3의 배수가 아니면 n^2도 3의 배수가 아니다.'가 참임을 증명하면 된다. 자연수 n이 3의 배수가 아니므로
$n=3k-1$ 또는 $n=3k-2$ (k는 자연수)로 놓으면
$$n^2=(3k-1)^2=3(3k^2-2k+1)-2 \ \text{또는}$$
$$n^2=(3k-2)^2=3(3k^2-4k+2)-2$$
이때, $3k^2-2k+1$과 $3k^2-4k+2$는 각각 자연수이므로 n^2은 3의 배수가 아니다.
따라서 주어진 명제의 대우가 참이므로 명제 '자연수 n에 대하여 n^2이 3의 배수이면 n도 3의 배수이다.'도 참이다.

유제 7-3

$b \neq 0$이라 가정하면 $a+b\sqrt{2}=0$에서
$$\sqrt{2}=-\frac{a}{b}$$
즉, (무리수)=(유리수)가 되어 모순이므로 $b=0$
$b=0$을 $a+b\sqrt{2}=0$에 대입하면 $a=0$
따라서 두 유리수 a, b에 대하여 $a+b\sqrt{2}=0$이면 $a=b=0$이다.

유제 7-4

(1) $a^2+2ab+2b^2=(a+b)^2+b^2 \geq 0$

여기에서 등호는 $a+b=0$, $b=0$, 즉 $a=b=0$일 때 성립한다.

(2) $4a^2+3b^2-4ab \geq 0$임을 보이면 된다.

$4a^2+3b^2-4ab=(2a-b)^2+2b^2 \geq 0$

여기에서 등호는 $2a-b=0$, $b=0$, 즉 $a=b=0$일 때 성립한다.

$\therefore 4a^2+3b^2 \geq 4ab$

유제 7-5

$5(x^2+y^2)-(x+2y)^2 \geq 0$임을 보이면 된다.

$5(x^2+y^2)-(x+2y)^2=5x^2+5y^2-(x^2+4xy+4y^2)$
$=4x^2-4xy+y^2$
$=(2x-y)^2 \geq 0$

여기에서 등호는 $2x-y=0$, 즉 $y=2x$일 때 성립한다.

$\therefore 5(x^2+y^2) \geq (x+2y)^2$

유제 7-6

(1)(i) $|a|<|b|$일 때, (좌변)>0, (우변)<0이므로 주어진 부등식은 성립한다.

(ii) $|a| \geq |b|$일 때,

$|a-b| \geq 0$, $|a|-|b| \geq 0$이므로

$|a-b|^2-(|a|-|b|)^2 \geq 0$임을 보이면 된다.

$|a-b|^2-(|a|-|b|)^2$
$=a^2-2ab+b^2-(a^2-2|a||b|+b^2)$
$=2(|ab|-ab)$

이때, $|ab| \geq ab$이므로 $2(|ab|-ab) \geq 0$

여기에서 등호는 $|ab|=ab$, 즉 $ab \geq 0$일 때 성립한다.

(i), (ii)에 의하여 $|a-b| \geq |a|-|b|$가 성립한다.

(2) $a>b>0$이므로

$\sqrt{a-b}>0$, $\sqrt{a}-\sqrt{b}>0$ ......㉠

$\therefore (\sqrt{a-b})^2-(\sqrt{a}-\sqrt{b})^2$
$=a-b-(a-2\sqrt{ab}+b)$
$=2\sqrt{ab}-2b=2\sqrt{b}(\sqrt{a}-\sqrt{b})>0(\because ㉠)$

$\therefore \sqrt{a-b}>\sqrt{a}-\sqrt{b}$

유제 7-7

(1) $a>0$, $\dfrac{1}{a}>0$이므로 산술평균과 기하평균의 관계에 의하여

$a+\dfrac{1}{a} \geq 2\sqrt{a \times \dfrac{1}{a}}=2$

여기에서 등호는 $a=\dfrac{1}{a}$, 즉 $a=1$일 때 성립한다.

(2) $(a+b)\left(\dfrac{1}{a}+\dfrac{1}{b}\right)=\dfrac{b}{a}+\dfrac{a}{b}+2$에서

$\dfrac{b}{a}>0$, $\dfrac{a}{b}>0$이므로 산술평균과 기하평균의 관계에 의하여

$\dfrac{b}{a}+\dfrac{a}{b}+2 \geq 2\sqrt{\dfrac{b}{a} \times \dfrac{a}{b}}+2=4$

여기에서 등호는 $\dfrac{b}{a}=\dfrac{a}{b}$, 즉 $a=b$일 때 성립한다.

유제 7-8

$x>0$, $2y>0$이므로 산술평균과 기하평균의 관계에 의하여

$x+2y \geq 2\sqrt{x \times 2y}$
$=2\sqrt{2xy}=2\left(\because xy=\dfrac{1}{2}\right)$

여기에서 등호는 $x=2y$일 때 성립하므로

$xy=\dfrac{1}{2}$에 대입하면

$2y^2=\dfrac{1}{2}$, $y^2=\dfrac{1}{4}$

$\therefore y=\dfrac{1}{2}(\because y>0)$, $x=1$

따라서 $x+2y$의 최솟값은 **2**이다.

유제 7-9

$2x>0$, $5y>0$이므로 산술평균과 기하평균의 관계에 의하여

$2x+5y \geq 2\sqrt{2x \times 5y}$에서 $8 \geq 2\sqrt{2x \times 5y}$ ......㉠

(단, 등호는 $2x=5y$일 때 성립)

$(\sqrt{2x}+\sqrt{5y})^2=8+2\sqrt{2x \times 5y}$
$\leq 8+8 (\because ㉠)$
$=16$

$\therefore 0<\sqrt{2x}+\sqrt{5y} \leq 4 (\because \sqrt{2x}>0, \sqrt{5y}>0)$

따라서 $\sqrt{2x}+\sqrt{5y}$의 최댓값은 **4**이다.

유제 7-10

$(a+2b)\left(\dfrac{2}{a}+\dfrac{1}{b}\right)=2+\dfrac{a}{b}+\dfrac{4b}{a}+2$
$=\dfrac{a}{b}+\dfrac{4b}{a}+4$
$\geq 2\sqrt{\dfrac{a}{b} \times \dfrac{4b}{a}}+4$
$=8$

$\left(단, 등호는 \dfrac{a}{b}=\dfrac{4b}{a}일 때 성립\right)$

따라서 $(a+2b)\left(\dfrac{2}{a}+\dfrac{1}{b}\right)$의 최솟값은 **8**이다.

유제 7-11

$$\left(x+\frac{2}{y}\right)\left(y+\frac{8}{x}\right)=xy+\frac{16}{xy}+10$$
$$\geq 2\sqrt{xy\times\frac{16}{xy}}+10$$
$$=18$$

$$\left(\text{단, 등호는 } xy=\frac{16}{xy}\text{일 때 성립}\right)$$

따라서 $\left(x+\frac{2}{y}\right)\left(y+\frac{8}{x}\right)$의 최솟값은

$xy=\frac{16}{xy}$, 즉 $xy=4$일 때 18이므로

$a=4$, $b=18$

$\therefore a+b=\mathbf{22}$

유제 7-12

$$x+y=(x+y)\times 1$$
$$=(x+y)\left(\frac{2}{x}+\frac{3}{y}\right)$$
$$=\frac{3x}{y}+\frac{2y}{x}+5$$
$$\geq 2\sqrt{\frac{3x}{y}\times\frac{2y}{x}}+5=5+2\sqrt{6}$$

$$\left(\text{단, 등호는 } \frac{3x}{y}=\frac{2y}{x}\text{일 때 성립}\right)$$

따라서 $x+y$의 최솟값은 $\mathbf{5+2\sqrt{6}}$이다.

유제 7-13

$$2x+\frac{2}{x-1}=2(x-1)+\frac{2}{x-1}+2$$
$$\geq 2\sqrt{2(x-1)\times\frac{2}{x-1}}+2$$
$$=6$$

$$\left(\text{단, 등호는 } 2(x-1)=\frac{2}{x-1}\text{일 때 성립}\right)$$

따라서 $2x+\frac{2}{x-1}$의 최솟값은 $\mathbf{6}$이다.

유제 7-14

$$a-\frac{1}{a}+\frac{2a}{a^2-1}=\frac{a^2-1}{a}+\frac{2a}{a^2-1}$$
$$\geq 2\sqrt{\frac{a^2-1}{a}\times\frac{2a}{a^2-1}}$$
$$=2\sqrt{2}$$

$$\left(\text{단, 등호는 } \frac{a^2-1}{a}=\frac{2a}{a^2-1}\text{일 때 성립한다.}\right)$$

따라서 $a-\frac{1}{a}+\frac{2a}{a^2-1}$의 최솟값은 $\mathbf{2\sqrt{2}}$이다.

유제 7-15

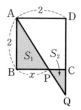

$\overline{BP}=x$라 하면 $\overline{CP}=2-x$

이때, $\triangle ABP \infty \triangle QCP$이므로

$\overline{AB}:\overline{BP}=\overline{QC}:\overline{CP}$

즉, $2:x=\overline{QC}:2-x$에서

$\overline{QC}=\frac{2(2-x)}{x}$이므로

$$S=S_1+S_2$$
$$=\frac{1}{2}x\times 2+\frac{1}{2}(2-x)\times\frac{2(2-x)}{x}$$
$$=2x+\frac{4}{x}-4$$
$$\geq 2\sqrt{2x\times\frac{4}{x}}-4=4(\sqrt{2}-1)$$

$$\left(\text{단, 등호는 } 2x=\frac{4}{x}\text{일 때 성립}\right)$$

따라서 S의 최솟값은 $\mathbf{4(\sqrt{2}-1)}$이다.

유제 7-16

x, y가 실수이므로 코시-슈바르츠 부등식에 의하여

$(3^2+4^2)(x^2+y^2)\geq(3x+4y)^2$

$$\left(\text{단, 등호는 } \frac{x}{3}=\frac{y}{4}\text{일 때 성립}\right)$$

이때, $x^2+y^2=1$이므로

$25\geq(3x+4y)^2$

$\therefore \mathbf{-5\leq 3x+4y\leq 5}$

유제 7-17

a, b, x, y가 실수이므로 코시-슈바르츠의 부등식에 의하여

$(a^2+b^2)(x^2+y^2)\geq(ax+by)^2$

$$\left(\text{단, 등호는 } \frac{x}{a}=\frac{y}{b}\text{일 때 성립}\right)$$

이때, $a^2+b^2=4$, $ax+by=6$이므로

$4(x^2+y^2)\geq 36$

$\therefore x^2+y^2\geq 9$

따라서 x^2+y^2의 최솟값은 $\mathbf{9}$이다.

연습문제

본문 p.212

7-1

ㄱ. $4x+8<0$에서 $x<-2$

즉, $x\geq-2$일 때는 성립하지 않으므로 절대부등식이 아니다.

ㄴ. $2x^2 > 2x^2 - 5$에서

$0 > -5$

즉, 모든 x에 대하여 성립하므로 절대부등식이다.

ㄷ. $-(x+1)^2 < 0$에서

$(x+1)^2 > 0$

즉, $x = -1$일 때는 성립하지 않으므로 절대부등식이 아니다.

ㄹ. $x^2 + 2x + 5 > 0$에서 $(x+1)^2 + 4 \geq 4 > 0$

즉, 모든 x에 대하여 성립하므로 절대부등식이다.

따라서 절대부등식인 것은 ㄴ, ㄹ이다.

7-2

ㄱ. $a^2 - ab + b^2 = \left(a - \dfrac{b}{2}\right)^2 + \dfrac{3}{4}b^2 \geq 0$ (참)

ㄴ. $(|a| + |b|)^2 - |a+b|^2$

$= a^2 + 2|ab| + b^2 - (a^2 + 2ab + b^2)$

$= 2(|ab| - ab)$

이때, $|ab| \geq ab$이므로

$2(|ab| - ab) \geq 0$

$\therefore |a| + |b| \geq |a+b|$ (참)

ㄷ. $a^2 + a + 1 = \left(a + \dfrac{1}{2}\right)^2 + \dfrac{3}{4} \geq \dfrac{3}{4} > 0$ (거짓)

ㄹ. $(\sqrt{a+b})^2 - (\sqrt{a} + \sqrt{b})^2 = a + b - (a + 2\sqrt{ab} + b)$

$\qquad\qquad\qquad\qquad\qquad = -2\sqrt{ab} \leq 0$

$\therefore \sqrt{a+b} \leq \sqrt{a} + \sqrt{b}$ (거짓)

ㅁ. $a^2 + b^2 + c^2 - ab - bc - ca$

$= \dfrac{1}{2}(2a^2 + 2b^2 + 2c^2 - 2ab - 2bc - 2ca)$

$= \dfrac{1}{2}\{(a-b)^2 + (b-c)^2 + (c-a)^2\} \geq 0$

$\therefore a^2 + b^2 + c^2 \geq ab + bc + ca$ (참)

ㅂ. $(a^2 + b^2)(x^2 + y^2) - (ax + by)^2$

$= a^2x^2 + a^2y^2 + b^2x^2 + b^2y^2 - (a^2x^2 + 2abxy + b^2y^2)$

$= a^2y^2 - 2abxy + b^2x^2$

$= (bx - ay)^2 \geq 0$

$\therefore (a^2 + b^2)(x^2 + y^2) \geq (ax + by)^2$ (참)

따라서 옳은 것은 ㄱ, ㄴ, ㅁ, ㅂ이다.

7-3

ㄱ. $a + \dfrac{1}{a} \geq 2\sqrt{a \times \dfrac{1}{a}} = 2$ (참)

ㄴ. $b + \dfrac{4}{b} \geq 2\sqrt{b \times \dfrac{4}{b}} = 4$ (참)

ㄷ. $\dfrac{b}{2a} + \dfrac{4a}{b} \geq 2\sqrt{\dfrac{b}{2a} \times \dfrac{4a}{b}} = 2\sqrt{2}$ (거짓)

따라서 옳은 것은 ㄱ, ㄴ이다.

7-4

변 BC의 중점을 M이라 하고 선분 AM을 그으면

$\overline{AB} = \overline{AC}$, $\overline{BM} = \overline{CM}$, $\overline{AM}$은 공통이므로

$\triangle ABM \equiv \triangle ACM$(SSS 합동)

$\therefore \angle B = \boxed{\angle C}$ $\quad$ ······ ㉠

마찬가지로 $\overline{BC} = \boxed{\overline{AC}}$ 이므로

$\angle B = \boxed{\angle A}$ $\quad$ ······ ㉡

㉠, ㉡에서 $\angle A = \angle B = \angle C$이다.

(개) $\angle$**C**, (내) $\overline{AC}$, (대) $\angle$**A**

7-5

(1) 산술평균과 기하평균의 관계에 의하여

$a + b \geq 2\sqrt{ab}$ (단, 등호는 $a = b$일 때 성립)

이때, $a + b = 8$이므로

$8 \geq 2\sqrt{ab}$, $\sqrt{ab} \leq 4$

$\therefore 0 < ab \leq 16$ ($\because a > 0$, $b > 0$)

따라서 ab의 최댓값은 **16**이다.

(2) 산술평균과 기하평균의 관계에 의하여

$4a + 9b \geq 2\sqrt{4a \times 9b} = 2\sqrt{36ab}$

$\qquad\qquad\qquad$ (단, 등호는 $4a = 9b$일 때 성립)

이때, $ab = 9$이므로

$4a + 9b \geq 36$

따라서 $4a + 9b$의 최솟값은 **36**이다.

7-6

$\dfrac{a+b}{2} - \sqrt{ab} = \dfrac{(\sqrt{a})^2 + (\sqrt{b})^2 - 2\sqrt{a}\sqrt{b}}{2}$

$\qquad\qquad\quad = \dfrac{\boxed{(\sqrt{a} - \sqrt{b})^2}}{2}$

그런데 a, b는 모두 양수이므로

$(\sqrt{a} - \sqrt{b})^2 \boxed{\geq} 0$ (단, 등호는 $a = b$일 때 성립)

$\Longleftrightarrow \dfrac{a+b}{2} - \sqrt{ab} \boxed{\geq} 0$

$\Longleftrightarrow \dfrac{a+b}{2} \geq \sqrt{ab}$

(개) $(\sqrt{a} - \sqrt{b})^2$, (내) $\geq$

7-7

$(1+a)\left(1 + \dfrac{1}{a}\right) = a + \dfrac{1}{a} + 2$

$\qquad\qquad\qquad\qquad \geq 2\sqrt{a \times \dfrac{1}{a}} + 2 = 4$

$\qquad\qquad\qquad\qquad$ $\left($단, 등호는 $a = \dfrac{1}{a}$일 때 성립$\right)$

따라서 $(1+a)\left(a + \dfrac{1}{a}\right)$의 최솟값은 **4**이다.

7-8

$x>3$에서 $x-3>0$이므로 산술평균과 기하평균의 관계에 의하여

$$x+\frac{9}{x-3}=x-3+\frac{9}{x-3}+3$$

$$\geq 2\sqrt{(x-3)\times\frac{9}{x-3}}+3=9$$

$$\left(\text{단, 등호는 } x-3=\frac{9}{x-3}\text{일 때 성립}\right)$$

따라서 $x+\dfrac{9}{x-3}$의 최솟값은 $x=6$일 때 9이므로

$a=6,\ m=9$

$\therefore a+m=\mathbf{15}$

7-9

$a,\ b,\ x,\ y$가 실수이므로 코시-슈바르츠의 부등식에 의하여

$$(a^2+b^2)(x^2+y^2)\geq(ax+by)^2$$

$$\left(\text{단, 등호는 } \frac{x}{a}=\frac{y}{b}\text{일 때 성립}\right)$$

$3\times8\geq(ax+by)^2$

$24\geq(ax+by)^2$

$\therefore -2\sqrt{6}\leq ax+by\leq2\sqrt{6}$

따라서 $ax+by$의 최댓값은 $\mathbf{2\sqrt{6}}$이다.

7-10

이차방정식 $4x^2+4ax+a+6=0$의 판별식을 D라 하면

$$\frac{D}{4}=(2a)^2-4(a+6)<0$$

$4a^2-4a-24<0,\ a^2-a-6<0$

$(a+2)(a-3)<0$

$\therefore \mathbf{-2<a<3}$

7-11

삼각형 ABC에서 두 변 AB, AC의 수직이등분선의 교점을 O, 점 O에서 세 변에 내린 수선의 발을 각각 D, E, F라 하면

$\overline{OA}=\boxed{\overline{OB}}$, $\overline{OA}=\overline{OC}$이므로 $\overline{OB}=\overline{OC}$

또 $\overline{OE}$는 공통, $\angle OEB=\boxed{\angle OEC}=90°$이므로

$\triangle OBE\equiv\triangle OCE$ ($\boxed{RHS}$ 합동)

즉, $\overline{BE}=\boxed{CE}$이므로

$\overline{OE}$는 $\overline{BC}$의 $\boxed{\text{수직이등분선}}$이다.

따라서 세 변의 수직이등분선은 한 점 O에서 만난다.

(가) $\overline{OB}$, (나) $\overline{OA}$, (다) $\angle OEC$, (라) RHS, (마) $\overline{CE}$,
(바) 수직이등분선

7-12

대우 명제인 '$a,\ b$가 실수일 때, $a\neq0$ 또는 $b\neq0$이면 $a^2+b^2\neq0$이다.' 가 참임을 증명하면 된다.

(i) $a\neq0$, $b=0$일 때, $a^2>0$, $b^2=0$, $a^2+b^2>0$
　　$\therefore a^2+b^2\neq0$

(ii) $a=0$, $b\neq0$일 때, (i)과 같은 방법으로 $a^2+b^2\neq0$

(iii) $a\neq0$, $b\neq0$일 때, $a^2>0$, $b^2>0$이므로 $a^2+b^2\neq0$

(i), (ii), (iii)에서 $a^2+b^2\neq0$

따라서 명제의 대우가 참이므로 명제 '$a,\ b$가 실수일 때, $a^2+b^2=0$이면 $a=0$, $b=0$이다.' 는 참이다.

7-13

$\sqrt{2}$를 유리수라고 가정하면

$$\sqrt{2}=\frac{q}{p}\ (p\neq0,\ p,\ q\text{는 }\boxed{\text{서로소}}\text{인 정수})$$

로 놓을 수 있으므로 $\sqrt{2}p=q$

양변을 제곱하면 $2p^2=q^2$

q^2은 짝수이므로 q도 $\boxed{\text{짝수}}$이다.

$q=2k$ (k는 정수)로 놓으면 $2p^2=4k^2$

$\therefore p^2=2k^2$

따라서 p도 $\boxed{\text{짝수}}$이므로 $p,\ q$가 $\boxed{\text{서로소}}$인 조건에 모순이다. 즉, $\sqrt{2}$는 유리수가 아니다.

(가) **서로소**, (나) **짝수**, (다) **짝수**

7-14

$$x+\frac{4}{x}\geq2\sqrt{x\times\frac{4}{x}}=4\left(\text{단, 등호는 } x=\frac{4}{x}\text{일 때 성립}\right)$$

$$y+\frac{9}{y}\geq2\sqrt{y\times\frac{9}{y}}=6\left(\text{단, 등호는 } y=\frac{9}{y}\text{일 때 성립}\right)$$

$$\therefore\ x+y+\frac{4}{x}+\frac{9}{y}\geq4+6=10$$

따라서 $x+y+\dfrac{4}{x}+\dfrac{9}{y}$의 최솟값은 $\mathbf{10}$이다.

7-15

$$\frac{b+c}{a}+\frac{c+a}{b}+\frac{a+b}{c}$$

$$=\frac{b}{a}+\frac{c}{a}+\frac{c}{b}+\frac{a}{b}+\frac{a}{c}+\frac{b}{c}$$

$$=\left(\frac{b}{a}+\frac{a}{b}\right)+\left(\frac{c}{b}+\frac{b}{c}\right)+\left(\frac{c}{a}+\frac{a}{c}\right)$$

$$\geq2\sqrt{\frac{b}{a}\times\frac{a}{b}}+2\sqrt{\frac{c}{b}\times\frac{b}{c}}+2\sqrt{\frac{c}{a}\times\frac{a}{c}}$$

$$(\text{단, 등호는 } a=b=c\text{일 때 성립})$$

$$=2+2+2=6$$

따라서 $\dfrac{b+c}{a}+\dfrac{c+a}{b}+\dfrac{a+b}{c}$의 최솟값은 $\mathbf{6}$이다.

7-16

점 (a, b)가 곡선 $y=\dfrac{8}{x}$ 위에 있으므로

$b=\dfrac{8}{a}$ $\therefore ab=8$

$2a>0$, $b>0$이므로 산술평균과 기하평균의 관계에 의하여

$2a+b\geq 2\sqrt{2ab}=8$(단, 등호는 $2a=b$일 때 성립)

따라서 $2a+b$의 최솟값은 **8**이다.

7-17

직사각형의 가로, 세로에 놓인 성냥개비의 개수를 각각 a, b $(a>0,\ b>0)$라 하면 $a+b=20$이고, 직사각형의 넓이는 ab이므로 산술평균과 기하평균의 관계에 의하여

$a+b\geq 2\sqrt{ab}$(단, 등호는 $a=b$일 때 성립)

$20\geq 2\sqrt{ab}$

$\therefore 0<ab\leq 100\ (\because ab>0)$

따라서 직사각형의 넓이의 최댓값은 **100**이다.

7-18

a, b가 실수이므로

$\left\{\left(\dfrac{1}{3}\right)^2+\left(\dfrac{1}{4}\right)^2\right\}(a^2+b^2)\geq\left(\dfrac{a}{3}+\dfrac{b}{4}\right)^2$

(단, 등호는 $3a=4b$일 때 성립)

$\dfrac{25}{144}(a^2+b^2)\geq 25$

$\therefore a^2+b^2\geq 144$

따라서 a^2+b^2의 최솟값은 **144**이다.

7-19

$f(x)>g(x)$에서

$kx^2+6x>3x^2+2x-k$

$(k-3)x^2+4x+k>0$

이 식이 모든 실수 x에 대하여 성립하려면

$k>3$ $\cdots\cdots$ ㉠

이고 이차방정식

$(k-3)x^2+4x+k=0$의 판별식을 D라 하면

$\dfrac{D}{4}=2^2-k(k-3)<0$

$k^2-3k-4>0$

$(k+1)(k-4)>0$

$\therefore k<-1$ 또는 $k>4$ $\cdots\cdots$ ㉡

㉠, ㉡에서 **$k>4$**

7-20

$a(x^2-2x+2)>4x-1$에서

$ax^2-2(a+2)x+2a+1>0$

(ⅰ) $a\neq 0$일 때 모든 실수 x에 대하여

$ax^2-2(a+2)x+2a+1>0$이려면

$a>0$이어야 하고

$ax^2-2(a+2)x+2a+1=0$의 판별식을 D라 하면

$\dfrac{D}{4}=\{-(a+2)\}^2-a(2a+1)<0$

$a^2-3a-4>0$

$(a+1)(a-4)>0$

$\therefore a<-1$ 또는 $a>4$

따라서 $a>4$이다.

(ⅱ) $a=0$일 때, 주어진 부등식은 $4x-1<0$이 되어

$x<\dfrac{1}{4}$일 때만 성립한다.

$\therefore a\neq 0$

(ⅰ), (ⅱ)에서 **$a>4$**

7-21

(1) $a^3+b^3+c^3-3abc$

$=(a+b+c)(a^2+b^2+c^2-ab-bc-ca)$

$a>0$, $b>0$, $c>0$이므로

$a+b+c>0$

$a^2+b^2+c^2-ab-bc-ca$

$=\dfrac{1}{2}\{(a-b)^2+(b-c)^2+(c-a)^2\}\geq 0$

(단, 등호는 $a=b=c$일 때 성립)

따라서 $a^3+b^3+c^3-3abc\geq 0$이므로

$a^3+b^3+c^3\geq 3abc$

(2) $a+b>0$, $b+c>0$, $c+a>0$이므로 산술평균과 기하평균의 관계에 의하여

$a+b\geq 2\sqrt{ab}$

$b+c\geq 2\sqrt{bc}$

$c+a\geq 2\sqrt{ca}$

$\therefore (a+b)(b+c)(c+a)\geq 2\sqrt{ab}\times 2\sqrt{bc}\times 2\sqrt{ca}$

$=8abc$

(단, 등호는 $a=b=c$일 때 성립)

(3) $(\sqrt{a}+\sqrt{b})^2-\{\sqrt{2(a+b)}\}^2$

$=a+2\sqrt{ab}+b-2(a+b)$

$=2\sqrt{ab}-a-b$

$=-(\sqrt{a}-\sqrt{b})^2\leq 0$(단, 등호는 $a=b$일 때 성립)

$\therefore \sqrt{a}+\sqrt{b}\leq\sqrt{2(a+b)}$

7-22

$$(a+b+c)\left(\frac{1}{a}+\frac{1}{b+c}\right)=\frac{a}{b+c}+\frac{b+c}{a}+2$$

$$\geq 2\sqrt{\frac{a}{b+c}\times\frac{b+c}{a}}+2=4$$

(단, 등호는 $a=b+c$일 때 성립)

따라서 $(a+b+c)\left(\frac{1}{a}+\frac{1}{b+c}\right)$의 최솟값은 **4**이다.

7-23

코시-슈바르츠의 부등식에 의하여

$(a^2+b^2)(x^2+y^2)\geq(ax+by)^2$

$(ax+by)^2\leq 64$

$\therefore -8\leq ax+by\leq 8$ ......㉠

한편, 산술평균과 기하평균의 관계에 의하여

$a^2+b^2\geq 2\sqrt{(ab)^2}=2|ab|$

$|ab|\leq 8$

$\therefore -8\leq ab\leq 8$

같은 방법으로 $-2\leq xy\leq 2$

$\therefore -10\leq ab+xy\leq 10$ ......㉡

㉠, ㉡에서 $\alpha=-8$, $\beta=8$, $\gamma=-10$, $\delta=10$이므로

$\alpha\gamma+\beta\delta=80+80=$**160**

7-24

직육면체의 모서리의 길이를 각각

$a, b, c (a>0, b>0, c>0)$라 하면

$\sqrt{a^2+b^2+c^2}=\sqrt{12}$ $\therefore a^2+b^2+c^2=12$

코시-슈바르츠의 부등식에 의하여

$(1+1+1)(a^2+b^2+c^2)\geq(a+b+c)^2$

(단, 등호는 $a=b=c$일 때 성립)

$36\geq(a+b+c)^2$

$\therefore 0<a+b+c\leq 6 (\because a+b+c>0)$

따라서 $a+b+c$의 최댓값은 6이다.

그러므로 모든 모서리의 길이의 합의 최댓값은

$4(a+b+c)=$**24**

---

08 함수

Spring of mathematics

개념확인코너

본문 p.224

1

(1)은 X의 원소 4에 대응하는 Y의 원소가 없고, (3)은 X의 원소 2에 대응하는 Y의 원소가 두 개이다.

따라서 함수인 것은 (2)이고, 정의역은 $\{1, 2, 3, 4\}$, 공역은 $\{a, b, c\}$, 치역은 $\{a, b\}$이다.

답 (2), 정의역 : $\{1, 2, 3, 4\}$,

공역 : $\{a, b, c\}$, 치역 : $\{a, b\}$

2

(1) 정의역 : $\{1, 2, 3, 6\}$

(2) 공역 : $\{1, 2, 3, 4, 5, 6, 7, 8\}$

(3) $f(3)=3+2=5$

(4) $f(1)=3$, $f(2)=4$, $f(3)=5$, $f(6)=8$

따라서 치역은 $\{3, 4, 5, 8\}$이다.

(5)

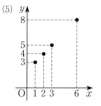

답 (1) $\{1, 2, 3, 6\}$

(2) $\{1, 2, 3, 4, 5, 6, 7, 8\}$

(3) 5

(4) $\{3, 4, 5, 8\}$

(5) 풀이 참조

3

(1) x축에 수직인 직선을 그었을 때, 오직 한 점에서만 만나는 것이 함수의 그래프이므로 ㄱ, ㄴ, ㄷ, ㄹ, ㅁ 이 함수의 그래프이다.

(2) ㄱ, ㄷ, ㅁ은 서로 다른 x의 값에 대응하는 y의 값이 서로 다르므로 일대일함수이다.

(3) ㄱ, ㄷ, ㅁ은 치역과 공역이 같고, 서로 다른 x의 값에 대응하는 y의 값이 서로 다르므로 일대일대응이다.

(4) ㅁ은 함수 $y=x$의 그래프이고, x의 값에 자기 자신 x가 대응하므로 항등함수이다.

(5) ㄹ은 모든 x의 값에 대응하는 y의 값이 $-a$로 오직 한 개이므로 상수함수이다.

답 (1) ㄱ, ㄴ, ㄷ, ㄹ, ㅁ

(2) ㄱ, ㄷ, ㅁ

(3) ㄱ, ㄷ, ㅁ

(4) ㅁ

(5) ㄹ

4

주어진 함수의 그래프는 다음과 같다.

ㄱ.   ㄴ.

ㄷ.   ㄹ.

따라서 일대일대응인 것은 ㄴ, ㄷ이다.

답 ㄴ, ㄷ

본문 p.225

유제 8-1

주어진 대응 관계를 그림으로 나타내면 다음과 같다.

ㄱ.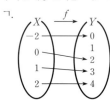

ㄴ.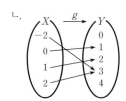

ㄷ.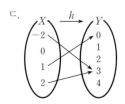

ㄹ.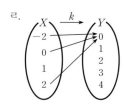

이때, ㄷ은 X의 원소 0에 대응하는 Y의 원소가 없고, ㄹ은 X의 원소 1에 대응하는 Y의 원소가 없으므로 함수가 아니다.

따라서 함수인 것은 ㄱ, ㄴ이다.

유제 8-2

(1) 정의역은 집합 X이므로 $\{-2, -1, 0, 1, 2\}$

    공역은 집합 Y이므로 $\{1, 2, 3, 4, 5\}$

(2) $f(-2)=2$, $f(1)=2$이므로

    $a=-2$ 또는 $a=1$

(3) $f(-2)=2$, $f(-1)=1$, $f(0)=4$, $f(1)=2$,

    $f(2)=4$이므로 치역은 $\{1, 2, 4\}$

유제 8-3

2는 유리수이므로 $f(2)=2\sqrt{2}+3$

$\sqrt{2}$는 무리수이므로 $f(\sqrt{2})=-2\sqrt{2}+3$

$\therefore f(2)+f(\sqrt{2})=2\sqrt{2}+3+(-2\sqrt{2})+3=6$

유제 8-4

$3^1=3$, $3^2=9$, $3^3=27$, $3^4=81$, $3^5=243$, $\cdots$

에서 3^x의 일의 자리의 숫자는 3, 9, 7, 1의 네 숫자가 반복된다.

$\therefore f(6)+f(13)=9+3=12$

유제 8-5

$f(xy)=f(x)+f(y)$ $\cdots\cdots\bigcirc$

이므로 $\bigcirc$에 $x=2$, $y=2$를 대입하면

$f(4)=f(2)+f(2)=5+5=10$ $(\because f(2)=5)$

$\bigcirc$에 $x=4$, $y=2$를 대입하면

$f(8)=f(4)+f(2)=10+5=15$

유제 8-6

$f(x)f(y)=f(x+y)+f(x-y)$ $\cdots\cdots\bigcirc$

이므로 $\bigcirc$에 $x=1$, $y=0$을 대입하면

$f(1)f(0)=f(1)+f(1)$

$\therefore f(0)=2$ $(\because f(1)=1)$

$\bigcirc$에 $x=1$, $y=1$을 대입하면

$f(1)f(1)=f(2)+f(0)$

$\therefore f(2)=1-2=-1\ (\because f(1)=1,\ f(0)=2)$

㉠에 $x=2,\ y=1$을 대입하면

$f(2)f(1)=f(3)+f(1)$에서

$(-1)\times 1=f(3)+1\ (\because f(1)=1,\ f(2)=-1)$

$\therefore f(3)=-1-1=\mathbf{-2}$

유제 8-7

$f=g$이므로 $f(-1)=g(-1)$에서

$(-1)^2+b=-2-1$

$\therefore b=-4$

$f(a)=g(a)$에서

$a^2-4=2a-1,\ a^2-2a-3=0$

$(a+1)(a-3)=0$

$\therefore a=3\ (\because a\ne -1)$

$\therefore a+b=3+(-4)=\mathbf{-1}$

유제 8-8

$f=g$이므로 $2x+3=x^2-x-1$

$x^2-3x-4=0,\ (x+1)(x-4)=0$

$\therefore x=-1$ 또는 $x=4$

즉, 집합 X는 -1 또는 4를 원소로 갖는 집합이다.

$\therefore X=\{\mathbf{-1}\}$ 또는 $X=\{\mathbf{4}\}$ 또는 $X=\{\mathbf{-1,\ 4}\}$

유제 8-9

주어진 그래프에 정의역의 한 원소 k에 대하여 x축에 수직인 직선 $x=k$를 그어 교점을 나타내면 다음 그림과 같다.

ㄱ.

ㄴ.

ㄷ.

ㄹ.

ㅁ.

ㅂ.
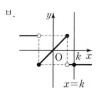

ㄱ, ㄴ, ㅁ, ㅂ의 그래프는 모든 x에 대하여 직선 $x=k$와 오직 한 점에서 만나므로 함수의 그래프이다. ㄷ의 그래프는 직선 $x=k$와 2개의 점에서 만나는 경우가 존재하므로 함수의 그래프가 아니다. ㄹ의 그래프는 무수히 많은 점에서 만나므로 함수의 그래프가 아니다.

따라서 함수의 그래프는 **ㄱ, ㄴ, ㅁ, ㅂ**이다.

유제 8-10

치역의 각 원소 k에 대하여 직선 $y=k$와 오직 한 점에서 만나는 그래프가 일대일함수이므로 **ㄱ, ㄴ, ㄹ**은 **일대일함수**이다. 치역과 공역이 같고, 치역의 각 원소 k에 대하여 직선 $y=k$와 오직 한 점에서 만나는 그래프가 일대일대응이므로 **ㄴ, ㄹ**은 **일대일대응**이다.

특히, **ㄴ**은 **항등함수**이고, **ㄷ**은 **상수함수**이다.

유제 8-11

$a>0$이므로 함수 $f(x)=ax+b$의 그래프는 증가하는 그래프이고, 치역과 공역이 일치해야 하므로

$f(-1)=-a+b=0$ ······ ㉠

$f(1)=a+b=1$ ······ ㉡

㉠, ㉡을 연립하여 풀면

$a=\dfrac{1}{2},\ b=\dfrac{1}{2}$

$\therefore f(x)=\dfrac{1}{2}x+\dfrac{1}{2}$

$\therefore f\left(\dfrac{1}{2}\right)=\dfrac{1}{2}\times\dfrac{1}{2}+\dfrac{1}{2}=\dfrac{\mathbf{3}}{\mathbf{4}}$

유제 8-12

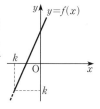

그림에서 $y=f(x)$가 일대일함수이므로 일대일대응이 되려면 치역과 공역이 같아야 한다.

함수 f는 X에서 X로의 함수이므로

$f(k)=2k+5=k$

$\therefore k=\mathbf{-5}$

유제 8-13

함수 f가 일대일대응이 되려면 함수 $y=f(x)$의 그래프가 그림과 같아야 한다.

즉, 직선 $y=3x+b$가 점 $(0,1)$을 지나야 하므로

$b=1$

또, $x<0$에서 직선의 기울기가 양수이므로 $x\geq 0$에서 직선 $y=ax+1$의 기울기도 양수이어야 한다.

$\therefore a>0$

이때, a, b가 정수이므로 $a+b$의 최솟값은 $a=1$, $b=1$
일 때이다.
따라서 $a+b$의 최솟값은 **2**이다.

유제 8-14

$$f(x)=\begin{cases} x^2 & (1\le x\le 3) \\ ax+b & (x<1 \text{ 또는 } x>3) \end{cases}$$

에서 함수 f가 일대일대응이 되려
면 그래프는 그림과 같아야 한다.
이때, x좌표가 1, 3인 점에서 두
함수 $y=x^2$, $y=ax+b$의
그래프가 각각 만나야 하므로

$1=a+b$ ······㉠
$9=3a+b$ ······㉡
㉠, ㉡을 연립하여 풀면
$a=4$, $b=-3$
$\therefore a-b=$**7**

유제 8-15

함수 f가 항등함수이므로 $f(x)=x$
$\therefore f(3)=3$, $f(5)=5$ ······㉠
함수 g가 상수함수이고 $f(5)=g(3)=k$이므로
$k=5$ $(\because ㉠)$
즉, $g(x)=5$이므로 $g(2)=5$
$\therefore \dfrac{f(3)}{g(2)}=$**$\dfrac{3}{5}$**

유제 8-16

함수 f가 항등함수이면 $f(x)=x$이다.
(i) $x<-2$일 때,
$f(x)=-3$이므로 $f(x)=x$를 만족시키는 x의 값
은 -3이다.
(ii) $-2\le x\le 1$일 때,
$f(x)=2x-1$이므로
$2x-1=x$ $\therefore x=1$
(iii) $x>1$일 때,
$f(x)=2$이므로 $f(x)=x$를 만족시키는 x의 값은
2이다.
(i), (ii), (iii)에 의하여
$X=\{a,\ b,\ c\}=\{-3,\ 1,\ 2\}$이므로
$a+b+c=$**0**

유제 8-17

X에서 X로의 일대일대응은

1이 대응할 수 있는 원소는 1, 2, 3 중 하나이므로 3개
2가 대응할 수 있는 원소는 1에 대응한 원소를 제외한
2개
3이 대응할 수 있는 원소는 1, 2에 대응한 원소를 제외
한 1개
$\therefore a=3\times 2\times 1=6$
X에서 Y로의 일대일함수는
1이 대응할 수 있는 원소는 1, 2, 3, 4 중 하나이므로 4개
2가 대응할 수 있는 원소는 1에 대응한 원소를 제외한 3개
3이 대응할 수 있는 원소는 1, 2에 대응한 원소를 제외
한 2개
$\therefore b=4\times 3\times 2=24$
$\therefore a+b=6+24=$**30**

유제 8-18

X에서 Y로의 함수의 개수는 n^n이고, 상수함수의 개수
는 n이므로
$f(n)=n^n-n$
X에서 Y로의 일대일대응의 개수는
$n(n-1)\times\cdots\times 1$이고
$x_1=y_1$인 일대일대응의 개수는
$(n-1)(n-2)\times\cdots\times 1$이므로
$g(n)=n(n-1)\times\cdots\times 1-(n-1)(n-2)\times\cdots\times 1$
$\qquad =(n-1)\{(n-1)(n-2)\times\cdots\times 1\}$
$\therefore f(3)+g(4)$
$\quad =3^3-3+(4-1)\{(4-1)(4-2)(4-3)\}$
$\quad =27-3+3\times 6$
$\quad =$**42**

연습문제 본문 p.240

8-1

ㄱ. $f(-1)=3$, $f(0)=3$, $f(1)=3$ (성립)
ㄴ. $g(-1)=1$, $g(0)=2$, $g(1)=3$ (성립)
ㄷ. $h(-1)=4$, $h(0)=3$, $h(1)=4$ (성립)
ㄹ. $k(-1)=0$, $k(0)=1$, $k(1)=4$
이때, $k(-1)=0$에서 공역에 0이 없으므로 함수가
아니다.
따라서 X에서 Y로의 함수인 것은 ㄱ, ㄴ, ㄷ이다.

8-2

(1) $f(3)=$**2**
(2) $f(4)=5$이므로 $a=$**4**
(3) 정의역 : **$\{1,\ 2,\ 3,\ 4\}$**

(4) 치역 : **{1, 2, 3, 5}**

8-3

$f(x) = \begin{cases} x+1\ (x \le 2) \\ 1\ \ \ \ (x=3) \end{cases}$ 에서

$f(2) = 2+1 = 3$, $f(3) = 1$

$\therefore f(2) + f(3) = \mathbf{4}$

8-4

$f(-2) = 2 \times (-2) - 1 = -5$, $f(1) = 2 \times 1 - 1 = 1$

$f(2) = 2 \times 2 - 1 = 3$, $f(a) = 2a - 1$

이므로 함수 f의 치역은 $\{-5,\ 1,\ 3,\ 2a-1\}$이다.

따라서 집합 $\{-5,\ 1,\ 7,\ b\}$와 집합 $\{-5,\ 1,\ 3,\ 2a-1\}$

이 서로 같은 집합이어야 하므로

$2a - 1 = 7$, $b = 3$

$\therefore a = 4$, $b = 3$

$\therefore a + b = \mathbf{7}$

8-5

$f(x) = g(x)$에서 $f(1) = g(1)$, $f(2) = g(2)$이어야

하므로

$1^2 - 1 = a + b$에서 $a + b = 0$ ...... ㉠

$2^2 - 2 = 2a + b$에서 $2a + b = 2$ ...... ㉡

㉠, ㉡을 연립하여 풀면

$a = 2$, $b = -2$

$\therefore a - b = \mathbf{4}$

8-6

$a > 0$이므로 함수 $f(x) = ax + b$의 그래프는 x의 값이

증가하면 $f(x)$의 값도 증가하는 함수이다.

즉, $f(0) = b = -4$, $f(4) = 4a + b = 12$이므로

$a = 4$, $b = -4$

$\therefore a + b = \mathbf{0}$

8-7

②, ⑤ x의 값에 대응하는 y의 값이 2개인 경우가 존재

하므로 함수가 아니다.

①, ③ $x_1 \ne x_2$일 때, $f(x_1) = f(x_2)$인 x_1, x_2가 존재하

므로 조건에 맞지 않는다.

따라서 조건에 맞는 함수(일대일함수)는 **④**이다.

8-8

f가 항등함수이므로 $f(x) = x$

$\therefore f(10) = 10$, $f(30) = 30$

이때, $f(10) + g(20) = 50$에서

$10 + g(20) = 50$ $\quad \therefore g(20) = 40$

g가 상수함수이고, $g(x) = 40$이므로

$g(40) = 40$

$\therefore f(30) + g(40) = 30 + 40 = \mathbf{70}$

8-9

함수 $f(x) = 2x + 1$의 그래프는

증가하는 그래프이고, 치역과 공

역이 일치해야 하므로

$f(1) = 2 \times 1 + 1 = a$

$\therefore a = 3$

$f(b) = 2 \times b + 1 = 7$

$\therefore b = 3$

$\therefore a + b = \mathbf{6}$

8-10

X에서 X로의 일대일대응의 개수는

$4 \times 3 \times 2 \times 1 = 24$ $\quad \therefore a = 24$

X에서 X로의 상수함수의 개수는

$f(x) = 1$, $f(x) = 2$, $f(x) = 3$, $f(x) = 4$로 4이다.

$\therefore b = 4$

X에서 X로의 항등함수의 개수는 $f(x) = x$로 1이다.

$\therefore c = 1$

$\therefore a + b + c = 24 + 4 + 1 = \mathbf{29}$

8-11

집합 X의 각 원소의 함숫값을 구하면

$f(-1) = -(-1)^2 + 2 = 1$

$f(0) = 0^2 + 2 = 2$

$f(1) = 3$

$f(2) = 2 - 1 = 1$

$f(3) = 3 - 1 = 2$

따라서 함수 f의 치역은 $\{1, 2, 3\}$이다.

8-12

$0 \le x \le 4$일 때,

$f(x) = x + 1$이므로

$f(3) = 3 + 1 = 4$

$x > 4$일 때,

$f(x) = f(x-4)$이므로

$f(27) = f(23) = f(19) = \cdots = f(7) = f(3) = 4$

$\therefore f(3) + f(27) = 4 + 4 = \mathbf{8}$

8-13

ㄱ. 2의 약수는 1, 2로 2개이므로 $f(2) = 2$ (참)

ㄴ. 3의 약수는 1, 3으로 2개이고 4의 약수는 1, 2, 4
  로 3개이므로
  $f(3)+f(4)=2+3=5$ (거짓)
ㄷ. $f(n)=2$를 만족시키는 자연수 n은 약수의 개수가
  2인 자연수, 즉 소수이므로 10 이하의 소수 n은
  2, 3, 5, 7로 4개이다. (참)
따라서 옳은 것은 ㄱ, ㄷ이다.

8-14
$f(x+y)-f(y)=f(x)+xy$에서
$f(x+y)=f(x)+f(y)+xy$ ······㉠
㉠에 $x=1$, $y=1$을 대입하면
$f(2)=f(1)+f(1)+1$
$\quad=2f(1)+1=3\ (\because\ f(1)=1)$
㉠에 $x=2$, $y=1$을 대입하면
$f(3)=f(2)+f(1)+2$
$\quad=6\ (\because\ f(2)=3,\ f(1)=1)$
㉠에 $x=3$, $y=2$를 대입하면
$f(5)=f(3)+f(2)+6$
$\quad=\mathbf{15}\ (\because\ f(3)=6,\ f(2)=3)$

8-15
집합 X의 모든 원소 x에 대하여 $f(x)=g(x)$이어야
하므로
$2x^2=x^3-3x,\ x^3-2x^2-3x=0$
$x(x^2-2x-3)=0$
$x(x+1)(x-3)=0$
$\therefore\ x=-1$ 또는 $x=0$ 또는 $x=3$
따라서 구하는 집합 X의 개수는 공집합을 제외한 집합
$\{-1,\ 0,\ 3\}$의 부분집합이므로
$2^3-1=\mathbf{7}$

8-16
g가 항등함수이므로 $g(3)=3$
$\therefore\ f(2)=h(6)=3$
한편, f가 일대일대응이고 $f(2)=3$이므로
$f(2)f(3)=f(6)$이 성립하려면 $f(3)=2$이어야 한다.
또한, h가 상수함수이므로 $h(2)=3$
$\therefore\ f(3)+h(2)=2+3=\mathbf{5}$

8-17
함수 $f(x)=a|x-2|+x-1$에서
(ⅰ) $x<2$일 때,
  $f(x)=a(-x+2)+x-1=(1-a)x+2a-1$
(ⅱ) $x\geq2$일 때,

$f(x)=a(x-2)+x-1=(a+1)x-2a-1$
(ⅰ), (ⅱ)에서 두 직선은 점 $(2, 1)$에서 만나므로 함수
f가 일대일대응이 되려면 위의 두 직선의 기울기가 모
두 양수이거나 모두 음수이어야 한다.
$(1-a)(a+1)>0$
$(a-1)(a+1)<0$
$\therefore\ \mathbf{-1<a<1}$

8-18
$f(x)=2x^2-4x+k=2(x-1)^2+k-2$
$x\geq3$일 때 x의 값이 증가하면 $f(x)$의 값도 증가하므
로 함수 f가 일대일대응이려면 $f(3)=3$이어야 한다.
$2\times3^2-4\times3+k=3$
$\therefore\ k=\mathbf{-3}$

8-19
함수 f가 일대일대응이 되려면
함수 $y=f(x)$의 그래프가
그림과 같아야 한다.
즉, 직선 $y=ax-b$가
점 $(1, 3)$을 지나야 하므로
$a-b=3$ ······㉠

또, $x\geq1$에서 직선의 기울기가 양수이므로 $x<1$에서
직선의 기울기도 양수이어야 한다.
즉, $a>0$이어야 하므로 ㉠에서 $a=b+3>0$
$\therefore\ \mathbf{b>-3}$

8-20
A에서 B로의 함수 f가 $f(-x)=f(x)$를 만족하려면
(ⅰ) -1과 1이 같은 값에 대응하여야 하므로 대응할 수
  있는 원소는 $-2,\ -1,\ 0,\ 1,\ 2$의 5가지
(ⅱ)(ⅰ)의 각각에 대하여 0이 대응할 수 있는 원소는
  $-2,\ -1,\ 0,\ 1,\ 2$의 5가지
(ⅰ), (ⅱ)에 의하여 구하는 함수 f의 개수는
$5\times5=\mathbf{25}$

8-21
1000을 소인수분해하면 $1000=2^3\times5^3$이므로
$f(1000)=f(2^3\times5^3)=f(2^3)+f(5^3)$
$\quad=f(2)+f(2^2)+f(5)+f(5^2)$
$\quad=f(2)+f(2)+f(2)+f(5)+f(5)+f(5)$
$\quad=3\{f(2)+f(5)\}$
$\quad=3(2+5)\ (\because\ f(2)=2,\ f(5)=5)$
$\quad=\mathbf{21}$

8-22

(i) 집합 A는 일대일대응의 집합이므로

　집합 A의 개수는 $3 \times 2 \times 1 = 6$

　$\therefore n(A) = 6$

(ii) 집합 B는 $f(1) = 2$인 함수의 집합이므로

　2가 대응할 수 있는 원소는 $2, 3, 4$ 중 하나이므로 3개

　3이 대응할 수 있는 원소는 $2, 3, 4$ 중 하나이므로 3개

　$\therefore n(B) = 3 \times 3 = 9$

(iii) $A \cap B$는 $f(1) = 2$이고 일대일대응인 집합이다.

　2가 대응할 수 있는 원소는 1에 대응한 원소를 제외한 2개

　3이 대응할 수 있는 원소는 $1, 2$에 대응한 원소를 제외한 1개

　$\therefore n(A \cap B) = 2 \times 1 = 2$

(i), (ii), (iii)에 의하여

$n(A \cup B) = n(A) + n(B) - n(A \cap B)$
$= 6 + 9 - 2 = \mathbf{13}$

8-23

$f(x) = f(x+4)$인 함수 f는 주기가 4인 주기함수이고 조건에 맞는 그래프를 그리면 다음과 같다.

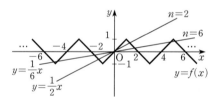

이때, 방정식 $f(x) = \dfrac{1}{n}x$의 해의 개수는

$\begin{cases} y = f(x) \\ y = \dfrac{1}{n}x \end{cases}$ 의 교점의 개수와 일치한다.

(i) $2 \le n \le 4$일 때, 교점 3개

(ii) $n = 5$일 때, 교점 5개

(iii) $6 \le n \le 8$일 때, 교점 7개

(iv) $n = 9$일 때, 교점 9개

(v) $10 \le n \le 12$일 때, 교점 11개

(vi) $n = 13$일 때, 교점 13개

$\vdots$

따라서 교점의 개수가 27일 때, n은 $26 \le n \le 28$이므로 자연수 n의 최솟값은 $\mathbf{26}$이다.

8-24

$f(a+b) = f(a) + f(b) + 1$에서

ㄱ. $a = 0$, $b = 0$일 때,

$f(0) = f(0) + f(0) + 1$

$\therefore f(0) = -1$ (참)

ㄴ. $a = x$, $b = -x$일 때,

$f(x-x) = f(x) + f(-x) + 1$

$f(0) = f(x) + f(-x) + 1$

$-1 = f(x) + f(-x) + 1$

$\therefore f(x) = -f(-x) - 2$ (거짓) …… ㉠

ㄷ. 함수 $y = f(x)$의 그래프를 점 $(0, -1)$에 대하여 대칭이동한 함수의 식을 x 대신 $-x$, y 대신 $-2-y$를 대입하면 된다.

즉, $-2-y = f(-x)$

$\therefore y = -f(-x) - 2$

㉠에 의하여 이 그래프가 다시 함수 $y = f(x)$와 일치하므로 함수 $y = f(x)$는 점 $(0, -1)$에 대하여 대칭이다. (참)

따라서 옳은 것은 ㄱ, ㄷ이다.

참고 함수 $y = f(x)$와 점 (a, b)에 대하여 대칭인 함수의 식은 $2b - y = f(2a - x)$

09 합성함수와 역함수

Spring of mathematics

개념확인코너
본문 p.250

1

(1) $(g \circ f)(1) = g(f(1)) = g(2) = 4$

(2) $(g \circ f)(2) = g(f(2)) = g(2) = 4$

(3) $(g \circ f)(1) = 4$, $(g \circ f)(2) = 4$,

$(g \circ f)(3) = g(f(3)) = g(4) = 5$이므로 합성함수 $g \circ f$의 치역은 $\{4, 5\}$이다.

답 (1) 4 (2) 4 (3) $\{4, 5\}$

2

(1) $(f \circ g)(x) = f(g(x)) = f(3x)$
$= (3x)^2 - 1$
$= 9x^2 - 1$

(2) $(g \circ f)(x) = g(f(x)) = g(x^2 - 1)$
$= 3(x^2 - 1)$
$= 3x^2 - 3$

답 (1) $(f \circ g)(x) = 9x^2 - 1$
(2) $(g \circ f)(x) = 3x^2 - 3$

3

(1) $g(2) = 2 + 1 = 3$이므로
$(f \circ g)(2) = f(g(2)) = f(3) = 3^2 = 9$

(2) $f(2) = 2^2 = 4$이므로
$(g \circ f)(2) = g(f(2)) = g(4) = 4 + 1 = 5$

(3) $h(-1) = 2 \times (-1) - 3 = -5$,
$g(-5) = -5 + 1 = -4$이므로
$(f \circ (g \circ h))(-1) = f((g \circ h)(-1))$
$= f(g(-5))$
$= f(-4) = (-4)^2 = 16$

(4) $h(-1) = -5$, $g(-5) = -4$이므로
$((f \circ g) \circ h)(-1) = (f \circ g)(h(-1))$
$= (f \circ g)(-5)$
$= f(g(-5))$
$= f(-4) = (-4)^2 = 16$

답 (1) 9 (2) 5 (3) 16 (4) 16

4

(1) $f(1) = 3$이므로 $f^{-1}(3) = 1$

(2) $f^{-1}(2) = 2$, $f^{-1}(3) = 1$, $f^{-1}(4) = 3$이므로

함수 f^{-1}의 치역은 $\{1, 2, 3\}$이다.

답 (1) 1 (2) $\{1, 2, 3\}$

5

(1) $y = 3x - 9$에서 $x = \dfrac{y+9}{3} = \dfrac{1}{3}y + 3$

x와 y를 바꾸면 $y = \dfrac{1}{3}x + 3$

$\therefore f^{-1}(x) = \dfrac{1}{3}x + 3$

(2) $y = 4x + 2$에서 $x = \dfrac{y-2}{4} = \dfrac{1}{4}y - \dfrac{1}{2}$

x와 y를 바꾸면 $y = \dfrac{1}{4}x - \dfrac{1}{2}$

$\therefore g^{-1}(x) = \dfrac{1}{4}x - \dfrac{1}{2}$

답 (1) $f^{-1}(x) = \dfrac{1}{3}x + 3$

(2) $g^{-1}(x) = \dfrac{1}{4}x - \dfrac{1}{2}$

6

(1) $f^{-1}(-3) = k$라 하면 $f(k) = -3$이므로
$k - 2 = -3$
$\therefore k = -1$
$\therefore f^{-1}(-3) = -1$

(2) $(g \circ f)^{-1}(4) = (f^{-1} \circ g^{-1})(4)$
$= f^{-1}(g^{-1}(4))$
$= f^{-1}(5)$
$f^{-1}(5) = k$라 하면 $f(k) = 5$이므로
$k - 2 = 5$
$\therefore k = 7$
$\therefore (g \circ f)^{-1}(4) = 7$

답 (1) -1 (2) 7

7

ㄴ, ㄷ은 서로 다른 x의 값에 대하여 하나의 y의 값이 대응되므로 일대일대응이 아니다.

따라서 역함수가 존재하는 것은 일대일대응인 ㄱ, ㄹ이다.

답 ㄱ, ㄹ

유제
본문 p.251

유제 9-1

(1) $(g \circ f)(2) = g(f(2)) = g(5) = 7$
$(g \circ f)(3) = g(f(3)) = g(6) = 8$

$$\therefore (g \circ f)(2) + (g \circ f)(3) = 7 + 8 = \mathbf{15}$$

(2) $(g \circ f)(1) = g(f(1)) = g(6) = 8$,

$(g \circ f)(2) = 7$, $(g \circ f)(3) = 8$,

$(g \circ f)(4) = g(f(4)) = g(6) = 8$

따라서 합성함수 $g \circ f$의 치역은 {**7, 8**}이다.

유제 9-2

(1) $f(2) = -1$이므로

　$(f \circ f)(2) = f(f(2)) = f(-1) = \mathbf{2}$

(2) $f(-1) = 2$이므로

　$(g \circ f)(-1) = g(f(-1)) = g(2) = \mathbf{7}$

(3) $(h \circ g)(x) = h(g(x)) = -(2x+3)^2 + 2$이므로

$$\begin{aligned}
((h \circ g) \circ f)(x) &= (h \circ g)(f(x)) \\
&= (h \circ g)(-x+1) \\
&= -\{2(-x+1)+3\}^2 + 2 \\
&= -(-2x+5)^2 + 2 \\
&= \mathbf{-4x^2 + 20x - 23}
\end{aligned}$$

유제 9-3

$f \circ (g \circ h) = (f \circ g) \circ h$이므로

$$\begin{aligned}
(f \circ (g \circ h))(4) &= ((f \circ g) \circ h)(4) \\
&= (f \circ g)(h(4)) \\
&= (f \circ g)(1) \, (\because h(4) = 4 - 3 = 1) \\
&= 2 \times 1^2 - 5 \\
&= \mathbf{-3}
\end{aligned}$$

유제 9-4

$$\begin{aligned}
&(g \circ f)(-2) + (f \circ g)(3) \\
&= g(f(-2)) + f(g(3)) \\
&= g(-3) + f(8) \\
&= -18 + 17 = \mathbf{-1}
\end{aligned}$$

유제 9-5

$f(x) = ax + 3$, $g(x) = 2x - 1$에서

$$\begin{aligned}
(f \circ g)(x) &= f(2x-1) \\
&= a(2x-1) + 3 \\
&= 2ax + 3 - a \qquad \cdots\cdots \ \text{㉠}
\end{aligned}$$

$$\begin{aligned}
(g \circ f)(x) &= g(ax+3) \\
&= 2(ax+3) - 1 \\
&= 2ax + 5 \qquad \cdots\cdots \ \text{㉡}
\end{aligned}$$

㉠과 ㉡이 같아야 하므로

$2ax + 3 - a = 2ax + 5$

$3 - a = 5$

$\therefore a = -2$

유제 9-6

$f(x) = ax + b$, $g(x) = 2x^2 + 3x + 1$에서

$$\begin{aligned}
(f \circ g)(x) &= f(g(x)) \\
&= a(2x^2 + 3x + 1) + b \\
&= 2ax^2 + 3ax + a + b \qquad \cdots\cdots \ \text{㉠}
\end{aligned}$$

$$\begin{aligned}
(g \circ f)(x) &= g(f(x)) \\
&= 2(ax+b)^2 + 3(ax+b) + 1 \\
&= 2a^2x^2 + (4ab+3a)x + 2b^2 + 3b + 1 \qquad \cdots\cdots \ \text{㉡}
\end{aligned}$$

모든 실수 x에 대하여 ㉠과 ㉡이 같아야 하므로

$2a = 2a^2$, $3a = 4ab + 3a$, $a + b = 2b^2 + 3b + 1$

위의 식을 연립하여 풀면

$a = 1$, $b = 0$ $(\because a \neq 0)$

따라서 $f(x) = x$이므로

$f(1) + f(2) + f(3) + \cdots + f(10) = 1 + 2 + 3 + \cdots + 10$

$$= \mathbf{55}$$

유제 9-7

(1) $(h \circ f)(x) = h(f(x)) = h(3x+4) = g(x)$에서

　$3x + 4 = t$로 치환하면 $x = \dfrac{t-4}{3}$이므로

　$h(t) = g\left(\dfrac{t-4}{3}\right) = 6 \times \dfrac{t-4}{3} - 3 = 2t - 11$

　t를 x로 바꾸면

　$\mathbf{h(x) = 2x - 11}$

(2) $(h \circ g \circ f)(x) = h(g(f(x))) = h(18x+21)$
$$= g(x)$$

　에서 $18x + 21 = t$로 치환하면

　$x = \dfrac{t-21}{18}$이므로

　$h(t) = g\left(\dfrac{t-21}{18}\right) = 6 \times \dfrac{t-21}{18} - 3$

$$= \dfrac{1}{3}t - 10$$

　t를 x로 바꾸면

　$\mathbf{h(x) = \dfrac{1}{3}x - 10}$

유제 9-8

$f\left(\dfrac{3x-1}{2}\right) = 6x + 4$에서

$\dfrac{3x-1}{2} = t$로 치환하면 $x = \dfrac{2t+1}{3}$이므로

$f(t) = 6 \times \dfrac{2t+1}{3} + 4 = 4t + 6$

t를 x로 바꾸면

$\mathbf{f(x) = 4x + 6}$

유제 9-9

$f^1(x)=f(x)=x-1$

$f^2(x)=(f\circ f)(x)=f(f(x))=f(x-1)=x-2$

$f^3(x)=(f\circ f^2)(x)=f(f^2(x))=f(x-2)=x-3$

$\vdots$

$\therefore f^n(x)=x-n$

따라서 $f^{50}(x)=x-50$이므로

$f^{50}(a)=a-50=50$

$\therefore a=\boldsymbol{100}$

유제 9-10

함수 f를 4번 합성하면 그림과 같다.

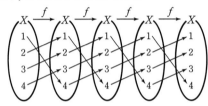

즉, $f^4(x)=x$이므로

$f^{4n}(x)=x$, $f^{4n+1}(x)=f(x)$, $f^{4n+2}(x)=f^2(x)$,

$f^{4n+3}(x)=f^3(x)$

$\therefore f^{102}(1)=f^2(1)=f(f(1))=f(4)=3$,

$\quad f^{103}(4)=f^3(4)=f(f(f(4)))=f(f(3))=f(2)=1$

$\therefore f^{102}(1)+f^{103}(4)=3+1=\boldsymbol{4}$

유제 9-11

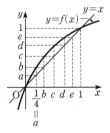

(1) $f\left(\dfrac{1}{4}\right)=b, f(b)=c, f(c)=d$이므로

$\quad (f\circ f\circ f)\left(\dfrac{1}{4}\right)=f\left(f\left(f\left(\dfrac{1}{4}\right)\right)\right)=f(f(b))$

$\qquad\qquad\qquad\quad =f(c)=\boldsymbol{d}$

(2) $f(x)=t$로 치환하면

$\quad (f\circ f)(x)=f(f(x))=f(t)=c$

이때, $f(b)=c$이므로 $t=b$

따라서 $f(x)=b$를 만족시키는 x의 값은

$x=\dfrac{1}{4}$

유제 9-12

$f(x)=\begin{cases} 0 & (x<0) \\ x & (0\leq x<1) \\ 1 & (1\leq x<2) \\ 2x-3 & (x\geq 2) \end{cases}$

$y=(f\circ g)(x)=f(g(x))$이므로

$g(x)=-x+1$을 $f(x)$의 x에 대입하면

$f(g(x))=\begin{cases} 0 & (g(x)<0) \\ g(x) & (0\leq g(x)<1) \\ 1 & (1\leq g(x)<2) \\ 2g(x)-3 & (g(x)\geq 2) \end{cases}$

$=\begin{cases} 0 & (-x+1<0) \\ -x+1 & (0\leq -x+1<1) \\ 1 & (1\leq -x+1<2) \\ 2(-x+1)-3 & (-x+1\geq 2) \end{cases}$

$=\begin{cases} 0 & (x>1) \\ -x+1 & (0<x\leq 1) \\ 1 & (-1<x\leq 0) \\ -2x-1 & (x\leq -1) \end{cases}$

따라서 $y=f(g(x))$의 그
래프를 나타내면 그림과
같다.

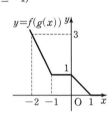

유제 9-13

$f^{-1}(1)=2$에서 $f(2)=1$이므로

$f(2)=2\times 2+k=1$ $\quad\therefore k=-3$

따라서 $f(x)=2x-3$이므로

$f(1)=2\times 1-3=\boldsymbol{-1}$

유제 9-14

$x\geq 0$일 때 $f(x)\geq 3$, $x<0$일 때 $f(x)<3$이다.

$f^{-1}(2)=k$라 하면 $f(k)=2$

즉, $k<0$이므로 $f(k)=-k^2+3=2$

$k^2=1$ $\quad\therefore k=-1 \ (\because k<0)$

$f^{-1}(2)+f^{-1}(a)=5$에서 $-1+f^{-1}(a)=5$

$\therefore f^{-1}(a)=6$

$\therefore a=f(6)=2\times 6+3=\boldsymbol{15}$

유제 9-15

함수 f의 역함수가 존재하므로 함수 f는 일대일대응이다.

직선 $y=f(x)$의 기울기가 음수이므로

$f(a)=-2a+5=-3$ $\therefore a=4$

$f(1)=-2\times 1+5=b$ $\therefore b=3$

$\therefore a+b=\mathbf{7}$

유제 9-16

$f(x)=|x-2|+ax-5=\begin{cases}(a+1)x-7 \ (x\geq 2) \\ (a-1)x-3 \ (x<2)\end{cases}$

함수 f의 역함수가 존재하려면 함수 f가 일대일대응이어야 하므로 $x\geq 2$일 때와 $x<2$일 때의 두 함수의 기울기의 부호가 같아야 한다.

즉, $(a+1)(a-1)>0$이므로

$\boldsymbol{a<-1}$ **또는** $\boldsymbol{a>1}$

유제 9-17

(1) $y=\dfrac{1}{2}x+3$은 실수 전체의 집합 R에서 R로의 일대일대응이므로 역함수가 존재한다.

$y=\dfrac{1}{2}x+3$을 x에 대하여 풀면

$x=2y-6$

x와 y를 바꾸면 구하는 역함수는

$\boldsymbol{y=2x-6}$

(2) $y=-2x+4$는 $x\geq 1$일 때, 일대일대응이므로 역함수가 존재한다.

$y=-2x+4$를 x에 대하여 풀면

$x=-\dfrac{1}{2}y+2$

x와 y를 바꾸면 $y=-\dfrac{1}{2}x+2$

이때, 주어진 함수의 치역은 $\{y\,|\,y\leq 2\}$이므로 역함수의 정의역은 $\{x\,|\,x\leq 2\}$이다.

따라서 구하는 역함수는

$\boldsymbol{y=-\dfrac{1}{2}x+2}$, **정의역** : $\boldsymbol{\{x\,|\,x\leq 2\}}$

유제 9-18

(1) $g^{-1}\circ f^{-1}=(f\circ g)^{-1}$이므로

$\quad (f\circ g)(x)=f(g(x))=f(3x-5)$

$\qquad\qquad\qquad\quad =4(3x-5)-3$

$\qquad\qquad\qquad\quad =12x-23$

$\quad (g^{-1}\circ f^{-1})(a)=(f\circ g)^{-1}(a)=3$에서

$\quad (f\circ g)(3)=a$

$\quad \therefore a=12\times 3-23=\mathbf{13}$

(2) $f\circ (g\circ f)^{-1}\circ f=f\circ (f^{-1}\circ g^{-1})\circ f$

$\qquad\qquad\qquad\quad =(f\circ f^{-1})\circ (g^{-1}\circ f)$

$\qquad\qquad\qquad\quad =I\circ g^{-1}\circ f\ (\because I\text{는 항등함수})$

$\qquad\qquad\qquad\quad =g^{-1}\circ f$

$\therefore (f\circ (g\circ f)^{-1}\circ f)(2)=(g^{-1}\circ f)(2)$

$\qquad\qquad\qquad\qquad\quad =g^{-1}(f(2))$

$\qquad\qquad\qquad\qquad\quad =g^{-1}(5)$

이때, $g^{-1}(5)=k$라 하면 $g(k)=5$이므로

$3k-5=5$ $\therefore k=\dfrac{10}{3}$

$\therefore (f\circ (g\circ f)^{-1}\circ f)(2)=\dfrac{\mathbf{10}}{\mathbf{3}}$

다른 풀이

(1) $(g^{-1}\circ f^{-1})(a)=3$에서 $g^{-1}(f^{-1}(a))=3$이므로

$\quad f^{-1}(a)=g(3)$

$\quad \therefore a=f(g(3))=f(4)=13$

유제 9-19

$((f^{-1}\circ g)^{-1}\circ f)(5)=(g^{-1}\circ f\circ f)(5)$

$\qquad\qquad\qquad\qquad\quad =g^{-1}(f(f(5)))$

$\qquad\qquad\qquad\qquad\quad =g^{-1}(f(-3))$

$\qquad\qquad\qquad\qquad\quad =g^{-1}(11)$

이때, $g^{-1}(11)=k$라 하면 $g(k)=11$이므로

$2k-3=11$ $\therefore k=7$

$\therefore ((f^{-1}\circ g)^{-1}\circ f)(5)=\mathbf{7}$

유제 9-20

$(f\circ g)^{-1}=g^{-1}\circ f^{-1}$

$f^{-1}(b)=k$라 하면 $f(k)=b$에서 $k=a$

$\therefore f^{-1}(b)=a$

또 $g^{-1}(a)=l$이라 하면 $g(l)=a$에서 $l=b$

$\therefore g^{-1}(a)=b$

$\therefore (f\circ g)^{-1}(b)=(g^{-1}\circ f^{-1})(b)$

$\qquad\qquad\qquad =g^{-1}(f^{-1}(b))$

$\qquad\qquad\qquad =g^{-1}(a)=\boldsymbol{b}$

유제 9-21

두 함수 $y=f(x)$와 $y=f^{-1}(x)$의 그래프의 교점은 함수 $y=f(x)$의 그래프와 직선 $y=x$의 교점과 같다.

$\dfrac{1}{2}x+3=x$에서 $x=6$

따라서 교점의 좌표는 $\mathbf{(6,\ 6)}$이다.

유제 9-22

두 함수 $y=f(x)$와 $y=f^{-1}(x)$의 그래프의 교점 P는 함수 $y=f(x)$의 그래프와 직선 $y=x$의 교점과 같다.

이때, 교점 P는 직선 $y=x$ 위의 점이므로 점 P의 좌표를 $(t,\ t)$로 놓으면 $\overline{OP}=2\sqrt{2}$에서

$\sqrt{t^2+t^2}=2\sqrt{2},\ 2t^2=8$

$t^2=4 \quad \therefore t=2\ (\because t\geq 1)$

따라서 점 $P(2,\ 2)$는 함수 $f(x)=x^2-2x+k$의 그래프 위의 점이므로

$f(2)=2^2-2\times 2+k=2 \quad \therefore k=\mathbf{2}$

연습문제

본문 p.270

9-1

(1) $(f\circ g)(x)=f(g(x))=f(x^2+1)$
$\quad\quad\quad\quad\quad =-3(x^2+1)+1=\mathbf{-3x^2-2}$

(2) $(g\circ f)(x)=g(f(x))=g(-3x+1)$
$\quad\quad\quad\quad\quad =(-3x+1)^2+1=\mathbf{9x^2-6x+2}$

9-2

$f(x)=x+2,\ g(x)=2x-1,\ h(x)=3x-2$이므로

$((h\circ g)\circ f)(2)=(h\circ g)(f(2))$
$\quad\quad\quad\quad\quad =(h\circ g)(4)=h(g(4))$
$\quad\quad\quad\quad\quad =h(7)=\mathbf{19}$

다른 풀이

$((h\circ g)\circ f)(x)=(h\circ g)(f(x))=h(g(x+2))$
$\quad\quad\quad\quad\quad =h(2(x+2)-1)=h(2x+3)$
$\quad\quad\quad\quad\quad =3(2x+3)-2=6x+7$

$\therefore ((h\circ g)\circ f)(2)=6\times 2+7=19$

9-3

$(g\circ f)(1)=g(f(1))=g(5)=9$

$(g\circ f)(3)=g(f(3))=g(6)=7$

$\therefore (g\circ f)(1)+(g\circ f)(3)=9+7=\mathbf{16}$

9-4

$(f\circ g)(x)=f(g(x))=f(2x-3)$
$\quad\quad\quad\quad =(2x-3)^2-2(2x-3)+1$
$\quad\quad\quad\quad =4x^2-12x+9-4x+6+1$
$\quad\quad\quad\quad =4x^2-16x+16=4(x-2)^2$

이때, 합성함수 $f\circ g$의 정의역이 $1\leq x\leq 2$이므로

$(f\circ g)(1)=4,\ (f\circ g)(2)=0$

따라서 합성함수 $f\circ g$의 치역은 $\{y\,|\,0\leq y\leq 4\}$이다.

$\therefore a+b=0+4=\mathbf{4}$

9-5

$f^1(x)=f(x)=\dfrac{x}{3}$

$f^2(x)=(f\circ f)(x)=f(f(x))=f\left(\dfrac{x}{3}\right)$

$\quad\quad =\dfrac{1}{3}\times\dfrac{x}{3}=\dfrac{x}{3^2}$

$f^3(x)=(f\circ f^2)(x)=f(f^2(x))=f\left(\dfrac{x}{3^2}\right)$

$\quad\quad =\dfrac{1}{3}\times\dfrac{x}{3^2}=\dfrac{x}{3^3}$

$\quad\quad\quad\vdots$

$\therefore f^n(x)=\dfrac{x}{3^n}$

따라서 $f^5(x)=\dfrac{x}{3^5}$이므로

$f^5(a)=\dfrac{a}{3^5}=3$

$\therefore a=3^6=\mathbf{729}$

9-6

$f^{-1}(1)=2$에서 $f(2)=1$이므로

$f(2)=3\times 2+k=1 \quad \therefore k=-5$

따라서 $f(x)=3x-5$이므로

$f(10)=3\times 10-5=\mathbf{25}$

9-7

함수 $y=f^{-1}(x)$의 그래프가 두 점 $(4,\ 0),\ (0,\ 2)$를 지나는 직선이므로 방정식은

$y=-\dfrac{1}{2}x+2$

이 식을 x에 대하여 풀면

$x=-2y+4$

x와 y를 서로 바꾸면 f^{-1}의 역함수는

$(f^{-1})^{-1}(x)=-2x+4$

이때, $(f^{-1})^{-1}(x)=f(x)$이므로

$f(x)=-2x+4$

$\therefore f(7)=-2\times 7+4=\mathbf{-10}$

9-8

$(f\circ(g\circ f)^{-1}\circ f)(2)=(f\circ f^{-1}\circ g^{-1}\circ f)(2)$
$\quad\quad\quad\quad\quad =(I\circ g^{-1}\circ f)(2)$
$\quad\quad\quad\quad\quad\quad\quad (\because I$는 항등함수$)$
$\quad\quad\quad\quad\quad =(g^{-1}\circ f)(2)$
$\quad\quad\quad\quad\quad =g^{-1}(f(2))$
$\quad\quad\quad\quad\quad =g^{-1}\left(\dfrac{2}{3}\right)$

이때, $g^{-1}\left(\dfrac{2}{3}\right)=k$라 하면 $g(k)=\dfrac{2}{3}$이므로

$g(k)=-3k+2=\dfrac{2}{3} \quad \therefore k=\dfrac{4}{9}$

$\therefore (f\circ(g\circ f)^{-1}\circ f)(2)=\mathbf{\dfrac{4}{9}}$

9-9

$f(x)=x+a$, $g(x)=bx-4$에서
$(f \circ g)(x)=x-2$이므로 $f(g(x))=x-2$
$f(bx-4)=x-2$
$(bx-4)+a=x-2$
즉, $a=2$, $b=1$이므로
$f(x)=x+2$, $g(x)=x-4$
이때, $f^{-1}(4)=k$라 하면 $f(k)=4$
$f(k)=k+2=4$ $\therefore k=2$
$\therefore f^{-1}(4)=2$
또 $g^{-1}(-4)=l$이라 하면 $g(l)=-4$
$g(l)=l-4=-4$ $\therefore l=0$
$\therefore g^{-1}(-4)=0$
따라서 $f^{-1}(4)+g^{-1}(-4)$의 값은
$f^{-1}(4)+g^{-1}(-4)=2+0=\mathbf{2}$

9-10

두 함수 $y=f(x)$와 $y=f^{-1}(x)$의 그래프의 교점은
함수 $y=f(x)$의 그래프와 직선 $y=x$의 교점과 같다.
$x^2-6x=x$에서 $x^2-7x=0$
$x(x-7)=0$ $\therefore x=7 \; (\because x \geq 3)$
따라서 교점의 좌표는 $(7, 7)$이므로
$10ab=10 \times 7 \times 7 = \mathbf{490}$

9-11

$h(x)=ax+b$로 놓으면
$(h \circ f)(x)=h(f(x))=h(2x+3)$
$\qquad =a(2x+3)+b=2ax+3a+b$
$(h \circ f)(x)=g(x)$이므로
$2a=-4$, $3a+b=-5$
즉, $a=-2$, $b=1$이므로 $h(x)=-2x+1$
$\therefore (h \circ g)(-2)=h(g(-2))=h(3)=\mathbf{-5}$

다른 풀이
$(h \circ f)(x)=g(x)$에서 $h(f(x))=g(x)$
$f(x)=2x+3$이므로 $h(2x+3)=g(x)$가 성립한다.
또한, $(h \circ g)(-2)=h(g(-2))=h(3)$
따라서 $h(2x+3)=h(3)$이라 하면
$x=0$일 때, 성립하므로
$h(3)=g(0)=-5$

9-12

$(f \circ f)(x)=f(f(x))=f(2x-1)$
$\qquad =2(2x-1)-1=4x-3$
$g(x)=(f \circ f \circ f)(x)=f((f \circ f)(x))$

$\qquad =f(4x-3)=2(4x-3)-1$
$\qquad =8x-7$
즉, 직선 $y=8x-7$의 기울기가 양수이므로 구간
$1 \leq x \leq 3$에서
최댓값은 $x=3$일 때, $M=8 \times 3-7=17$
최솟값은 $x=1$일 때, $m=8 \times 1-7=1$
$\therefore M+m=\mathbf{18}$

9-13

$f^1\left(\dfrac{1}{2}\right)=f\left(\dfrac{1}{2}\right)=\dfrac{1}{2}+1=\dfrac{3}{2}$

$f^2\left(\dfrac{1}{2}\right)=f\left(f\left(\dfrac{1}{2}\right)\right)=f\left(\dfrac{3}{2}\right)=\dfrac{3}{2}-1=\dfrac{1}{2}$

$f^3\left(\dfrac{1}{2}\right)=f\left(f^2\left(\dfrac{1}{2}\right)\right)=f\left(\dfrac{1}{2}\right)=\dfrac{1}{2}+1=\dfrac{3}{2}$

$\qquad \vdots$

$\therefore f^1\left(\dfrac{1}{2}\right)+f^2\left(\dfrac{1}{2}\right)+\cdots+f^{10}\left(\dfrac{1}{2}\right)=5 \times \dfrac{3}{2}+5 \times \dfrac{1}{2}$

$\qquad\qquad\qquad\qquad\qquad\qquad\qquad =\mathbf{10}$

9-14

$f(x)=\begin{cases} 2 & (x \geq 1) \\ x+1 & (x<1) \end{cases}$, $g(x)=-x+1$

(i) $x \geq 1$일 때,
$\quad (g \circ f)(x)=g(f(x))=g(2)=-1$
(ii) $x<1$일 때,
$\quad (g \circ f)(x)=g(f(x))=g(x+1)$
$\qquad\qquad\qquad\quad =-(x+1)+1=-x$
(i), (ii)에 의하여 $(g \circ f)(x)=\begin{cases} -1 & (x \geq 1) \\ -x & (x<1) \end{cases}$ 이므로

함수 $y=(g \circ f)(x)$의 그래프는 ②이다.

9-15

$h^{-1}(1)=k$라 하면 $h(k)=1=f(3k+1)$
이때, 함수 f가 일대일대응이므로
$f^{-1}(1)=4$에서 $f(4)=1$
$3k+1=4$
$\therefore k=1$
$\therefore h^{-1}(1)=\mathbf{1}$

9-16

(1) 주어진 그림에서 $f(b)=a$
또 $f(c)=b$에서 $f^{-1}(b)=c$이므로
$\quad g(b)=c$
$\quad \therefore f(b)+g(b)=\boldsymbol{a+c}$
(2) $f^{-1}(a)=k$라 하면 $f(k)=a$

이때, $f(b)=a$이므로 $k=b$
$$\therefore (f\circ f)^{-1}(a)=(f^{-1}\circ f^{-1})(a)=f^{-1}(f^{-1}(a))$$
$$=f^{-1}(b)$$
$$=\boldsymbol{c}\ (\because f(c)=b)$$

9-17

함수 $f(x)=x^2-2x-10=(x-1)^2-11$이 역함수를 가지려면 함수 f가 일대일대응이어야 하므로
$a\geq 1$
또한, 함수 f의 정의역은 역함수의 치역과 같으므로 함수 f의 최솟값은 정의역의 최솟값과 같다.
즉, $f(a)=a$이므로
$a^2-2a-10=a,\ a^2-3a-10=0$
$(a+2)(a-5)=0$
$\therefore a=\boldsymbol{5}\ (\because a\geq 1)$

9-18

$f(g(1))=2$이고 $f(1)=2$이므로 $g(1)=1$
이와 같은 방법으로
$g(2)=5,\ g(3)=2,\ g(4)=3,\ g(5)=4$
한편, $(g\circ f)^{-1}(1)=f^{-1}(g^{-1}(1))$에서 $g^{-1}(1)=k$라
하면 $g(k)=1$이므로 $k=1$
또 $f^{-1}(1)=l$이라 하면 $f(l)=1$이므로 $l=5$
$\therefore g(2)+(g\circ f)^{-1}(1)=5+5=\boldsymbol{10}$

9-19

조건 ㈏에서 $f^3=I$이므로
조건 ㈎에서 $f(1)=3$이면 $f(3)=2,\ f(2)=1$

함수 f의 역함수 g에 대하여 $g^3=I$이므로
$g^{10}=g,\ g^{11}=g^2$

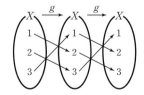

$\therefore g^{10}(2)+g^{11}(3)=g(2)+g^2(3)=3+2=\boldsymbol{5}$

9-20

함수 $y=f(x)$의 그래프와 그 역함수 $y=f^{-1}(x)$의 그래프는 직선 $y=x$에 대하여 대칭이므로
점 A와 B, 점 D와 C도 직선 $y=x$에 대하여 대칭이다.
점 A의 좌표가 A$(1,\ 2)$이므로
점 B의 좌표는 B$(2,\ 1)$
점 D의 좌표를 D$(a,\ 1)(a<0)$이라 하면
점 C의 좌표는 C$(1,\ a)$
이때, $f(1)-f^{-1}(1)=\overline{AC}=|2-a|=7$이므로
$a=-5\ (\because a<0)$
따라서 삼각형 ADB의 넓이는
$$\frac{1}{2}\times 7\times(2-1)=\boldsymbol{\frac{7}{2}}$$

9-21

$h(x)=(f\circ g)(x)$에서
(ⅰ) x가 홀수일 때,
  $h(x)=f(g(x))=f(2)=2$
(ⅱ) x가 짝수일 때,
  $h(x)=f(g(x))=f(3)=1$
$$\therefore h(x)=\begin{cases}2\ (x\text{가 홀수})\\1\ (x\text{가 짝수})\end{cases}$$
$\therefore h(1)+h(2)+\cdots+h(10)$
$$=2+1+2+1+\cdots+1$$
$$=5\times 2+5\times 1=\boldsymbol{15}$$

9-22

모든 실수 x에 대하여
$(f\circ g)(x)=f(g(x))\geq 0$이므로
$\{g(x)\}^2-g(x)-6\geq 0$
$\{g(x)+2\}\{g(x)-3\}\geq 0$
$\therefore g(x)\leq -2$ 또는 $g(x)\geq 3$
그런데 $g(x)=x^2-ax+4\leq -2$는 모든 실수 x에 대하여 성립하지 않는다.
따라서 모든 실수 x에 대하여
$g(x)=x^2-ax+4\geq 3$
즉, 부등식 $x^2-ax+1\geq 0$이 항상 성립하기 위해서는 이차방정식 $x^2-ax+1=0$의 판별식을 D라 할 때
$D\leq 0$이어야 한다.
$D=a^2-4=(a+2)(a-2)\leq 0$
$\therefore \boldsymbol{-2\leq a\leq 2}$

9-23

$(f\circ f)(x)=f(x)$에서 $f(x)=t$로 치환하면
$f(t)=t$

$(t-a)^2+a=t$, $(t-a)\{t-(a+1)\}=0$

$\therefore t=a$ 또는 $t=a+1$

(i) $t=a$이면 $f(x)=a$에서

$\quad (x-a)^2+a=a$, $(x-a)^2=0$

$\quad \therefore x=a$

(ii) $t=a+1$이면 $f(x)=a+1$에서

$\quad (x-a)^2+a=a+1$, $(x-a)^2=1$

$\quad \therefore x=a+1$ 또는 $x=a-1$

(i), (ii)에 의하여 $a+(a+1)+(a-1)=3$

$\therefore a=1$

9-24

역함수가 존재하려면 함수 f가 일대일대응이어야 한다. 즉, 정의역인 집합 A의 원소의 개수와 공역인 집합 B의 원소의 개수는 같아야 한다.

$A \cup B=S$, $A \cap B=\varnothing$을 만족시키는 A, B의 원소의 개수가 2이고, 이때 집합 A의 원소를 결정하면 집합 B도 결정되므로 집합 A는

$\{1,\ 2\}$, $\{1,\ 3\}$, $\{1,\ 4\}$, $\{2,\ 3\}$, $\{2,\ 4\}$, $\{3,\ 4\}$의 6가지이다.

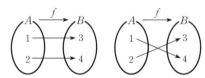

그림과 같이 $A=\{1,\ 2\}$이면 $B=\{3,\ 4\}$이고, 이때 일대일대응인 함수 f의 개수는 2이므로 구하는 함수의 개수는

$6 \times 2=12$

9-25

$x<1$일 때, $y=x-2$이므로 $x \geq 1$일 때, 이차함수 $y=x^2+nx+m$의 그래프는 점 $(1,\ -1)$을 지나고, x의 값이 증가할 때, y의 값도 증가해야 한다.

$y=x^2+nx+m=\left(x+\dfrac{n}{2}\right)^2+m-\dfrac{n^2}{4}$

에서 축의 방정식이 $x=-\dfrac{n}{2}$이므로 $-\dfrac{n}{2} \leq 1$

$\therefore n \geq -2$ ...... ㉠

또 점 $(1,\ -1)$을 지나야 하므로

$f(1)=1+n+m=-1$에서

$m=-n-2$ ...... ㉡

㉠, ㉡에 의하여 $m=-n-2$ $(n \geq -2)$

따라서 m, n 사이의 관계를 nm 평면 위에 나타낸 것은 ③이다.

개념확인코너 본문 p.281

1

다항식 : -3, $\dfrac{2x}{5}$, $x-3$

분수식 : $\dfrac{2}{x}$, $\dfrac{x-1}{x+1}$, $\dfrac{x^2+2x}{x-3}$

2

(1) $\dfrac{6xy^3}{3x^2y^2z^2}=\dfrac{6}{3} \times \dfrac{x}{x^2} \times \dfrac{y^3}{y^2} \times \dfrac{1}{z^2}=\dfrac{2y}{xz^2}$

(2) $\dfrac{(x-1)(x-2)}{x^2-1}=\dfrac{(x-1)(x-2)}{(x-1)(x+1)}=\dfrac{x-2}{x+1}$

답 (1) $\dfrac{2y}{xz^2}$ (2) $\dfrac{x-2}{x+1}$

3

(1) $\dfrac{3x}{x^2y}$, $\dfrac{y^2}{x^2y}$

(2) $\dfrac{3(x-1)}{(x-1)(x-2)}$, $\dfrac{x(x-2)}{(x-1)(x-2)}$

4

(1) $\dfrac{1}{x-1}-\dfrac{1}{x(x-1)}=\dfrac{x}{x(x-1)}-\dfrac{1}{x(x-1)}$

$\qquad =\dfrac{x-1}{x(x-1)}=\dfrac{1}{x}$

(2) $\dfrac{x^2+x-2}{x-1}+\dfrac{x^2-x-2}{x+1}$

$\quad =\dfrac{(x-1)(x+2)}{x-1}+\dfrac{(x-2)(x+1)}{x+1}$

$\quad =x+2+x-2$

$\quad =2x$

답 (1) $\dfrac{1}{x}$ (2) $2x$

5

(1) $\dfrac{x-2}{x^2+2x} \times \dfrac{x}{x^2-4}$

$\quad =\dfrac{x-2}{x(x+2)} \times \dfrac{x}{(x-2)(x+2)}=\dfrac{1}{(x+2)^2}$

(2) $\dfrac{x^2}{x^2-1} \div \dfrac{x+1}{x(x-1)}$

$= \dfrac{x^2}{(x-1)(x+1)} \times \dfrac{x(x-1)}{x+1} = \dfrac{x^3}{(x+1)^2}$

답 (1) $\dfrac{1}{(x+2)^2}$ (2) $\dfrac{x^3}{(x+1)^2}$

6

(1) $\dfrac{\dfrac{y}{x}}{\dfrac{1}{x^2}} = \dfrac{x^2 y}{x} = xy$

(2) $\dfrac{\dfrac{2}{x-1}}{\dfrac{x}{x+1}} = \dfrac{2(x+1)}{x(x-1)}$

답 (1) xy (2) $\dfrac{2(x+1)}{x(x-1)}$

7

(1) (2)

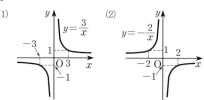

8

(1) $\dfrac{x+2}{x-3} = \dfrac{(x-3)+5}{x-3} = \dfrac{5}{x-3}+1$

(2) $\dfrac{4x-5}{x-3} = \dfrac{4(x-3)+7}{x-3} = \dfrac{7}{x-3}+4$

답 (1) $\dfrac{5}{x-3}+1$ (2) $\dfrac{7}{x-3}+4$

9

(1) $y = -\dfrac{2}{x}-1$의 그래프는 $y = -\dfrac{2}{x}$ 의 그래프를 y축의 방향으로 -1만큼 평행이동한 것이다.

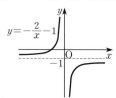

∴ 정의역 : $\{x \,|\, x$는 $x \neq 0$인 실수$\}$
치역 : $\{y \,|\, y$는 $y \neq -1$인 실수$\}$

(2) $y = \dfrac{2}{x-3}+1$의 그래프는 $y = \dfrac{2}{x}$ 의 그래프를 x축의 방향으로 3만큼, y축의 방향으로 1만큼 평행이동한 것이다.

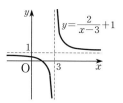

∴ 정의역 : $\{x \,|\, x$는 $x \neq 3$인 실수$\}$
치역 : $\{y \,|\, y$는 $y \neq 1$인 실수$\}$

10

(1) $y = \dfrac{2x}{x-1} = \dfrac{2(x-1)+2}{x-1} = \dfrac{2}{x-1}+2$

$y = \dfrac{2x}{x-1}$ 의 그래프는 $y = \dfrac{2}{x}$ 의 그래프를 x축의 방향으로 1만큼, y축의 방향으로 2만큼 평행이동한 것이다.

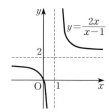

따라서 점근선의 방정식은
$x=1$, $y=2$

(2) $y = \dfrac{x-4}{2-x} = \dfrac{-(2-x)-2}{2-x} = \dfrac{2}{x-2}-1$

$y = \dfrac{x-4}{2-x}$ 의 그래프는 $y = \dfrac{2}{x}$ 의 그래프를 x축의 방향으로 2만큼, y축의 방향으로 -1만큼 평행이동한 것이다.

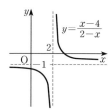

따라서 점근선의 방정식은
$x=2$, $y=-1$

본문 p.283

유제 10-1

(1) $\dfrac{a}{a^2-b^2}+\dfrac{b}{b^2-a^2}=\dfrac{a}{a^2-b^2}+\dfrac{-b}{a^2-b^2}$

$=\dfrac{a-b}{a^2-b^2}$

$=\dfrac{a-b}{(a-b)(a+b)}$

$=\dfrac{1}{a+b}$

(2) $\dfrac{a}{a+3}-\dfrac{2a+27}{2a^2+5a-3}$

$=\dfrac{a}{a+3}-\dfrac{2a+27}{(2a-1)(a+3)}$

$=\dfrac{a(2a-1)-(2a+27)}{(2a-1)(a+3)}$

$=\dfrac{2a^2-3a-27}{(2a-1)(a+3)}$

$=\dfrac{(2a-9)(a+3)}{(2a-1)(a+3)}$

$=\dfrac{2a-9}{2a-1}$

유제 10-2

(1) $\dfrac{1}{x-1}-\dfrac{1}{x}-\dfrac{1}{x+2}+\dfrac{1}{x-3}$

$=\dfrac{1}{x(x-1)}+\dfrac{5}{(x+2)(x-3)}$

$=\dfrac{(x+2)(x-3)+5x(x-1)}{x(x-1)(x+2)(x-3)}$

$=\dfrac{6(x^2-x-1)}{x(x-1)(x+2)(x-3)}$

(2) $\dfrac{x-1}{x-2}-\dfrac{x}{x-1}-\dfrac{x+2}{x+1}+\dfrac{x+3}{x+2}$

$=\left(1+\dfrac{1}{x-2}\right)-\left(1+\dfrac{1}{x-1}\right)$

$\qquad\qquad -\left(1+\dfrac{1}{x+1}\right)+\left(1+\dfrac{1}{x+2}\right)$

$=\dfrac{1}{x-2}-\dfrac{1}{x-1}-\dfrac{1}{x+1}+\dfrac{1}{x+2}$

$=\dfrac{1}{(x-2)(x-1)}-\dfrac{1}{(x+1)(x+2)}$

$=\dfrac{(x+1)(x+2)-(x-2)(x-1)}{(x-2)(x-1)(x+1)(x+2)}$

$=\dfrac{6x}{(x-2)(x-1)(x+1)(x+2)}$

유제 10-3

(1) $\dfrac{x^2+3x}{x-2}\times\dfrac{x^2-4}{x^3-2x^2-15x}$

$=\dfrac{x(x+3)}{x-2}\times\dfrac{(x-2)(x+2)}{x(x+3)(x-5)}$

$=\dfrac{x+2}{x-5}$

(2) $\dfrac{x^2+xy}{x^2+2xy+y^2}\div\dfrac{3x^2}{x^2-xy-2y^2}$

$=\dfrac{x(x+y)}{(x+y)^2}\times\dfrac{(x+y)(x-2y)}{3x^2}$

$=\dfrac{x-2y}{3x}$

유제 10-4

$\dfrac{x^2-x-6}{x^2+4x}\times\dfrac{x-1}{x+2}\div\dfrac{x^2-4x+3}{x+4}$

$=\dfrac{(x+2)(x-3)}{x(x+4)}\times\dfrac{x-1}{x+2}\times\dfrac{x+4}{(x-1)(x-3)}$

$=\dfrac{1}{x}$

유제 10-5

(1) (주어진 식)$=1+\dfrac{1}{1+\dfrac{1}{\frac{x+1}{x}}}$

$=1+\dfrac{1}{1+\dfrac{x}{x+1}}$

$=1+\dfrac{1}{\dfrac{2x+1}{x+1}}$

$=1+\dfrac{x+1}{2x+1}$

$=\dfrac{3x+2}{2x+1}$

(2) (주어진 식)

$=\dfrac{1}{2}\left\{\left(\dfrac{1}{x}-\dfrac{1}{x+2}\right)+\left(\dfrac{1}{x+2}-\dfrac{1}{x+4}\right)\right.$

$\qquad\qquad\left.+\left(\dfrac{1}{x+4}-\dfrac{1}{x+6}\right)\right\}$

$=\dfrac{1}{2}\left(\dfrac{1}{x}-\dfrac{1}{x+6}\right)$

$=\dfrac{3}{x(x+6)}$

유제 10-6

(1) $y = \dfrac{2x+1}{x-1} = \dfrac{2(x-1)+3}{x-1} = \dfrac{3}{x-1} + 2$

이므로 주어진 함수의 그래프는 $y = \dfrac{3}{x}$ 의 그래프를

x축의 방향으로 1만큼, y축의 방향으로 2만큼 평행이동한 것이다.

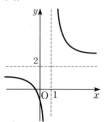

∴ 정의역 : $\{x \mid x$는 $x \neq 1$인 실수$\}$
  치역 : $\{y \mid y$는 $y \neq 2$인 실수$\}$
  점근선의 방정식 : $x = 1$, $y = 2$

(2) $y = \dfrac{3x-2}{2-x} = \dfrac{-3(2-x)+4}{2-x} = -\dfrac{4}{x-2} - 3$

이므로 주어진 함수의 그래프는 $y = -\dfrac{4}{x}$ 의 그래프

를 x축의 방향으로 2만큼, y축의 방향으로 -3만큼 평행이동한 것이다.

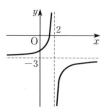

∴ 정의역 : $\{x \mid x$는 $x \neq 2$인 실수$\}$
  치역 : $\{y \mid y$는 $y \neq -3$인 실수$\}$
  점근선의 방정식 : $x = 2$, $y = -3$

유제 10-7

$y = \dfrac{b}{x+a} + c$ 의 그래프의 점근선의 방정식이

$x = 2$, $y = -1$이므로
$a = -2$, $c = -1$

$y = \dfrac{b}{x-2} - 1$ 의 그래프가 원점을 지나므로

$0 = \dfrac{b}{0-2} - 1$ ∴ $b = -2$

∴ $abc = (-2) \times (-2) \times (-1) = -4$

유제 10-8

점근선의 방정식이 $x = 1$, $y = 2$이므로 구하려는

함수의 식을 $y = \dfrac{k}{x-1} + 2$로 놓을 수 있다.

이 함수의 그래프가 점 $(2, 4)$를 지나므로

$4 = \dfrac{k}{2-1} + 2$ ∴ $k = 2$

따라서 $k = 2$를 대입하면

$y = \dfrac{2}{x-1} + 2 = \dfrac{2+2(x-1)}{x-1}$

$= \dfrac{2x}{x-1} = \dfrac{ax+b}{x+c}$

∴ $a = 2$, $b = 0$, $c = -1$

다른 풀이
점근선의 방정식이 $x = 1$, $y = 2$이므로

$x = -\dfrac{c}{1} = 1$에서 $c = -1$

$y = \dfrac{a}{1} = 2$에서 $a = 2$

또 함수 $y = \dfrac{2x+b}{x-1}$ 의 그래프가 $(2, 4)$를 지나므로

$4 = \dfrac{4+b}{2-1}$ ∴ $b = 0$

유제 10-9

$y = \dfrac{2x-1}{x-1} = \dfrac{1}{x-1} + 2$의 그래프는 $y = \dfrac{1}{x}$ 의 그래프

를 x축의 방향으로 1만큼, y축의 방향으로 2만큼 평행이동한 것이다.

또한, $y = \dfrac{-3x-2}{x+1} = \dfrac{1}{x+1} - 3$의 그래프는

$y = \dfrac{1}{x}$ 의 그래프를 x축의 방향으로 -1만큼, y축의 방향으로 -3만큼 평행이동한 것이다.

따라서 $y = \dfrac{2x-1}{x-1}$ 의 그래프를 x축의 방향으로 -2

만큼, y축의 방향으로 -5만큼 평행이동하면

$y = \dfrac{-3x-2}{x+1}$ 의 그래프와 겹치므로

$m = -2$, $n = -5$
∴ $m + n = -7$

유제 10-10

$y = -\dfrac{2x+c}{x+1} = -\dfrac{2(x+1)+c-2}{x+1} = \dfrac{2-c}{x+1} - 2$

이므로 $2 - c = -3$ ∴ $c = 5$

유제 10-11

$y = \dfrac{3x+10}{x+3} = \dfrac{3(x+3)+1}{x+3} = \dfrac{1}{x+3}+3$에서 점근

선의 방정식이 $x=-3$, $y=3$이므로 두 점근선의 교점
인 점 $(-3,\ 3)$을 지나면서 기울기가 1, -1인 두 직선
에 대하여 각각 대칭이다.

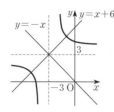

이때, $a>0$이므로 기울기가 1이고 점 $(-3,\ 3)$을 지나
는 직선은

$y-3=x+3$

$\therefore y=x+6$

따라서 $a=1$, $b=6$이므로

$a+b=\mathbf{7}$

유제 10-12

$y = \dfrac{2x+1}{3x-1} = \dfrac{\frac{2}{3}(3x-1)+\frac{5}{3}}{3x-1} = \dfrac{5}{3(3x-1)}+\dfrac{2}{3}$

에서 점근선의 방정식이 $x=\dfrac{1}{3}$, $y=\dfrac{2}{3}$이므로

두 점근선의 교점인 점 $\left(\dfrac{1}{3},\ \dfrac{2}{3}\right)$를 지나면서 기울기가

1, -1인 두 직선에 대하여 각각 대칭이다.

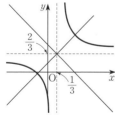

$y-\dfrac{2}{3}=x-\dfrac{1}{3}$에서

$y=x+\dfrac{1}{3}$

$y-\dfrac{2}{3}=-\left(x-\dfrac{1}{3}\right)$에서

$y=-x+1$

$\therefore a=\dfrac{1}{3}$, $b=-1$, $c=1$

$\therefore abc=-\dfrac{1}{3}$

유제 10-13

$f(x) = \dfrac{3x+3}{x-1} = \dfrac{3(x-1)+6}{x-1}$

$\qquad = \dfrac{6}{x-1}+3$

이므로 $x \le -2$ 또는 $x \ge 3$에
서 $y=f(x)$의 그래프는 그
림과 같다. 따라서
$x=3$일 때, 최댓값 $M=6$
$x=-2$일 때, 최솟값
$m=1$이므로
$M+m=\mathbf{7}$

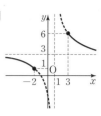

유제 10-14

$y = \dfrac{bx+a}{x+a}$에서 점근선의 방정식이 $x=-1$, $y=2$이

므로 $a=1$, $b=2$

$y = \dfrac{2x+1}{x+1} = \dfrac{2(x+1)-1}{x+1}$

$\qquad = -\dfrac{1}{x+1}+2$

의 그래프는 $1 \le x \le 2$에서 그림과 같다.

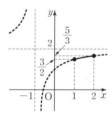

따라서 $x=2$일 때, 최댓값은 $\dfrac{5}{3}$이고

$x=1$일 때, 최솟값은 $\dfrac{3}{2}$이므로

최댓값과 최솟값의 합은

$\dfrac{5}{3}+\dfrac{3}{2}=\dfrac{\mathbf{19}}{\mathbf{6}}$

참고 유리함수 $y = \dfrac{ax+b}{cx+d}$에서 점근선의 방정식은

$\qquad x=-\dfrac{d}{c}$, $y=\dfrac{a}{c}$

유제 10-15

$y=f^{-1}(x) = \dfrac{4x-3}{-x+1}$으로 놓고 x에 대하여 풀면

$-xy+y=4x-3$, $(y+4)x=y+3$

$x=\dfrac{y+3}{y+4}$

x와 y를 서로 바꾸면 $y=\dfrac{x+3}{x+4}$

따라서 $f(x)=\dfrac{x+3}{x+4}=\dfrac{ax+b}{x+c}$ 이므로

$a=1$, $b=3$, $c=4$

$\therefore a+b+c=\boldsymbol{8}$

참고 $(f^{-1})^{-1}(x)=f(x)$ 이므로 f^{-1}의 역함수가 f이다.

유제 10-16

$-\dfrac{2}{x}+2=2x+k$ 에서 $-2+2x=2x^2+kx$

$\therefore 2x^2+(k-2)x+2=0$ ······㉠

$y=\dfrac{2x-2}{x}=-\dfrac{2}{x}+2$ 의 그래프와 직선 $y=2x+k$가 한 점에서 만나려면 이차방정식 ㉠이 중근을 가져야 하므로 ㉠의 판별식을 D라 하면

$D=(k-2)^2-16=0$, $k^2-4k-12=0$

$(k+2)(k-6)=0$ $\therefore k=-2$ 또는 $k=6$

따라서 모든 상수 k의 값의 합은

$-2+6=\boldsymbol{4}$

유제 10-17

$y=\dfrac{2x-1}{x+1}=\dfrac{2(x+1)-3}{x+1}=-\dfrac{3}{x+1}+2$

에서 점근선의 방정식이 $x=-1$, $y=2$이므로 그래프는 그림과 같고, 정의역 $\{x\,|\,0\le x\le 2\}$에서 그래프의 양 끝점은 $(0,\ -1)$, $(2,\ 1)$이다.

이때, 직선 $y=m(x+2)$는 m의 값에 관계없이 점 $(-2,\ 0)$을 지난다.

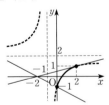

(i) 점 $(0,\ -1)$을 지날 때, $-1=2m$, $m=-\dfrac{1}{2}$

(ii) 점 $(2,\ 1)$을 지날 때, $1=4m$, $m=\dfrac{1}{4}$

(i), (ii)에 의하여 구하는 m의 값의 범위는

$-\dfrac{1}{2}\le m\le\dfrac{1}{4}$

$\therefore a=-\dfrac{1}{2}$, $b=\dfrac{1}{4}$

$\therefore 8ab=8\times\left(-\dfrac{1}{2}\right)\times\dfrac{1}{4}=\boldsymbol{-1}$

본문 p.300

연습문제

10-1

(1) $\dfrac{3}{x+2}+\dfrac{5}{x^2-x-6}$

$=\dfrac{3}{x+2}+\dfrac{5}{(x+2)(x-3)}$

$=\dfrac{3(x-3)+5}{(x+2)(x-3)}$

$=\dfrac{\boldsymbol{3x-4}}{\boldsymbol{(x+2)(x-3)}}$

(2) $\dfrac{x+2}{x}-\dfrac{x+3}{x+1}-\dfrac{x+5}{x-3}+\dfrac{x+4}{x-4}$

$=\left(1+\dfrac{2}{x}\right)-\left(1+\dfrac{2}{x+1}\right)-\left(1+\dfrac{8}{x-3}\right)$

$\qquad\qquad\qquad\qquad\qquad +\left(1+\dfrac{8}{x-4}\right)$

$=\dfrac{2}{x}-\dfrac{2}{x+1}-\dfrac{8}{x-3}+\dfrac{8}{x-4}$

$=\dfrac{2(x+1)-2x}{x(x+1)}+\dfrac{-8(x-4)+8(x-3)}{(x-3)(x-4)}$

$=\dfrac{2}{x(x+1)}+\dfrac{8}{(x-3)(x-4)}$

$=\dfrac{2(x-3)(x-4)+8x(x+1)}{x(x+1)(x-3)(x-4)}$

$=\dfrac{\boldsymbol{2(5x^2-3x+12)}}{\boldsymbol{x(x+1)(x-3)(x-4)}}$

(3) $\dfrac{x^2-1}{x^3+1}\times\dfrac{x^2-x+1}{x-1}$

$=\dfrac{(x-1)(x+1)}{(x+1)(x^2-x+1)}\times\dfrac{x^2-x+1}{x-1}$

$=\boldsymbol{1}$

(4) (주어진 식)

$=\dfrac{(x+3)(x+1)}{(x+1)(x-2)}\times\dfrac{x(x+2)}{(x+2)(x+3)}$

$\qquad\qquad\qquad\qquad \times\dfrac{(x+3)(x-2)}{x+3}$

$=\boldsymbol{x}$

10-2

$y=\dfrac{3}{x+2}-1$ 에서 $y+1=\dfrac{3}{x+2}$

위의 식을 x에 대하여 정리하면

$x+2=\dfrac{3}{y+1}$

$x=\dfrac{3}{y+1}-2$

따라서 역함수는 $y=\dfrac{3}{x+1}-2$이고 점근선의 방정식

은 $x=-1,\ y=-2$이므로

$a=-1,\ b=-2$

$\therefore a+b=-3$

다른 풀이

함수 $y=\dfrac{3}{x+2}-1$의 정의역은 $\{x\,|\,x\neq-2$인 실수$\}$,

치역은 $\{y\,|\,y\neq-1$인 실수$\}$이므로 역함수의 정의역은

$\{x\,|\,x\neq-1$인 실수$\}$, 치역은 $\{y\,|\,y\neq-2$인 실수$\}$이다.

즉, 역함수의 그래프의 두 점근선의 방정식은

$x=-1,\ y=-2$

따라서 $a=-1,\ b=-2$이므로

$a+b=-3$

10-3

함수 $y=\dfrac{3}{x+1}$의 그래프는 함수 $y=\dfrac{3}{x}$의 그래프를

x축의 방향으로 -1만큼 평행이동한 것이다. 분모는 0

이 아니어야 하므로 정의역은 -1을 제외한 실수 전체

의 집합이고 점근선의 방정식은 $x=-1,\ y=0$이다.

그래프는 제1, 2, 3사분면을 지나고 직선 $y=x+1$에

대하여 대칭이다.

따라서 옳은 것은 ㄴ, ㄷ, ㄹ이다.

10-4

$y=\dfrac{5x+3}{x-1}=\dfrac{5(x-1)+8}{x-1}$

$\quad=\dfrac{8}{x-1}+5$

이므로 점근선의 방정식은 $x=1,\ y=5$이다.

따라서 점 $(1,\ 5)$에 대하여 대칭이므로

$a=1,\ b=5$

$\therefore a+b=6$

10-5

$y=\dfrac{-2x+3}{x-1}$

$\quad=\dfrac{-2(x-1)+1}{x-1}$

$\quad=\dfrac{1}{x-1}-2$

의 그래프는 $y=\dfrac{1}{x}$의 그래프를 x축의 방향으로 1만큼,

y축의 방향으로 -2만큼 평행이동한 것이므로 그림과

같이 **제2사분면을 지나지 않는다.**

10-6

$y=\dfrac{2x+1}{x-1}=\dfrac{3}{x-1}+2$

이므로 점근선의 방정식은

$x=1,\ y=2$이고,

점 $(1,\ 2)$에 대하여 대칭이

다. 또한, 점 $(1,\ 2)$를 지나

고 기울기가 ±1인 직선에

대하여 대칭이므로

$y=x+n$에 $x=1,\ y=2$를 대입하면

$2=1+n$

$\therefore n=1$

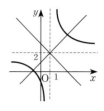

10-7

$y=\dfrac{k}{x-p}+q$의 그래프의 점근선의 방정식이

$x=2,\ y=-2$이므로

$p=2,\ q=-2$

$y=\dfrac{k}{x-2}-2$의 그래프가 원점을 지나므로

$0=\dfrac{k}{0-2}-2$

$\therefore k=-4$

10-8

ㄱ. $y=\dfrac{x}{x+1}=\dfrac{(x+1)-1}{x+1}=-\dfrac{1}{x+1}+1$

이므로 함수 $y=\dfrac{x}{x+1}$의 그래프는 함수 $y=-\dfrac{1}{x}$

의 그래프를 x축의 방향으로 -1만큼, y축의 방향

으로 1만큼 평행이동한 것이다.

ㄴ. $y=\dfrac{x+1}{x-1}=\dfrac{(x-1)+2}{x-1}=\dfrac{2}{x-1}+1$

이므로 함수 $y=\dfrac{x+1}{x-1}$의 그래프는 함수 $y=\dfrac{2}{x}$의

그래프를 x축의 방향으로 1만큼, y축의 방향으로

1만큼 평행이동한 것이다.

ㄷ. $y=\dfrac{2x+6}{x+2}=\dfrac{2(x+2)+2}{x+2}=\dfrac{2}{x+2}+2$

이므로 함수 $y=\dfrac{2x+6}{x+2}$의 그래프는 함수 $y=\dfrac{2}{x}$의

그래프를 x축의 방향으로 -2만큼, y축의 방향으로

2만큼 평행이동한 것이다.

따라서 평행이동하여 $y=\dfrac{2}{x}$의 그래프와 겹쳐질 수 있

는 것은 ㄴ, ㄷ이다.

10-9

함수 $y=\dfrac{k}{x}$의 그래프를 x축의 방향으로 2만큼,

y축의 방향으로 1만큼 평행이동한 그래프의 식은

$y=\dfrac{k}{x-2}+1$ ······ ㉠

㉠의 그래프가 점 $(4,\ 10)$을 지나므로

$10=\dfrac{k}{4-2}+1$

$\therefore k=18$

10-10

$(f \circ g)(x)=x$이므로 g는 f의 역함수이다.

이때, $y=\dfrac{x+3}{x-2}$으로 놓고 x에 대하여 풀면

$xy-2y=x+3,\ (y-1)x=2y+3,\ x=\dfrac{2y+3}{y-1}$

따라서 $g(x)=\dfrac{2x+3}{x-1}$이므로

$g(3)=\dfrac{2\times 3+3}{3-1}=\dfrac{9}{2}$

10-11

함수 $y=\dfrac{a}{x-1}+3$의 그래프

의 점근선의 방정식이 $x=1$,

$y=3$이고, 이 그래프가 모든

사분면을 지나기 위해서는 그

림과 같이 $x=0$에서의 y의

값이 음수이어야 하므로

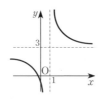

$\dfrac{a}{0-1}+3<0 \quad \therefore a>3$

10-12

점 $(1,\ -2)$에 대하여 대칭인 유리함수의 그래프의

점근선의 방정식이 $x=1$, $y=-2$이므로 유리함수의

그래프의 식을

$y=\dfrac{k}{x-1}-2\ (k\neq 0)$ ······ ㉠

로 놓을 수 있다.

㉠의 그래프가 점 $(2,\ -4)$를 지나므로

$-4=\dfrac{k}{2-1}-2 \quad \therefore k=-2$

$\therefore y=\dfrac{-2}{x-1}-2=\dfrac{-2x}{x-1}=\dfrac{ax+b}{x+c}$

따라서 $a=-2$, $b=0$, $c=-1$이므로

$a+b+c=-3$

10-13

$y=f(x)$의 그래프의 점근선의 방정식이 $x=2$, $y=2$

이므로

$y=\dfrac{k}{x-2}+2\ (k\neq 0)$로 놓으면

$y=\dfrac{k}{x-2}+2=\dfrac{2x+k-4}{x-2}=\dfrac{ax+1}{x-b}$

이므로 $a=2$, $b=2$, $k=5$

$\therefore f(x)=\dfrac{2x+1}{x-2}=\dfrac{5}{x-2}+2$

ㄱ. $f(-x)=-f(x)$를 만족시키려면 $y=f(x)$의 그
래프가 원점에 대해 대칭이어야 하는데 $y=f(x)$의
그래프는 점 $(2,\ 2)$에 대하여 대칭이다. (거짓)

ㄴ. $y=\dfrac{2x+1}{x-2}$로 놓고 x에 대하여 풀면

$xy-2y=2x+1,\ x=\dfrac{2y+1}{y-2}$

$\therefore f^{-1}(x)=\dfrac{2x+1}{x-2}=f(x)$ (참)

ㄷ. $y=f(x)$의 그래프는 그림
과 같으므로 직선 $y=-x$
에 대하여 대칭이 아니다.
(거짓)

따라서 옳은 것은 ㄴ뿐이다.

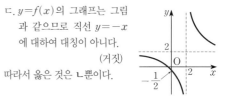

10-14

$y=\dfrac{x+1}{x-2}=\dfrac{(x-2)+3}{x-2}=\dfrac{3}{x-2}+1$

의 그래프는 그림과 같으므로 $3\leq x\leq 5$에서

$y=\dfrac{x+1}{x-2}$의 그래프와 직선 $y=ax$가 만나려면 $a>0$

이어야 한다.

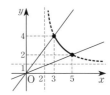

따라서 직선 $y=ax$가 점 $(3,\ 4)$를 지날 때, 상수 a의

최댓값은 $M=\dfrac{4}{3}$, 점 $(5,\ 2)$를 지날 때, 상수 a의

최솟값은 $m=\dfrac{2}{5}$이므로

$3M+5m=4+2=6$

10-**15**

$f(x)=\dfrac{x-3}{x+1}=\dfrac{(x+1)-4}{x+1}=-\dfrac{4}{x+1}+1$

의 그래프를 x축의 방향으로 a만큼, y축의 방향으로 b
만큼 평행이동하면

$f(x)=-\dfrac{4}{x+1-a}+1+b$ $\qquad$ ……㉠

한편, $y=\dfrac{x-3}{x+1}$ 으로 놓고 x에 대하여 풀면

$xy+y=x-3$

$(y-1)x=-y-3$

$x=\dfrac{-y-3}{y-1}$

$\therefore f^{-1}(x)=\dfrac{-x-3}{x-1}=\dfrac{-(x-1)-4}{x-1}$

$\qquad\qquad=-\dfrac{4}{x-1}-1$ $\qquad$ ……㉡

㉠, ㉡의 그래프가 일치하므로

$1-a=-1$

$1+b=-1$

$\therefore a=2,\ b=-2$

$\therefore ab=\mathbf{-4}$

10-**16**

두 함수 $y=\dfrac{ax+1}{2x-6}$, $y=\dfrac{bx+1}{2x+6}$ 의 그래프가 직선

$y=x$에 대하여 서로 대칭이므로 두 함수는 서로 역함
수이다.

$y=\dfrac{ax+1}{2x-6}$ 을 x에 대하여 풀면

$2xy-6y=ax+1$

$(2y-a)x=6y+1$

$x=\dfrac{6y+1}{2y-a}$

$\therefore y=\dfrac{6x+1}{2x-a}=\dfrac{bx+1}{2x+6}$ 이므로

$a=-6,\ b=6$

$\therefore b-a=\mathbf{12}$

다른 풀이

두 유리함수의 그래프가 직선 $y=x$에 대하여 서로 대
칭이면 점근선의 교점도 직선 $y=x$에 대하여 서로 대
칭이다.

$y=\dfrac{ax+1}{2x-6}$ 의 점근선의 방정식이 $x=3,\ y=\dfrac{a}{2}$이므로

점근선의 교점의 좌표는 $\left(3,\dfrac{a}{2}\right)$이다.

또 $y=\dfrac{bx+1}{2x+6}$ 의 점근선의 방정식이 $x=-3,\ y=\dfrac{b}{2}$

이므로 점근선의 교점의 좌표는 $\left(-3,\dfrac{b}{2}\right)$이다.

이때, 두 점 $\left(3,\dfrac{a}{2}\right)$, $\left(-3,\dfrac{b}{2}\right)$가 직선 $y=x$에 대하여

서로 대칭이므로

$3=\dfrac{b}{2},\ \dfrac{a}{2}=-3$ $\quad\therefore a=-6,\ b=6$

$\therefore b-a=12$

10-**17**

함수 $y=\dfrac{1}{x}$의 그래프 위의 점 A의 좌표를

$A\left(p,\dfrac{1}{p}\right)$이라 하면 두 점 B, C의 좌표는 각각

$B\left(kp,\dfrac{1}{p}\right)$, $C\left(p,\dfrac{k}{p}\right)$

$\overline{AB}=kp-p=(k-1)p$

$\overline{AC}=\dfrac{k}{p}-\dfrac{1}{p}=\dfrac{k-1}{p}$

이고 삼각형 ABC의 넓이가 50이므로

$\dfrac{1}{2}\times\overline{AB}\times\overline{AC}=\dfrac{1}{2}\times(k-1)p\times\dfrac{k-1}{p}=50$

$(k-1)^2=100$

$\therefore k=\mathbf{11}\ (\because k>1)$

10-**18**

$f(x)=\dfrac{1}{1-x}$ 에 대하여

$f^2(x)=(f\circ f)(x)=f(f(x))=\dfrac{1}{1-f(x)}$

$\qquad=\dfrac{1}{1-\dfrac{1}{1-x}}=-\dfrac{1-x}{x}$

$f^3(x)=f(f^2(x))=\dfrac{1}{1+\dfrac{1-x}{x}}=x$

$f^4(x)=f(f^3(x))=\dfrac{1}{1-x}=f(x)$

$\qquad\qquad\vdots$

이상에서 $\dfrac{1}{1-x}$, $-\dfrac{1-x}{x}$, x가 반복됨을 알 수 있다.

$50=3\times16+2$이므로

$f^{50}(x)=f^2(x)=-\dfrac{1-x}{x}$

$\therefore f^{50}(2)=-\dfrac{1-2}{2}=\dfrac{\mathbf{1}}{\mathbf{2}}$

10-19

$y = \dfrac{2x-1}{x-1} = \dfrac{1}{x-1} + 2$ ......㉠

$y = m(x-1) + 2$ ......㉡

㉠은 점근선의 방정식이 $x=1$, $y=2$인 유리함수이고
㉡은 점 $(1, 2)$를 지나고 기울기가 m인 직선이므로
두 그래프가 만나지 않으려면 직선 ㉡이 그림의 어두운
부분에 존재해야 한다.

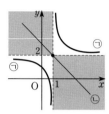

따라서 구하는 m의 값의 범위는

$m \leq 0$

10-20

점 P의 좌표를 $P\left(a, \dfrac{9}{a-1}\right)$라 하면 Q, R의 좌표는

각각 $Q(a, 0)$, $R\left(0, \dfrac{9}{a-1}\right)$이므로

$\overline{PQ} + \overline{PR} = \dfrac{9}{a-1} + a$

$= \dfrac{9}{a-1} + a - 1 + 1$

$\geq 2\sqrt{\dfrac{9}{a-1} \times (a-1)} + 1 = 7$

$\left(\text{단, 등호는 } \dfrac{9}{a-1} = a-1 \text{일 때 성립}\right)$

따라서 $\overline{PQ} + \overline{PR}$의 최솟값은 **7**이다.

10-21

$y = \dfrac{2x-1}{2x+3} = \dfrac{2x+3-4}{2x+3} = -\dfrac{4}{2x+3} + 1$

y가 정수가 되려면 $|2x+3|$은 4의 약수가 되어야 하므
로 $2x+3 = \pm 1, \pm 2, \pm 4$

이 중에서 x가 정수가 되는 것은

$2x+3 = \pm 1$

$\therefore x = -1$ 또는 $x = -2$

따라서 구하는 점은 $(-1, -3)$, $(-2, 5)$이므로

$a+b+c+d = (-1) + (-3) + (-2) + 5$

$= -1$

10-22

함수 $y = \dfrac{|x|-1}{|x+1|}$의 정의역은 $x \neq -1$인 모든 실수이

므로

(ⅰ) $x < -1$일 때, $y = \dfrac{-x-1}{-(x+1)} = 1$

(ⅱ) $-1 < x < 0$일 때, $y = \dfrac{-x-1}{x+1} = -1$

(ⅲ) $x \geq 0$일 때, $y = \dfrac{x-1}{x+1} = -\dfrac{2}{x+1} + 1$

(ⅰ), (ⅱ), (ⅲ)에 의하여 함수
의 그래프는 그림과 같다.
한편, $y = mx + 2m - 2$에서
$y = m(x+2) - 2$
이 직선은 m의 값에 관계없
이 점 $(-2, -2)$를 지나므
로 주어진 함수의 그래프와

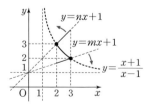

직선이 만나지 않으려면 그림에서 두 직선 ㉠과 ㉡ 사이
에 위치해야 한다.
직선이 점 $(-1, -1)$을 지날 때
$-1 = m - 2$ $\therefore m = 1$
직선이 점 $(-1, 1)$을 지날 때
$1 = m - 2$ $\therefore m = 3$
따라서 $1 \leq m \leq 3$이므로 m의 최댓값과 최솟값의 합은
$3 + 1 = \mathbf{4}$

10-23

$y = \dfrac{x+1}{x-1} = \dfrac{(x-1)+2}{x-1}$

$= \dfrac{2}{x-1} + 1$ ......㉠

$y = mx + 1$, $y = nx + 1$

로 놓고 $2 \leq x \leq 3$에서 각각의 그래프를 그려 보면 그림
과 같다.

2≤x≤3에서 부등식 $mx+1 \leq \dfrac{x+1}{x-1} \leq nx+1$이 항

상 성립하려면 직선 $y = nx + 1$은 곡선 ㉠의 위쪽에, 직
선 $y = mx + 1$은 곡선 ㉠의 아래쪽에 위치해야 한다.

(i) 직선 $y=nx+1$이 점 $(2,3)$을 지날 때,

$3=2n+1$ $\therefore n=1$

직선 $y=nx+1$이 곡선 ㉠의 위쪽에 위치하려면

$n \geq 1$

(ii) 직선 $y=mx+1$이 점 $(3,2)$를 지날 때,

$2=3m+1$ $\therefore m=\dfrac{1}{3}$

직선 $y=mx+1$이 곡선 ㉠의 아래쪽에 위치하려면

$m \leq \dfrac{1}{3}$

(i), (ii)에 의하여 m의 최댓값은 $\dfrac{1}{3}$, n의 최솟값은 1이므로 m의 최댓값과 n의 최솟값의 곱은 $\dfrac{1}{3}$이다.

10-24

두 점 Q, R 사이의 거리는

$\overline{QR}=\sqrt{\{0-(-1)\}^2+(-4-0)^2}=\sqrt{17}$

두 점 Q, R를 지나는 직선의 방정식은

$\dfrac{x}{-1}+\dfrac{y}{-4}=1$ $\therefore 4x+y+4=0$

함수 $y=\dfrac{1}{x}\,(x>0)$ 위의 점 P의 좌표를 $P\left(a,\dfrac{1}{a}\right)$이라 하고 점 P와 직선 $4x+y+4=0$ 사이의 거리를 h라 하면

$h=\dfrac{\left|4a+\dfrac{1}{a}+4\right|}{\sqrt{4^2+1^2}}=\dfrac{\left|4a+\dfrac{1}{a}+4\right|}{\sqrt{17}}$

이때, $a>0$이므로 산술평균과 기하평균의 관계에 의하여

$4a+\dfrac{1}{a} \geq 2\sqrt{4a \times \dfrac{1}{a}}=4$

$\left(\text{단, 등호는 } 4a=\dfrac{1}{a}\text{일 때 성립}\right)$

따라서 h의 최솟값은 $\dfrac{|4+4|}{\sqrt{17}}=\dfrac{8}{\sqrt{17}}$이므로 구하는 삼각형 PQR의 넓이의 최솟값은

$\dfrac{1}{2} \times \sqrt{17} \times \dfrac{8}{\sqrt{17}}=\mathbf{4}$

---

11 무리함수

Spring of mathematics

개념확인코너 본문 p.309

1

(1) 무리식 $\sqrt{x-3}$이 실수의 값을 가지려면

$x-3 \geq 0$ $\therefore x \geq 3$

(2) 무리식 $\sqrt{2-x}+\sqrt{x+2}$가 실수의 값을 가지려면

$2-x \geq 0$, $x+2 \geq 0$ $\therefore -2 \leq x \leq 2$

(3) 무리식 $\dfrac{1}{\sqrt{x+3}}$이 실수의 값을 가지려면

$x+3>0$ $\therefore x>-3$

(4) 무리식 $\sqrt{x+1}+\dfrac{1}{\sqrt{x}}$이 실수의 값을 가지려면

$x+1 \geq 0$, $x>0$ $\therefore x>0$

답 (1) $x \geq 3$ (2) $-2 \leq x \leq 2$

(3) $x>-3$ (4) $x>0$

2

(1) $x>2$이므로 $x-2>0$, $x+2>0$

$\therefore \sqrt{x^2-4x+4}+|x+2|=\sqrt{(x-2)^2}+|x+2|$

$=|x-2|+|x+2|$

$=(x-2)+(x+2)$

$=2x$

(2) $x>2$이므로 $x-2>0$

$\therefore (\sqrt{x-2})^2=x-2$

답 (1) $2x$ (2) $x-2$

3

(1) $\dfrac{1}{\sqrt{x+2}-\sqrt{x}}=\dfrac{\sqrt{x+2}+\sqrt{x}}{(\sqrt{x+2}-\sqrt{x})(\sqrt{x+2}+\sqrt{x})}$

$=\dfrac{\sqrt{x+2}+\sqrt{x}}{x+2-x}$

$=\dfrac{\sqrt{x+2}+\sqrt{x}}{2}$

(2) $\dfrac{2x-2}{\sqrt{x-1}}=\dfrac{(2x-2)\sqrt{x-1}}{\sqrt{x-1}\sqrt{x-1}}$

$=\dfrac{2(x-1)\sqrt{x-1}}{x-1}$

$=2\sqrt{x-1}$

답 (1) $\dfrac{\sqrt{x+2}+\sqrt{x}}{2}$ (2) $2\sqrt{x-1}$

4

(1)
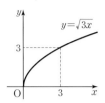

(2)

(3)

(4)
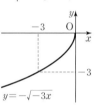

5

(1) 무리함수 $y=\sqrt{x-2}$의 그래프는 무리함수 $y=\sqrt{x}$의 그래프를 x축의 방향으로 2만큼 평행이동한 것이므로 그림과 같다.

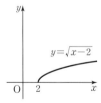

∴ 정의역 : $\{x\,|\,x\geq2\}$, 치역 : $\{y\,|\,y\geq0\}$

(2) 무리함수 $y=\sqrt{-x}+3$의 그래프는 무리함수 $y=\sqrt{-x}$ 의 그래프를 y축의 방향으로 3만큼 평행이동한 것이므로 그림과 같다.

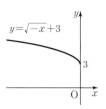

∴ 정의역 : $\{x\,|\,x\leq0\}$, 치역 : $\{y\,|\,y\geq3\}$

(3) 무리함수 $y=-\sqrt{x-1}+2$의 그래프는 무리함수 $y=-\sqrt{x}$의 그래프를 x축의 방향으로 1만큼, y축의 방향으로 2만큼 평행이동한 것이므로 그림과 같다.

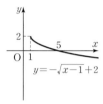

∴ 정의역 : $\{x\,|\,x\geq1\}$, 치역 : $\{y\,|\,y\leq2\}$

(4) 무리함수 $y=-\sqrt{-x}+1$의 그래프는 무리함수 $y=-\sqrt{-x}$ 의 그래프를 y축의 방향으로 1만큼 평행이동한 것이므로 그림과 같다.

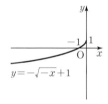

∴ 정의역 : $\{x\,|\,x\leq0\}$, 치역 : $\{y\,|\,y\leq1\}$

답 (1) 정의역 : $\{x\,|\,x\geq2\}$, 치역 : $\{y\,|\,y\geq0\}$
(2) 정의역 : $\{x\,|\,x\leq0\}$, 치역 : $\{y\,|\,y\geq3\}$
(3) 정의역 : $\{x\,|\,x\geq1\}$, 치역 : $\{y\,|\,y\leq2\}$
(4) 정의역 : $\{x\,|\,x\leq0\}$, 치역 : $\{y\,|\,y\leq1\}$

6

무리함수 $y=-\sqrt{ax}$의 그래프가 점 $(-2, -2)$를 지나므로

$-2=-\sqrt{-2a}$

$\sqrt{-2a}=2$

$-2a=4$

∴ $a=-2$

답 -2

유제 11-1

(1) 무리식 $\sqrt{2-3x}+2\sqrt{x+1}$이 실수의 값을 가지려면 $2-3x\geq0$, $x+1\geq0$이어야 한다.

$$\therefore -1\leq x\leq\frac{2}{3}$$

(2) 무리식 $\sqrt{3x-2}-\dfrac{1}{\sqrt{1-x^2}}$이 실수의 값을 가지려 면 $3x-2\geq0$, $1-x^2>0$이어야 한다.

즉, $x\geq\dfrac{2}{3}$, $-1<x<1$이므로

$$\frac{2}{3}\leq x<1$$

(3) 무리식 $\dfrac{\sqrt{x^2-3x+2}}{\sqrt{-x^2-x+12}}$가 실수의 값을 가지려면 $x^2-3x+2\geq0$, $-x^2-x+12>0$이어야 한다.

$x^2-3x+2\geq0$에서 $(x-1)(x-2)\geq0$

$\therefore x\leq1$ 또는 $x\geq2$ $\cdots\cdots$ ㉠

$-x^2-x+12>0$에서 $(x+4)(x-3)<0$

$\therefore -4<x<3$ $\cdots\cdots$ ㉡

㉠, ㉡에 의하여 $-4<x\leq1$ 또는 $2\leq x<3$

유제 11-2

무리식 $\sqrt{x^2-2kx-3k+4}$가 실수의 값을 가지려면 $x^2-2kx-3k+4\geq0$이어야 한다.

이차방정식 $x^2-2kx-3k+4=0$의 판별식을 D라 하 면 $D\leq0$이어야 하므로

$$\frac{D}{4}=k^2+3k-4\leq0$$

$(k+4)(k-1)\leq0$ $\therefore -4\leq k\leq1$

유제 11-3

(1) (주어진 식)$=\dfrac{3x(\sqrt{x})^2}{(\sqrt{x+3}-\sqrt{x})(\sqrt{x+3}+\sqrt{x})}$

$=\dfrac{3x^2}{(\sqrt{x+3})^2-(\sqrt{x})^2}$

$=\dfrac{3x^2}{x+3-x}=x^2$

(2) (주어진 식)

$=\dfrac{(\sqrt{1+x}-\sqrt{1-x})^2}{(\sqrt{1+x}+\sqrt{1-x})(\sqrt{1+x}-\sqrt{1-x})}$

$\quad+\dfrac{(\sqrt{1+x}+\sqrt{1-x})^2}{(\sqrt{1+x}-\sqrt{1-x})(\sqrt{1+x}+\sqrt{1-x})}$

$=\dfrac{(1+x)-2\sqrt{1+x}\sqrt{1-x}+(1-x)}{(1+x)-(1-x)}$

$\quad+\dfrac{(1+x)+2\sqrt{1+x}\sqrt{1-x}+(1-x)}{(1+x)-(1-x)}$

$=\dfrac{4}{(1+x)-(1-x)}=\dfrac{4}{2x}=\dfrac{2}{x}$

유제 11-4

$\dfrac{1}{\sqrt{x+1}+\sqrt{x+2}}$

$=\dfrac{\sqrt{x+1}-\sqrt{x+2}}{(\sqrt{x+1}+\sqrt{x+2})(\sqrt{x+1}-\sqrt{x+2})}$

$=\dfrac{\sqrt{x+1}-\sqrt{x+2}}{(x+1)-(x+2)}=\sqrt{x+2}-\sqrt{x+1}$

이와 같은 방법으로 다른 무리식도 유리화하면

$\dfrac{1}{\sqrt{x+2}+\sqrt{x+3}}=\sqrt{x+3}-\sqrt{x+2}$

$\dfrac{1}{\sqrt{x+3}+\sqrt{x+4}}=\sqrt{x+4}-\sqrt{x+3}$

$\therefore$ (주어진 식)

$=\sqrt{x+2}-\sqrt{x+1}+\sqrt{x+3}-\sqrt{x+2}$

$\qquad\qquad\qquad\quad +\sqrt{x+4}-\sqrt{x+3}$

$=\sqrt{x+4}-\sqrt{x+1}$

유제 11-5

(1) 함수 $y=-\sqrt{2x+4}=-\sqrt{2(x+2)}$의 그래프는 함수 $y=-\sqrt{2x}$의 그래프를 x축의 방향으로 -2만큼 평행이동한 것이므로 그림과 같다.

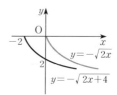

$\therefore$ 정의역 : $\{x|x\geq-2\}$, 치역 : $\{y|y\leq0\}$

(2) 함수 $y=-\sqrt{-x+2}-2=-\sqrt{-(x-2)}-2$의 그래프는 함수 $y=-\sqrt{-x}$의 그래프를 x축의 방 향으로 2만큼, y축의 방향으로 -2만큼 평행이동한 것이므로 그림과 같다.

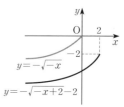

$\therefore$ 정의역 : $\{x|x\leq2\}$, 치역 : $\{y|y\leq-2\}$

유제 11-6

$$y=\sqrt{-2x+1}+4=\sqrt{-2\left(x-\dfrac{1}{2}\right)}+4$$

이므로 주어진 함수의 그래프는 함수 $y=\sqrt{-2x}$ 의 그래프를 x축의 방향으로 $\dfrac{1}{2}$만큼, y축의 방향으로 4만큼 평행이동한 것이다. 이때,

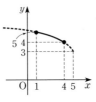

$y=7$일 때, $x=-4$
$y=5$일 때, $x=0$

이므로 정의역은 $\{x|-4\leq x\leq 0\}$이다.
따라서 $a=-4$, $b=0$이다.
∴ $a+b=-4$

유제 11-7

$y=\sqrt{5-x}+3=\sqrt{-(x-5)}+3$이므로 $1\leq x\leq 4$에서 주어진 함수의 그래프는 그림과 같다.

$x=1$일 때, 최댓값
$M=5$,
$x=4$일 때, 최솟값
$m=4$를 가진다.
∴ $M+m=9$

유제 11-8

$$f(x)=\sqrt{ax+b}+c$$
$$=\sqrt{a\left(x+\dfrac{b}{a}\right)}+c$$

이므로 함수 f는 $x=-\dfrac{b}{a}$에서 최솟값 c를 가진다.

$-\dfrac{b}{a}=-1$, $c=3$ ∴ $b=a$, $c=3$ ……㉠

한편, $f(1)=5$이므로
$\sqrt{a+b}+c=5$
$\sqrt{2a}=2$ (∵ ㉠)
∴ $a=2$
따라서 $a=2$, $b=2$, $c=3$이므로
$a+b+c=7$

유제 11-9

$y=\sqrt{3x+6}-1=\sqrt{3(x+2)}-1$

이므로 이 함수는 함수 $y=\sqrt{3x}$의 그래프를 x축의 방향으로 -2만큼, y축의 방향으로 -1만큼 평행이동한 그래프이다.

따라서 $a=3$, $b=-2$, $c=-1$이므로
$a+b+c=0$

유제 11-10

함수 $y=-\sqrt{-2x}$의 그래프를 x축의 방향으로 5만큼, y축의 방향으로 -5만큼 평행이동하면
$y=-\sqrt{-2(x-5)}-5$
$=-\sqrt{-2x+10}-5$

이 함수의 그래프를 y축에 대하여 대칭이동하면
$y=-\sqrt{-2\times(-x)+10}-5$
$=-\sqrt{2x+10}-5$

즉, $g(x)=-\sqrt{2x+10}-5$이므로
$g(3)=-\sqrt{2\times 3+10}-5=-4-5=-9$

유제 11-11

주어진 그래프는 함수 $y=a\sqrt{x}$의 그래프를 x축의 방향으로 2만큼, y축의 방향으로 1만큼 평행이동한 것이므로 $y=a\sqrt{x-2}+1$이다.

이 그래프가 점 $(3, 0)$을 지나므로
$0=a\sqrt{3-2}+1$ ∴ $a=-1$
∴ $y=-\sqrt{x-2}+1$

이 함수의 식이 $y=a\sqrt{x+b}+c$와 일치하므로
$a+b+c=-1+(-2)+1=-2$

유제 11-12

주어진 그래프는 함수 $y=-\sqrt{ax}$의 그래프를 x축의 방향으로 4만큼, y축의 방향으로 3만큼 평행이동한 것이므로 $y=-\sqrt{a(x-4)}+3$이다.

이 그래프가 점 $(0, -1)$을 지나므로
$-1=-\sqrt{a(0-4)}+3$, $\sqrt{-4a}=4$
$-4a=16$ ∴ $a=-4$
∴ $y=-\sqrt{-4(x-4)}+3$
$=-\sqrt{-4x+16}+3$

이 함수의 식이 $y=-\sqrt{ax+b}+c$와 일치하므로
$2a+b-c=2\times(-4)+16-3=5$

유제 11-13

이차함수 $y=ax^2+bx+c$의 그래프에서 $a<0$, $b>0$, $c>0$이므로 무리함수 $f(x)=a\sqrt{-x+b}-c$의 그래프의 개형은 다음과 같다.

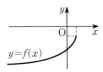

유제 11-14

(1) $y=-\sqrt{x+1}$ 이므로 $x\geq-1$, $y\leq0$이다.

양변을 제곱하면 $y^2=x+1$

x에 대하여 풀면 $x=y^2-1$

x와 y를 바꾸면 역함수는 $y=x^2-1\,(x\leq0)$

∴ 정의역 : $\{x\,|\,x\leq0\}$, 치역 : $\{y\,|\,y\geq-1\}$

(2) $y=\sqrt{-3(x+1)}-2$에서

$y+2=\sqrt{-3(x+1)}$이므로 $x\leq-1$, $y\geq-2$이다.

양변을 제곱하면 $(y+2)^2=-3(x+1)$

$y^2+4y+4=-3x-3$

x에 대하여 풀면

$x=-\dfrac{1}{3}(y^2+4y+7)$

x와 y를 바꾸면 역함수는

$y=-\dfrac{1}{3}(x^2+4x+7)$

$\quad=-\dfrac{1}{3}(x+2)^2-1\,(x\geq-2)$

∴ 정의역 : $\{x\,|\,x\geq-2\}$, 치역 : $\{y\,|\,y\leq-1\}$

유제 11-15

$y=-\sqrt{2x-4}+1$이라 하면

$\sqrt{2x-4}=1-y$이므로 $x\geq2$, $y\leq1$이다.

양변을 제곱하여 x에 대하여 풀면

$2x-4=(1-y)^2$

∴ $x=\dfrac{1}{2}y^2-y+\dfrac{5}{2}$

x와 y를 서로 바꾸어 역함수 g를 구하면

$y=\dfrac{1}{2}x^2-x+\dfrac{5}{2}$

∴ $g(x)=\dfrac{1}{2}x^2-x+\dfrac{5}{2}\,(x\leq1)$

따라서 $g(x)=\dfrac{1}{2}x^2+ax+b\,(x\leq c)$에서

$a=-1$, $b=\dfrac{5}{2}$, $c=1$

∴ $a+b+c=\dfrac{5}{2}$

유제 11-16

함수 $y=f(x)$의 그래프와 역함수 $y=f^{-1}(x)$의 그래프의 교점은 함수 $y=f(x)$의 그래프와 직선 $y=x$의 교점과 같으므로

$\sqrt{2x-3}+1=x$, $\sqrt{2x-3}=x-1$

$2x-3=x^2-2x+1$, $x^2-4x+4=0$

$(x-2)^2=0$ ∴ $x=2$

따라서 교점의 좌표는 $(2,\,2)$이다.

유제 11-17

주어진 그래프는 함수 $y=\sqrt{ax}$의 그래프를 x축의 방향으로 -6만큼 평행이동한 것이므로

$y=\sqrt{a(x+6)}$

이 그래프가 점 $(0,\sqrt{6})$을 지나므로

$\sqrt{6}=\sqrt{6a}$ ∴ $a=1$

∴ $f(x)=\sqrt{x+6}$

이때, 점 P는 함수 $y=f(x)$의 그래프와 직선 $y=x$의 교점과 같으므로

$\sqrt{x+6}=x$, $x^2-x-6=0$

$(x+2)(x-3)=0$

∴ $x=3\,(x\geq0)$

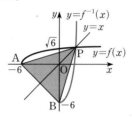

따라서 교점의 좌표는 P$(3,\,3)$이고, 삼각형 ABP의 넓이는

$\triangle\text{ABP}=2\times\triangle\text{AOP}+\triangle\text{ABO}$

$\quad=2\left(\dfrac{1}{2}\times6\times3\right)+\dfrac{1}{2}\times6\times6=36$

유제 11-18

그림과 같이 직선 $y=x+k$가 함수 $y=-\sqrt{4-2x}$의 그래프와 접할 때 k의 값이 최소이다.

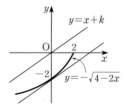

$-\sqrt{4-2x}=x+k$에서 양변을 제곱하여 정리하면

$x^2+2(k+1)x+k^2-4=0$

이 이차방정식의 판별식을 D라 하면

$\dfrac{D}{4}=(k+1)^2-(k^2-4)=0$, $2k+5=0$

∴ $k=-\dfrac{5}{2}$

유제 11-19

직선 $y=x+k$와 함수 $y=\sqrt{x+3}$의 그래프는 그림과 같다.

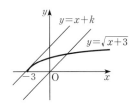

$\sqrt{x+3}=x+k$에서 양변을 제곱하여 정리하면

$x^2+(2k-1)x+k^2-3=0$

이 이차방정식의 판별식을 D라 하면

$D=(2k-1)^2-4(k^2-3)=0$, $-4k+13=0$

$\therefore k=\dfrac{13}{4}$

이때, $n(A \cap B)=0$이므로 $A \cap B=\varnothing$이다.

따라서 $y=x+k$와 함수 $y=\sqrt{x+3}$의 그래프가 만나지 않아야 하므로

$$k>\dfrac{13}{4}$$

연습문제
본문 p.326

11–1

(1) 무리식 $\sqrt{2-x}+\sqrt{x+3}$이 실수의 값을 가지려면

$2-x \geq 0$, $x+3 \geq 0$이어야 한다.

$\therefore -3 \leq x \leq 2$

(2) 무리식 $\dfrac{\sqrt{2x-3}}{\sqrt{x^2-x-6}}$이 실수의 값을 가지려면

$2x-3 \geq 0$, $x^2-x-6>0$이어야 한다.

즉, $x \geq \dfrac{3}{2}$, $x<-2$ 또는 $x>3$이므로

$x>3$

11–2

$\dfrac{\sqrt{x+1}+\sqrt{x-1}}{\sqrt{x+1}-\sqrt{x-1}}$

$=\dfrac{(\sqrt{x+1}+\sqrt{x-1})^2}{(\sqrt{x+1}-\sqrt{x-1})(\sqrt{x+1}+\sqrt{x-1})}$

$=\dfrac{(x+1)+2\sqrt{x^2-1}+(x-1)}{(x+1)-(x-1)}$

$=\dfrac{2x+2\sqrt{x^2-1}}{2}$

$=x+\sqrt{x^2-1}$

위 식에 $x=\sqrt{3}$을 대입하면

$x+\sqrt{x^2-1}=\sqrt{3}+\sqrt{3-1}=\sqrt{3}+\sqrt{2}$

11–3

ㄱ. 무리함수의 정의역은 근호 안의 값이 음이 아닌 실수가 되게 하는 x의 값의 범위이므로 $y=-\sqrt{ax}$의 정의역은 $ax \geq 0$을 만족시키는 x의 값의 범위이다. 그런데 $a<0$이므로 정의역은 $\{x \mid x \leq 0\}$이다. (참)

ㄴ. 함수 $y=-\sqrt{ax}$의 그래프에서 $a>0$이면 제4사분면을 지난다. (참)

ㄷ. 그림에서 함수 $y=-\sqrt{2x}$의 그래프가 함수 $y=-\sqrt{x}$의 그래프보다 y축에 더 가깝다.

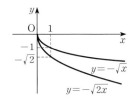

즉, $|a|$의 값이 클수록 그래프가 y축에 가까워진다.
(거짓)

따라서 옳은 것은 ㄱ, ㄴ이다.

11–4

주어진 무리함수의 정의역은 $2-x \geq 0$에서 $x \leq 2$이므로 $\{x \mid x \leq 2\}$

$\therefore a=2$

이때, $-\sqrt{2-x} \leq 0$이므로 치역은 $\{y \mid y \leq -3\}$

$\therefore b=-3$　　$\therefore ab=-6$

11–5

무리함수 $y=-\sqrt{2x}$의 그래프를 x축의 방향으로 m만큼, y축의 방향으로 n만큼 평행이동하면

$y=-\sqrt{2(x-m)}+n=-\sqrt{2x-2m}+n$

즉, 이 함수의 식이 $y=-\sqrt{2x-5}+2$와 일치하므로

$2m=5$, $n=2$　　$\therefore m=\dfrac{5}{2}$, $n=2$

$\therefore mn=5$

11–6

주어진 그래프는 함수 $y=\sqrt{ax}$의 그래프를 x축의 방향으로 -2만큼, y축의 방향으로 -1만큼 평행이동한 것이므로 $y=\sqrt{a(x+2)}-1$이다.

이 그래프가 점 $(-1, 0)$을 지나므로

$0=\sqrt{a(-1+2)}-1$　　$\therefore a=1$

$\therefore y=\sqrt{x+2}-1$

이 함수의 식이 $y=\sqrt{ax+b}+c$와 일치하므로

$a+b+c=1+2+(-1)=2$

11–7

$y=3-\sqrt{2x+3}=-\sqrt{2\left(x+\dfrac{3}{2}\right)}+3$이므로

$-1\leq x\leq 11$에서 주어진 함수의 그래프는 그림과 같다.

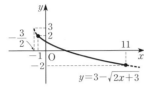

$x=-1$일 때, 최댓값 $M=2$,

$x=11$일 때, 최솟값 $m=-2$를 가진다.

$\therefore M+m=2+(-2)=\mathbf{0}$

11–8

$y=(x-2)^2+5$라 하면 $(x-2)^2=y-5$

$x\leq 2$이므로 $x-2\leq 0$

$\therefore x-2=-\sqrt{y-5}$

x와 y를 서로 바꾸면 $y-2=-\sqrt{x-5}$

$\therefore f^{-1}(x)=-\sqrt{x-5}+2$

이 함수의 식이 $f^{-1}(x)=-\sqrt{x+a}+b$와 일치하므로

$a=-5,\ b=2$

$\therefore a+b=\mathbf{-3}$

11–9

$a=\sqrt{1}=1,\ b=2\sqrt{1}=2$

$b=\sqrt{d}$에서 $d=b^2=4$

$c=2\sqrt{d}=2\sqrt{4}=4$

$c=\sqrt{e}\quad \therefore e=c^2=16$

$\therefore a+b+c+d+e=1+2+4+4+16=\mathbf{27}$

11–10

직선 $y=x+a$가 함수 $y=\sqrt{x}$의 그래프와 접하므로

$x+a=\sqrt{x}$에서 양변을 제곱하면

$x^2+2ax+a^2=x$

$\therefore x^2+(2a-1)x+a^2=0$

이 이차방정식의 판별식을 D라 하면

$D=(2a-1)^2-4a^2=0,\ -4a+1=0$

$\therefore a=\dfrac{1}{4}$

11–11

함수 $y=\sqrt{-2x}$의 그래프를 x축의 방향으로 a만큼, y축의 방향으로 b만큼 평행이동하면

$y=\sqrt{-2(x-a)}+b$

이 함수의 그래프를 y축에 대하여 대칭이동하면

$y=\sqrt{-2(-x-a)}+b=\sqrt{2x+2a}+b$

이 함수의 식이 $y=\sqrt{cx-6}+5$와 일치하므로

$a+b+c=-3+5+2=\mathbf{4}$

11–12

$y=\sqrt{a-2x}+b=\sqrt{-2\left(x-\dfrac{a}{2}\right)}+b$

이므로 감소하는 함수이다.

즉, $x=-6$에서 최대, $x=0$에서 최소이므로

$\sqrt{a+12}+b=5$ ······ ㉠

$\sqrt{a}+b=3$ ······ ㉡

㉠에서 $a=(5-b)^2-12$,

㉡에서 $a=(3-b)^2$이므로

$(5-b)^2-12=(3-b)^2$

$\therefore b=1,\ a=4$

$\therefore a^2+b^2=\mathbf{17}$

11–13

주어진 그래프는 함수 $y=\sqrt{ax}$의 그래프를 x축의 방향으로 1만큼, y축의 방향으로 -2만큼 평행이동한 것이므로 $y=\sqrt{a(x-1)}-2$이다.

이 그래프는 점 $(2,0)$을 지나므로

$0=\sqrt{a(2-1)}-2\quad \therefore a=4$

$\therefore y=\sqrt{4(x-1)}-2=\sqrt{4x-4}-2$

이 함수의 식이 $y=\sqrt{ax+b}+c$와 일치하므로

$a=4,\ b=-4,\ c=-2$

즉, 유리함수 $y=\dfrac{4x-4}{x-2}$의 그래프의 두 점근선의 방정식은

$\boldsymbol{x=2,\ y=4}$

11–14

주어진 역함수의 그래프를 직선 $y=x$에 대하여 대칭이동하면 그림과 같다.

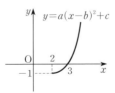

즉, 이 그래프의 식은

$y=a(x-2)^2-1\ (x\geq 2)$

이 그래프가 점 $(3,0)$을 지나므로

$0=a(3-2)^2-1\quad \therefore a=1$

$\therefore y=(x-2)^2-1\,(x\geq2)$

따라서 이 함수의 식이 $y=a(x-b)^2+c\,(x\geq b)$와 일치하므로

$a+b+c=1+2+(-1)=\mathbf{2}$

11-15

함수 $y=f(x)$의 그래프와 역함수 $y=f^{-1}(x)$의 그래프의 교점은 함수 $y=f(x)$의 그래프와 직선 $y=x$의 교점과 같으므로

$\sqrt{2x+2}-1=x$, $\sqrt{2x+2}=x+1$

양변을 제곱하면

$2x+2=x^2+2x+1$, $x^2=1$

$\therefore x=-1$ 또는 $x=1$

따라서 $\mathrm{P}(-1,\ -1)$, $\mathrm{Q}(1,\ 1)$이므로

$\overline{\mathrm{PQ}}=\sqrt{(1+1)^2+(1+1)^2}=\mathbf{2\sqrt{2}}$

11-16

$f(x)=\sqrt{ax+b}$라 하면 $f(2)=1$이므로

$\sqrt{2a+b}=1$ $\therefore 2a+b=1$ ……㉠

또 $f^{-1}(2)=1$에서 $f(1)=2$이므로

$\sqrt{a+b}=2$ $\therefore a+b=4$ ……㉡

㉠, ㉡을 연립하여 풀면

$\boldsymbol{a=-3,\ b=7}$

11-17

$f^{-1}(4)=a$에서 $f(a)=4$이므로

$f(a)=\dfrac{a+2}{a-1}=4$, $a+2=4(a-1)$

$\therefore a=2$

한편,

$\begin{aligned}(f\circ(g\circ f)^{-1})(2)&=(f\circ f^{-1}\circ g^{-1})(2)\\&=(I\circ g^{-1})(2)\,(\because I\text{는 항등함수})\\&=g^{-1}(2)=b\end{aligned}$

즉, $g(b)=2$이므로 $g(b)=\sqrt{2b-1}=2$

$2b=5$ $\therefore b=\dfrac{5}{2}$

$\therefore ab=2\times\dfrac{5}{2}=\mathbf{5}$

11-18

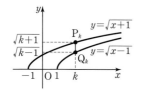

$\overline{\mathrm{P}_k\mathrm{Q}_k}=\sqrt{k+1}-\sqrt{k-1}$이므로

$\begin{aligned}\overline{\mathrm{P}_1\mathrm{Q}_1}&+\overline{\mathrm{P}_2\mathrm{Q}_2}+\overline{\mathrm{P}_3\mathrm{Q}_3}+\cdots+\overline{\mathrm{P}_{99}\mathrm{Q}_{99}}\\&=(\sqrt{2}-0)+(\sqrt{3}-1)+(\sqrt{4}-\sqrt{2})+\cdots\\&\qquad+(\sqrt{99}-\sqrt{97})+(\sqrt{100}-\sqrt{98})\\&=-1+\sqrt{99}+\sqrt{100}\\&=9+3\sqrt{11}\\&=a+b\sqrt{11}\end{aligned}$

따라서 $a=9$, $b=3$이므로

$a+b=\mathbf{12}$

11-19

직선 $y=x+k$는 기울기가 항상 1이므로 함수 $y=\sqrt{x-2}$의 그래프와 직선 $y=x+k$는 그림과 같다.

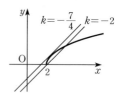

(i) 직선 $y=x+k$가 함수 $y=\sqrt{x-2}$의 그래프와 접할 때

$\sqrt{x-2}=x+k$

양변을 제곱하여 정리하면

$x^2+(2k-1)x+k^2+2=0$

이 이차방정식의 판별식을 D라 하면

$D=(2k-1)^2-4(k^2+2)=0$, $-4k=7$

$\therefore k=-\dfrac{7}{4}$

(ii) 직선 $y=x+k$가 점 $(2,\ 0)$을 지날 때

$0=2+k$ $\therefore k=-2$

(i), (ii)에 의하여 $-2\leq k<-\dfrac{7}{4}$이므로

$\alpha\beta=(-2)\times\left(-\dfrac{7}{4}\right)=\dfrac{\mathbf{7}}{\mathbf{2}}$

11-20

직선 $y=mx+1$은 m의 값에 관계없이 점 $(0,\ 1)$을 지나므로 함수 $y=\sqrt{2x-3}$의 그래프와 직선 $y=mx+1$은 그림과 같다.

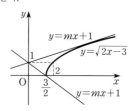

(i) 직선 $y=mx+1$과 함수 $y=\sqrt{2x-3}$의 그래프가
　접할 때
　$$\sqrt{2x-3}=mx+1$$
　양변을 제곱하여 정리하면
　$$m^2x^2+2(m-1)x+4=0$$
　이 이차방정식의 판별식을 D라 하면
　$$\frac{D}{4}=(m-1)^2-4m^2=0$$
　$$3m^2+2m-1=0$$
　$$(m+1)(3m-1)=0$$
　$$\therefore m=-1 \ \text{또는} \ m=\frac{1}{3}$$
　이때, 기울기는 양수이므로 $m=\frac{1}{3}$

(ii) 직선 $y=mx+1$이 점 $\left(\frac{3}{2}, 0\right)$을 지날 때
　$$0=\frac{3}{2}m+1 \text{에서} \ m=-\frac{2}{3}$$

(i), (ii)에 의하여 $-\frac{2}{3}\le m\le\frac{1}{3}$이므로
$$a-b=\frac{1}{3}-\left(-\frac{2}{3}\right)=\mathbf{1}$$

11-21

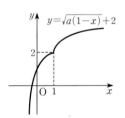

$x<1$일 때, 이차함수 $y=-2(x-1)^2+b$의 그래프는
증가하는 함수이다.
그러므로 $x\ge1$일 때, 무리함수 $y=\sqrt{a(1-x)}+2$의
그래프도 증가해야 일대일대응이 된다. 즉,
$y=\sqrt{a(1-x)}+2=\sqrt{-a(x-1)}+2$에서
$-a>0$이므로 $a<0$
$f(1)=b=2$
$$\therefore \boldsymbol{a<0, \ b=2}$$

11-22

$$y=2\sqrt{|2x-1|}=\begin{cases}2\sqrt{2x-1} & \left(x\ge\frac{1}{2}\right)\\ 2\sqrt{-2x+1} & \left(x<\frac{1}{2}\right)\end{cases}$$

의 그래프는 그림과 같다.

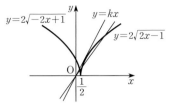

먼저 $y=kx$와 $y=2\sqrt{2x-1}$이 접할 때의 k의 값을 구
하자.
$$kx=2\sqrt{2x-1}$$
양변을 제곱하여 정리하면
$$k^2x^2-8x+4=0$$
이 이차방정식의 판별식을 D라 하면
$$\frac{D}{4}=16-4k^2=0$$
$$(k+2)(k-2)=0$$
$$\therefore k=-2 \ \text{또는} \ k=2$$
이때, 기울기가 양수이므로 $k=2$
직선 $y=kx$와 함수 $y=2\sqrt{|2x-1|}$의 그래프가 서로
다른 세 점에서 만나기 위해서는 직선 $y=kx$가 x축과
직선 $y=2x$ 사이에 있어야 한다.
$$\therefore 0<k<2$$
따라서 부등식을 만족하는 정수 k의 개수는 $\mathbf{1}$이다.

11-23

함수 $y=\sqrt{mx+1}$의 그래프는 함수 $y=\sqrt{mx}$의 그래
프를 x축의 방향으로 $-\frac{1}{m}$만큼 평행이동한 것이므로
그림과 같다.

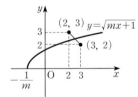

$y=\sqrt{mx+1} \ (m>0)$　……㉠
(i) ㉠의 그래프가 점 $(3, 2)$를 지날 때
　$2=\sqrt{3m+1}$, $4=3m+1$
　$\therefore m=1$
(ii) ㉠의 그래프가 점 $(2, 3)$을 지날 때
　$3=\sqrt{2m+1}$, $9=2m+1$
　$\therefore m=4$
(i), (ii)에 의하여 m의 값의 범위는 $1\le m\le4$이므로
$\alpha+\beta=1+4=\mathbf{5}$

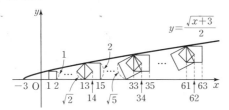

$$y=\frac{\sqrt{x+3}}{2}$$

(i) $n=1$일 때,

주어진 조건을 만족시키는 정사각형은 존재하지 않는다.

(ii) $1<n\le13$일 때,

한 변의 길이가 1인 정사각형의 개수는 $n-1$이다.

$\therefore f(13)=12$

(iii) $13<n\le33$일 때,

① 한 변의 길이가 1인 정사각형의 개수는

$(n-1)+(n-13)=2n-14$

② 한 변의 길이가 $\sqrt{2}$인 정사각형의 개수는

$n-13$

③ 한 변의 길이가 2인 정사각형의 개수는

$n-14$

①, ②, ③에 의하여

$f(n)=2n-14+n-13+n-14=4n-41$이고,

$n=33$일 때, $f(n)=91$이므로 $n>33$이어야 한다.

(iv) $33<n\le61$일 때,

① 한 변의 길이가 1인 정사각형의 개수는

$(n-1)+(n-13)+(n-33)=3n-47$

② 한 변의 길이가 $\sqrt{2}$인 정사각형의 개수는

$(n-13)+(n-33)=2n-46$

③ 한 변의 길이가 2인 정사각형의 개수는

$(n-14)+(n-34)=2n-48$

④ 한 변의 길이가 $\sqrt{5}$인 정사각형의 개수는

$2(n-34)+1=2n-67$

①, ②, ③, ④에 의하여

$f(n)=3n-47+2n-46+2n-48+2n-67$

$=9n-208$

이다.

$f(n)\le300$에서

$9n-208\le300$, $9n\le508$

$\therefore n\le56.4\times\times\times$

따라서 구하는 n의 최댓값은 **56**이다.

---

12 경우의 수

Spring of mathematics

개념확인코너

본문 p.337

1

(버스를 타는 방법의 수)+(걸어가는 방법의 수)

$=3+2=5$

답 5

2

(i) 눈의 수의 합이 6인 경우

$(1, 5), (2, 4), (3, 3), (4, 2), (5, 1)$

➡ 5가지

(ii) 눈의 수의 합이 7인 경우

$(1, 6), (2, 5), (3, 4), (4, 3), (5, 2), (6, 1)$

➡ 6가지

이때, 이들 두 사건은 동시에 일어날 수 없으므로 구하는 경우의 수는

$5+6=11$

답 11

3

곱의 법칙을 이용하면 구하는 방법의 수는

$4\times3=12$

답 12

4

$(x+y)(a+b+c)$를 전개하면 x, y에 대하여 a, b, c를 각각 곱하여 항이 만들어진다.

따라서 구하는 항의 개수는

$2\times3=6$

답 6

5

A지점에서 B지점으로 가는 경우

➡ 3가지

B지점에서 C지점으로 가는 경우

➡ 4가지

따라서 A지점에서 B지점을 거쳐 C지점까지 가는 경우의 수는

$3\times4=12$

답 12

본문 p.338

유제

유제 12-1

(1) (i) 눈의 수의 곱이 6인 경우

$(1, 6), (2, 3), (3, 2), (6, 1)$의 4가지

(ii) 눈의 수의 곱이 12인 경우

$(2, 6), (3, 4), (4, 3), (6, 2)$의 4가지

이때, 이들 두 사건은 동시에 일어날 수 없으므로 구하는 경우의 수는

$4+4=\mathbf{8}$

(2) 눈의 수의 합이 10 이상인 경우는 10, 11, 12이다.

(i) 눈의 수의 합이 10인 경우

$(4, 6), (5, 5), (6, 4)$의 3가지

(ii) 눈의 수의 합이 11인 경우

$(5, 6), (6, 5)$의 2가지

(iii) 눈의 수의 합이 12인 경우

$(6, 6)$의 1가지

이때, 이들 세 사건은 동시에 일어날 수 없으므로 구하는 경우의 수는

$3+2+1=\mathbf{6}$

유제 12-2

(i) 적힌 세 수의 곱이 3이 되는 경우

$(1, 1, 3), (1, 3, 1), (3, 1, 1)$의 3가지

(ii) 적힌 세 수의 곱이 4가 되는 경우

$(1, 1, 4), (1, 4, 1), (4, 1, 1), (1, 2, 2),$

$(2, 1, 2), (2, 2, 1)$의 6가지

이때, 이들 두 사건은 동시에 일어날 수 없으므로 구하는 경우의 수는

$3+6=\mathbf{9}$

유제 12-3

4로 나누어떨어지는 수의 집합, 즉 4의 배수의 집합을 A, 7로 나누어떨어지는 수의 집합, 즉 7의 배수의 집합을 B라 하면

$n(A)=25$

$n(B)=14$

또 $A \cap B$는 4와 7의 최소공배수, 즉 28의 배수의 집합이므로

$n(A \cap B)=3$

따라서 구하는 자연수의 개수는

$n(A \cup B)=n(A)+n(B)-n(A \cap B)$

$=25+14-3$

$=\mathbf{36}$

유제 12-4

$75=3 \times 5^2$이므로 75와 서로소인 수는 3의 배수도 아니고 5의 배수도 아닌 수이다.

75개의 공 중에서 3의 배수가 적힌 공은 25개,

5의 배수가 적힌 공은 15개,

3과 5의 최소공배수인 15의 배수가 적힌 공은 5개이므로 3의 배수 또는 5의 배수가 적힌 공은

$25+15-5=35$(개)

따라서 구하는 경우의 수는

$75-35=\mathbf{40}$

유제 12-5

4명의 학생을 A, B, C, D라 하고 학생들의 명찰을 각각 a, b, c, d라 하자.

이때, 4명의 학생이 모두 다른 학생의 명찰을 택하는 경우를 수형도로 나타내면 다음과 같다.

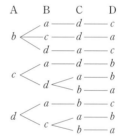

따라서 구하는 경우의 수는 **9**이다.

유제 12-6

$a_2 \neq 2$를 만족하는 경우를 수형도로 나타내면 다음과 같다.

$$
\begin{array}{ccc}
a_1 & a_2 & a_3 \\
1 & 3 & 2 \\
2 & \begin{cases} 1 & 3 \\ 3 & 1 \end{cases} \\
3 & 1 & 2
\end{array}
$$

따라서 구하는 경우의 수는 **4**이다.

유제 12-7

(i) $c=0$일 때, $a+3b=10$을 만족시키는 음이 아닌 정수 a, b의 순서쌍 (a, b)는

$(10, 0), (7, 1), (4, 2), (1, 3)$의 4가지

(ii) $c=1$일 때, $a+3b=5$를 만족시키는 음이 아닌 정수 a, b의 순서쌍 (a, b)는 $(5, 0), (2, 1)$의 2가지

(iii) $c=2$일 때, $a+3b=0$을 만족시키는 음이 아닌 정수 a, b의 순서쌍 (a, b)는 $(0, 0)$의 1가지

(i), (ii), (iii)에 의하여 구하는 순서쌍 (a, b, c)의 개수는
$$4+2+1=7$$

유제 12-8
100원짜리 우표를 x장, 200원짜리 우표를 y장, 500원짜리 우표를 z장 산다고 하면
$$100x+200y+500z=1500 \ (x\geq1, y\geq1, z\geq1)$$
$$\therefore x+2y+5z=15$$
(i) $z=1$일 때, $x+2y=10$을 만족시키는 자연수 x, y의 순서쌍 (x, y)는
$$(2, 4), (4, 3), (6, 2), (8, 1)의 4가지$$
(ii) $z=2$일 때, $x+2y=5$를 만족시키는 자연수 x, y의 순서쌍 (x, y)는 $(1, 2), (3, 1)$의 2가지
(i), (ii)에 의하여 구하는 방법의 수는
$$4+2=6$$

유제 12-9
x, y가 양의 정수이므로
(i) $x=1$일 때, $y\leq4$이므로 $y=1, 2, 3, 4$의 4가지
(ii) $x=2$일 때, $y\leq3$이므로 $y=1, 2, 3$의 3가지
(iii) $x=3$일 때, $y\leq2$이므로 $y=1, 2$의 2가지
(iv) $x=4$일 때, $y\leq1$이므로 $y=1$의 1가지
(i)~(iv)에 의하여 구하는 순서쌍 (x, y)의 개수는
$$4+3+2+1=10$$

유제 12-10
$x^2+2ax+3b=0$이 허근을 가지려면 판별식 D가 $D<0$이어야 하므로
$$\frac{D}{4}=a^2-3b<0에서 \ b>\frac{a^2}{3}$$
(i) $a=1$이면 $b>\frac{1}{3}$에서 $b=1, 2, 3, 4, 5, 6$의 6가지
(ii) $a=2$이면 $b>\frac{4}{3}$에서 $b=2, 3, 4, 5, 6$의 5가지
(iii) $a=3$이면 $b>3$에서 $b=4, 5, 6$의 3가지
(iv) $a=4$이면 $b>\frac{16}{3}$에서 $b=6$의 1가지
(v) $a=5, 6$인 경우에는 만족하는 것이 없다.
(i)~(v)에 의하여 구하는 경우의 수는
$$6+5+3+1=15$$

유제 12-11
두 자리의 자연수 중에서 십의 자리의 숫자가 2의 배수인 경우는 2, 4, 6, 8의 4가지, 일의 자리의 숫자가 홀수인 경우는 1, 3, 5, 7, 9의 5가지이므로 구하는 두 자리의 자연수의 개수는 $4\times5=20$

유제 12-12
들어간 각각의 출입구에 대하여 나올 수 있는 출입구가 3가지씩이므로 구하는 방법의 수는
$$4\times3=12$$

유제 12-13
(1) $(x^2+1)(y^2+y+x)$를 전개하면 $x^2, 1$에 대하여 y^2, y, x를 각각 곱하여 항이 만들어지므로 구하는 항의 개수는
$$2\times3=6$$
(2) $(a^2+a+1)(b^3+b^2+b+1)$을 전개하면 $a^2, a, 1$에 대하여 $b^3, b^2, b, 1$을 각각 곱하여 항이 만들어지므로 구하는 항의 개수는
$$3\times4=12$$
(3) $(a+b)^2(x+y)+(c+d+e)(z+w)$
$$=(a^2+2ab+b^2)(x+y)+(c+d+e)(z+w)$$
이므로 $(a^2+2ab+b^2)(x+y)$를 전개하면 $a^2, 2ab, b^2$에 대하여 x, y를 각각 곱하여 항이 만들어지므로 구하는 항의 개수는
$$3\times2=6$$
$(c+d+e)(z+w)$를 전개하면 c, d, e에 대하여 z, w를 각각 곱하여 항이 만들어지므로 구하는 항의 개수는
$$3\times2=6$$
이때, 곱해지는 각 항이 모두 서로 다른 문자이므로 동류항은 없다.
따라서 주어진 식을 전개할 때, 항의 개수는
$$6+6=12$$

유제 12-14
서울에서 부산으로 가는 방법은 다음과 같다.
(i) 서울 → 전주 → 부산인 경우
$$3\times2=6(가지)$$
(ii) 서울 → 대구 → 부산인 경우
$$2\times2=4(가지)$$
(i), (ii)에 의하여 구하는 방법은
$$6+4=10(가지)$$

유제 12-15
(1) 540을 소인수분해하면
$$540=2^2\times3^3\times5이므로$$
$$(2+1)(3+1)(1+1)=24$$
(2) 540의 약수의 총합은
$$(1+2+2^2)(1+3+3^2+3^3)(1+5)$$
$$=7\times40\times6=1680$$

(3) 3의 배수가 아닌 약수는 $2^2 \times 5$의 약수이므로
$(2+1)(1+1)=6$
따라서 구하는 3의 배수의 개수는
$24-6=\mathbf{18}$

유제 12-16

(1) 10원짜리 동전 2개로 지불할 수 있는 방법은
0개, 1개, 2개의 3가지
50원짜리 동전 3개로 지불할 수 있는 방법은
0개, 1개, 2개, 3개의 4가지
100원짜리 동전 4개로 지불할 수 있는 방법은
0개, 1개, 2개, 3개, 4개의 5가지
따라서 지불할 수 있는 방법의 수는 0원을 지불하는
경우를 제외하므로
$3 \times 4 \times 5 - 1 = \mathbf{59}$

(2) 100원짜리 동전 4개를 50원짜리 동전 8개로 바꾸어
서 생각하면 구하는 금액의 수는 10원짜리 동전 2개
와 50원짜리 동전 11개로 지불할 수 있는 금액의 수
와 같다.
10원짜리 동전 2개로 지불할 수 있는 방법은
0원, 10원, 20원의 3가지
50원짜리 동전 11개로 지불할 수 있는 방법은
0원, 50원, 100원, 150원, 200원, 250원, 300원,
350원, 400원, 450원, 500원, 550원의 12가지
따라서 지불할 수 있는 금액의 수는 0원을 지불하는
경우를 제외하므로
$3 \times 12 - 1 = \mathbf{35}$

유제 12-17

주거지역에 칠할 수 있는 색은 5가지
상업지역에는 주거지역에 칠한 색을 제외한 4가지
녹지지역에는 주거지역과 상업지역에 칠한 색을 제외한
3가지
준상업지역에는 주거지역과 녹지지역에 칠한 색을 제외
한 3가지
따라서 구하는 방법의 수는 $5 \times 4 \times 3 \times 3 = \mathbf{180}$

유제 12-18

(i) B, D에 같은 색을 칠할 경우 (B=D)
A에 칠할 수 있는 색은 5가지
B에는 A에 칠한 색을 제외한 4가지
C에는 A, B에 칠한 색을 제외한 3가지
D에는 B와 같은 색을 칠하므로 1가지
E에는 A, B(D)에 칠한 색을 제외한 3가지
$\therefore 5 \times 4 \times 3 \times 1 \times 3 = 180$

(ii) B, D에 서로 다른 색을 칠할 경우(B≠D)
A에 칠할 수 있는 색은 5가지
B에는 A에 칠한 색을 제외한 4가지
C에는 A, B에 칠한 색을 제외한 3가지
D에는 A, B, C에 칠한 색을 제외한 2가지
E에는 A, B, D에 칠한 색을 제외한 2가지
$\therefore 5 \times 4 \times 3 \times 2 \times 2 = 240$
(i), (ii)에 의하여 구하는 방법의 수는
$180 + 240 = \mathbf{420}$

유제 12-19

세 자리의 자연수의 개수는
$999 - 99 = 900$
숫자 2가 하나도 들어 있지 않은 세 자리의 자연수는 백
의 자리에 0, 2를 제외한 8가지, 십의 자리와 일의 자리
에는 각각 2를 제외한 9가지가 올 수 있으므로
$8 \times 9 \times 9 = 648$
따라서 숫자 2가 적어도 하나 들어 있는 세 자리의 자연
수의 개수는
$900 - 648 = \mathbf{252}$

유제 12-20

1부터 999까지의 수는 다음과 같이 0을 사용하여 모두
세 자리 수로 나타낼 수 있다.
$1 \leftrightarrow 001, 10 \leftrightarrow 010, 98 \leftrightarrow 098$
이때, 말하여야 하는 수는 세 자리에 각각 3, 6, 9를 제
외한 7가지가 올 수 있고, 그 중 0은 제외되므로
$7 \times 7 \times 7 - 1 = 342$
따라서 말하지 않아야 하는 수의 개수는
$999 - 342 = \mathbf{657}$

연습문제 본문 p.354

12-1

3의 배수인 경우는 3, 6, 9의 3가지, 4의 배수인 경우는
4, 8의 2가지이므로 구하는 경우의 수는
$3 + 2 = \mathbf{5}$

12-2

짝수의 눈이 나오는 경우의 집합을 A, 소수의 눈이 나
오는 경우의 집합을 B라 하면
$A = \{2, 4, 6\}, B = \{2, 3, 5\}, A \cap B = \{2\}$
$\therefore n(A \cup B) = n(A) + n(B) - n(A \cap B)$
$= 3 + 3 - 1$
$= \mathbf{5}$

12-3

(i) 수현이가 A지점에서 C지점을 거쳐 B지점으로 가는 경우

　수현 : A → C → B : $2 \times 3 = 6$

　민지 : A → D → B : $2 \times 2 = 4$

　∴ $6 \times 4 = 24$

(ii) 수현이가 A지점에서 D지점을 거쳐 B지점으로 가는 경우

　마찬가지로 24가지의 경우가 생긴다.

(i), (ii)에 의하여 구하는 방법의 수는

$24 + 24 = \mathbf{48}$

12-4

각 전구마다 켜지거나 꺼지는 두 가지 경우가 있으므로

$2 \times 2 \times 2 \times 2 = 16$

이 중에서 4개의 전구가 모두 꺼져 있는 경우는 제외해야 하므로

$16 - 1 = \mathbf{15}$

12-5

$2^k 3^2$의 약수의 개수는 $(k+1)(2+1)$이므로

$3(k+1) = 21$에서 $k+1 = 7$

∴ $k = \mathbf{6}$

12-6

정사면체 밑면의 수를 $a \, (a = 1, 2, 3, 4)$

주사위의 윗면에 나온 눈의 수를 $b \, (b = 1, 2, 3, 4, 5, 6)$라 하면 ab가 두 자리의 정수이고 6의 배수인 경우는 12, 18, 24이다.

(i) 두 수의 곱이 12인 순서쌍 (a, b)는

　$(2, 6), (3, 4), (4, 3)$의 3가지

(ii) 두 수의 곱이 18인 순서쌍 (a, b)는 $(3, 6)$의 1가지

(iii) 두 수의 곱이 24인 순서쌍 (a, b)는 $(4, 6)$의 1가지

(i), (ii), (iii)에 의하여 구하는 경우의 수는

$3 + 1 + 1 = \mathbf{5}$

12-7

2로 나누어떨어지는 정수의 집합을 A,

5로 나누어떨어지는 정수의 집합을 B라 하면

$n(A) = 50, \ n(B) = 20$

2 또는 5로 나누어떨어지는 정수의 집합은 $A \cup B$이고, $A \cap B$는 2와 5의 최소공배수인 10으로 나누어떨어지는 정수의 집합이므로

$n(A \cap B) = 10$

∴ $n(A \cup B) = n(A) + n(B) - n(A \cap B)$

　　　　　 $= 50 + 20 - 10 = 60$

따라서 구하는 정수의 개수는

$100 - 60 = \mathbf{40}$

12-8

x, y는 자연수이므로

(i) $y = 1$일 때, $x \leq 5$이므로 $x = 1, 2, 3, 4, 5$의 5가지

(ii) $y = 2$일 때, $x \leq 4$이므로 $x = 1, 2, 3, 4$의 4가지

(iii) $y = 3$일 때, $x \leq 3$이므로 $x = 1, 2, 3$의 3가지

(iv) $y = 4$일 때, $x \leq 2$이므로 $x = 1, 2$의 2가지

(i)~(iv)에 의하여 구하는 순서쌍 (x, y)의 개수는

$5 + 4 + 3 + 2 = \mathbf{14}$

12-9

그림과 같이 나누어진 영역을 P, Q, R, S라 하면

P에 칠할 수 있는 색은 4가지

Q에는 P에 칠한 색을 제외한 3가지

R에는 P, Q에 칠한 색을 제외한 2가지

S에는 P, R에 칠한 색을 제외한 2가지

따라서 구하는 방법의 수는

$4 \times 3 \times 2 \times 2 = \mathbf{48}$

12-10

두 번째 자리에 올 수 있는 숫자는

0, 1, 2, …, 9의 10가지

세 번째 자리에 올 수 있는 숫자는

0, 1, 2, …, 9의 10가지

네 번째 자리에 올 수 있는 숫자는

1, 3, 5, 7, 9의 5가지

따라서 구하는 경우의 수는

$10 \times 10 \times 5 = \mathbf{500}$

12-11

두 개의 공을 꺼낼 때, 나오는 수를 각각 a, b라 하면

(i) $|a - b| = 1$인 경우

　$(1, 2), (2, 3), (3, 4), (4, 5),$

　$(5, 6), (6, 7), (7, 8)$의

　7가지

(ii) $|a-b|=2$인 경우

 $(1, 3), (2, 4), (3, 5), (4, 6), (5, 7), (6, 8)$의
 6가지

(iii) $|a-b|=3$인 경우

 $(1, 4), (2, 5), (3, 6), (4, 7), (5, 8)$의
 5가지

(i), (ii), (iii)에 의하여 구하는 경우의 수는

$7+6+5=\mathbf{18}$

12-12

A도시에서 두 개의 도시를 경유하여
D도시로 가는 방법

(i) A → B → C → D : $2 \times 1 \times 2 = 4$(가지)

(ii) A → C → B → D : $3 \times 1 \times 3 = 9$(가지)

(i), (ii)에 의하여 m은

$m=4+9=13$

A도시에서 한 개의 도시를 경유하여
D도시로 가는 방법

(iii) A → B → D : $2 \times 3 = 6$(가지)

(iv) A → C → D : $3 \times 2 = 6$(가지)

(iii), (iv)에 의하여 n은

$n=6+6=12$

$\therefore m+n=\mathbf{25}$

12-13

$(a_1-1)(a_2-2)(a_3-3)(a_4-4) \neq 0$을 만족시키려면
$a_1 \neq 1$, $a_2 \neq 2$, $a_3 \neq 3$, $a_4 \neq 4$이므로 이를 만족시키는
경우를 수형도로 나타내면 다음과 같다.

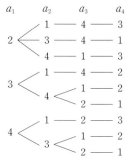

따라서 구하는 경우의 수는 **9**이다.

12-14

100원짜리 동전 2개를 50원짜리 동전 4개로 바꾸어 생
각하면 구하는 금액의 수는 500원짜리 동전 3개, 50원
짜리 동전 7개, 10원짜리 동전 4개로 지불할 수 있는 금
액의 수와 같다.

500원짜리 동전 3개로 지불할 수 있는 금액은
0원, 500원, 1000원, 1500원의 4가지
50원짜리 동전 7개로 지불할 수 있는 금액은
0원, 50원, 100원, 150원, 200원, 250원, 300원,
350원의 8가지
10원짜리 동전 4개로 지불할 수 있는 금액은
0원, 10원, 20원, 30원, 40원의 5가지
따라서 지불할 수 있는 금액의 수는 0원을 지불하는 경
우를 제외하므로

$4 \times 8 \times 5 - 1 = \mathbf{159}$

12-15

$x^2+2ax+3b=0$이 실근을 가지려면 판별식 D가
$D \geq 0$이어야 하므로

$\dfrac{D}{4}=a^2-3b \geq 0$에서

$b \leq \dfrac{a^2}{3}$

(i) $a=0$일 때, $b \leq 0$이므로 $b=0$의 1가지

(ii) $a=1$일 때, $b \leq \dfrac{1}{3}$이므로 $b=0$의 1가지

(iii) $a=2$일 때, $b \leq \dfrac{4}{3}$이므로 $b=0$, 1의 2가지

(iv) $a=3$일 때, $b \leq 3$이므로 $b=0$, 1, 2의 3가지

(i)~(iv)에 의하여 구하는 경우의 수는

$1+1+2+3=\mathbf{7}$

12-16

어느 한 출입문으로 들어와서 다른 출입문을 통해 나
갈 때

(i) A 또는 B로 들어오는 경우

 $2 \times 6 = 12$

(ii) A, B 이외의 출입문으로 들어오는 경우

 $6 \times 5 = 30$

(i), (ii)에 의하여 구하는 방법의 수는

$12+30=\mathbf{42}$

12-17

세 자리 정수이므로 백의 자리에는 0이 올 수 없고, 0을
제외한 1, 2, 3, 4 중 1개가 올 수 있다.
또한, 짝수이므로 일의 자리에는 0, 2, 4 중 1개가 올 수
있다.

□□0인 경우 $4 \times 4 = 16$

□□2인 경우 $3 \times 3 = 9$

□□4인 경우 $3 \times 3 = 9$

따라서 구하는 짝수의 개수는

$16+9+9=34$

12-18

카드에 적혀 있는 숫자를 곱하여 만들 수 있는 자연수를 N이라 하면 N은

$N=1\times 3^p\times 5^q\times 7^r$

$\quad =3^p\times 5^q\times 7^r\,(p=0,1,2,\ q=0,1,2,3,\ r=0,1)$

과 같은 꼴로 나타낼 수 있다.

이때, 2장 이상의 카드를 뽑아야 하므로

$3^2\times 5^3\times 7$의 양의 약수 중에서 1을 제외한 경우이다.

따라서 구하는 서로 다른 자연수의 개수는

$(2+1)(3+1)(1+1)-1=23$

12-19

$f(1)f(2)f(3)=0$이려면

$f(1)=0$ 또는 $f(2)=0$ 또는 $f(3)=0$이므로

$f(1),\ f(2),\ f(3)$의 값 중 적어도 하나는 0이 되어야 한다.

즉, 함수 $f:X \longrightarrow Y$ 중 $f(1),\ f(2),\ f(3)$의 값이 모두 0이 아닌 함수를 제외한 개수를 구하면 되므로

(i) 함수 $f:X \longrightarrow Y$의 개수는

$\quad 5\times 5\times 5=125$

(ii) $f(1),\ f(2),\ f(3)$의 값이 모두 0이 아닌 함수의 개수는

$\quad 4\times 4\times 4=64$

(i), (ii)에 의하여 구하는 함수 f의 개수는

$125-64=61$

12-20

1	2	3
4	5	6

이웃하지 않도록 $a,\ a$를 입력하는 경우는

$(1,3),\ (1,5),\ (1,6),\ (2,4),\ (2,6),$

$(3,4),\ (3,5),\ (4,6)$

의 8가지이다.

$a,\ a$를 입력한 후 b를 입력하는 방법은 4가지

$a,\ a,\ b$를 입력한 후 c를 입력하는 방법은 3가지

$a,\ a,\ b,\ c$를 입력한 후 d를 입력하는 방법은 2가지

$a,\ a,\ b,\ c,\ d$를 입력한 후 e를 입력하는 방법은 1가지

따라서 구하는 방법의 수는

$8\times 4\times 3\times 2\times 1=192$

12-21

직선 $y=\dfrac{b}{a}x$와 이차함수 $y=x^2$의 그래프의 교점의 x좌표는

$\dfrac{b}{a}x=x^2,\ x\left(x-\dfrac{b}{a}\right)=0$

$x=0$ 또는 $x=\dfrac{b}{a}$

$\therefore\ \mathrm{P}\left(\dfrac{b}{a},\left(\dfrac{b}{a}\right)^2\right),\ \mathrm{H}\left(\dfrac{b}{a},0\right)$

즉, 삼각형 OPH의 넓이는

$\dfrac{1}{2}\times \dfrac{b}{a}\times \left(\dfrac{b}{a}\right)^2=\dfrac{1}{2}\left(\dfrac{b}{a}\right)^3$

따라서 삼각형 OPH의 넓이가 정수가 되는 경우는 $\dfrac{b}{a}$ 가 2의 배수일 때이므로 순서쌍 (a,b)는 $(1,2),$ $(1,4),\ (1,6),\ (2,4),\ (3,6)$으로 **5개**이다.

12-22

첫째 날 먹은 초콜릿의 개수를 2로 나누었을 때의 몫을 x, 둘째 날 먹은 초콜릿의 개수를 3으로 나누었을 때의 몫을 y, 셋째 날 먹은 초콜릿을 5로 나눈 몫을 z라 하면

(i) 나머지가 모두 0인 경우

$\quad 2x+3y+5z=25$

$\quad x\geq 1,\ y\geq 1$이므로 $5z\leq 20$

$\quad \therefore z=1,2,3,4$

$\quad \bigcirc$ $z=1$일 때, $2x+3y=20$이므로

$\qquad$ 순서쌍 (x,y)는 $(7,2),\ (4,4),\ (1,6)$의 3가지

$\quad \bigcirc$ $z=2$일 때, $2x+3y=15$이므로

$\qquad$ 순서쌍 (x,y)는 $(6,1),\ (3,3)$의 2가지

$\quad \bigcirc$ $z=3$일 때, $2x+3y=10$이므로

$\qquad$ 순서쌍 (x,y)는 $(2,2)$의 1가지

$\quad \bigcirc$ $z=4$일 때, $2x+3y=5$이므로

$\qquad$ 순서쌍 (x,y)는 $(1,1)$의 1가지

(ii) 나머지가 모두 1인 경우

$\quad 2x+1+3y+1+5z+1=25$

$\quad x\geq 1,\ y\geq 1$이므로 $5z\leq 17$

$\quad \therefore z=1,2,3$

$\quad \bigcirc$ $z=1$일 때, $2x+3y=17$이므로

$\qquad$ 순서쌍 (x,y)는 $(7,1),\ (4,3),\ (1,5)$의 3가지

$\quad \bigcirc$ $z=2$일 때, $2x+3y=12$이므로

$\qquad$ 순서쌍 (x,y)는 $(3,2)$의 1가지

$\quad \bigcirc$ $z=3$일 때, $2x+3y=7$이므로

$\qquad$ 순서쌍 (x,y)는 $(2,1)$의 1가지

(ⅰ), (ⅱ)에 의하여 구하는 방법의 수는
$3+2+1+1+3+1+1=\boldsymbol{12}$

12-**23**

18 이하의 자연수를 4로 나눈 나머지를 기준으로 나머지가 각각 0, 1, 2, 3인 경우로 분류하여 그 집합을 각각 $A_k(k=0, 1, 2, 3)$라 하면
$A_0=\{4, 8, 12, 16\}$
$A_1=\{1, 5, 9, 13, 17\}$
$A_2=\{2, 6, 10, 14, 18\}$
$A_3=\{3, 7, 11, 15\}$
이때, $a+b$가 4의 배수가 되는 경우는
(ⅰ) $a=4k$, $b=4k'$인 경우
　　a, b가 모두 A_0의 원소인 경우이므로
　　$4 \times 4=16$
(ⅱ) $a=4k+2$, $b=4k'+2$인 경우
　　a, b가 모두 A_2의 원소인 경우이므로
　　$5 \times 5=25$
(ⅲ) $a=4k+1$, $b=4k'+3$인 경우
　　a는 A_1의 원소이고, b는 A_3의 원소인 경우이므로
　　$5 \times 4=20$
(ⅳ) $a=4k+3$, $b=4k'+1$인 경우
　　a는 A_3의 원소이고, b는 A_1의 원소인 경우이므로
　　$4 \times 5=20$
(ⅰ)~(ⅳ)에 의하여 구하는 순서쌍 (a, b)의 개수는
$16+25+20+20=\boldsymbol{81}$

12-**24**

모든 실수 x에 대하여 부등식 $ax^2+bx+c>0$이 항상 성립하려면 $a>0$이고 $D<0$이어야 하므로
$D=b^2-4ac<0$에서 $b^2<4ac$
즉, 순서쌍 (a, b, c) 중 $b^2 \geq 4ac$를 만족하는 순서쌍을 제외한 개수를 구하면 되므로
(ⅰ) 순서쌍 (a, b, c)의 개수는
　　$4 \times 3 \times 2=24$
(ⅱ) $b^2 \geq 4ac$를 만족하는 순서쌍 (a, b, c)는
　　$(1, 5, 3)$, $(1, 7, 3)$, $(1, 7, 5)$, $(3, 5, 1)$,
　　$(3, 7, 1)$, $(5, 7, 1)$의 6가지
(ⅰ), (ⅱ)에 의하여 구하는 순서쌍 (a, b, c)의 개수는
$24-6=\boldsymbol{18}$

13 순열

Spring of mathematics

개념확인코너
본문 p.365

1
$(1)\ _6P_2=6 \times 5=30$
$(2)\ _3P_3=3!=3 \times 2 \times 1=6$
$(3)\ _5P_0=1$

답 (1) 30　(2) 6　(3) 1

2
$(1)\ 4!=4 \times 3 \times 2 \times 1=24$
$(2)\ \dfrac{6!}{3!}=\dfrac{6 \times 5 \times 4 \times 3 \times 2 \times 1}{3 \times 2 \times 1}=120$

답 (1) 24　(2) 120

3
$(1)\ _7P_4=\dfrac{7!}{(7-4)!}=\dfrac{7!}{3!}$
　　$\therefore \square=3$
$(2)\ \dfrac{9!}{5!}=\dfrac{9!}{(9-4)!}=\ _9P_4$
　　$\therefore \square=4$

답 (1) 3　(2) 4

4
$(1)\ _nP_2=n(n-1)=30$에서
　　$n^2-n-30=0$, $(n+5)(n-6)=0$
　　$\therefore n=-5$ 또는 $n=6$
　　그런데 $n \geq 2$이므로 $n=6$
$(2)\ _5P_r=60$에서
　　$60=5 \times 4 \times 3$이므로
　　$_5P_r=5 \times 4 \times 3=\ _5P_3$
　　$\therefore r=3$

답 (1) $n=6$　(2) $r=3$

5
(1) 수박과 참외가 이웃하도록 진열하는 방법의 수는
　　$3! \times 2!=12$
(2) 수박과 참외가 이웃하지 않도록 진열하는 방법의 수는
　　$2! \times _{2-1+2}P_2=2! \times _3P_2=2 \times 6=12$

답 (1) 12　(2) 12

다른 풀이

(2) 4가지 과일을 일렬로 진열하는 방법의 수는 4!
수박과 참외가 이웃하도록 진열하는 방법의 수는
$3! \times 2! = 12$
$\therefore 4! - 12 = 12$

유제
본문 p.366

유제 13-1

(1) $_{n+2}P_2 = 56$에서 $(n+2)(n+1) = 56$
$n^2 + 3n - 54 = 0$, $(n-6)(n+9) = 0$
$\therefore n = 6$ ($\because n \geq 0$)

(2) $1440 = (5 \times 4 \times 3) \times 4!$이므로
$_5P_r \times 4! = 1440$의 양변을 4!로 나누면
$_5P_r = 5 \times 4 \times 3$
$\therefore r = 3$

(3) $_nP_2 + _{n+1}P_2 = n(n-1) + (n+1)n$에서
$n(n-1) + (n+1)n = 98$
$2n^2 = 98$, $n^2 = 49$
$\therefore n = \pm 7$
그런데 $n \geq 2$이므로 $n = 7$

(4) $_nP_3 : _{n-1}P_3 = 5 : 4$에서
$4 \times _nP_3 = 5 \times _{n-1}P_3$이므로
$4n(n-1)(n-2) = 5(n-1)(n-2)(n-3)$
$n \geq 4$이므로 양변을 $(n-1)(n-2)$로 나누면
$4n = 5(n-3)$
$\therefore n = 15$

유제 13-2

(1) $_{n-1}P_r + r \times _{n-1}P_{r-1}$
$= \dfrac{(n-1)!}{(n-1-r)!} + r \times \dfrac{(n-1)!}{\{(n-1)-(r-1)\}!}$
$= \dfrac{(n-r) \times (n-1)!}{(n-r)!} + r \times \dfrac{(n-1)!}{(n-r)!}$
$= \dfrac{(n-1)!\{(n-r)+r\}}{(n-r)!}$
$= \dfrac{n!}{(n-r)!} = _nP_r$
$\therefore _nP_r = _{n-1}P_r + r \times _{n-1}P_{r-1}$

(2) $_nP_l \times _{n-l}P_{r-l}$
$= \dfrac{n!}{(n-l)!} \times \dfrac{(n-l)!}{\{(n-l)-(r-l)\}!}$
$= \dfrac{n!}{(n-r)!} = _nP_r$
$\therefore _nP_l \times _{n-l}P_{r-l} = _nP_r$

유제 13-3

서로 다른 5개에서 3개를 택하는 순열의 수와 같으므로
$_5P_3 = 5 \times 4 \times 3 = 60$

유제 13-4

서로 다른 n개에서 3개를 택하는 순열의 수와 같으므로
$_nP_3 = 120$
$n(n-1)(n-2) = 6 \times 5 \times 4$
$\therefore n = 6$

유제 13-5

강릉을 제외한 6곳에서 두 번째, 세 번째에 여행할 곳을 각각 1곳씩 뽑으면 된다.
따라서 서로 다른 6개에서 2개를 택하는 순열의 수와 같으므로
$_6P_2 = 6 \times 5 = 30$

유제 13-6

$f(x_1) = f(x_2)$이면 $x_1 = x_2$이므로 함수 f는 일대일함수이다.
이때, $f(1) = 2$, $f(3) = 6$이므로 집합 Y의 원소 1, 3, 4, 5, 7의 5개에서 서로 다른 3개를 뽑아 일렬로 나열하는 경우의 수와 같으므로 구하는 함수의 개수는
$_5P_3 = 5 \times 4 \times 3 = 60$

유제 13-7

주어진 함수 f가 일대일대응이므로 소수 2, 3, 5, 7은 2, 3, 5, 7 중 서로 다른 값에 각각 대응해야 하고, 소수가 아닌 수 1, 4, 6은 1, 4, 6 중 서로 다른 값에 각각 대응해야 한다.
따라서 구하는 함수의 개수는
$_4P_4 \times _3P_3 = 4! \times 3! = 144$

유제 13-8

(1) 남자 3명을 묶어서 한 사람으로 생각하면 5명이 일렬로 서는 경우의 수는
$5! = 120$
남자 3명이 서로 자리를 바꾸는 경우의 수는
$3! = 6$
따라서 구하는 경우의 수는
$120 \times 6 = 720$

(2) 여자 4명을 묶어서 한 사람으로 생각하면 4명이 일렬로 서는 경우의 수는
$4! = 24$
여자 4명이 서로 자리를 바꾸는 경우의 수는

$4! = 24$

따라서 구하는 경우의 수는

$24 \times 24 = \mathbf{576}$

유제 13-9

남학생의 수가 n명이므로 이를 묶어 한 사람으로 생각하면 4명의 학생을 일렬로 세우는 경우의 수는

$4! = 24$

남학생끼리 서로 자리를 바꾸는 경우의 수는 $n!$이므로

$24 \times n! = 17280$

$n! = 720 = 6!$

$\therefore n = \mathbf{6}$

유제 13-10

남학생 5명을 일렬로 세우는 방법의 수는

$5! = 120$

남학생들의 양 끝과 사이사이의 6개의 자리에 3명의 여학생을 세우는 방법의 수는

$_6P_3 = 120$

따라서 구하는 방법의 수는

$120 \times 120 = \mathbf{14400}$

유제 13-11

A, B를 한 묶음으로 생각하여 ㉮B, C, F를 일렬로 배열하는 경우의 수는

$3! = 6$

D와 E가 이웃하지 않게 배열해야 하므로 D와 E를 ㉮B, C, F의 양 끝과 사이사이의 4개의 자리에 배열하는 경우의 수는

$_4P_2 = 12$

이때, A, B가 서로 자리를 바꾸는 경우의 수는

$2! = 2$

따라서 구하는 경우의 수는

$6 \times 12 \times 2 = \mathbf{144}$

유제 13-12

(여, 남, 여, 남, 여, 남, 여)와 같이 먼저 여학생 4명을 한 줄로 세우고 그 사이사이에 남학생 3명을 세우면 된다.
여학생 4명을 한 줄로 세우는 방법의 수는

$4! = 24$

이 각각에 대하여 남학생을 세우는 방법의 수는

$3! = 6$

따라서 구하는 방법의 수는

$24 \times 6 = \mathbf{144}$

유제 13-13

한국팀 선수를 ○, 중국팀 선수를 △라 하고, 한국팀 주장과 중국팀 주장을 제외한 4명을 먼저 교대로 세우는 방법은

○△○△ 또는 △○△○

이 방법의 수는 $2! \times 2! \times 2 = 8$

∨○∨△∨○∨△∨

이 각각에 대하여 한국팀 주장과 중국팀 주장을 묶어서 선수들 사이사이와 양 끝의 5자리 중 한 자리에 배열하는 방법의 수는

$_5P_1 = 5$

따라서 구하는 방법의 수는

$8 \times 5 = \mathbf{40}$

유제 13-14

d와 u를 제외한 6개의 문자 중에서 2개를 뽑아 일렬로 나열하는 경우의 수와 같으므로

$_6P_2 = \mathbf{30}$

유제 13-15

(1) o와 l을 제외한 6개의 문자를 일렬로 나열하는 경우의 수는 $6!$

o와 l을 서로 바꾸는 경우의 수는 $2!$

따라서 구하는 경우의 수는

$6! \times 2! = 720 \times 2 = \mathbf{1440}$

(2) i와 t 사이에 2개의 문자를 나열하는 순열의 수는

$_6P_2$

i□□t를 하나의 문자로 보면 모두 5개의 문자이므로 이 5개의 문자를 배열하는 경우의 수는 $5!$

이때, i와 t를 서로 바꾸는 경우의 수는 $2!$

따라서 구하는 경우의 수는

$_6P_2 \times 5! \times 2! = 30 \times 120 \times 2 = \mathbf{7200}$

(3) 전체 순열의 수는 $8!$이고, 모음은 o, i, e, a의 4개이므로 양 끝에 모두 모음이 오는 경우의 수는 $_4P_2 \times 6!$

따라서 구하는 경우의 수는

$8! - _4P_2 \times 6! = 40320 - (12 \times 720) = \mathbf{31680}$

유제 13-16

(1) 천의 자리에는 0이 올 수 없음을 주의하면서 그 개수를 구하면

$1□□□ \Rightarrow _4P_3$

$2□□□ \Rightarrow _4P_3$

$3□□□ \Rightarrow _4P_3$

$4□□□ \Rightarrow _4P_3$

$\therefore 4 \times _4P_3 = 4 \times 24 = \mathbf{96}$

(2) 2100보다 큰 네 자리 정수 중에서

  (i) 천의 자리가 2인 경우의 수

    $21\square\square \Rightarrow {}_3P_2$

    $23\square\square \Rightarrow {}_3P_2$

    $24\square\square \Rightarrow {}_3P_2$

    $\therefore 3 \times {}_3P_2 = 3 \times 6 = 18$

  (ii) 천의 자리가 3, 4인 경우의 수

    $3\square\square\square \Rightarrow {}_4P_3$

    $4\square\square\square \Rightarrow {}_4P_3$

    $\therefore 2 \times {}_4P_3 = 2 \times 24 = 48$

  (i), (ii)에 의하여 구하는 정수의 개수는

    $18 + 48 = \mathbf{66}$

(3)(i) 일의 자리에 0이 오는 경우의 수

    $\square\square\square 0 \Rightarrow {}_4P_3 = 24$

  (ii) 일의 자리에 2 또는 4가 오는 경우의 수

    $\square\square\square 2 \Rightarrow {}_3P_1 \times {}_3P_2$

    $\square\square\square 4 \Rightarrow {}_3P_1 \times {}_3P_2$

    $\therefore 2 \times {}_3P_1 \times {}_3P_2 = 36$

  (i), (ii)에 의하여 구하는 정수의 개수는

    $24 + 36 = \mathbf{60}$

유제 13-17

42000보다 작은 수의 개수는 다음과 같다.

$1\square\square\square\square$ 꼴의 개수 : $4! = 24$

$2\square\square\square\square$ 꼴의 개수 : $4! = 24$

$3\square\square\square\square$ 꼴의 개수 : $4! = 24$

$41\square\square\square$ 꼴의 개수 : $3! = 6$

따라서 구하는 자연수의 개수는

$24 + 24 + 24 + 6 = \mathbf{78}$

유제 13-18

$a\square\square\square\square\square$ 꼴의 개수 : $5! = 120$

$b\square\square\square\square\square$ 꼴의 개수 : $5! = 120$

$ca\square\square\square\square$ 꼴의 개수 : $4! = 24$

$cb\square\square\square\square$ 꼴의 개수 : $4! = 24$

$cda\square\square\square$ 꼴의 개수 : $3! = 6$

$cdb\square\square\square$ 꼴의 개수 : $3! = 6$

이때, $120 + 120 + 24 + 24 + 6 + 6 = 300$이므로

300번째에 배열되는 문자는 $cdb\square\square\square$ 꼴의 문자 중

가장 마지막으로 오게 되는 **cdbfea**이다.

연습문제

13-1

(1) ${}_nP_2 = n(n-1) = 110$에서

$n^2 - n - 110 = 0$

$(n+10)(n-11) = 0$

$\therefore n = \mathbf{11} \ (\because n \geq 2)$

(2) ${}_{2n}P_3 = 100 \times {}_nP_2$에서

$2n(2n-1)(2n-2) = 100n(n-1)$

$4n(2n-1)(n-1) = 100n(n-1)$

$n \geq 2$이므로 양변을 $n(n-1)$로 나누면

$4(2n-1) = 100$

$2n-1 = 25$

$\therefore n = \mathbf{13}$

13-2

5명을 일렬로 세우는 방법의 수이므로

$5! = \mathbf{120}$

13-3

a는 5명 중에서 3명을 뽑는 순열의 수와 같으므로

$a = {}_5P_3 = 60$

b는 회장 A를 제외한 나머지 4명 중에서 부회장, 총무를 뽑는 순열의 수이므로

$b = {}_4P_2 = 12$

$\therefore a + b = 60 + 12$

$\qquad = \mathbf{72}$

13-4

구하는 함수는 일대일함수이므로 집합 A의 원소 1, 2, 3이 대응되는 집합 B의 원소가 서로 달라야 한다.

즉, 집합 B의 원소 a, b, c, d에서 3개를 뽑아 일렬로 배열하는 방법의 수와 같으므로 구하는 함수의 개수는

${}_4P_3 = \mathbf{24}$

13-5

'우리'를 제외한 5개의 문자에서 2개를 뽑아 일렬로 나열하는 경우의 수와 같으므로

${}_5P_2 = \mathbf{20}$

13-6

종목이 같은 선수끼리 묶어서 한 사람으로 생각하여 일렬로 세우는 방법의 수는

$3! = 6$

축구 선수 3명, 농구 선수 2명, 배구 선수 2명이 같은 종목 선수끼리 순서를 바꾸는 방법의 수는

$3! \times 2! \times 2! = 24$

따라서 구하는 방법의 수는

$6 \times 24 = \mathbf{144}$

506 | 수학의 샘

13-7

남학생 4명이 일렬로 앉는 방법의 수는 4!

$$\vee\boxed{남}\vee\boxed{남}\vee\boxed{남}\vee\boxed{남}\vee$$

남학생의 양 끝과 사이사이의 5개의 자리 ∨에서 3개를 택하여 여학생이 앉는 방법의 수는 $_5P_3$

따라서 구하는 방법의 수는

$4! \times _5P_3 = 24 \times 60 = \mathbf{1440}$

13-8

a와 o 사이에 2개의 문자를 배열하는 경우의 수는 $_5P_2$

a□□o를 하나의 문자로 생각하여 모두 4개의 문자를 일렬로 배열하는 경우의 수는 4!

이때, a와 o를 서로 바꾸는 경우는 2!

따라서 구하는 경우의 수는

$_5P_2 \times 4! \times 2! = 20 \times 24 \times 2 = \mathbf{960}$

13-9

적어도 한 쪽 끝에 남학생을 세우는 방법의 수는 전체를 일렬로 세우는 방법의 수에서 양 끝에 여학생 2명을 세우는 방법의 수를 뺀 것과 같다.

전체를 일렬로 세우는 방법의 수는 7!

양 끝에 여학생 2명을 세우는 방법의 수는 $_2P_2 \times 5!$

따라서 구하는 방법의 수는

$7! - _2P_2 \times 5! = 5040 - (2 \times 120) = \mathbf{4800}$

13-10

□○○□에서

□에 짝수 2, 4, 6 중 두 개의 숫자가 오는 경우의 수는 $_3P_2$

○에 두 개의 숫자가 오는 경우의 수는 $_5P_2$

따라서 구하는 정수의 개수는

$_3P_2 \times _5P_2 = 6 \times 20 = \mathbf{120}$

13-11

(1) $_6P_r : _4P_r = 5 : 2$에서

$5 \times _4P_r = 2 \times _6P_r$이므로

$$5 \times \frac{4!}{(4-r)!} = 2 \times \frac{6!}{(6-r)!}$$

$$\frac{5 \times 4!}{(4-r)!} = \frac{2 \times 6 \times 5 \times 4!}{(6-r)(5-r) \times (4-r)!}$$

양변을 $\dfrac{5 \times 4!}{(4-r)!}$로 나누어 정리하면

$(6-r)(5-r) = 12$

$r^2 - 11r + 18 = 0, \ (r-2)(r-9) = 0$

$\therefore r = 2$ 또는 $r = 9$

그런데 $_6P_r, _4P_r$에서 $0 < r \le 4$이므로

$\boldsymbol{r = 2}$

(2) $5(_nP_3 + _{n+1}P_4) = 12 \times _{n+1}P_3$에서

$5\{n(n-1)(n-2) + (n+1)n(n-1)(n-2)\}$
$= 12(n+1)n(n-1)$

$5n(n-1)(n-2)\{1 + (n+1)\}$
$= 12n(n-1)(n+1)$

$n \ge 3$이므로 양변을 $n(n-1)$로 나누면

$5(n-2)(n+2) = 12(n+1)$

$5n^2 - 12n - 32 = 0$

$(n-4)(5n+8) = 0$

$\therefore \boldsymbol{n = 4} \ (\because n \ge 3)$

13-12

4개의 동전을 쌓는 순서를 정하는 경우의 수는 4!

맨 위의 동전을 쌓는 모양을 정하는 경우의 수는 2

따라서 구하는 탑의 개수는

$4! \times 2 = \mathbf{48}$

13-13

갑과 을이 앉을 수 있는 이웃한 좌석은 A와 B, B와 C, C와 D, E와 F, F와 G의 5가지

이들 각각에 대하여 남은 좌석 5개에 갑과 을을 제외한 나머지 5명이 앉는 방법의 수는 5!

이때, 갑과 을이 바꾸어 앉는 방법의 수는 2!

따라서 구하는 방법의 수는

$5 \times 5! \times 2! = 5 \times 120 \times 2 = \mathbf{1200}$

13-14

두 카드 2, 4를 묶어 한 장의 카드로 생각하면 이웃할 수 있는 두 카드 1, 3, 6을 먼저 배열하고, 그 사이 또는 양 끝에 두 카드 ②④, 5를 배열해야 한다.

즉, 두 카드 1, 3, 6을 배열하는 방법의 수는 3!이고, 그 사이 또는 양 끝의 4개 자리 중에서 2개 자리에 두 카드 ②④, 5를 배열하는 방법의 수는 $_4P_2$이다.

또한, 묶음 안에서 두 카드 2, 4의 자리를 바꾸는 방법의 수는 2!이다.

따라서 구하는 방법의 수는

$3! \times _4P_2 \times 2! = 6 \times 12 \times 2 = \mathbf{144}$

13-15

양 끝에 자음 b, c, d 중 2개를 배열하는 경우의 수는 $_3P_2$

나머지 3개를 가운데 배열하는 경우의 수는 3!

$\therefore m = {}_3P_2 \times 3! = 6 \times 6 = 36$

모음은 a, e의 2개, 자음은 b, c, d의 3개이므로

(자음, 모음, 자음, 모음, 자음)의 순서로 배열해야 한다.

이때, 자음을 배열하는 경우의 수는 3!

자음과 자음 사이 두 개의 자리에 모음을 배열하는 경우의 수는 2!

$\therefore n = 3! \times 2! = 12$

$\therefore m + n = 36 + 12 = \mathbf{48}$

13-16

3명의 여자 중에 2명의 여자를 앞에서부터 두 번째와 네 번째에 오도록 세우는 방법의 수는 ${}_3P_2$

두 번째와 네 번째에 여자가 정해지면 그 각각에 대하여 남은 네 자리에 4명을 일렬로 세우는 방법의 수는 4!

따라서 구하는 방법의 수는

${}_3P_2 \times 4! = 6 \times 24 = \mathbf{144}$

13-17

(i) 1, 2, 3, 4, 5, 6의 6개의 숫자를 가지고 만들 수 있는 세 자리의 자연수의 개수는

　${}_6P_3 = 120$

(ii) 양 끝이 홀수인 세 자리의 자연수의 개수는

　${}_3P_2 \times {}_4P_1 = 24$

(i), (ii)에 의하여 구하는 자연수의 개수는

$120 - 24 = \mathbf{96}$

13-18

(i) 6개의 기사를 방송하는 순서를 정하는 방법의 수 : 6!

(ii) 기사 A를 맨 앞에 방송하는 방법의 수 : 5!

(iii) 기사 B를 맨 끝에 방송하는 방법의 수 : 5!

(iv) 기사 A를 맨 앞에 방송하고, 기사 B를 맨 끝에 방송하는 방법의 수 : 4!

(i)~(iv)에 의하여 구하는 방법의 수는

$6! - (5! + 5! - 4!) = 720 - (120 + 120 - 24) = \mathbf{504}$

13-19

첫 번째 카드와 마지막 다섯 번째 카드에 적힌 숫자의 합이 8이면서 마지막 다섯 번째 카드에 적힌 숫자가 3 이상인 경우는 1과 7, 2와 6, 3과 5, 5와 3의 4가지이다.

이 4가지 경우에 대하여 각각 중앙에 남은 세 자리에 5개의 수 중에서 3개를 택하여 나열하는 방법의 수는

　${}_5P_3 = 60$

따라서 구하는 방법의 수는

$4 \times 60 = \mathbf{240}$

13-20

k, o, r, e, a를 사전에 배열된 순서로 나열하면 a, e, k, o, r이다.

a□□□□ 꼴의 개수 : 4! = 24

e□□□□ 꼴의 개수 : 4! = 24

ka□□□ 꼴의 개수 : 3! = 6

kea□□ 꼴의 개수 : 2! = 2

이때, 24 + 24 + 6 + 2 = 56이므로 keoar는 **57번째**에 있다.

13-21

1행에 1, 2, 3을 나열하는 경우의 수는 3!

1열의 2행과 3행에 1열의 1행의 숫자와 다른 두 숫자를 나열하는 경우의 수는 2!

이때, 나머지 칸은 서로 다른 숫자로 유일하게 결정되므로 구하는 경우의 수는

$3! \times 2! = \mathbf{12}$

13-22

(i) 한 자리의 수의 개수는 4

(ii) 두 자리의 수의 개수는

　$4 \times {}_4P_1 = 16$

(iii) 세 자리의 수의 개수는

　$4 \times {}_4P_2 = 48$

(iv) 1□□□, 2□□□ 꼴의 개수는 각각

　${}_4P_3 = 24$

(v) 30□□, 31□□, 32□□ 꼴의 개수는 각각

　${}_3P_2 = 6$

(vi) 340□, 341□ 꼴의 개수는 각각 2

(vii) 3420의 1개

(i)~(vii)에 의하여 3421보다 작은 자연수의 개수는

$4 + 16 + 48 + 2 \times 24 + 3 \times 6 + 2 \times 2 + 1 = \mathbf{139}$

13-23

4명이 4개의 주제 A, B, C, D를 서로 다르게 하나씩 선택하는 방법의 수는

4! = 24

작성한 주제	A	B	C	D
검토하는 주제	B	A	D	C
검토하는 주제	B	C	D	A
검토하는 주제	B	D	A	C

이때, 다른 사람이 작성한 보고서를 검토하는 방법의 수는 주제 A를 작성한 사람이 주제 B를 검토하는 경우는 표와 같이 3가지이고, 마찬가지로 주제 C, D를 작성한

사람이 주제 B를 검토하는 경우도 각각 3가지씩이므로
$3 \times 3 = 9$
따라서 구하는 경우의 수는
$24 \times 9 = \textbf{216}$

13-$\textbf{24}$

갑이 전송한 다섯 자리의 수를 $2abc0$이라 하면
$a+b+c=$(짝수)

　　　(단, a, b, c는 0부터 9까지의 서로 다른 정수)
이때, $a+b+c=$(짝수)인 경우는
(짝, 짝, 짝), (홀, 홀, 짝), (홀, 짝, 홀), (짝, 홀, 홀)
(ⅰ) (짝, 짝, 짝)인 경우의 수
　　$_5P_3 = 60$
(ⅱ) (홀, 홀, 짝), (홀, 짝, 홀), (짝, 홀, 홀)인 경우의 수
　　$3 \times _5P_2 \times _5P_1 = 300$
(ⅰ), (ⅱ)에 의하여 구하는 경우의 수는
$60 + 300 = \textbf{360}$

---

14 조합

개념확인코너

1

(1) $_4C_1 = \dfrac{4!}{1!(4-1)!} = \dfrac{4!}{1!\,3!} = 4$

(2) $_5C_2 = \dfrac{5!}{2!(5-2)!} = \dfrac{5!}{2!\,3!} = \dfrac{5 \times 4}{2 \times 1} = 10$

(3) $_{11}C_9 = \dfrac{11!}{9!(11-9)!} = \dfrac{11!}{9!\,2!} = \dfrac{11 \times 10}{2 \times 1} = 55$

　　　　　　　　　　답 (1) 4 (2) 10 (3) 55

2

(1) $_6C_2 = \dfrac{6!}{2!(6-2)!} = \dfrac{6!}{2!\,4!} = \dfrac{6 \times 5}{2 \times 1} = \dfrac{6 \times 5}{\boxed{}!}$

　　$\therefore \boxed{} = 2$

(2) $_{10}P_4 = \boxed{}! \times _{10}C_4$에서 $_{10}C_4 = \dfrac{_{10}P_4}{\boxed{}!}$

　　$_{10}C_4 = \dfrac{10!}{4!\,6!} = \dfrac{10 \times 9 \times 8 \times 7}{4!} = \dfrac{_{10}P_4}{4!}$

　　$\therefore \boxed{} = 4$

　　　　　　　　　　　　답 (1) 2 (2) 4

3

(1) $_nC_2 = \dfrac{_nP_2}{2!} = \dfrac{n(n-1)}{2!} = 21$이므로

　　$n(n-1) = 42 = 7 \times 6$
　　$\therefore n = 7$

(2) $_{10}C_4 = _{10}C_{10-4} = _{10}C_6$
　　$\therefore r = 6$

(3) $_nC_3 = _nC_{n-3} = _7C_4$
　　$\therefore n = 7$

(4) $_6C_r = _6C_{6-r} = _6C_{r+2}$이므로
　　$6-r = r+2$, $2r = 4$
　　$\therefore r = 2$

(5) $_8C_5 = _{8-1}C_{5-1} + _{8-1}C_5 = _7C_4 + _7C_5$
　　$\therefore n = 7$, $r = 5$

(6) $_9C_3 + _9C_4 = _{10-1}C_{4-1} + _{10-1}C_4 = _{10}C_4$
　　$\therefore n = 10$, $r = 4$

　　　　　답 (1) $n=7$ (2) $r=6$ (3) $n=7$ (4) $r=2$
　　　　　　　(5) $n=7$, $r=5$ (6) $n=10$, $r=4$

본문 p.393

유제 14-1

(1) $_nC_3 = {}_{n-1}C_2$에서

$$\frac{n(n-1)(n-2)}{3!} = \frac{(n-1)(n-2)}{2!}$$

$n \geq 3$이므로 양변을 $(n-1)(n-2)$로 나누면

$$\frac{n}{6} = \frac{1}{2}$$

$$\therefore n = 3$$

(2) (i) $r-2 = 2r-2$일 때, $r=0$

그런데 $r-2 \geq 0$이어야 하므로 부적합하다.

(ii) $r-2 \neq 2r-2$일 때,

$_8C_{r-2} = {}_8C_{8-(r-2)} = {}_8C_{10-r} = {}_8C_{2r-2}$에서

$10-r = 2r-2$ $\therefore r=4$

(i), (ii)에 의하여 $r=4$

(3) $_nC_2 + {}_nC_3 = 2 \times {}_{2n}C_1$에서

$$\frac{n(n-1)}{2!} + \frac{n(n-1)(n-2)}{3!} = 2 \times 2n$$

$n \geq 3$이므로 양변을 n으로 나누면

$$\frac{n-1}{2} + \frac{(n-1)(n-2)}{6} = 4$$

$$n^2 - 25 = 0, \ (n+5)(n-5) = 0$$

$$\therefore n = 5 \ (\because n \geq 3)$$

(4) $_nP_3 + 6 \times {}_nC_3 = 2 \times {}_nP_2$에서

$$n(n-1)(n-2) + 6 \times \frac{n(n-1)(n-2)}{3!}$$

$$= 2n(n-1)$$

$n \geq 3$이므로 양변을 $n(n-1)$로 나누면

$$(n-2) + (n-2) = 2, \ 2n = 6$$

$$\therefore n = 3$$

유제 14-2

(1) 6종류의 아이스크림 중에서 4가지를 택하는 조합의 수이므로

$$_6C_4 = {}_6C_2 = \frac{{}_6P_2}{2!} = \frac{6 \times 5}{2 \times 1} = 15$$

(2) 1, 3, 5, 7, 9의 홀수가 각각 하나씩 적힌 5장의 카드 중에서 3장의 카드를 택하는 조합의 수이므로

$$_5C_3 = \frac{{}_5P_3}{3!} = \frac{5 \times 4 \times 3}{3 \times 2 \times 1} = 10$$

(3) $10 < a < b < c < 20$이므로 집합 S의 개수는 11, 12, 13, $\cdots$, 19의 9개의 수 중에서 3개를 택하는 조합의 수이므로

$$_9C_3 = \frac{{}_9P_3}{3!} = \frac{9 \times 8 \times 7}{3 \times 2 \times 1} = 84$$

(4) 모임에 참석한 회원의 수를 n이라 하면 한 회원도 빠짐없이 악수를 한 횟수가 780이므로

$$_nC_2 = \frac{n(n-1)}{2!} = 780$$

$$n(n-1) = 1560 = 40 \times 39$$

$$\therefore n = 40$$

유제 14-3

(1) 남학생 5명 중에서 3명을 뽑는 방법의 수는

$$_5C_3 = \frac{5 \times 4 \times 3}{3 \times 2 \times 1} = 10$$

여학생 6명 중에서 2명을 뽑는 방법의 수는

$$_6C_2 = \frac{6 \times 5}{2 \times 1} = 15$$

따라서 구하는 방법의 수는

$$_5C_3 \times {}_6C_2 = 10 \times 15 = 150$$

(2) 의사 5명 중에서 3명을 뽑는 방법의 수는

$$_5C_3 = \frac{5 \times 4 \times 3}{3 \times 2 \times 1} = 10$$

간호사 n명 중에서 3명을 뽑는 방법의 수는

$_nC_3$

즉, $_5C_3 + {}_nC_3 = 10 + {}_nC_3 = 66$이므로 $_nC_3 = 56$

$$\frac{n(n-1)(n-2)}{3!} = 56$$

$$n(n-1)(n-2) = 336 = 8 \times 7 \times 6$$

$$\therefore n = 8$$

유제 14-4

세 수의 합이 홀수가 되기 위해서는 세 수 모두 홀수이거나 하나는 홀수, 나머지 두 수는 짝수이어야 한다.

(i) 세 수가 모두 홀수인 경우

1, 3, 5, 7, 9에서 3개를 뽑는 방법의 수는

$$_5C_3 = 10$$

(ii) 하나는 홀수, 나머지 두 수는 짝수인 경우

1, 3, 5, 7, 9에서 1개를 뽑고, 2, 4, 6, 8, 10에서 2개를 뽑는 방법의 수는

$$_5C_1 \times {}_5C_2 = 5 \times 10 = 50$$

(i), (ii)에 의하여 구하는 경우의 수는

$$10 + 50 = 60$$

유제 14-5

특정한 남학생 1명을 제외한 4명의 남학생 중에서 3명을 뽑고, 특정한 여학생 2명을 제외한 5명의 여학생 중

에서 3명을 뽑는 방법의 수이므로
$_4C_3 \times _5C_3 = 4 \times 10 = \mathbf{40}$

유제 14-6
A, B, C를 제외한 7명 중에서 3명을 택한 다음 A를 포함시키면 되므로 구하는 방법의 수는
$_7C_3 = \mathbf{35}$

유제 14-7
6장의 카드 중에서 2장의 카드를 뽑는 방법의 수는
$_6C_2 = 15$
짝수 2, 4, 6의 숫자가 적힌 3장의 카드에서 2장의 카드를 뽑는 방법의 수는
$_3C_2 = 3$
따라서 구하는 경우의 수는
$_6C_2 - _3C_2 = 15 - 3 = \mathbf{12}$

유제 14-8
10종류의 제품 중에서 4가지를 택하는 방법의 수는
$_{10}C_4 = 210$
(ⅰ) C회사 제품이 하나도 포함되지 않는 경우
　A, B 두 회사 제품 중에서 4가지를 택하는 방법의 수는
　$_5C_4 = 5$
(ⅱ) C회사 제품이 1가지 포함되는 경우
　C회사 제품 중에서 1가지 택하고, A, B 두 회사 제품 중에서 3가지를 택하는 방법의 수는
　$_5C_1 \times _5C_3 = 5 \times 10 = 50$
(ⅰ), (ⅱ)에 의하여 구하는 경우의 수는
$210 - (5 + 50) = \mathbf{155}$

유제 14-9
한국인 5명 중에서 3명, 일본인 5명 중에서 2명을 뽑는 방법의 수는
$_5C_3 \times _5C_2 = 10 \times 10 = 100$
이때, 이웃하는 한국인 3명을 묶어 한 명으로 생각하고 3명을 일렬로 세운 후, 한국인 3명이 서로 자리를 바꾸는 방법의 수는
$3! \times 3! = 36$
따라서 구하는 방법의 수는
$_5C_3 \times _5C_2 \times 3! \times 3! = 100 \times 36 = \mathbf{3600}$

유제 14-10
3과 5를 제외한 7개의 자연수 중 3개를 택하는 방법의 수는

$_7C_3 = 35$
선택된 3개의 숫자와 3을 포함하여 4개의 숫자를 나열하는 방법의 수는
$4! = 24$
따라서 구하는 자연수의 개수는
$_7C_3 \times 4! = 35 \times 24 = \mathbf{840}$

유제 14-11
$f(2) = 6$이고 $x_1 < x_2$이면 $f(x_1) > f(x_2)$이므로 1이 대응할 수 있는 Y의 원소는 7 또는 8이다.
또 $f(3) > f(4) > f(5)$이므로 Y의 원소 1, 2, 3, 4, 5 중 3개를 뽑아 크기가 큰 수부터 차례로 $f(3)$, $f(4)$, $f(5)$에 대응시키면 된다.
따라서 구하는 함수의 개수는
$2 \times _5C_3 = 2 \times 10 = \mathbf{20}$

유제 14-12
어느 세 점도 일직선 위에 있지 않으므로
2개의 점을 연결하여 만들 수 있는 직선의 개수는
$a = _5C_2 = 10$
3개의 점을 연결하여 만들 수 있는 삼각형의 개수는
$b = _5C_3 = 10$
$\therefore a + b = \mathbf{20}$

유제 14-13
(1) 10개의 점에서 만들 수 있는 직선의 개수는 $_{10}C_2$
　일직선 위에 있는 5개의 점에서 2개를 택하는 경우의 수는 $_5C_2$
　그런데 일직선 위에 있는 점에서 만들 수 있는 직선은 1개뿐이므로 구하는 직선의 개수는
　$_{10}C_2 - _5C_2 + 1 = 45 - 10 + 1$
　　$= \mathbf{36}$
(2) 10개의 점에서 만들 수 있는 삼각형의 개수는 $_{10}C_3$
　그런데 일직선 위에 있는 5개의 점 중에서 택한 3개의 점으로는 삼각형을 만들 수 없으므로 일직선 위에 있는 5개의 점 중에서 3개를 택하는 경우의 수는 $_5C_3$
　따라서 구하는 삼각형의 개수는
　$_{10}C_3 - _5C_3 = 120 - 10$
　　$= \mathbf{110}$

유제 14-14
5개의 평행선 중에서 2개, 4개의 평행선 중에서 2개를 택하면 평행사변형이 만들어지므로 구하는 평행사변형의 개수는
$_5C_2 \times _4C_2 = 10 \times 6 = \mathbf{60}$

유제 14-15

(1) 8개의 점 중에서 4개를 선택하면 하나의 사각형이 결정되므로 구하는 사각형의 개수는

$$_8C_4 = 70$$

(2) 그림과 같이 원의 서로 다른 지름 2개가 직사각형의 대각선이 되도록 하는 원 위의 4개의 점을 연결하면 직사각형을 만들 수 있다.

따라서 원의 지름 4개 중에서 2개를 택하면 이들을 대각선으로 하는 직사각형이 만들어지므로 구하는 직사각형의 개수는

$$_4C_2 = 6$$

유제 14-16

볼록 m각형의 대각선의 개수는 $_mC_2 - m = 27$이므로

$$\frac{m(m-1)}{2} - m = 27, \ m^2 - 3m - 54 = 0$$

$$(m+6)(m-9) = 0$$

$$\therefore m = 9 \ (\because m \geq 4)$$

볼록 n각형의 대각선의 개수는 $_nC_2 - n = 44$이므로

$$\frac{n(n-1)}{2} - n = 44, \ n^2 - 3n - 88 = 0$$

$$(n+8)(n-11) = 0$$

$$\therefore n = 11 \ (\because n \geq 4)$$

$$\therefore m + n = 20$$

유제 14-17

대각선의 교점은 두 대각선에 의해 결정되고 두 대각선은 4개의 점에 의해 결정되므로 십이각형의 대각선의 교점의 최대 개수는

$$_{12}C_4 = 495$$

연습문제

본문 p.403

14-1

(1) $_nC_5 = {}_nC_{n-5} = {}_nC_4$에서

$$n - 5 = 4$$

$$\therefore n = 9$$

(2) $_nC_r = \dfrac{_nP_r}{r!}$이므로

$$_{20}C_6 = \frac{_{20}P_6}{6!} \text{에서}$$

$$_{20}P_6 = 6! \, _{20}C_6$$

$$\therefore n = 6$$

(3) $_nP_2 = {}_nC_2 + 36$에서

$$_nP_2 - {}_nC_2 = 36$$이므로

$$n(n-1) - \frac{n(n-1)}{2!} = 36$$

$$n(n-1) = 72 = 9 \times 8$$

$$\therefore n = 9$$

14-2

서로 다른 10명의 선수 중에서 2명을 택하는 조합의 수이므로

$$_{10}C_2 = \frac{10 \times 9}{2 \times 1} = 45$$

14-3

회장, 부회장, 총무를 뽑는 것은 순서가 있으므로 순열이고, 대의원 3명을 뽑는 것은 순서를 생각하지 않기 때문에 조합이다.

즉, 회장, 부회장, 총무를 뽑는 방법의 수 a는

$$a = {}_{10}P_3 = 10 \times 9 \times 8 = 720$$

이고, 대의원 3명을 뽑는 방법의 수 b는

$$b = {}_{10}C_3 = \frac{10 \times 9 \times 8}{3 \times 2 \times 1} = 120$$

이다.

$$\therefore a + b = 840$$

14-4

수연이네 꽃집에 n종류의 꽃이 있다고 하면 3종류의 꽃을 사는 방법의 수가 20이므로

$$_nC_3 = 20, \ \frac{n(n-1)(n-2)}{3!} = 20$$

$$n(n-1)(n-2) = 120 = 6 \times 5 \times 4$$

$$\therefore n = 6$$

따라서 꽃집에는 6종류의 꽃이 있다.

14-5

남자 7명 중에서 3명 뽑는 방법의 수는

$$_7C_3 = \frac{7 \times 6 \times 5}{3 \times 2 \times 1} = 35$$

여자 5명 중에서 2명 뽑는 방법의 수는

$$_5C_2 = \frac{5 \times 4}{2 \times 1} = 10$$

따라서 구하는 방법의 수는

$_7C_3 \times _5C_2 = 35 \times 10 = \mathbf{350}$

14-6

A, B, C의 3개의 각 구역에서 2가지 놀이기구를 타는 경우의 수는 각각 $_3C_2$, $_4C_2$, $_5C_2$이므로 각 구역에서 2가지 놀이기구를 타는 모든 경우의 수는

$_3C_2 + _4C_2 + _5C_2 = 3 + 6 + 10 = \mathbf{19}$

14-7

(1) 불량품 2개를 제외한 8개 중에서 2개를 택하는 경우의 수이므로

$_8C_2 = \dfrac{8 \times 7}{2 \times 1} = \mathbf{28}$

(2) 불량품 2개 중에서 한 개를 뽑고 나머지 8개 중에서 3개를 선택하는 경우의 수이므로

$_2C_1 \times _8C_3 = 2 \times \dfrac{8 \times 7 \times 6}{3 \times 2 \times 1} = \mathbf{112}$

(3) 불량품 2개를 제외한 8개 중에서 4개를 택하는 경우의 수이므로

$_8C_4 = \dfrac{8 \times 7 \times 6 \times 5}{4 \times 3 \times 2 \times 1} = \mathbf{70}$

14-8

10가지 색의 제비 중에서 3개의 제비를 뽑는 경우의 수는

$_{10}C_3 = \dfrac{10 \times 9 \times 8}{3 \times 2 \times 1} = 120$

또 당첨제비가 하나도 뽑히지 않을 경우의 수, 즉 당첨제비 2개를 제외한 8개의 제비에서 3개를 뽑는 경우의 수는

$_8C_3 = \dfrac{8 \times 7 \times 6}{3 \times 2 \times 1} = 56$

따라서 구하는 경우의 수는

$_{10}C_3 - _8C_3 = 120 - 56 = \mathbf{64}$

14-9

1에서 10까지의 10개의 자연수 중에서 서로 다른 두 수를 택하는 방법의 수는

$_{10}C_2 = \dfrac{10 \times 9}{2 \times 1} = 45$

두 수의 곱이 홀수인 경우는 두 수가 모두 홀수인 경우뿐이므로 5개의 홀수 중에서 서로 다른 두 수를 택하는 방법의 수는

$_5C_2 = \dfrac{5 \times 4}{2 \times 1} = 10$

따라서 구하는 경우의 수는

$_{10}C_2 - _5C_2 = 45 - 10 = \mathbf{35}$

14-10

원 위에 있는 8개의 점 중에서 어떤 세 점도 일직선 위에 있지 않으므로 직선의 개수는

$_8C_2 = \dfrac{8 \times 7}{2 \times 1} = \mathbf{28}$

14-11

(1) $_{n+2}C_n = _{n+2}C_{n+2-n} = _{n+2}C_2 = 15$에서

$\dfrac{(n+2)(n+1)}{2!} = 15$

$n^2 + 3n - 28 = 0$, $(n+7)(n-4) = 0$

$\therefore \boldsymbol{n=4}$ ($\because n \geq 0$)

(2) $_nC_3 - _nC_2 = 4(n-1)$에서

$\dfrac{n(n-1)(n-2)}{3!} - \dfrac{n(n-1)}{2!} = 4(n-1)$

$n \geq 3$이므로 양변을 $n-1$로 나누면

$\dfrac{n(n-2)}{6} - \dfrac{n}{2} = 4$

$n^2 - 5n - 24 = 0$, $(n+3)(n-8) = 0$

$\therefore \boldsymbol{n=8}$ ($\because n \geq 3$)

(3) (i) $r+2 = 2r-2$일 때, $r=4$

(ii) $r-2 \neq 2r-2$일 때,

$_{15}C_{r+2} = _{15}C_{15-(r+2)} = _{15}C_{13-r} = _{15}C_{2r-2}$에서

$13-r = 2r-2$

$\therefore r=5$

(i), (ii)에 의하여 $\boldsymbol{r=4}$ 또는 $\boldsymbol{r=5}$

14-12

바둑돌을 놓지 않는 하나의 점을 고르는 경우의 수는

$_9C_1 = 9$

나머지 8개의 점에서 검은 돌 4개를 놓은 경우의 수가 $_8C_4 = 70$이고, 나머지 4개의 점에 흰 돌을 놓으면 되므로 구하는 경우의 수는

$_9C_1 \times _8C_4 = 9 \times 70 = \mathbf{630}$

14-13

조건 (개)에 의하여 b는 이웃할 수 없으므로 다음과 같이 a를 먼저 나열하고 그 사이의 9개의 자리 중 네 곳에 b를 나열한다.

$\square\,a\,\square\,a\,\square\,a\,\square\,a\,\square\,a\,\square\,a\,\square\,a\,\square\,a\,\square$

(i) 첫째 자리 문자가 a인 경우

b는 8개의 자리 중 네 곳에 나열하면 되므로 경우의

수는
$_8C_4=70$

(ii) 첫째 자리 문자가 b인 경우

조건 (나)에 의하여 마지막 자리 문자는 a이므로 나머지 3개의 b는 7개의 자리 중 세 곳에 나열한다.

따라서 경우의 수는 $_7C_3=35$

(i), (ii)에 의하여 구하는 경우의 수는

$70+35=\mathbf{105}$

14-14

(i) 첼로 연주자 2명을 포함하는 경우

바이올린 연주자 5명 중에서 2명, 첼로 연주자 3명 중에서 2명을 뽑는 방법의 수는

$_5C_2 \times _3C_2=10 \times 3=30$

첼로 연주자 2명을 이웃하게 세우는 방법의 수는

$3! \times 2!=6 \times 2=12$

즉, 구하는 경우의 수는

$30 \times 12=360$

(ii) 첼로 연주자 3명을 포함하는 경우

바이올린 연주자 5명 중에서 1명, 첼로 연주자 3명 중에서 3명을 뽑는 방법의 수는

$_5C_1 \times _3C_3=5 \times 1=5$

첼로 연주자 3명을 이웃하게 세우는 방법의 수는

$2! \times 3!=2 \times 6=12$

즉, 구하는 경우의 수는

$5 \times 12=60$

(i), (ii)에 의하여 구하는 경우의 수는

$360+60=\mathbf{420}$

14-15

어른 2명은 반드시 앞줄과 뒷줄에 한 명씩 앉아야 하므로 어른을 앉히는 방법의 수는

$_2C_1 \times _2P_1 \times _3P_1=12$

어린이 3명을 나머지 3개의 자리에 앉히는 방법의 수는

$3!=6$

따라서 구하는 방법의 수는

$12 \times 6=\mathbf{72}$

다른 풀이

5명을 5개의 자리에 앉히는 경우의 수는

$5!=120$

어른 2명은 모두 앞줄에 앉고, 어린이 3명은 모두 뒷줄에 앉는 경우의 수는

$2! \times 3!=12$

어른 2명은 모두 뒷줄에 앉고, 어린이 3명은 나머지 3개의 자리에 앉는 경우의 수는

$_3P_2 \times 3!=36$

따라서 구하는 경우의 수는

$120-(12+36)=72$

14-16

여학생의 수를 n이라 하면 적어도 한 명의 남학생을 뽑는 방법의 수는 전체 경우의 수에서 3명 모두 여학생을 뽑는 방법의 수를 빼면 된다.

즉, $_{15}C_3-_nC_3=455-_nC_3=420$이므로

$$_nC_3=\frac{n(n-1)(n-2)}{6}=35$$

$n(n-1)(n-2)=210=7 \times 6 \times 5$

$\therefore n=7$

따라서 여학생의 수는 **7**이다.

14-17

$f(1)<f(2)<f(3)<f(4)<f(5)$를 만족시키는 함수의 개수는 $_5C_5=1$

$f(1)=f(2)<f(3)<f(4)<f(5)$를 만족시키는 함수의 개수는 $_5C_4=5$

$f(1)<f(2)<f(3)<f(4)=f(5)$를 만족시키는 함수의 개수는 $_5C_4=5$

$f(1)=f(2)<f(3)<f(4)=f(5)$를 만족시키는 함수의 개수는 $_5C_3=10$

따라서 구하는 함수의 개수는

$1+5+5+10=\mathbf{21}$

14-18

x축 위의 두 점, y축 위의 두 점을 선택하여 그림과 같이 직선을 이으면 1개의 교점이 제1사분면에 생기게 된다.

따라서 구하는 방법의 수는

$_5C_2 \times _3C_2=10 \times 3=\mathbf{30}$

14-19

8개의 점에서 3개를 택하여 만들 수 있는 삼각형의 개수는

$a=_8C_3=56$

이때, 원의 지름을 한 변으로 하는 삼각형은 모두 직각삼각형이고, 정팔각형의 대각선 중에서 4개가 원의 지름이 된다.

따라서 원의 지름 1개당 6개의 직각삼각형을 만들 수 있으므로 구하는 직각삼각형의

개수는
$b=4\times6=24$
$\therefore a-b=56-24=\mathbf{32}$

14-20

12개의 점 중에서 4개의 점을 택하는 방법의 수는
$_{12}C_4=495$
그런데 일직선 위에 있는 4개, 3개의 점으로는 사각형을 만들 수 없으므로 일직선 위에 있는 4개의 점 중에서 4개를 택하는 경우의 수는
$_4C_4=1$
일직선 위에 있는 4개의 점 중에서 3개를 택하고 나머지 8개의 점 중에서 1개의 점을 택하는 경우의 수는
$_4C_3\times_8C_1=4\times8=32$
일직선 위에 있는 3개의 점 중에서 3개를 택하고 나머지 9개의 점 중에서 1개의 점을 택하는 경우의 수는
$_3C_3\times_9C_1=1\times9=9$
따라서 구하는 사각형의 개수는
$_{12}C_4-(3\times_4C_4+3\times_4C_3\times_8C_1+8\times_3C_3\times_9C_1)$
$=495-(3+96+72)=\mathbf{324}$

14-21

$1\square\square\square$의 꼴인 네 자리 자연수에서
(ⅰ) 같은 두 수가 1인 경우
　백의 자리, 십의 자리, 일의 자리 중에서 1이 들어갈 자리를 뽑고, 나머지 두 자리에는 9개의 숫자 중에서 2개를 뽑아 나열하면 되므로
　$_3C_1\times_9P_2=3\times72=216$
(ⅱ) 같은 두 수가 1이 아닌 경우
　같은 수가 될 수를 0, 2, 3, $\cdots$, 8, 9 중에서 한 개를 뽑고, 백의 자리, 십의 자리, 일의 자리 중에서 같은 수가 들어갈 2자리를 뽑는다. 그리고 남은 한 자리에는 8개의 숫자 중에서 한 개를 택하면 되므로
　$_9C_1\times_3C_2\times_8C_1=9\times3\times8=216$
(ⅰ), (ⅱ)에 의하여 구하는 자연수의 개수는
$216+216=\mathbf{432}$

14-22

조건 ㈎, ㈏에서 $n(A)=3$, $n(B)=3$,
$n(A\cup B)=5$이므로
$n(A\cap B)=n(A)+n(B)-n(A\cup B)$
$\qquad\qquad=3+3-5=1$
즉, 집합 U의 6개의 원소 중 5개를 뽑은 후, 그 중 가장 작은 원소를 $A-B$의 원소로 하고, 남은 4개 중 1개를 뽑아 $A\cap B$의 원소로 하고 남은 3개 중 1개를 뽑아

$A-B$의 원소로 하고 나머지 2개는 $B-A$의 원소로 하면 된다.
따라서 구하는 순서쌍의 개수는
$_6C_5\times_4C_1\times_3C_1=6\times4\times3=\mathbf{72}$

14-23

원 $x^2+y^2=9$ 또는 그 내부에 있으면서 꺾인 직선 $y=|x|$ 또는 그 위쪽에 있는 점 (x,y) (x, y는 정수)는 그림과 같다.

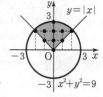

10개의 점 중에서 3개의 점을 택하는 경우의 수는
$_{10}C_3=120$
이때, 일직선 위에 있는 3개의 점은 삼각형을 만들 수 없으므로 삼각형을 만들지 못하는 경우의 수는
$3\times_3C_3+_4C_3+_5C_3=3+4+10=17$
따라서 구하는 삼각형의 개수는
$120-17=\mathbf{103}$

14-24

ㄱ. a_3은 선택된 4개의 수 중에서 3보다 작은 수가 한 개이고, 3보다 큰 수가 2개인 경우의 수이므로
　$a_3=_2C_1\times_{97}C_2$ (참)
ㄴ. $a_{10}=_9C_1\times_{90}C_2$, $a_{90}=_{89}C_1\times_{10}C_2$이므로
　$a_{10}\neq a_{90}$ (거짓)
ㄷ. $a_2+a_3+a_4+\cdots+a_{98}$은 1부터 100까지의 자연수 중에서 4개의 수를 뽑는 모든 경우의 수의 합이므로
　$_{100}C_4$와 같다. (참)
따라서 옳은 것은 ㄱ, ㄷ이다.

01. 원의 방정식

본문 p.009

개념확인코너

1 (1) $(x-2)^2+(y+1)^2=25$ (2) $(x+3)^2+(y-4)^2=3$

2 (1) $(0, 0)$, $2\sqrt{2}$ (2) $(-1, 5)$, 4

3 (1) $(1, 0)$, $\sqrt{6}$ (2) $(-1, 4)$, 5

4 (1) 0 (2) 1 (3) 2 (4) 1 (5) 0 **5** $y=-x+4$

유제

1 $(x-3)^2+y^2=8$ **2** 3 **3** $(x-1)^2+(y-3)^2=13$

4 2 **5** $x^2+(y-2)^2=13$ **6** $x^2+(y-3)^2=2$

7 $(x-3)^2+(y+2)^2=4$ 또는 $(x-3)^2+(y-2)^2=4$

8 2 **9** $(x-1)^2+(y+1)^2=1$ **10** 26π **11** 3

12 3π **13** (1) $(2, 4)$, $2\sqrt{2}$ (2) $\left(\dfrac{3}{2}, \dfrac{1}{2}\right)$, $\dfrac{\sqrt{10}}{2}$

14 4 **15** 9 **16** 1 **17** 13 **18** 12π **19** $\dfrac{4}{3}$

20 (1) 3 (2) 7 (3) $3<a<7$ **21** -4 **22** 3 **23** $2\sqrt{3}$

24 1 **25** $x^2+y^2-4x-4y+3=0$ **26** 13π

연습문제

1 (1) $(x-1)^2+(y+3)^2=4$ (2) $(x-3)^2+(y-2)^2=1$

　(3) $x^2+y^2=4$ **2** $(x+1)^2+(y-3)^2=13$ **3** 7

4 ① **5** $(x-2)^2+(y-2)^2=2$ **6** 5 **7** ④ **8** 4

9 $x^2+y^2-4x-2y=0$ **10** $k>-5$

11 -9 **12** $(x+1)^2+(y-2)^2=4$ **13** 10 **14** 8

15 $4\sqrt{2}$ **16** 18 **17** 3 **18** 3 **19** ①

20 $x+3y-5=0$

21 30 **22** 76 **23** $2+\sqrt{2}$ **24** ③ **25** 28

02. 원과 직선

본문 p.039

개념확인코너

1 (1) 서로 다른 두 점에서 만난다.

　(2) 한 점에서 만난다.(접한다) (3) 만나지 않는다.

2 $\sqrt{3}$ 또는 $-\sqrt{3}$ **3** $y=2x\pm3\sqrt{5}$ **4** $y=-x\pm\sqrt{2}$

5 $x+2y=5$ **6** $\sqrt{3}x-y=4$

유제

1 (1) $-4<k<4$ (2) $k=-4$ 또는 $k=4$

　(3) $k<-4$ 또는 $k>4$

2 $k<-5-2\sqrt{5}$ 또는 $k>-5+2\sqrt{5}$ **3** $-\dfrac{1}{2}$ **4** 10

5 $(x+3)^2+(y+4)^2=9$

6 최댓값 : $\sqrt{2}+1$, 최솟값 : $\sqrt{2}-1$

7 $8-4\sqrt{2}$ **8** 4 **9** 2 **10** $y=-3x\pm2\sqrt{10}$

11 2 **12** 16π **13** 15 **14** $-\dfrac{1}{3}$ **15** 3 **16** 5

연습문제

1 (1) 2 (2) 1 (3) 0 **2** ④ **3** $-5<a<5$ **4** 9

5 -5 **6** 23 **7** (1) $y=2x\pm2\sqrt{5}$ (2) $2x-3y+13=0$

8 29 **9** 100 **10** -7

11 $m\geq\sqrt{3}$ **12** 135π **13** $\pm\sqrt{6}$ **14** 0 **15** -8

16 4 **17** 40 **18** ① **19** $\sqrt{10}$ **20** $\sqrt{15}$

21 $\dfrac{1}{3}$ **22** 1 **23** ① **24** $\dfrac{1}{5}$

03. 도형의 이동

본문 p.065

개념확인코너

1 (1) $(2, -1)$ (2) $(3, 2)$ (3) $(0, 0)$

2 (1) $(2, 0)$ (2) $(5, -3)$ (3) $(4, -8)$

3 (1) $y=2x+5$ (2) $x-2y+7=0$

　(3) $(x+2)^2+(y-1)^2=4$ (4) $(x+3)^2+(y-3)^2=1$

4 (1) $(-4, -3)$ (2) $(4, 3)$ (3) $(4, -3)$ (4) $(3, -4)$

5 (1) $y=-2x+1$ (2) $y=-2x-1$ (3) $y=2x+1$

　(4) $y=\dfrac{1}{2}x+\dfrac{1}{2}$

6 (1) $(x-2)^2+(y-1)^2=1$ (2) $(x+2)^2+(y+1)^2=1$

　(3) $(x+2)^2+(y-1)^2=1$ (4) $(x+1)^2+(y-2)^2=1$

유제

1 (1) $a=-2$, $b=4$ (2) $(3, 4)$ (3) $(-4, 3)$ **2** -4

3 3 **4** -4 **5** 2 **6** -1 **7** -3 **8** $(-2, -1)$

9 $2\sqrt{5}$ **10** $(x+3)^2+y^2=1$ **11** -2 **12** -4 **13** 2

14 8 **15** 5 **16** $(-1, 3)$ **17** 2 **18** $2\sqrt{10}$ **19** $5\sqrt{2}$

연습문제

1 (1) $(1, -3)$ (2) $(0, 0)$ (3) $(3, 1)$ **2** ① **3** -3

4 5 **5** ① **6** -6 **7** ⑤ **8** ② **9** $\sqrt{34}$ **10** ④

11 $-\dfrac{1}{2}$ **12** 5 **13** 1 **14** ① **15** 1 **16** $y=2x-5$

17 ① **18** 0 **19** $6\sqrt{2}$ **20** 1020 m

21 -8 **22** 4 **23** 8 **24** 3 **25** $20\sqrt{3}$ m

04. 집합

본문 p.093

개념확인코너

1 ㄴ, ㅁ

2 (1) $A=\{2, 3, 5, 7\}$, $A=\{x\,|\,x$는 10보다 작은 소수$\}$
　(2) $B=\{1, 2, 3, \cdots\}$, $B=\{x\,|\,x$는 자연수$\}$

3 (1) 유한집합 (2) 무한집합 (3) 유한집합, 공집합

4

, 9

5 (1) $\subset$ (2) $\subset$ (3) $\supset$ (4) $\not\subset$

6 (1) $\varnothing$, $\{1\}$, $\{2\}$, $\{1, 2\}$
　(2) $\varnothing$, $\{1\}$, $\{3\}$, $\{9\}$, $\{1, 3\}$, $\{1, 9\}$, $\{3, 9\}$, $\{1, 3, 9\}$

7 $\{2, 3\}$, $\{2, 5\}$, $\{2, 7\}$, $\{3, 5\}$, $\{3, 7\}$, $\{5, 7\}$ **8** 9

9 $\varnothing$, $\{1\}$, $\{5\}$, $\{25\}$, $\{1, 5\}$, $\{1, 25\}$, $\{5, 25\}$

유제

1 ③

2 (1) $A=\{3, 6, 9\}$ (2) $A=\{x\,|\,x$는 10보다 작은 3의 배수$\}$
　(3)

　　3 $A=\{1, 3, 5, 15\}$,
　　$A=\{x\,|\,x$는 15의 약수$\}$
　　4 12 **5** ㄴ **6** 9

7 $\{1, 2, 5, 6\}$, $\{1, 3, 4, 6\}$, $\{2, 3, 4, 5\}$ **8** 7

9 (1) $\{2, 5\}$, $\{2, 7\}$, $\{2, 10\}$, $\{5, 7\}$, $\{5, 10\}$, $\{7, 10\}$
　(2) $\{2, 5, 7\}$, $\{2, 5, 10\}$, $\{2, 7, 10\}$, $\{5, 7, 10\}$
　(3) $\{5\}$, $\{7\}$, $\{5, 7\}$ **10** $\{1, 3\}$, $\{1, 3, 5\}$, $\{1, 3, 7\}$

11 ④ **12** ㄱ, ㄹ **13** -1 또는 1

14 $-3\leq k\leq -2$ **15** 21 **16** (1) $a=1$, $b=4$
　(2) $a=-4$, $b=2$ **17** 56 **18** 31 **19** 4 **20** 7

연습문제

1 ㄱ, ㄹ **2** ④ **3** 8 **4** ③ **5** 6 **6** ② **7** 5

8 12 **9** ④ **10** ②

11 ④ **12** ② **13** 7 **14** 9 **15** 3 **16** 2 **17** 7

18 ③ **19** 32 **20** 27

21 1 **22** ㄱ, ㄴ, ㄷ **23** ⑤ **24** 288

05. 집합의 연산

본문 p.123

개념확인코너

1 (1) $\{a, c\}$ (2) $\{a, b, c, d, e\}$ (3) $\{b, d\}$ (4) $\{e\}$

2 (1) $\{1, 2, 4\}$ (2) $\{1, 2, 3, 4, 6, 8, 12\}$

---

　(3) $\{3, 5, 6, 7, 9, 10, 11, 12\}$ (4) $\{8\}$ **3** ㄱ, ㄷ, ㄹ, ㅂ

4 (1) U (2) A **5** A **6** (1) 18 (2) 8 **7** 9

유제

1 $\{2, 5, 6, 7, 8\}$ **2** $\{2, 3, 4, 6\}$ **3** $\{5, 6\}$ **4** 0

5 (1) $\{1, 2, 4, 5, 7, 8, 10, 11\}$ (2) $\{1, 2, 4\}$
　(3) $\{1, 2, 3, 4, 5, 6, 7, 8, 10, 11, 12\}$
　(4) $\{5, 7, 8, 10, 11\}$ **6** 6 **7** 12 **8** $\{0, 5\}$ **9** ③

10 ② **11** 8 **12** 16 **13** U **14** 풀이 참조

15 ② **16** 14 **17** 22 **18** 5 **19** 15 **20** 60 **21** 18

연습문제

1 $\{2, 4, 5\}$ **2** ④ **3** $\{1, 3, 8, 9\}$ **4** 4 **5** 8 **6** ①

7 ③ **8** 7 **9** 9 **10** 20

11 ① **12** 6 **13** 10 **14** 4 **15** ⑤ **16** ① **17** ①

18 128 **19** 20 **20** 20

21 5 **22** ㄱ, ㄴ, ㄷ **23** 52 **24** 17명

06. 명제

본문 p.153

개념확인코너

1 ㄱ, ㄹ **2** (1) 6은 3의 배수가 아니다.
　(2) 축구는 올림픽 종목이 아니다.
　(3) $4+5\neq 10$ (4) $\sqrt{3}$은 무리수가 아니다.

3 (1) $P=\{-2, 2\}$ (2) $Q=\{1, 2, 4, 5, 10, 20\}$

4 (1) a는 자연수가 아니다. (2) $x+2\neq 0$
　(3) $x\neq 3$이고 $x\neq 4$ (4) $x\leq 3$ 또는 $x>4$

5 (1) 거짓 (2) 참 **6** 풀이 참조

7 (1) 거짓, 참 (2) 참, 거짓 **8** 풀이 참조

9 (1) 충분 (2) 필요 (3) 필요충분

유제

1 명제인 것 : (1), (3), (4), (1) 거짓 (3) 거짓 (4) 참

2 풀이 참조 **3** $\{2, 3, 5\}$ **4** $\{-1, 1, 2\}$ **5** ㄱ, ㄷ

6 36 **7** ㄱ **8** ② **9** $0<a\leq 1$ **10** 6 **11** 풀이 참조

12 ㅈ, ㅇ, J, N **13** ㄱ, ㄴ, ㄷ **14** ㄱ, ㄴ

15 ③ **16** ㄱ, ㄴ **17** (1) 필요조건 (2) 충분조건
　(3) 필요충분조건 **18** (1) 충분 (2) 필요 **19** ④

20 2 **21** ② **22** ㄱ, ㄷ

연습문제

1 ㄱ, ㄷ, ㄹ **2** ② **3** 4 **4** 7 **5** ⑤ **6** ③ **7** ③

8 (1) 필요 (2) 충분 (3) 필요충분 9 ㄱ 10 −7
11 풀이 참조 12 ④ 13 $-1≤k≤1$ 14 $-1≤a≤5$
15 ③ 16 ③ 17 ④ 18 ⑤ 19 ⑤ 20 0
21 다운, 새미 22 6 23 ⑤ 24 ⑤

07. 명제의 증명 본문 p.189

개념확인코너
1 (1) 대우, $\sim q \longrightarrow \sim p$ (2) 부정, 거짓
2 (1) $x^2+5>4x$ (2) $|x+2|≤|x|+2$ 3 (1) 2 (2) 2

유제
1 풀이 참조 2 풀이 참조 3 풀이 참조 4 풀이 참조
5 풀이 참조 6 풀이 참조 7 풀이 참조
8 2, $x=1$, $y=\dfrac{1}{2}$ 9 4 10 8 11 22 12 $5+2\sqrt6$
13 6 14 $2\sqrt2$ 15 $4(\sqrt2-1)$ 16 $-5≤3x+4y≤5$
17 9

연습문제
1 ㄴ, ㄹ 2 ㄱ, ㄴ, ㅁ, ㅂ 3 ㄱ, ㄴ
4 (가) $\angle$C, (나) $\overline{AC}$, (다) $\angle$A 5 (1) 16 (2) 36
6 (가) $(\sqrt a-\sqrt b)^2$, (나) ≥ 7 4 8 ④ 9 $2\sqrt6$
10 $-2<a<3$
11 (가) $\overline{OB}$, (나) $\overline{OA}$, (다) $\angle$OEC, (라) RHS, (마) $\overline{CE}$,
(바) 수직이등분선 12 풀이 참조 13 (가) 서로소,
(나) 짝수, (다) 짝수 14 10 15 6 16 8 17 100
18 ⑤ 19 $k>4$ 20 $a>4$
21 풀이 참조 22 4 23 160 24 24

08. 함수 본문 p.217

개념확인코너
1 (2), 정의역 : {1, 2, 3, 4}, 공역 : {a, b, c}, 치역 : {a, b}
2 (1) {1, 2, 3, 6} (2) {1, 2, 3, 4, 5, 6, 7, 8} (3) 5
(4) {3, 4, 5, 8} (5) 풀이 참조 3 (1) ㄱ, ㄴ, ㄷ, ㄹ, ㅁ
(2) ㄱ, ㄷ, ㅁ (3) ㄱ, ㄷ, ㅁ (4) ㅁ (5) ㄹ 4 ㄴ, ㄷ

유제
1 ㄱ, ㄴ 2 (1) 정의역 : {−2, −1, 0, 1, 2},
공역 : {1, 2, 3, 4, 5} (2) −2 또는 1 (3) {1, 2, 4} 3 6
4 12 5 15 6 −2 7 −1

8 {−1} 또는 {4} 또는 {−1, 4} 9 ㄱ, ㄴ, ㅁ, ㅂ
10 일대일함수 : ㄱ, ㄴ, ㄹ, 일대일대응 : ㄴ, ㄹ,
항등함수 : ㄴ, 상수함수 : ㄷ 11 $\dfrac{3}{4}$ 12 −5 13 2
14 7 15 $\dfrac{3}{5}$ 16 0 17 30 18 42

연습문제
1 ㄱ, ㄴ, ㄷ 2 (1) 2 (2) 4 (3) {1, 2, 3, 4} (4) {1, 2, 3, 5}
3 4 4 7 5 4 6 0 7 ④ 8 70 9 6 10 29
11 {1, 2, 3} 12 8 13 ㄱ, ㄷ 14 15 15 7 16 ②
17 $-1<a<1$ 18 −3 19 ① 20 25
21 21 22 13 23 26 24 ④

09. 합성함수와 역함수 본문 p.245

개념확인코너
1 (1) 4 (2) 4 (3) {4, 5} 2 (1) $(f \circ g)(x)=9x^2-1$
(2) $(g \circ f)(x)=3x^2-3$ 3 (1) 9 (2) 5 (3) 16 (4) 16
4 (1) 1 (2) {1, 2, 3} 5 (1) $f^{-1}(x)=\dfrac{1}{3}x+3$
(2) $g^{-1}(x)=\dfrac{1}{4}x-\dfrac{1}{2}$ 6 (1) −1 (2) 7 7 ㄱ, ㄹ

유제
1 (1) 15 (2) {7, 8} 2 (1) 2 (2) 7
(3) $((h \circ g) \circ f)(x)=-4x^2+20x-23$
3 −3 4 −1 5 −2 6 55 7 (1) $h(x)=2x-11$
(2) $h(x)=\dfrac{1}{3}x-10$ 8 $f(x)=4x+6$ 9 100
10 4 11 (1) d (2) $\dfrac{1}{4}$ 12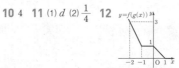
13 −1 14 15 15 7 16 $a<-1$ 또는 $a>1$
17 (1) $y=2x-6$
(2) $y=-\dfrac{1}{2}x+2$, 정의역 : {$x|x≤2$}
18 (1) 13 (2) $\dfrac{10}{3}$ 19 7 20 b 21 (6, 6) 22 2

연습문제
1 (1) $(f \circ g)(x)=-3x^2-2$
(2) $(g \circ f)(x)=9x^2-6x+2$ 2 19 3 ③ 4 4
5 729 6 25 7 −10 8 $\dfrac{4}{9}$ 9 2 10 490
11 −5 12 18 13 10 14 ② 15 1 16 (1) $a+c$

(2) c **17** 5   **18** 10   **19** 5   **20** $\dfrac{7}{2}$

21 15   **22** $-2 \le a \le 2$ **23** 1   **24** 12   **25** ③

10. 유리함수 본문 p.275

개념확인코너

1 다항식 : -3, $\dfrac{2x}{5}$, $x-3$ 분수식 : $\dfrac{2}{x}$, $\dfrac{x-1}{x+1}$,

$\dfrac{x^2+2x}{x-3}$ **2** (1) $\dfrac{2y}{xz^2}$ $\dfrac{x-2}{x+1}$ **3** (1) $\dfrac{3x}{x^2y}$, $\dfrac{y^2}{x^2y}$

(2) $\dfrac{3(x-1)}{(x-1)(x-2)}$, $\dfrac{x(x-2)}{(x-1)(x-2)}$ **4** (1) $\dfrac{1}{x}$ (2) $2x$

5 (1) $\dfrac{1}{(x+2)^2}$ (2) $\dfrac{x^3}{(x+1)^2}$ **6** (1) xy (2) $\dfrac{2(x+1)}{x(x-1)}$

7 (1) [graph] $y=\dfrac{3}{x}$ (2) [graph] $y=-\dfrac{2}{x}$

8 (1) $\dfrac{5}{x-3}+1$ (2) $\dfrac{7}{x-3}+4$

9 (1) [graph] $y=-\dfrac{2}{x}-1$ 정의역 : $\{x|x는\ x\ne0인\ 실수\}$ 치역 : $\{y|y는\ y\ne-1인\ 실수\}$

(2) [graph] $y=\dfrac{2}{x-3}+1$ 정의역 : $\{x|x는\ x\ne3인\ 실수\}$ 치역 : $\{y|y는\ y\ne1인\ 실수\}$

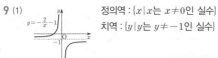

10 (1) [graph] $y=\dfrac{2x}{x-1}$ (2) [graph] $y=\dfrac{x-4}{2-x}$

$x=1,\ y=2$ $x=2,\ y=-1$

유제

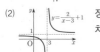

1 (1) $\dfrac{1}{a+b}$ (2) $\dfrac{2a-9}{2a-1}$

2 (1) $\dfrac{6(x^2-x-1)}{x(x-1)(x+2)(x-3)}$

(2) $\dfrac{6x}{(x-2)(x-1)(x+1)(x+2)}$

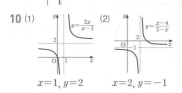

3 (1) $\dfrac{x+2}{x-5}$ (2) $\dfrac{x-2y}{3x}$ **4** $\dfrac{1}{x}$

5 (1) $\dfrac{3x+2}{2x+1}$ (2) $\dfrac{3}{x(x+6)}$

6 (1)   정의역 : $\{x|x는\ x\ne1인\ 실수\}$ 치역 : $\{y|y는\ y\ne2인\ 실수\}$ 점근선의 방정식 : $x=1,\ y=2$

(2) [graph]   정의역 : $\{x|x는\ x\ne2인\ 실수\}$ 치역 : $\{y|y는\ y\ne-3인\ 실수\}$ 점근선의 방정식 : $x=2,\ y=-3$

7 -4 **8** $a=2,\ b=0,\ c=-1$ **9** -7 **10** 5 **11** 7

12 $-\dfrac{1}{3}$ **13** 7 **14** $\dfrac{19}{6}$ **15** 8 **16** 4 **17** -1

연습문제

1 (1) $\dfrac{3x-4}{(x+2)(x-3)}$ (2) $\dfrac{2(5x^2-3x+12)}{x(x+1)(x-3)(x-4)}$

(3) 1 (4) x **2** -3 **3** ㄴ, ㄷ, ㄹ   **4** 6   **5** ①   **6** 1

7 $k=-4,\ p=2,\ q=-2$ **8** ㄴ, ㄷ   **9** 18   **10** $\dfrac{9}{2}$

11 $a>3$ **12** -3 **13** ②   **14** 6   **15** -4 **16** 12

17 11   **18** $\dfrac{1}{2}$ **19** $m\le0$ **20** 7

21 -1 **22** 4   **23** ②   **24** 4

11. 무리함수 본문 p.305

개념확인코너

1 (1) $x\ge3$ (2) $-2\le x\le2$ (3) $x>-3$ (4) $x>0$

2 (1) $2x$ (2) $x-2$ **3** (1) $\dfrac{\sqrt{x+2}+\sqrt{x}}{2}$ (2) $2\sqrt{x-1}$

4 (1) [graph] $y=\sqrt{3x}$ (2) [graph] $y=\sqrt{-3x}$ (3) [graph] $y=-\sqrt{3x}$ (4) [graph] $y=-\sqrt{-3x}$

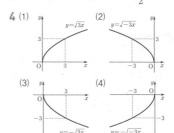

5 (1) 정의역 : $\{x|x\ge2\}$, 치역 : $\{y|y\ge0\}$

(2) 정의역 : $\{x|x\le0\}$, 치역 : $\{y|y\ge3\}$

(3) 정의역 : $\{x|x\ge1\}$, 치역 : $\{y|y\le2\}$

(4) 정의역 : $\{x|x\le0\}$, 치역 : $\{y|y\le1\}$

6 -2

유제

1 (1) $-1 \leq x \leq \dfrac{2}{3}$ (2) $\dfrac{2}{3} \leq x < 1$ (3) $-4 < x \leq 1$ 또는

$2 \leq x < 3$ **2** $-4 \leq k \leq 1$ **3** (1) x^2 (2) $\dfrac{2}{x}$

4 $\sqrt{x+4} - \sqrt{x+1}$

5 (1) 그래프 : 풀이 참조, 정의역 : $\{x \,|\, x \geq -2\}$,

치역 : $\{y \,|\, y \leq 0\}$

(2) 그래프 : 풀이 참조, 정의역 : $\{x \,|\, x \leq 2\}$,

치역 : $\{y \,|\, y \leq -2\}$

6 -4 **7** 9 **8** 7 **9** 0 **10** -9 **11** -2 **12** 5

13

14 (1) $y = x^2 - 1 \,(x \leq 0)$,

정의역 : $\{x \,|\, x \leq 0\}$,

치역 : $\{y \,|\, y \geq -1\}$

(2) $y = -\dfrac{1}{3}(x+2)^2 - 1 \,(x \geq -2)$, 정의역 : $\{x \,|\, x \geq -2\}$,

치역 : $\{y \,|\, y \leq -1\}$

15 $\dfrac{5}{2}$ **16** $(2, 2)$ **17** 36 **18** $-\dfrac{5}{2}$ **19** $k > \dfrac{13}{4}$

연습문제

1 (1) $-3 \leq x \leq 2$ (2) $x > 3$ **2** $\sqrt{3} + \sqrt{2}$ **3** ㄱ, ㄴ **4** -6

5 5 **6** 2 **7** 0 **8** -3 **9** 27 **10** $\dfrac{1}{4}$

11 ④ **12** ② **13** $x = 2, y = 4$ **14** 2 **15** $2\sqrt{2}$

16 $a = -3, b = 7$ **17** ② **18** 12 **19** $\dfrac{7}{2}$ **20** 1

21 ③ **22** ① **23** 5 **24** 56

12. 경우의 수

본문 p.331

개념확인코너

1 5 **2** 11 **3** 12 **4** 6 **5** 12

유제

1 (1) 8 (2) 6 **2** 9 **3** 36 **4** 40 **5** 9 **6** 4 **7** 7 **8** 6

9 10 **10** 15 **11** 20 **12** 12 **13** (1) 6 (2) 12 (3) 12

14 10가지 **15** (1) 24 (2) 1680 (3) 18 **16** (1) 59 (2) 35

17 180 **18** 420 **19** 252 **20** 657

연습문제

1 ① **2** 5 **3** 48 **4** 15 **5** 6 **6** 5 **7** 40 **8** ④

9 ② **10** 500

11 18 **12** 25 **13** 9 **14** 159 **15** 7 **16** ③ **17** 34

18 23 **19** ③ **20** 192

21 5 **22** 12 **23** 81 **24** 18

13. 순열

본문 p.359

개념확인코너

1 (1) 30 (2) 6 (3) 1 **2** (1) 24 (2) 120 **3** (1) 3 (2) 4

4 (1) $n = 6$ (2) $r = 3$ **5** (1) 12 (2) 12

유제

1 (1) $n = 6$ (2) $r = 3$ (3) $n = 7$ (4) $n = 15$

2 풀이 참조 **3** 60 **4** 6 **5** 30 **6** 60 **7** 144

8 (1) 720 (2) 576 **9** 6 **10** 14400 **11** 144 **12** 144

13 40 **14** 30 **15** (1) 1440 (2) 7200 (3) 31680

16 (1) 96 (2) 66 (3) 60 **17** 78 **18** cdbfea

연습문제

1 (1) 11 (2) 13 **2** 120 **3** 72 **4** 24 **5** ⑤ **6** ⑤

7 ⑤ **8** ⑤ **9** 4800 **10** 120

11 (1) $r = 2$ (2) $n = 4$ **12** ④ **13** 1200 **14** ④ **15** 48

16 144 **17** ③ **18** ③ **19** 240 **20** ③

21 12 **22** 139 **23** 216 **24** 360

14. 조합

본문 p.385

개념확인코너

1 (1) 4 (2) 10 (3) 55 **2** (1) 2 (2) 4 **3** (1) $n = 7$ (2) $r = 6$

(3) $n = 7$ (4) $r = 2$ (5) $n = 7$, $r = 5$ (6) $n = 10$, $r = 4$

유제

1 (1) $n = 3$ (2) $r = 4$ (3) $n = 5$ (4) $n = 3$ **2** (1) 15 (2) 10

(3) 84 (4) 40 **3** (1) 150 (2) 8 **4** 60 **5** 40 **6** 35 **7** 12

8 155 **9** 3600 **10** 840 **11** 20 **12** 20 **13** (1) 36

(2) 110 **14** 60 **15** (1) 70 (2) 6 **16** 20 **17** 495

연습문제

1 (1) 9 (2) 6 (3) 9 **2** 45 **3** 840 **4** 6종류 **5** ③

6 ② **7** (1) 28 (2) 112 (3) 70 **8** ⑤ **9** 35 **10** ④

11 (1) $n = 4$ (2) $n = 8$ (3) $r = 4$ 또는 $r = 5$ **12** 630

13 ② **14** 420 **15** 72 **16** 7 **17** 21 **18** 30

19 ④ **20** 324

21 432 **22** 72 **23** 103 **24** ③